François Rabelais

Quart livre

Édition présentée,
établie et annotée par
Mireille Huchon
Professeur à l'Université
de Paris-Sorbonne

Gallimard

COLLECTION
FOLIO CLASSIQUE

MYTHOLOGIES PANTAGRUELICQUES

Vingt ans de folâtries joyeuses

Le lecteur avait découvert les « folastries joyeuses » de Rabelais (thème unique de ses œuvres selon lui) en 1532 dans Pantagruel. *L'auteur s'y était amusé à « gigantifier » un petit diablotin farceur et assoiffeur des mystères médiévaux, à le promouvoir roi des Dipsodes (les altérés), à lui donner pour compagnon Panurge, véritable Mercure, rusé et sophiste en diable. Un peu plus tard, dans* Gargantua, *il avait raconté les hauts faits du père de Pantagruel, le grand géant Gargantua, et créé le personnage de frère Jean des Entommeures, moine hardi et paillard, immortalisé dans sa défense de la vigne du clos de l'abbaye de Seuillé. Ces deux premiers ouvrages, en relation avec les débats contemporains sur la manière d'écrire l'histoire et sur la fiction, parodiaient les genres de la chronique, de l'épopée, du roman de chevalerie et Rabelais recourait pour le plus grand plaisir des lecteurs au récit codé. Onze ans plus tard, dans le* Tiers livre *— alliance du dialogue philosophique, de la comédie et de la déclamation paradoxale — Pantagruel devenu l'« idée et exemplaire de toute joyeuse perfection », Panurge, sans sa célèbre braguette et ses ruses, étaient* *mis en scène avec frère Jean tel qu'en lui-même dans une série de consultations burlesques pour savoir si Panurge devait ou non se marier, consultations qui permettaient d'aborder, explicitement ou implicitement, de multiples questions de philosophie, de morale ou d'actualité.*

Rabelais l'avait annoncé à la fin du Tiers livre. *Ses héros allaient prendre la mer afin d'avoir le mot de l'oracle de la Dive Bouteille pour résoudre le dilemme de Panurge après les vaines consultations du* Tiers livre. *C'est à un récit de voyage qui devait mettre un terme aux incertitudes que s'attendait le lecteur. Il pouvait donc à bon droit se sentir frustré par les onze chapitres du* Quart livre des faictz et dictz Heroiques du noble Pantagruel, *paru en 1548. Une phrase énigmatique* Vray est que quia plus n'en dict *terminait le dernier chapitre limité à un seul paragraphe mentionnant un joyeux banquet dans l'île des Macréons après une tempête épique. Le voyage restait tout aussi inachevé dans la longue version de 1552 en soixante-sept chapitres, puisque les exclamations de Panurge souillé d'excréments au large de l'île Ganabin, « Ho, ho, hie. C'est sapphran d'Hibernie. Sela, Beuvons », sont les ultimes mots du* Quart livre *et de la geste pantagrueline, si l'on veut bien considérer que le prétendu cinquième livre, posthume, est une création d'éditeurs à partir de brouillons antérieurs.*

Narrations fabuleuses

L'amateur d'étrange trouvait son compte dans les nouveaux chapitres. Dans la première rédaction du Quart livre, *l'invraisemblable ne prime pas : tout au plus y rencontre-t-on les « Allianciers » avec leur nez en as de trèfle et le géant Bringuenarilles, avaleur de moulins à vent, emprunté à l'anonyme* Disciple de Pantagruel *publié en 1537 avec le sous-titre* Le Voyage et Navigation que fist Panurge disciple de Pantagruel aux Isles incongneues et estranges et de plusieurs choses merveilleuses difficiles à croire qu'il dict avoir veues, *et qui se voulait une imitation de* l'Histoire véritable *du philosophe grec Lucien et où Panurge était le seul héros rabelaisien. Dans la seconde version du* Quart livre, *le monde de l'après-tempête est un monde fabuleux peuplé de monstres ambigus, comme Quaresmeprenant, « estrange et monstrueuse membreure d'home », nom traditionnel du Carnaval devenu synonyme de Carême, ou comme Niphleseth, la reine des Andouilles, membre viril en hébreu.*

Rabelais explique son dessein en désignant en 1552 son œuvre sous le nom de mythologies Pantagruelicques[1]. *Cette expression est traduite dans* La Briefve declaration d'aulcunes dictions plus obscures — *lexique ajouté en fin de livre — par* fabuleuses narrations. *Rabelais fournit ainsi à son lecteur de précieuses clés de lecture. En effet, la* fabuleuse narration (fabulosa narratio), *selon la classification de l'écrivain latin Macrobe dans son célèbre* Commentaire sur le Songe de Scipion *de Cicéron (IVe siècle), appartient au genre de la fable, mensonge convenu, et s'applique aux fictions qui ne se contentent pas du seul plaisir de l'oreille, mais ont un but moral et plus particulièrement à celles qui ont pour fondement la vérité cachée sous le voile diaphane de la fiction, tels les mystères orphiques ou les sentences mystiques des pythagoriciens.*

Cette mention de mythologies Pantagruelicques *inscrit*

1. Dans le prologue de 1548, il parle d'*histoire pantagrueline*, allusion à *l'Histoire véritable* de Lucien, si importante dans la genèse du roman rabelaisien avec ses jeux sur la réalité et la fiction, sur la vérité et le mensonge.

de fait l'ouvrage dans la tradition de l'allégorie des philosophes grecs[1] *qui l'utilisaient pour cacher certains enseignements (cosmologiques ou moraux) aux profanes. L'allégorie permet de séduire par l'agrément du langage figuré, mais aussi d'étonner et ainsi de provoquer à la recherche ; l'absurdité du sens littéral est un des signes de la nécessité de la lecture allégorique. Selon la formule célèbre, « le mythe est un discours mensonger qui exprime la vérité en images ».*

Itinéraires mythiques : du nouveau monde à la lune et aux *Argonautiques*

Rabelais invite donc à lire le Quart livre *comme un récit de voyage mythique. Pour ce faire, il adopte une attitude semblable à celle d'Homère, « pere de toute philosophie » (chap.* XLIX*) qui transporte certains faits au bord de l'océan*[2] *pour donner à son récit un tour fabuleux, le lecteur devant distinguer la part de vérité sous les prestiges de la fable. Rabelais pratique ainsi la transposition et brouille les limites du réel et de l'imaginaire. L'addition en 1552 de l'épisode de l'île de Medamothi, première île dans laquelle abordent les héros, a valeur d'indice. Medamothi, c'est « nul lieu », île peuplée d'animaux chimériques, de peintures d'atomes et d'Idées, « especes et formes invisibles » selon la* Briefve declaration. *On y mentionne le Canada, les*

1. Voir à ce propos, J. Pépin, *La Tradition de l'allégorie de Philon d'Alexandrie à Dante*, Études augustiniennes, 1987 ; *Mythe et allégorie*, Études augustiniennes, 1981. Sur le genre de l'histoire fabuleuse au XVIe siècle, voir M.-M. Fontaine, *Alector ou le coq — Histoire fabuleuse*, Genève, Droz, 1996, t. I, p. XL-LVIII.

2. La théorie de l'*exokéanismos*, pratiquée par Homère selon certains auteurs anciens, dissocie le réel qui se passe en Méditerranée de la fiction qui se passe dans l'océan. Voir à ce propos Strabon VIII, 3, 6 et I, 2, 9.

Scythes ; elle évoque Fontainebleau, Alexandrie, la Colchide. Le lecteur y perd ses repères : Méditerranée ou Atlantique, Nord ou Sud. Ces ambiguïtés suggèrent la vanité d'une lecture réaliste que le chapitre premier pourtant voudrait accréditer.

En effet, selon les indications de celui-ci, les voyageurs s'embarquent apparemment pour le nouveau monde en empruntant un itinéraire en relation avec les préoccupations politiques contemporaines : trouver une voie par le Nord-Ouest pour atteindre le Cathay en Chine septentrionale. Cet itinéraire serait en relation avec les voyages de Jacques Cartier de 1534, 1535 et 1541, financés par François Ier ; le premier d'entre eux ayant été comme celui du Quart livre *commencé en juin pour une durée de quatre mois. Le lecteur pouvait se croire embarqué dans un de ces récits qui, dans les volumineux recueils de voyage, faisait prendre la mer à la suite de Colomb, de Magellan ou de Vespucci. Au début du XXe siècle, Abel Lefranc*[1] *a tenté de lire derrière chaque île le nom de terres nouvelles : île de Gaster, en relation avec la Margaster insula près du Groenland ; île des Papimanes avec l'île de Papy près de l'Islande. À ce réalisme, d'aucuns*[2] *ont opposé les souvenirs de lecture d'histoires merveilleuses rapportées par Marco Polo et Pierre Martyr, les légendes racontées par Pierre d'Ailly, le voyage de saint Brandan, d'Irlande au paradis. Monde recréé par ces géographes de l'imaginaire qui, dans le* Cinquiesme livre *de Rabelais, hantent le pays de Satin, îles fabuleuses au-delà du royaume du légendaire prêtre Jean, décrites par Jean de Mandeville dans son* Voyage autour de la terre *où les monstres médiévaux perpétuent les monstres de Pline :*

1. A. Lefranc, *Les Navigations de Pantagruel*, Paris, 1905.
2. G. Chinard, *L'Exotisme américain dans la littérature française du XVIe siècle*, Hachette, 1911.

Cynocéphales, Cyclopes, Épiphages aux yeux sur les épaules, Sciapodes que leur unique pied abrite du soleil.

Certains dénient même toute réalité terrestre à ce voyage. Pour Claude Gaignebet[1]*, le trajet du* Quart livre *correspondrait à celui du soleil sur l'écliptique qui fournirait le modèle du voyage au cours duquel se rencontreraient les constellations visibles entre le 15 juin et le 21 juillet : le Bélier dans l'épisode de Dindenault ; la constellation du Triangle et de la Mouche dans les Alliances ; les Gémeaux dans la tempête ; Persée et Andromède dans l'épisode du Physétère ; les Pléiades dans Ruach ; le rapprochement du Triangle et du Bélier dans les paroles gelées. Rabelais aurait ainsi fait voyager ses héros dans l'espace prenant modèle sur les voyages imaginaires du philosophe grec Lucien et mettant à exécution le voyage promis à la fin de* Pantagruel *(« comment il visita les regions de la lune »).*

À s'en tenir à une navigation terrestre, les précisions techniques fournies dans le premier chapitre du Quart livre *ne sont pas aussi claires qu'il y paraît et la critique a mis en avant la maladresse supposée de Rabelais sur l'élévation des pôles et les parallèles. De fait, le texte pourrait bien être embrouillé à dessein pour suggérer une autre voie : celle d'un périple septentrional par le Nord de l'Europe, voie explorée dans l'Antiquité par les Indiens mentionnés aussi dans le premier chapitre par Rabelais.*

La voie septentrionale est aussi celle du voyage de retour des Argonautes après la conquête de la Toison d'or dans la version attribuée à Orphée (navigation de quatre mois commencée comme celle des héros de Rabelais en juin). Les divers récits des aventures des Argonautes, les Argonautiques *(celui qui est attribué à Orphée, ceux d'Apollonios*

1. Cl. Gaignebet, *A plus hault sens*, t. I, p. 243-248.

de Rhodes et de Valerius Flaccus), sont à la mode comme l'attestent les multiples éditions grecques et latines du XVIe *siècle. Orphée et Apollonios de Rhodes sont mentionnés par Rabelais au chapitre* XX. *Ces deux auteurs offrent deux itinéraires différents pour le retour des Argonautes à partir de la Colchide*[1]. *Apollonios de Rhodes fait passer ses héros à travers l'Europe, essentiellement par des navigations fluviales. Ils gagnent la mer Adriatique par le Danube, avant d'emprunter le Pô et le Rhône, de faire escale aux Stoechades, c'est-à-dire les îles d'Hyères, où ils érigent un autel aux Dioscures (Rabelais, qui s'intitule « calloier des Isles Hieres » dans le* Tiers livre *de 1546 et dans le* Quart livre *de 1548, parle de « mes isles Hieres antiquement dictez Stoechades »). Orphée, s'inspirant d'une tradition qui remonte à Timée, transporte en septentrion cette navigation. Les héros, par le fleuve Tanaïs, atteignent l'Océan après avoir rencontré les Gélons, les Arimaspes, les Scythes, les Hyperboréens. À partir de l'estuaire boréal du Tanaïs, ils longent en direction de l'ouest l'Océan boréal où le vent est absent. Ils trouvent les Macrobies, dotés de la longévité, de la sagesse et de la félicité des Hyperboréens, puis le pays des morts et Hermioneia où vivent les plus justes des hommes qui ont droit à leur mort à des faveurs exceptionnelles ; après les îles d'Ierné (Irlande) et les colonnes d'Héraclès, la navigation est méditerranéenne. Orphée a donc comme Homère transféré aux confins de l'océan les peuples et les lieux. L'épisode de l'île de Macréons chez Rabelais avec Macrobe, maître échevin de l'île, et les récits sur la mort des héros est fortement inspiré de l'arrivée dans l'océan Boréal.*

1. Voir cartes p. 666 et 667.

La Toison d'or : alchimie et célébration royale

Cette inscription de la Toison d'or en filigrane du Quart livre *est riche de significations. La Toison d'or est objet de débat au* XVI*e* *siècle. Si les érudits sont divisés sur son origine*[1], *la lecture alchimique de ce mythe a été particulièrement développée après la publication du* Vellus aureum *d'Augurelli qui fait suite à la* Chrysopaedia *(1515) et c'est la version orphique qui se prête le mieux à cette lecture. On s'interroge aussi sur la couleur de cette peau de bélier : blanche, rouge, or? Ces hésitations pourraient bien être à l'origine des changements de couleur de l'animal nommé tarande dans le* Quart livre *(chap.* II*) que l'on pourrait lire comme autant de variations parodiques : rouge près de Pantagruel, blanc près du pilote, couvert d'une housse de satin broché d'or lorsqu'il est envoyé à Gargantua.*

Si la peau du tarande évoque la Toison d'or — juste avant l'épisode des moutons de Panurge où il est fait explicitement allusion à cette toison —, il existe une autre variation sur la peau : celle de la peau de Panurge dotée de pouvoirs magiques (chap. XXIV*). Sa faculté de rester sèche, même au profond de l'eau, correspond à celle de la toison de*

1. Le mythographe Giraldi rapporte les diverses hypothèses formulées dans un entretien avec Gianfrancesco Pico della Mirandola en 1527 à propos des *Argonautiques* d'Apollonios de Rhodes : enrichissement des bergers de Colchide par la vente de la laine de leurs brebis; rivière aurifère dont on recueillerait l'or en y plongeant des peaux; parchemin contenant les secrets alchimiques de la chrysopée (art de faire de l'or), selon la Souda (IXe siècle), hypothèse reprise par l'occultiste Corneille Agrippa dans son *De incertitudine* (1527). Voir L. Giraldi, *Dialogismi*, XXX, Venise, 1552, étudié par F. Secret, « Gianfrancesco Pico della Mirandola, Lilio Gregorio Giraldi et l'alchimie », *Bibliothèque d'Humanisme et Renaissance*, XXXVIII, 1976, p. 93-112.

Gédéon, épisode biblique des Juges, évoqué par ailleurs par Rabelais dans l'épisode des paroles gelées (chap. LV*). La peau du tarande, transformation burlesque de la Toison d'or, la peau de Panurge, transformation de la toison de Gédéon, Rabelais joue là avec les symboles de l'ordre de la Toison d'or : dans cet ordre, le patronage de Gédéon s'est en effet substitué à celui de Jason.*

Rabelais, à l'époque du Quart livre, *a des raisons bien particulières de se moquer de l'ordre de la Toison d'or mentionné dans l'épisode des moutons de Panurge. Il s'agit de l'ordre de Charles Quint, alors que celui de Saint-Michel est celui du roi de France et celui de la Jarretière celui du roi d'Angleterre. Ces ordres sont utilisés par les souverains européens dans leurs conflits permanents comme de véritables armes. Ainsi, en 1543, François Ier, bien que membre de la Toison d'or, mais en guerre contre l'empereur, n'est pas convoqué au chapitre général de l'ordre à Utrecht et, en décembre 1551, Charles Quint, irrité de l'alliance du roi de France avec les Turcs et de l'affaire du duché de Parme, songe à renvoyer à Henri II les marques de l'ordre de Saint-Michel que lui avait remises François Ier et ce d'autant plus librement que Henri II n'avait pas reçu l'ordre de la Toison d'or*[1] *! Le riche épisode des moutons de Panurge pourrait aussi se lire comme une vengeance contre cet ordre auquel n'appartenait pas le nouveau roi de France. Dans* Gargantua, *Charles Quint était caricaturé en Picrochole ; il l'est ici en Dindenault.*

Les Argonautes ne sont pas seulement impliqués dans des discussions d'érudits et dans le célèbre ordre de chevalerie. Ils occupent une place de choix dans la célébration de la royauté française. Dans l'entrée royale d'Henri II à Paris le

1. Voir baron de Reiffenberg, *Histoire de l'ordre de la Toison d'or*, Bruxelles, Fonderie et imprimerie normale, 1880, p. 436.

16 juin 1549, entrée préparée de longue date entre autres par Philibert Delorme (l'architecte du grand roi Megiste cité par Rabelais au chap. LXI*), le roi est représenté sous les traits de Tiphys, le pilote des Argonautes, au sommet de la porte du pont de Notre-Dame transformée en arc triomphal ; l'argument est le suivant :*

> Par l'antique Tiphys Argo fut gouvernée
> Pour aller conquerir d'or la riche toison :
> Et par vous Roy prudent à semblable raison
> Sera nostre grand nef heureusement menée.

Pantagruel et sa nef dans le Quart livre *offrent ainsi des analogies avec le royaume de France qui ne devaient pas échapper aux contemporains.*

Le voyage de retour des Argonautes aussi bien dans la version d'Apollonios de Rhodes que dans celle attribuée à Orphée permet d'exalter le royaume de France, puisque les Argonautes soit empruntent le Rhône et s'arrêtent aux îles d'Hyères, soit longent les côtes atlantiques. À la version des Argonautiques *d'Apollonios de Rhodes, à laquelle la revendication de caloyer (moine) des îles d'Hyères dans le* Tiers livre *de 1546 et dans le* Quart livre *de 1548 pourrait faire allusion, Rabelais semble avoir finalement préféré celle des* Argonautiques orphiques, *peut-être dans la mesure où elle autorise une lecture alchimique du mythe. Or une des grandes nouveautés de l'œuvre de Rabelais et ce, dès* Pantagruel, *consiste à substituer aux lectures traditionnelles de la mythologie comme allégorie morale, une lecture alchimique*[1].

1. Si Albert le Grand dans le *De mineralibus* (XIIIe siècle) fait une lecture alchimique de la fable de Pyrrha et Deucalion et si Petrus Bonus Lombardus dans la *Pretiosa margarita novella* (XIVe siècle)

Transposition de l'actualité en septentrion : monstres et Rome papale

Derrière les mythologies Pantagruelicques, *les lecteurs sont donc invités à lire les grandes quêtes de l'imaginaire occidental : quête de la Toison d'or,* Odyssée *(avec de multiples références, de la tempête aux moutons d'Ulysse, à ses gémissements, à la flasque des vents), quête du Graal (plusieurs fois cité dans l'ouvrage). L'*Odyssée *et les* Argonautiques orphiques *apparaissent comme des modèles structurant la fin du voyage. Tout comme Homère et Orphée ont transposé en partie dans les régions septentrionales le voyage méditerranéen de leurs héros, Rabelais transpose dans cet au-delà septentrional la Rome papale, dans un monde traditionnellement peuplé de monstres et de diables et il recourt alors à toutes les ressources du récit tératologique.*

Les terres septentrionales frappaient l'imagination des Anciens. Îles extraordinaires peuplées d'être fabuleux : Hippopodes à pied de cheval ou Panotes aux grandes oreilles qui servent de vêtement. Riches en matières précieuses : ambre, étain, or qui serait soustrait aux Griffons par les Arimaspes qui n'ont qu'un œil. Les Anciens parlent de Thulé et des régions où terre, mer et air se confondent dans une sorte de gangue qui ressemble à une méduse[1] *et Antonios Diogène a pu écrire les* Merveilles incroyables au-delà

allègue les *Bucoliques*, les *Géorgiques* et l'*Énéide*, c'est avec Giovanni Aurelio Augurelli, *Chrysopoeia libri III* (1515) et surtout Giovani Bracesco, *La espositione di Geber* (1544), véritable catalogue alchimique de la mythologie, qu'elle se répand.

1. Voir Pomponius Mela III, VI, 56 ; Hérodote III, 115-116 ; Strabon I, 4, 1.

de Thulé. *Le Moyen Âge et le XVIe siècle ne sont pas en reste. Selon Antoine de La Sale, dans son* Paradis de la reine Sibylle *(XVe siècle), à Thulé, l'eau des fleuves transforme les branches en fer ; les huîtres ont de grandes crêtes comme les coqs et les baleines mesurent cinquante mètres. Olaus Magnus, archevêque d'Upsal, exilé à Rome, peuple de monstres marins sa* Carta Marina *(1539) (utilisée par Rabelais pour son île des Farouches, son physétère et son pourceau) et, dans l'ouvrage qu'il consacre ultérieurement à l'histoire des pays septentrionaux, il évoque les peuples fabuleux et les diables qui hantent ces contrées glaciales qui, selon lui, portent témoignage, par leurs vestiges de pierres, de l'existence des géants. L'Irlande — l'Hibernie citée à la fin du* Quart livre *— occupe une place particulière. C'est le point le plus extrême de la navigation et des terres habitées, selon Strabon qui dénie ce privilège à Thulé*[1]. *À en croire* les Grandes chroniques de Bretagne *de Bouchard (1514), l'Hibernie est le lieu où les géants avaient apporté de grandes pierres d'Afrique. On la dote aussi d'un passé fabuleux ; au Moyen Âge, on tient à une ascendance égyptienne des Irlandais, les Gaels qui avaient refusé de prendre part à la poursuite des Hébreux lors de leur fuite d'Égypte ; là se trouve la grotte où l'on peut voir les jeûnes du Purgatoire et les tourments de l'enfer, « le trou de saint Patrice » évoqué dans* Gargantua.

Dans ces contrées, terres privilégiées des diables et des géants, Rabelais fait vivre l'actualité religieuse contemporaine. Ses Papimanes et ses Gastrolatres mettent en scène la cour papale du voluptueux Jules III, ses Papefigues, les Vaudois, persécutés en Provence, ses Andouilles, les réformés ; et les paroles gelées elles-mêmes évoquent un phénomène d'hal-

1. Strabon II, 1, 13 et 5, 8.

lucination collective advenu à Rome en 1517 et dont on tire une signification religieuse.

Le recours à la description des monstres pour la mise en cause des déviations religieuses est clairement indiqué par Rabelais qui fustige les « Demoniacles Calvins imposteurs de Geneve : les enraigez Putherbes, Briffaulx, Caphars, Chattemites, Canibales : et aultres monstres difformes et contrefaicts en despit de Nature » (chap. XXXII). Il est traditionnel dans les querelles religieuses contemporaines où les monstres sont lus comme de véritables hiéroglyphes divins, ainsi l'Asne-pape mentionné par l'humaniste réformateur Melanchthon ou le Veau-moine par Luther, « vrais presages de l'ire de Dieu ». Tous les monstres invitent en effet à l'interprétation au XVIe siècle : soit ils attestent la diversité de la nature, soit ils servent au châtiment des mœurs intellectuelles et morales[1]. Rabelais, qui s'émerveille à l'occasion de la variété de la nature (chap. LVIII), a surtout retenu la seconde leçon à laquelle il convie le lecteur.

Journal satirique

Leçons morales, mais aussi leçons politiques. Le *Quart livre* de 1552 et un brûlot anti-papiste dans la violente crise gallicane des années 1550 et 1551 dominée par les péripéties du Concile de Trente et l'affaire du duché de Parme[2]. Le Concile de Trente est évoqué dans le *Quart livre* sous le nom de Concile de Chesil (de l'hébreu *kessil*, « fou ») ; neuf navires chargés de moines, « gras Concilipetes de Chesil » (chap. LXIV), s'y rendent « pour grabeler les articles de la foy contre les nouveaux hæretiques » (chap. XVIII), alors qu'il

1. Voir J. Céard, *La Nature et les prodiges*, Genève, Droz, 1977.
2. Voir le chapitre « Actualité politique et religieuse », p. 642.

est fait allusion au sort réservé par ce même concile aux Andouilles « farfouillées, guodelurées et intimées » (chap. XXXV). Dans la réalité, le Concile de Trente est l'occasion de maints conflits entre le pape et le roi de France et d'une rude lutte d'influence entre Charles Quint et le roi de France. Ouvert en 1545 à Trente, terre d'empire, il est transféré à Bologne en 1547. Le pape Paul III, favorable au parti français à la curie romaine (parti français dirigé par le cardinal Jean du Bellay, le protecteur de Rabelais), décide, en 1548, la suspension du Concile au grand dam de Charles Quint ; elle devient effective en septembre 1549, mais le nouveau pape, Jules III, opte en avril 1550 pour le retour à Trente, ce qui provoque la colère d'Henri II. À la réouverture des sessions en septembre 1551, le Concile récuse la lecture d'une lettre où Henri II explique les raisons de son refus d'envoyer des prélats à Trente. La crise est alors à son paroxysme. Deux mois plus tôt, le pape avait jeté l'anathème contre Henri II qui s'était porté au secours d'Ottavio Farnèse, petit-fils de Paul III, qui était à la tête du duché de Parme, depuis que Charles Quint avait fait assassiner son père ; Jules III souhaitait enlever le duché à Ottavio pour le donner en fief à Charles Quint ; dans ce conflit, Henri II n'hésite pas alors à solliciter l'aide du sultan Soliman le Magnifique. Les relations entre le Saint-Siège et la France sont alors rompues. Le roi défend au clergé de verser ses redevances à Rome. Il avait déjà l'année précédente fait rédiger l'Édit des petites dates *sur la réformation des abus commis dans l'interprétation des bénéfices à Rome.*

Dans le Quart Livre, *les allusions aux problèmes de la pénitence, du jeûne (Quaresmeprenant), de l'eucharistie (festin devant Chaneph s'opposant au sacrifice des Gastrolatres) sont en rapport direct avec les débats des diverses sessions du concile de Trente. L'épisode des Papimanes et des*

Gastrolatres est une critique non voilée du « Dieu en terre » et des Décrétales, ces textes du droit canonique qui affirmaient le pouvoir temporel des papes et qui étaient vivement critiqués par les juristes français.

Si, derrière Homenaz, l'évêque des Papimanes, les lecteurs contemporains n'avaient guère de difficulté à discerner Jules III, derrière Quaresmeprenant, ils pouvaient déceler une âpre caricature de Charles Quint qui avait déjà fait les frais de la verve satirique de Rabelais dans Gargantua *sous les traits du tyran Picrochole. Dans Ennasin, l'île des mal plaisans Allianciers, où se dessine en filigrane la Grande-Bretagne, il pourrait y avoir allusion au renversement d'alliances d'Henri VIII qui s'était en 1543 tourné vers Charles Quint. Actualité suggérée, actualité clairement exprimée (mentions, par exemple, de la bataille de Cérisoles, du traité de Charles Quint avec le landgrave de Hesse), le* Quart livre *bruit de tous ces événements de l'actualité la plus brûlante que les dieux du prologue du* Quart livre *épient par la trappe du ciel et dont ils tirent les ficelles*[1].

Philosophie, fine folie et lifrelofre[2]

Le Quart livre *est aussi un livre des savoirs. C'est le Rabelais philosophe que le recours au récit mythique invite à rechercher. Le platonisme, le pythagorisme, l'orphisme y sont particulièrement bien représentés et les interprétations des paroles gelées par Pantagruel dans cette triple perspec-*

1. Voir prologue, p. 63.
2. Voir les équivoques de Rabelais sur ces trois mots, le *lifrelofre* désignant le buveur : « tu es devenu grand lifrelofre, voyre diz je Philosophe » (*Tiers livre*, chap. VIII) ; « autant pleins de fine follie, comme estoit leur philosophie » (*Tiers livre*, chap. XVIII).

tive (chap. LV*) sont significatives. Les correspondances entre philosophie antique et religion chrétienne sont fréquemment soulignées et le syncrétisme éclaire maint épisode comme celui de la mort de Pan ou des Macréons. Les représentants de la mythologie sont christianisés et la figure du Christ, à laquelle on a pu assimiler Pantagruel, rejoint celle du sage stoïcien. L'hébraïsme, l'égyptologie occupent une place de choix. Rabelais a lu avec avidité tous les amateurs d'antiquité égyptienne, s'est passionné pour les hiéroglyphes. La nef des héros s'appelle finalement* Thalamège, *sorte de gondole égyptienne, alors que, dans la version de 1548, elle est* Telamonie, *par rapprochement avec Telamon, père d'Ajax, un des Argonautes, et* Thelamane, *nom qui évoque l'utopique Thélème, — noms à interpréter comme autant d'indices déterminants pour une lecture cryptée de cet ultime volume des mythologies pantagruéliques et pour la restitution de sa genèse.*

Le récit mythique du Quart livre *s'achève dans une sublimation de la matière où l'excrément devient or, dans un éclat de rire panurgien, « Ho, ho, hie. C'est sapphran d'Hibernie. Sela, Beuvons ». Vin et rire, hébraïsme et celtisme, alchimie, célébration érasmienne… Le* Beuvons *est un écho du* Bibite *de la fin de* l'Éloge de la Folie *d'Érasme où la Folie s'adresse à la foule innombrable de ses initiés, un écho aussi aux* Beuveurs tresillustres *qui, dans le prologue de* Gargantua, *sont interpellés au seuil de la geste pantagrueline.* Sela, *qui figure en hébreu à la fin des psaumes pour marquer une pause, a une double valeur religieuse et linguistique, évoquant par sa présence finale l'alliance entre le français et l'hébreu. L'Hibernie, Irlande aux confins du monde connu, renvoie à cette mythologie des origines qu'exalte le chantre de la royauté qu'est Rabelais. Le safran, qui permet de résister à l'ivresse, est reconnu par les méde-*

cins comme une véritable panacée, par les alchimistes comme or végétal. Il a aussi pour singulière propriété de provoquer le rire, cet ardent rire rabelaisien qui roule d'âge en âge et vient mourir au bord de l'éternité.

Mireille Huchon

1. Sur la page de titre du *Tiers livre* de 1546 et du *Quart livre* de 1548, Rabelais ajoute à son titre de *Docteur en Medicine* celui de *Calloier des Isles Hieres.* La conjonction de ces Isles Hieres et du caloyer (qui désigne un moine grec) offre des connotations multiples. On serait tenté de faire le rapprochement avec le *Voyage et Itineraire de oultre mer faict par frere Jehan Thenaud* (vers 1520) ; l'auteur, ami de Rabelais, fait une première escale aux « isles Hieres » et ensuite parle longuement des caloyers.

Le statut des îles d'Hyères, que Rabelais assimile aux anciennes Stoechades, et où, en 1528, le grand maître des chevaliers hospitaliers avait songé à établir son ordre, a changé plusieurs fois à l'époque de Rabelais. Elles furent érigées en marquisat en 1531 et en 1549 ; le titulaire avait charge d'y construire des forteresses pour la défense de la Provence et l'asile y était accordé à tout repris de justice pour aider au repeuplement. La suppression par Rabelais, en 1552, de ce titre de *Calloier des Isles Hieres* peut être en rapport avec cette nouvelle érection en marquisat ou tenir à la nouvelle lecture que Rabelais fait des *Argonautiques*, abandonnant la version d'Apollonios de Rhodes qui fait passer les héros par les îles d'Hyères (voir la préface p. 12-13).

Un monastère avait existé anciennement sur l'île de Porquerolles, plusieurs fois ravagé par les Sarrasins, et les moines de Cîteaux avaient tenté de s'y installer au XIIe siècle, vite chassés par les pirates. Il existe par ailleurs dans les Insulaires italien, néerlandais et français du XVe au XVIIIe siècle, une île du Caloyer, « site entre tous symbolique qui se prête remarquablement à l'allégorie et au discours moral. » (F. Lestringant, « L'Insulaire de Rabelais ou la fiction en archipel (pour une lecture topographique du *Quart livre*) », p. 268). Rabelais fait peut-être une référence implicite à l'ermite de Majorque, Pelagius (mort en 1480), occultiste néoplatonicien (voir J. Dupèbe, « Curiosité et magie chez Johannes Trithemius », *La Curiosité à la Renaissance*, S.E.D.E.S., 1986, p. 83) : « Grâce à sa sainteté et à sa science, il entretenait avec les esprits célestes un commerce familier qui faisait de lui un visionnaire, un prophète et un thaumaturge. Maître des deux mondes, naturel et spirituel, ce *theios anêr*, à la fois prêtre et savant, connaissait tous les secrets de la nature (influence des astres, vertus des substances) et les noms occultes, c'est-à-dire les pouvoirs des anges et des démons. Pour Libanius comme pour Trithemius, il devait incarner l'idéal de la *Sapientia* [...]. » Par ailleurs, Jean Cassien, fondateur du monachisme égyptien en Occident, avait adressé ses conférences aux moines des îles Stoechades ; voir Cl. Gaignebet, « Sur un mot en // du *Cinquième livre* », *Études rabelaisiennes*, XXI, 1988, p. 34.

a. noble. *b.* Docteur en Medicine, et Calloier des Isles Hieres

LE QUART LIVRE
DES FAICTS ET DICTS
HEROIQUES
DU BON[a] PANTAGRUEL

COMPOSÉ PAR
M. FRANÇOIS RABELAIS
DOCTEUR EN MEDICINE[b1]

1. Tresillustre prince : les cardinaux ont rang de prince.

2. Rabelais place la deuxième rédaction du *Quart livre* sous le patronage d'Odet de Coligny, fils de Gaspard Ier et de Louise de Montmorency (sœur du fameux connétable), frère cadet du futur amiral Gaspard de Coligny. Cardinal depuis 1533, il est membre, depuis 1547, du Conseil privé, où il s'occupe des affaires de librairie. Protecteur de Ronsard, qui lui dédiera le poème des *Hymnes* (1555) « Hercule Chrétien », il passera au calvinisme et se mariera en 1564. Rabelais lui doit l'obtention du privilège de 1550. Dans cette épître, Rabelais reprend en partie l'ancien prologue de 1548 (voir p. 617-631).

3. Mythologies : ce mot sera traduit par « fabuleuses narrations » dans la « Briefve declaration » (voir p. 589).

Tous les astérisques renvoient à ce lexique ajouté par Rabelais en fin de livre.

Rabelais ne conserve pas l'illusion du récit véridique mise en œuvre dans *Pantagruel* et *Gargantua*.

4. La consolation, dans le prologue de *Pantagruel*, est apportée aux vérolés et aux goutteux par les *grandes cronicques*. Les auteurs de recueils de nouvelles souligneront la valeur thérapeutique des histoires (voir les *Comptes du monde adventureux où sont récitées plusieurs belles Histoires memorables, et propres pour resjouir la compagnie, et eviter melancholie*, 1555).

5. Composant : allégation similaire dans le prologue de *Gargantua*.

6. Hippocrates : reprise d'un passage du prologue de 1548 (voir p. 627), avec élimination d'une erreur de référence.

7. Plus qu'Hippocrate, qui fait une brève mention de la contenance du médecin, c'est Galien, dans son commentaire, qui développe cette notion et rapporte les anecdotes relatives à Callianax et Quintus. Mais Hippocrate s'est ailleurs exprimé sur l'importance qu'il attache à la contenance. Sur l'originalité du précepte, voir R. Antonioli, *Rabelais et la médecine*, p. 266.

8. Soranus Ephesien : médecin qui exerça à Alexandrie et à Rome (IIe siècle apr. J.-C.).

9. Oribasius : médecin et ami de l'empereur Julien (IVe siècle apr. J.-C.).

10. Hali Abbas : médecin arabe (Xe siècle apr. J.-C.).

a. L'épître est absente de la rédaction de 1548.

À TRESILLUSTRE PRINCE[1],

ET REVERENDISSIME
MON SEIGNEUR ODET

CARDINAL DE CHASTILLON[a2]

Vous estez deuement adverty, Prince tresillustre, de quants[A] grands personaiges j'ay esté, et suis journellement stipulé[B], requis, et importuné pour la continuation des mythologies*[3] Pantagruelicques : alleguans que plusieurs gens languoureux[C], malades, ou autrement faschez[D] et desolez[E] avoient à la lecture d'icelles trompé leurs ennuictz[F], temps joyeusement passé, et repceu alaigresse et consolation[G4] nouvelle. Es quelz je suis coustumier de respondre, que icelles par esbat[H] composant[5] ne pretendois gloire ne louange aulcune : seulement avois esguard[I] et intention par escript donner ce peu de soulaigement que povois es affligez et malades absens, lequel voluntiers, quand besoing est, je fays es presens qui soy aident de mon art et service. Quelques fois je leurs expose par long discours, comment Hippocrates[6] en plusieurs lieux, mesmement[J] on sixiesme livre des *Epidemies*[7], descrivant l'institution[K] du medicin son disciple : Soranus Ephesien[8], Oribasius[9], Cl. Galen, Hali Abbas[10], autres autheurs consequens[L] pareillement, l'ont

A. combien de. B. sollicité. C. affaiblis. D. fatigués. E. plongés dans l'affliction. F. douleurs. G. joie. H. divertissement. I. considération. J. principalement. K. formation. L. postérieurs.

11. Ongles : voir Hippocrate, *De l'officine du médecin*, 4.

12. Farce : Hippocrate n'utilisait pas de métaphore théâtrale et, si un commentateur comme Léonard Fuschs (1532) met en avant la nécessité de jouer divers personnages en se réglant sur les goûts du malade, Rabelais amplifie les rapports de l'art médical et de l'art théâtral (voir R. Antonioli, *Rabelais et la médecine*, p. 269).

13. L'exemple de Julia est emprunté à Macrobe, *Saturnales*, II, V ; voir *Gargantua*, III (Julie « ne se abandonnoit à ses taboureurs sinon quand elle se sentoit grosse [...] »).

14. Robbe à quatre manches : robe dont les manches à plis donnent l'illusion d'être doubles.

15. Philonium : sorte de chape.

16. Johannes, et non Petrus, Alexandrinus a commenté le livre des *Épidémies* d'Hippocrate (1523).

composé[A] en gestes, maintien, reguard, touchement, contenence, grace, honesteté[B], netteté de face, vestemens, barbe, cheveulx, mains, bouche, voire jusques à particularizer[C] les ongles[11], comme s'il deust jouer le rolle de quelque Amoureux ou Poursuyvant[D] en quelque insigne comœdie, ou descendre en camp[E] clos pour combatre quelque puissant ennemy. Defaict la practique de Medicine bien proprement[F] est par Hippocrates comparée à un combat, et farce[12] jouée à trois personnages : le malade, le medicin, la maladie. Laquelle composition lisant quelque fois m'est soubvenu d'une parolle de Julia à Octavian Auguste son pere[13]. Un jour elle s'estoit devant luy presentée en habiz pompeux, dissoluz, et lascifz : et luy avoit grandement despleu, quoy qu'il n'en sonnast mot. Au lendemain elle changea de vestemens, et modestement se habilla comme lors estoit la coustume des chastes dames Romaines. Ainsi vestue se presenta devant luy. Il qui le jour precedent n'avoit par parolles declaré le desplaisir qu'il avoit eu la voiant en habitz impudicques, ne peut celer le plaisir qu'il prenoit la voiant ainsi changée, et luy dist. « O combien cestuy vestement plus est seant et louable en la fille de Auguste. » Elle eut son excuse prompte, et luy respondit. « Huy[G] me suis je vestue pour les œilz de mon pere. Hier je l'estois pour le gré de mon mary. »

Semblablement pourroit le medicin ainsi desguisé en face et habitz, mesmement revestu de riche et plaisante robbe à quatre manches[14], comme jadis estoit l'estat[H], et estoit appellée *Philonium*[15], comme dict Petrus Alexandrinus *in 6. Epid.*[16] respondre à ceulx qui trouveroient la

A. décrit. B. affabilité. C. parler spécialement de. D. Prétendant. E. champ. F. exactement. G. aujourd'hui. H. costume.

17. *Pere* dans cet emploi n'a pas la nuance de condescendance actuelle ; peut-être utilisé dans l'acception « vénérable » du latin *pater.*

18. *Épidémies,* VI, IV, 27. Voir sur la contenance du médecin, plus particulièrement *Du médecin,* IX, 205-207, cité dans le prologue de 1548, p. 627.

19. Tetrique : emprunt au latin *taetricus,* « sévère », « sombre ».

20. Catastrophe : première attestation en français. Ce mot appartient à la langue technique du théâtre (voir aussi XXVII, p. 425). Le sens d'événement fâcheux est donné pour la première fois dans le dictionnaire Richelet (1680).

21. Platon, *La République,* III, 409 a, et Averroès, *De re medica,* III, VIII ; thèse commune au Moyen Âge.

22. L'anecdote de Callianax est empruntée au commentaire de Galien ; le médecin est critiqué non par Herophilus, mais par Galien.

prosopopée* estrange. « Ainsi me suis je acoustré[A], non pour me guorgiaser[B] et pomper[C] : mais pour le gré du malade, lequel je visite : auquel seul je veulx entierement complaire : en rien ne l'offenser ne fascher. »

Plus y a. Sus un passaige du pere[17] Hippocrates on livre cy dessus allegué[18] nous suons disputans et recherchans non si le minois[D] du medicin chagrin, tetrique*[19], reubarbatif, Catonian*, mal plaisant, mal content, severe, rechigné contriste le malade : et du medicin la face joyeuse, seraine, gratieuse, ouverte, plaisante resjouist le malade. Cela est tout esprouvé et trescertain. Mais si telles contristations[E] et esjouissemens proviennent par apprehension[F] du malade contemplant ces qualitez en son medicin, et par icelles conjecturant l'issue et catastrophe*[20] de son mal ensuivir : sçavoir est par les joyeuses joyeuse et desirée, par les fascheuses fascheuse et abhorrente[G]. Ou par transfusion des esperitz serains ou tenebreux : aërez ou terrestres, joyeulx ou melancholicques du medicin en la persone du malade. Comme est l'opinion de Platon, et Averroïs[21].

Sus toutes choses les autheurs susdictz ont au medicin baillé[H] advertissement particulier des parolles, propous, abouchemens[I], et confabulations[I], qu'il doibt tenir avecques les malades, de la part des quelz seroit appellé. Lesquelles toutes doibvent à un but tirer, et tendre à une fin, c'est le resjouir sans offense de Dieu, et ne le contrister en façon quelconques. Comme grandement est par Herophilus blasmé Callianax medicin[22], qui à un patient l'interrogeant et demandant, « mourray je ? » impudentement respondit.

A. habillé. B. faire l'élégant. C. faire le magnifique. D. mine. E. tristesses. F. compréhension. G. redoutée. H. donné. I. conversations.

23. Ces deux vers sont une paraphrase de l'*Iliade*, XXI, v. 107.

24. *La Farce de Maistre Pathelin*, v. 656 ; l'examen des urines permettait de porter le diagnostic.

25. Latona : mère de Phœbus (Apollon) et Diane (Artémis).

26. Rabelais met en dialogue le texte de Galien.

27. Misantropes : la première attestation en français se trouve dans le prologue de 1548, p. 629. Voir *Tiers livre*, III, pour le terme employé sous sa forme grecque.

28. Agelastes peut désigner : soit la Faculté de théologie, qui avait censuré le *Tiers livre* dans une liste de 1546 publiée en 1547 et une autre publiée en octobre 1551, en accomplissement de l'article XX de l'édit de Châteaubriant ; soit les attaques de Puy-Herbault dans le *Theotimus* de 1549, accusation de cynisme et mœurs dissolues ; soit celles de Calvin dans le *Des scandales* de 1550, accusation d'impiété. Au chap. XXXII (p. 325), Rabelais dénonce « les Demoniacles Calvins imposteurs de Geneve : les enraigez Putherbes ».

« Et Patroclus à mort succumba bien :
Qui plus estoit que ne es homme de bien[23]*. »*

À un aultre voulent entendre l'estat de sa maladie, et l'interrogeant à la mode du noble Patelin.

« Et mon urine
Vous dict elle poinct que je meure[24] *? »*

il follement respondit. « Non, si t'eust Latona[25] mere de beaulx enfans Phœbus, et Diane, engendré. » Pareillement est de Cl. Galen *lib. 4. comment. in 6. Epidemi.* grandement vituperé Quintus son præcepteur en medicine, lequel à certain malade en Rome, homme honorable, luy disant : « Vous avez desjeuné nostre maistre, vostre haleine me sent le vin » : arroguamment respondit. « La tienne me sent la fiebvre : duquel est le flair[A] et l'odeur plus delicieux, de la fiebvre ou du vin[26] ? »

Mais la calumnie de certains Canibales*, misantropes*[27], agelastes*[28], avoit tant contre moy esté atroce et desraisonnée, qu'elle avoit vaincu ma patience : et plus n'estois deliberé[B] en escrire un Iota*. Car l'une des moindres contumelies[C] dont ilz usoient, estoit, que telz livres tous estoient farciz d'heresies diverses : n'en povoient toutes fois une seulle exhiber en endroict aulcun : de folastries joyeuses hors l'offence de Dieu, et du Roy, prou[D] (c'est le subject et theme* unicque d'iceulx livres) d'heresies poinct : sinon perversement et contre tout usaige de raison et de languaige commun, interpretans ce que à poine[E] de mille fois mourir, si autant pos-

A. odeur. B. décidé à. C. injures. D. beaucoup. E. peine.

29. Luc, XI, 11.

30. Calumniateur : cette équivalence, déjà présente dans *Gargantua*, I, se retrouve dans le prologue de 1548, p. 625.

31. Le Phœnix : oiseau mythique qui renaît de ses cendres, symbole du Christ se livrant à la mort et du chrétien regénéré par les épreuves ; désigne le soufre rouge des alchimistes.

32. Anagnoste : Pierre du Chastel, évêque de Mâcon, lecteur du roi depuis 1537, grand aumônier de France depuis 1548 ; le terme d'*anagnoste* propre à Rabelais est emprunté au grec ἀναγνώστης. Voir *Gargantua*, XXIII, l'unique mention d'Anagnostes, jeune page natif de Basché qui lit des pages de la Divine Écriture au jeune Gargantua.

33. Allusion possible aux *Navigations de Panurge*, ouvrage que Dolet avait adjoint à ses œuvres en 1542 ; ou plutôt, dans la mesure où cette condamnation apparaît non dans le premier privilège de 1545, mais dans celui de 1550 (p. 43), au *Cinquiesme livre des faictz et dictz du noble Pantagruel. Auquelz sont comprins, les grans Abus et desordonnée vie de Plusieurs Estatz de ce monde*, 1549, pamphlet contre les abus des gens d'Église mais aussi contre tout type d'abus et dans lequel on retrouve des pages des ouvrages de Jean Bouchet, *Les Regnars traversant les perilleuses voyes* (1504) et de Sébastien Brant, *La Nef des fous* (rédigé en allemand en 1494 et traduit en français dès 1497). Contrairement à l'auteur anonyme, Rabelais, dans son œuvre, ne s'attaque pas aux détenteurs des bénéfices ecclésiastiques ou à la noblesse.

34. Serpens : dans les *Emblèmes* d'Alciat (1531 ; traduction française en 1534), l'Envie est représentée comme une femme mangeant des serpents venimeux.

35. Voir *Tiers livre*, XXII, où, par trois fois, Rabelais avait écrit en 1546 *asne* pour *ame* (« Son asne s'en va à trente mille panerées de Diables »), plaisanterie traditionnelle qu'il impute ici à la négligence de l'imprimeur.

36. Jean du Bellay, le protecteur de Rabelais.

sible estoit, ne vouldrois avoir pensé : comme qui pain, interpretroit pierre : poisson, serpent : œuf, scorpion[29]. Dont quelque fois me complaignant[A] en vostre præsence vous dis librement, que si meilleur Christian je ne m'estimois, qu'ilz me monstrent estre en leur part : et que si en ma vie, escriptz, parolles, voire certes pensées, je recongnoissois scintille aulcune[B] d'heresie, ilz ne tomberoient tant detestablement es lacs[C] de l'esprit Calumniateur[30], c'est Διάβολος qui par leur ministere me suscite tel crime[D]. Par moymesmes à l'exemple du Phœnix[31], seroit le bois sec amassé, et le feu allumé, pour en icelluy me brusler.

Allors me dictes que de telles calumnies avoit esté le defunct roy François d'eterne[E] memoire, adverty : et curieusement[F] aiant par la voix et pronunciation du plus docte et fidele Anagnoste*[32] de ce royaulme ouy et entendu lecture distincte d'iceulx livres miens (je le diz, par ce que meschantement l'on m'en a aulcuns[G] supposé[33] faulx et infames) n'avoit trouvé passaige aulcun suspect. Et avoit eu en horreur quelque mangeur de serpens[34], qui fondoit mortelle hæresie sus un N. mis pour un M. par la faulte et negligence des imprimeurs[35]. Aussi avoit son filz nostre tant bon, tant vertueux, et des cieulx benist roy Henry : lequel Dieu nous vueille longuement conserver, de maniere que pour moy il vous avoit octroyé privilege et particuliere protection contre les calumniateurs. Cestuy evangile* depuys m'avez de vostre benignité reiteré à Paris, et d'abondant lors que nagueres visitastez monseigneur le cardinal du Bellay[36] : qui pour recouvrement de santé aprés longue et

A. plaignant. B. quelque étincelle. C. pièges. D. accusation. E. éternelle. F. soigneusement. G. certains.

37. En 1536, Rabelais est chanoine de Saint-Maur, abbaye qui a pour abbé le cardinal Jean du Bellay : celui-ci avait confié en 1541 à l'architecte Philibert Delorme (cité au chap. LXI) la construction d'une prestigieuse demeure à Saint-Maur sur le modèle des villas d'Italie. Les termes employés par Rabelais suggèrent qu'il a fait auprès du cardinal un séjour récent, vraisemblablement propice à la composition du *Quart livre.*

38. Mettre la plume au vent, c'est selon le dictionnaire de Cotgrave (1611), s'abandonner à la direction aveugle de la fortune.

39. Hercules Gaulloys : figure emblématique du XVIe siècle popularisée par les *Illustrations* de Lemaire de Belges (1511-1513), qui en fait l'ancêtre des Troyens et des Francs, le *Champ Fleury* de G. Tory (1529) et les *Emblèmes* d'Alciat et permet d'opposer à l'Hercule Alemannus, ancêtre des rois germains, un héros national ; Hercule Ogmius, dieu de l'éloquence, est représenté avec à sa suite une multitude d'hommes attachés par les oreilles à sa langue au moyen de fines chaînes d'or. Dans l'entrée de 1549, le roi défunt François Ier est figuré sous les traits de l'Hercule gaulois. Dans les années précédentes, le poète Mellin de Saint-Gelais, le juriste Jean Brèche (1544) et l'auteur du *Grand Hercule gallique qui combat contre deux* (1545) avaient célébré en François Ier le second Hercule (voir A.-M. Lecoq, *François Ier imaginaire*, Macula, 1987, p. 425).

40. Alexicacos : surnom d'Hercule, « qui protège du mal ».

41. Attribution de ce livre à Salomon accréditée par saint Augustin, *La Cité de Dieu*, XVII, XX, à moins que Rabelais n'ait confondu avec l'Ecclésiaste.

42. Ecclésiastique, XLV, I, que traduit toute la fin du paragraphe ; ces louanges hyperboliques scandalisèrent Calvin qui, en 1555, s'en indigna publiquement.

fascheuse maladie, s'estoit retiré à sainct Maur[37] : lieu, ou (pour mieulx et plus proprement dire) paradis de salubrité, amenité, serenité, commodité, delices, et tous honestes[A] plaisirs de agriculture, et vie rusticque.

C'est la cause, Monseigneur, pourquoy præsentement, hors toute intimidation, je mectz la plume au vent[B38] : esperant que par vostre benigne faveur me serez contre les calumniateurs comme un second Hercules Gaulloys*[39], en sçavoir, prudence, et eloquence : Alexicacos*[40], en vertuz, puissance, et auctorité, duquel veritablement dire je peuz ce que de Moses[C] le grand prophete et capitaine en Israel dict le saige roy Solomon[41] *Ecclesiastici 45.*[42] homme craignant et aymant Dieu : agreable à tous humains : de Dieu et des hommes bien aymé : duquel heureuse est la memoire. Dieu en louange l'a comparé aux Preux : l'a faict grand en terreur des ennemis. En sa faveur a faict choses prodigieuses et espoventables. En præsence des Roys l'a honoré. Au peuple par luy a son vouloir declaré, et par luy sa lumiere a monstré. Il l'a en foy et debonnaireté[D] consacré, et esleu entre tous humains. Par luy a voulu estre sa voix ouye, et à ceulx qui estoient en tenebres estre la loy de vivificque[E] science annoncée.

Au surplus vous promettant, que ceulx qui par moy seront rencontrez congratulans de ces joieulx escriptz, tous je adjureray, vous en sçavoir gré total : unicquement vous en remercier, et prier nostre seigneur pour conservation et accroissement de ceste vostre grandeur. À moy rien ne attribuer, fors humble subjection et obeissance voluntaire à voz bons commandemens. Car par vostre exhortation tant honorable m'avez donné et

A. agréables. B. hasarde. C. Moïse. D. bonté. E. vivifiante.

43. Esprits animaulx : vapeurs subtiles par lesquelles l'âme agit sur le corps (voir *Tiers livre*, IV : « [...] les espritz animaulx, moyenans les quelz elle imagine, discourt, juge, resoust, delibere, ratiocine, et rememore »).

couraige et invention : et sans vous m'estoit le cueur failly, et restoit tarie la fontaine de mes esprits animaulx[43].

Nostre seigneur vous maintienne en sa saincte grace. De Paris ce .28. de Janvier .1552.

Vostre treshumble et tresobeissant serviteur
Franç. Rabelais medicin.

1. Le privilège d'août 1550 est donné pour une durée de dix ans ; le premier privilège, du 19 septembre 1545, en tête du *Tiers livre* l'avait été pour six ans.

2. Il n'a pas subsisté d'ouvrage en toscan de l'auteur. Le texte du privilège laisse supposer une impression antérieure à 1550.

3. Voir p. 35 n. 33.

PRIVILEGE DU ROY[1]

Henry par la grace de Dieu Roy de France, au Prevost de Paris, Bailly de Rouen, Seneschaulx de Lyon, Tholouze, Bordeaux, Daulphiné, Poictou, et à tous nos autres justiciers et officiers, ou à leurs lieutenants, et à chascun d'eulx si comme à luy appartiendra, salut et dilection. De la partie de nostre cher et bien aymé M. François Rabelais docteur en medicine, nous a esté exposé que icelluy suppliant ayant par cy devant baillé à imprimer plusieurs livres : en Grec, Latin, François, et Thuscan[2], mesmement[A] certains volumes des *faictz et dictz heroiques de Pantagruel*, non moins utiles que delectables : les Imprimeurs auroient iceulx livres corrumpuz, depravez, et pervertiz en plusieurs endroictz. Auroient d'avantaige imprimez plusieurs autres livres scandaleux[3], ou nom dudict suppliant, à son grand desplaisir, prejudice, et ignominie par luy totalement desadvouez comme faulx et supposez : lesquelz il desireroit soubz nostre bon plaisir et volonté supprimer. Ensemble les autres siens advouez, mais depravez et desguisez, comme dict est, reveoir et corriger et de nouveau reimprimer. Pareillement mettre en lumiere et vente la suitte des *faictz et dictz Heroiques de Pantagruel*. Nous humblement requerant surce, luy octroyer noz lettres à ce necessaires et convenables. Pource est il que nous enclinans liberalement à la supplication et requeste dudict M. François Rabelais exposant, et desirans le

A. surtout.

bien et favorablement traicter en cest endroict. À icelluy pour ces causes et autres bonnes considerations à ce nous mouvants, avons permis accordé et octroyé. Et de nostre certaine science plaine puissance et auctorité Royal, permettons accordons et octroyons par ces presentes, qu'il puisse et luy soit loisible par telz imprimeurs qu'il advisera faire imprimer, et de nouveau mettre et exposer en vente tous et chascuns lesdicts livres et suitte de Pantagruel par luy composez et entreprins, tant ceulx qui ont jà esté imprimez, qui seront pour cest effect par luy reveuz et corrigez. Que aussi ceulx qu'il delibere de nouvel mettre en lumiere. Pareillement supprimer ceulx qui faulcement luy sont attribuez. Et affin qu'il ayt moyen de supporter les fraiz necessaires à l'ouverture de ladicte impression : avons par ces presentes tresexpressement inhibé et deffendu, inhibons et deffendons à tous autres libraires et imprimeurs de cestuy nostre Royaulme, et autres noz terres et seigneuries, qu'ilz n'ayent à imprimer ne faire imprimer mettre et exposer en vente aucuns des dessusdicts livres, tant vieux que nouveaux durant le temps et terme de dix ans ensuivans et consecutifz, commençans au jour et dacte de l'impression desdictz livres sans le vouloir et consentement dudict exposant, et ce sur peine de confiscation des livres qui se trouverront avoir esté imprimez au prejudice de ceste nostre presente permission et d'amende arbitraire.

Si voulons et vous mandons et à chascun de vous endroict soy[A] et si comme à luy appartiendra, que noz presens congé licence et permission, inhibitions et deffenses, vous entretenez gardez et observez. Et si aucuns[B] estoient trouvez y avoir contrevenu, procedez et faictes proceder à l'encontre d'eulx, par les peines susdictes et autrement. Et du contenu cy dessus faictes, ledict suppliant joyr et user plainement et paisiblement durant ledict temps à commencer et tout ainsi que dessus est dict. Cessans et faisans cesser tous troubles et empeschemens au contraire : car tel est nostre plaisir. Nonobstant quelzconques ordonnances, restrinctions[C], mandemens, ou def-

A. en ce qui le concerne. B. certains. C. restrictions.

fenses à ce contraires. Et pource que de ces presentes l'on pourra avoir à faire en plusieurs et divers lieux, Nous voulons que au *uidimus* d'icelles, faict soubz seel Royal, foy soit adjoustée comme à ce present original.

Donné à sainct Germain en laye le sixiesme jour d'Aoust, L'an de grace mil cinq cens cinquante. Et de nostre regne le quatreiesme.

Par le Roy, le cardinal de Chastillon present.

Signé Du Thier.

1. Le prologue de 1552 présente une sorte de mode d'emploi de l'ouvrage. Tous les thèmes développés ultérieurement y sont posés : éthiques, avec la définition d'un pantagruélisme qui prend la santé dans un sens métaphorique, avec l'éloge de la « médiocrité » et la condamnation de la « philautie » ; religieux, avec la foi en la coopération d'un Dieu « servateur » et de sa créature soumise et confiante, avec la prise de position dans les discussions sur le libre arbitre ; exégétiques, avec la condamnation de l'ambiguïté ou la quête des origines. Actualité et monde contemporains, Antiquité, Écriture sainte participent dans un syncrétisme volontairement souligné par l'auteur (Dieu « tresbon tresgrand » comme Jupiter, n. 10 de cette page) aux « mythologies Pantagruelicques » dont il tire clairement dans ce prologue la morale, invitant son lecteur à faire de même pour tous les récits ou allégories qui vont suivre.

2. « L'autheur » est à différencier du narrateur de la navigation qui est toujours Alcofribas, comme l'indique la référence à « monsieur l'abstracteur », XX, p. 243 et n. 28.

3. Gens de bien : les prologues de *Gargantua*, du *Tiers livre* de 1546 et du *Quart livre* de 1548 s'adressaient aux buveurs, goutteux et vérolés. Celui du *Tiers livre* de 1552 y adjoignait les bonnes gens.

4. Plaisanterie chère à Rabelais : voir *Pantagruel*, III ; prologue de 1548, p. 617.

5. « Sorte de jeu où chaque jour du Caresme celuy qui dit le premier ces mots à son compaignon, gaigne le prix convenu » (A. Oudin, *Curiositez françoises*, 1640, p. 42).

6. Jeu sur le sens du mot, l'altération pouvant être provoquée par la soif ou par un trouble de l'âme.

7. Me recommande : formule d'adieu, à prendre aussi au sens propre.

8. Nouvelle définition du pantagruélisme ; voir *Gargantua*, I ; *Pantagruel*, XXXIV ; *Tiers livre*, prologue.

9. Mespris des choses fortuites : un ouvrage de Budé paru en 1521 était intitulé *De contemptu rerum fortuitarum*.

10. Tresbon tresgrand : voir les deux surnoms de Jupiter Capitolin, *Optimus Maximus* ; la signification religieuse du passage ultérieur où apparaît Jupiter est manifeste.

11. M. A. Screech, *Rabelais*, p. 423 et 553, a mis en avant les implications bibliques de ce passage : *acquiesce* (Paul, I Timothée, VI, 3, Vulgate) ; *obtempere* (Paul, Hébreux, V, 9, Vulgate) ; *euangile* (Actes des apôtres, XV, 7).

a. Le prologue de la rédaction de 1548, très différent, est donné en Appendice, p. 617.

PROLOGUE[a1] DE L'AUTHEUR[2]

M. FRANÇOIS RABELAIS POUR LE QUATRIEME LIVRE DES FAICTS ET DICTS HEROIQUES DE PANTAGRUEL

Au lecteurs benevoles[A]

Gens de bien[3], Dieu vous saulve et guard. Où estez vous ? Je ne vous peuz veoir[4]. Attendez que je chausse mes lunettes. Ha, ha. Bien et beau s'en va Quaresme[5], je vous voy. Et doncques ? Vous avez eu bonne vinée[B] ? à ce que l'on m'a dict. Je n'en serois en piece[C] marry. Vous avez remede trouvé infaillible contre toutes alterations[6] ? C'est vertueusement[D] operé. Vous, vos femmes, enfans, parens, et familles estez en santé desirée. Cela va bien, cela est bon : cela me plaist. Dieu, le bon Dieu, en soit eternellement loué : et (si telle est sa sacre[E] volunté) y soiez longuement maintenuz. Quant est de moy, par sa saincte benignité, j'en suys là, et me recommande[7]. Je suys, moienant un peu de Pantagruelisme[8] (vous entendez que c'est certaine gayeté d'esprit conficte en mespris des choses fortuites[9]) sain et degourt[F] : prest à boire, si voulez. Me demandez vous pourquoy, Gens de bien ? Response irrefragable. Tel est le vouloir du tresbon tresgrand[10] Dieu : on quel je acquiesce[G] : au quel je obtempere : duquel je revere la sacrosaincte parolle de bonnes nouvelles, c'est l'Evangile[11], on quel est dict *Luc. 4.* en

A. bienveillants. B. récolte de vin. C. aucunement. D. efficacement. E. sacrée. F. alerte. G. en qui je me repose.

12. Sarcasme : première attestation en français.

13. Luc, IV, 23 : *« Medice cura te ipsum »*; Érasme, *Adages*, IV, IV, 32, *Aliorum medicus*. Ce passage de Rabelais, jusqu'à l'introduction de la notion de médiocrité, a été rapproché du *De nobilitate*, XXXI, de Tiraqueau (1549) ; le développement sur Galien est propre à Rabelais.

14. Claude Galien, mort en 201 à l'âge de soixante-dix ans, avait connu les chrétiens, comme l'indiquent certains passages de son œuvre, mais non ceux que Rabelais va alléguer.

15. *De renum affectibus :* livre déjà exclu des œuvres de Galien par certains éditeurs du XVIe siècle.

16. Fragment d'Euripide cité par Galien et mentionné par Érasme et Tiraqueau en même temps que le passage de Luc.

17. Le *c* de *infect* n'est pas prononcé à l'époque de Rabelais.

18. Galien, *De sanitate tuenda*, V, I.

19. L'anecdote sur Asclepiades, médecin du IIe siècle av. J.-C., est tirée de Pline, *Histoire naturelle*, VII, XXXVII. Son nom apparaît aussi dans le passage de Tiraqueau déjà mentionné.

horrible sarcasme*[12] et sanglante derision au medicin negligent de sa propre santé. « Medicin, O, gueriz toymesmes[13]. »

Cl. Gal.[14] non pour telle reverence en santé soy maintenoit, quoy que quelque sentiment[A] il eust des sacres bibles : et eust congneu et frequenté les saincts Christians de son temps, comme appert[B] *lib.* II. *de usu partium, lib. 2. de differentiis pulsuum cap. 3.* et *ibidem lib. 3. cap. 2.* et *lib. de renum affectibus* (s'il est de Galen[15]) mais par craincte de tomber en ceste vulgaire et Satyrique mocquerie*. Ἰητρὸς ἄλλων αὐτὸς ἕλκεσι βρύων[16].

Medicin est des aultres en effect :
Toutesfois est d'ulceres tout infect[17].

De mode qu'en grande braveté[C] il se vente, et ne veult estre medicin estimé, si depuys l'an de son aage vingt et huictieme jusques en sa haulte vieillesse il n'a vescu en santé entiere, exceptez quelques fiebvres Ephemeres* de peu de durée : combien que de son naturel il ne feust des plus sains, et eust l'estomach evidentement[D] dyscrasié*. « Car (dict il *lib. 5. de sanit. tuenda*) difficilement sera creu le medicin avoir soing de la santé d'aultruy, qui de la sienne propre est negligent[18]. » Encores plus bravement se vantoit Asclepiades[19] medicin avoir avecques Fortune convenu en ceste paction[E], que medicin reputé ne feust, si malade avoit esté depuys le temps qu'il commença practiquer en l'art, jusques à sa derniere vieillesse. À laquelle entier il parvint et viguoureux en tous ses membres, et de Fortune triumphant. Finablement[F] sans

A. connaissance. B. il apparaît. C. orgueil. D. évidemment. E. pacte. F. finalement.

20. Servateur : Dieu le père conservateur, ou Dieu le fils rédempteur. Le paragraphe suivant induit plutôt le Christ. Terme désapprouvé par la Sorbonne.

21. *Mancipée*, création de l'auteur sur *mancipare* (*« uendere et rei uenditae possessionem dare »*, selon Tiraqueau, *De nobilitate*, XXXI), est utilisé ici comme antonyme de *emancipée*.

22. Parodie d'ancien français, avec fautes de déclinaison (*bon* en emploi de cas sujet au lieu de *bons*, et *homs* avec un *s* de flexion).

23. *Le mort saisist le vif :* vieil adage du droit coutumier — l'héritier présomptif est mis sans délai en possession de tous les droits de propriété du défunt — ici plaisamment transposé dans le domaine de la santé, avec des équivalences de sophiste.

24. En 1550 avait paru l'ouvrage du juriste, ami de Rabelais, André Tiraqueau *Tractatus Le mort saisit le vif*, Paris, Kerver.

25. Les épithètes laudatives à l'adresse d'Henri II présentes dans certains exemplaires cartonnés de l'édition de Fezandat sont vraisemblablement postérieures à l'entrée triomphale du roi à Metz en avril 1552.

26. Ariphron Sicyonien : poète grec connu par quelques vers d'un poème sur la santé conservés par Athénée, *Le Banquet des sophistes*, XV, 702 ; mais la citation donnée par Rabelais en est absente.

27. Expression proverbiale ; voir Aristophane, *Plutus*, v. 969.

28. Il semble qu'il y ait ici une subtile plaisanterie sur le texte de Tiraqueau, *De nobilitate*, XXXI. Tiraqueau, pour prouver que les avocats doivent être préférés aux médecins, accumule les références où βίος est employé dans le sens de « moyens d'existence ». Rabelais, en retour, donne un sens médical au mot *vif* utilisé dans son sens juridique dans l'adage *Le mort saisist le vif.*

a. tant noble, tant florissant, tant riche, et triumphant *(exemplaire non cartonné).* *b.* conseiller du Roy *(exemplaire non cartonné).*

maladie aulcune præcedente feist de vie à mort eschange, tombant par male guarde[A] du hault de certains degrez mal emmortaisez[B] et pourriz.

Si par quelque desastre s'est santé de vos seigneuries emancipée : quelque part, dessus dessoubz, davant darriere, à dextre à senestre, dedans dehors, loing ou prés vos territoires qu'elle soit, la puissiez vous incontinent avecques l'ayde du benoist[C] Servateur[D][20] rencontrer. En bonne heure[E] de vous rencontrée, sus l'instant soit par vous asserée[F], soit par vous vendiquée[G], soit par vous saisie et mancipée[H][21]. Les loigs vous le permettent : le Roy l'entend : je le vous conseille. Ne plus ne moins que les Legislateurs antiques authorisoient le seigneur vendiquer son serf fugitif, la part qu'[I]il serait trouvé. Ly bon Dieu, et ly bons homs[22], n'est il escript et practiqué par les anciennes coustumes de ce tant noble, tant antique, tant beau, tant florissant, tant riche royaulme[a] de France, que *le mort saisit le vif*[23] ? Voiez ce qu'en a recentement exposé le bon, le docte, le saige, le tant humain, tant debonnaire, et equitable And. Tiraqueau[24], conseillier du grand, victorieux, et triumphant[25] roy[b] Henry second de ce nom, en sa tresredoubtée court de parlement à Paris. Santé est nostre vie, comme tresbien declare Ariphron Sicyonien[26]. Sans santé n'est la vie vie, n'est la vie vivable, ΑΒΙΟΣ ΒΙΟΣ, ΒΙΟΣ ΑΒΙΩΤΟΣ*[27]. Sans santé n'est la vie que langueur : la vie n'est que simulachre[J] de mort. Ainsi donques vous estans de santé privez, c'est à dire mors, saisissez vous du vif : saisissez vous de vie, c'est santé[28].

J'ay cestuy espoir en Dieu qu'il oyra[K] nos prieres, veue

A. mégarde. B. fixés dans une mortaise. C. béni. D. sauveur. E. heureusement. F. réclamée. G. revendiquée. H. prise en possession. I. au lieu où. J. image. K. entendra.

29. Mediocrité : la valeur péjorative n'apparaît qu'au XVIIe siècle. Il y a syncrétisme de la notion antique de juste milieu avec la vertu chrétienne de l'humilité.

30. Aurée : voir Horace, *Odes*, II, X, v. 5 (« *auream mediocritatem* »).

31. Zachée, confondu dans la tradition médiévale avec saint Sylvain, aurait fini ses jours en ermite dans les forêts du Berry. La collégiale de Levroux (Indre) conservait les reliques de ce saint ; Rabelais est le seul à en mentionner l'existence à Saint-Ayl, où il séjourna en 1542.

32. Luc, XIX, I-6 ; la scène se passe à Jéricho.

33. Zachée en montant sur le sycomore se détache de tout intérêt terrestre, le sycomore étant considéré comme un signe de vanité.

34. Censorin : surnom de Caton le Censeur ; voir « Briefve declaration », p. 589.

35. Libre arrangement de II Rois (IV Rois), VI, 4-7, pour les besoins du proverbe ; Élisée en jetant un bout de bois fait flotter le fer qu'il invite le fils du prophète à retirer de l'eau.

36. Helie, Abraham, Job, Sanson, Absalon : voir respectivement II Rois (IV Rois), II, 11 ; Genèse, XXVI, 3 ; Job, I, 3 ; Juges, XIV ; II Samuel, XIV, 25.

la ferme foy en laquelle nous les faisons : et accomplira cestuy nostre soubhayt, attendu qu'il est mediocre[A]. Mediocrité[29] a esté par les saiges anciens dicte aurée[B30], c'est à dire precieuse, de tous louée, en tous endroictz agreable. Discourez par[C] les sacres bibles : vous trouverez que de ceulx les prieres n'ont jamais esté esconduites, qui ont mediocrité requis. Exemple on petit Zachée[31], duquel les Musaphiz* de S. Ayl prés Orleans se ventent avoir le corps et reliques, et le nomment sainct Sylvain. Il soubhaitoit, rien plus, veoir nostre benoist Servateur au tour de Hierusalem[32]. C'estoit chose mediocre et exposée à un chascun. Mais il estoit trop petit, et parmy le peuple ne pouvoit. Il trepigne, il trotigne[D], il s'efforce, il s'escarte, il monte sus un Sycomore[33]. Le tresbon Dieu congneut sa syncere et mediocre affectation[E]. Se præsenta à sa veue : et feut non seulement de luy veu, mais oultre ce feut ouy, visita sa maison, et benist sa famile.

À un filz de Prophete en Israel fendant du bois prés le fleuve Jordan[F], le fer de sa coingnée eschappa (comme est escript *4. Reg. 6.*) et tomba dedans icelluy fleuve. Il pria Dieu le luy vouloir rendre. C'estoit chose mediocre. Et en ferme foy et confiance jecta non la coingnée aprés le manche, comme en scandaleux solœcisme* chantent les diables Censorins[G34] : mais le manche aprés la coingnée, comme proprement vous dictes. Soubdain apparurent deux miracles. Le fer se leva du profond de l'eaue, et se adapta au manche[35]. S'il eust soubhaité monter es cieulx dedans un charriot flamboiant, comme Helie : multiplier en lignée, comme Abraham : estre autant riche que Job, autant fort que Sanson, aussi beau que Absalon[36] : l'eust il impetré[H] ? C'est une question.

A. de juste milieu. B. d'or. C. parcourez. D. trottine. E. désir. F. Jourdain. G. censeurs. H. obtenu.

par un complic

37. Æsope le François : sur l'origine prétendument troyenne des Français, qui descendraient de Francus, fils d'Hector, mythe popularisé par les historiographes de la fin du XVe siècle et du début du XVIe siècle, comme Robert Gaguin, Jean Trithème, Jean Lemaire de Belges, Jean Bouchet, voir C.-G. Dubois, *Celtes et Gaulois au XVIe siècle*, Vrin, 1972.

38. Max. Planudes : moine byzantin du XIVe siècle à qui l'on attribue *Vita et fabellae Aesopi.*

39. Rabelais cite de mémoire. Si, selon Agathias, historien byzantin du VIe siècle, Ésope était bien Samien, Hérodote ne précise pas son lieu de naissance, et Élien, *Varia historia*, X, V, le donne pour Phrygien ; les Thraces, toutefois, passaient pour descendre des Phrygiens.

40. Gravot : hameau près de Chinon.

41. Couillatris : nom forgé à partir de *couillard.*

42. Développement de la fable d'Ésope « Le Bûcheron et Hermès » ; voir Érasme, *Adages*, IV, III, 57, *Fluuius non semper fert secures.* Dans la relation de Rabelais, Mercure n'est que messager ; la première place est dévolue à Priape. Dans la fable d'Ésope, les voisins envieux n'ont pas la tête coupée, Mercure se contente de garder leur cognée. Voir aussi un châtiment moins cruel dans la fable de la Fontaine, *Le Bûcheron et Mercure*, V, 1.

43. Voir Érasme, *Adages*, IV, VII, 55, *Necessitas magistra.*

44. Posture de prière conforme aux recommandations des théologiens.

À propos de soubhaictz mediocres en matiere de coingnée (advisez quand sera temps de boire) je vous raconteray ce qu'est escript parmy les apologues du saige Æsope le François[37]. J'entens Phrygien et Troian, comme afferme Max. Planudes[38] : duquel peuple selon les plus veridiques chroniqueurs, sont les nobles François descenduz. Ælian escript qu'il feut Thracian : Agathias aprés Herodote, qu'il estoit Samien[39]. Ce m'est tout un.

De son temps estoit un paouvre homme villageois natif de Gravot[40] nommé Couillatris[41], abateur et fendeur de boys, et en cestuy bas estat guaingnant cahin caha* sa paouvre vie. Advint qu'il perdit sa coingnée[42]. Qui feut bien fasché et marry ce fut il. Car de sa coingnée dependoit son bien et sa vie : par sa coingnée vivoit en honneur et reputation entre tous riches buscheteurs[A] : sans coingnée mouroit de faim. La mort six jours aprés le rencontrant sans coingnée, avecques son dail[B] l'eust fausché et cerclé[C] de ce monde. En cestuy estrif[D] commença crier, prier, implorer, invocquer Juppiter par oraisons[E] moult disertes (comme vous sçavez que Necessité feut inventrice d'Eloquence[43]) levant la face vers les cieulx, les genoilz en terre, la teste nue, les bras haulx en l'air[44], les doigts des mains esquarquillez, disant à chascun refrain de ses suffrages[F] à haulte voix infatiguablement. « Ma coingnée Juppiter, ma coingnée, ma coingnée. Rien plus, ô Juppiter, que ma coingnée, ou deniers pour en achapter une autre. Helas, ma paouvre coingnée. » Juppiter tenoit conseil sus certains urgens affaires : et lors opinoit[G] la vieille Cybelle, ou bien le jeune et clair Phœbus, si voulez. Mais tant grande feut

A. abatteurs de bois. B. faux. C. sarclé. D. difficulté. E. discours. F. prières. G. donnait son avis.

45. Affaires : suit une évocation de l'actualité politique et intellectuelle la plus récente qui prouve une fois encore l'intérêt qu'y porte l'auteur.

46. Presthan : contraction de Prestre Jehan. Le légendaire prêtre Jean est « roy de Inde » dans *Pantagruel*, XXXIV.

47. Dans le conflit qui opposait depuis de nombreuses années Soliman Ier au shah Thaamas Ier, les Français soutenaient le sultan qui, en 1548, avait repris quelques villes à son adversaire et avait en 1550 recommencé les hostilités contre l'empereur.

48. L'expansion moscovite contre les Tartares entraîna la construction de forteresses, en particulier en 1550.

49. Le cheriph Moulay Mohammed-ech-Cheikh qui avait imposé sa souveraineté au Maroc en 1549 avait été défait en 1551 par les Turcs, alliés de la France qui soutenait toutefois sa politique d'expansion.

50. Le célèbre corsaire Dragut Rays, protégé des Français, échappa par la ruse en avril 1551 à la flotte d'Andrea Doria.

51. L'alliance d'Henri II avec le prince Octave Farnèse, duc de Parme, en mai 1551 semblait devoir permettre le règlement du sort de Parme.

52. Magdebourg capitula le 9 novembre 1551 devant l'électeur Maurice de Saxe, qui abandonnait le parti de Charles Quint.

53. Référence à la levée du siège que faisaient les troupes pontificales devant cette ville alliée du roi de France.

54. Afrique : Mehedia en Tunisie, à une cinquantaine de kilomètres de l'Aphrodisium de Ptolémée (III, III, I) ; sa prise par la flotte hispano-pontificale en septembre 1550 provoqua l'entrée en campagne des Turcs, en mai 1551.

55. *Aphrodisium :* voir Platon, *Cratyle*, 391 c, où Socrate rappelle à Hermogène qu'Homère distingue les noms donnés par les dieux et ceux donnés par les hommes.

56. Tripoli, que tenaient les chevaliers de Malte, capitula devant la flotte turque en août 1551. Les Français furent accusés de trahison par les Impériaux.

57. La révolte en Aquitaine contre la gabelle de 1548 avait entraîné la confiscation des cloches qui avaient appelé à l'insurrection.

58. Estrelins : habitants des villes hanséatiques : Lübeck, Brême, Hambourg.

59. Charles Quint, atteint de goutte, asthme et hémorroïdes.

60. Un traité secret, le traité de Chambord, fut rédigé en octobre 1551 et signé en janvier 1552 entre Henri II et les princes allemands luthériens qui estimaient que l'empereur, leur pair, bafouait leur liberté.

61. Pierre La Ramée, dit Ramus — que Rabelais s'amuse à traduire en Rameau —, s'était fait l'adversaire de l'aristotélisme par ses *Dialec-*

l'exclamation de Couillatris, qu'elle feut en grand effroy ouye on plein conseil et consistoire[A] des Dieux.

« Quel diable (demanda Juppiter) est là bas, qui hurle si horrifiquement[B] ? Vertuz de Styx*, ne avons nous par cy devant esté, præsentement ne sommes nous assez icy à la decision empeschez[C] de tant d'affaires[45] controvers[D] et d'importance ? Nous avons vuidé[E] le debat de Presthan[46] roy des Perses, et de Sultan Solyman empereur de Constantinople[47]. Nous avons clos le passaige entre les Tartres[F] et les Moscovites[48]. Nous avons respondu à la requeste du Cheriph[49]. Aussi avons nous à la devotion[G] de Guolgotz Rays[50]. L'estat de Parme[51] est expedié : aussi est celluy de Maydenbourg[52], de la Mirandole[53], et de Afrique[54]. Ainsi nomment les mortelz, ce que sus la mer mediterranée nous appellons *Aphrodisium*[55]. Tripoli[56] a changé de maistre, par male guarde. Son periode* estoit venu. Icy sont les Guascons[57] renians[H], et demandans restablissement de leurs cloches. En ce coing sont les Saxons, Estrelins[58], Ostrogotz, et Alemans, peuple jadis invincible, maintenant aberkeids*[I], et subjuguez par un petit homme tout estropié[59]. Ilz nous demandent vengeance, secours, restitution de leur premier bon sens, et liberté antique[60].

« Mais que ferons nous de ce Rameau[61] et de ce Galland, qui capparassonnez de leurs marmitons, suppous, et astipulateurs[J] brouillent toute ceste Academie de Paris[K62] ? J'en suys en grande perplexité. Et n'ay encores resolu quelle part je doibve incliner[L]. Tous deux me semblent autrement bons compaignons, et bien couilluz[63]. L'un[64] a des escuz au Soleil[65], je diz beaulx et tres-

A. assemblée. B. extrêmement fort. C. occupés. D. controversées. E. vidé. F. Tartares. G. désir. H. se repentant. I. déchus. J. partisans. K. Collège royal. L. incliner.

ticae partitiones, ad celeberrimam Lutetiae Parisiorum Academiam et ses *Aristotelicae animaduersiones* de 1543, et développait ses conceptions de l'enseignement de la philosophie dans le *Pro philosophica Parisiensis Academiae disciplina oratio* publié en mars 1551. Pierre Galland, lecteur au Collège royal, prit la défense des Anciens dans l'ouvrage intitulé *Pro schola Parisiensi contra nouam academiam Petri Rami oratio* où il critique *Pantagruel*. Nommé au Collège royal, Ramus lui répondit dans sa leçon inaugurale du 25 août 1551.

62. Academie de Paris : Rabelais traduit le *Parisiorum Academiam* des pages de titre de la querelle. *Académie* est utilisé en français aux alentours de 1530 comme synonyme de collège royal.

63. Couilluz : « pourvus de gros testicules ».

64. Galland, qui légua 500 livres de rente au Collège royal.

65. Monnaie frappée par Louis XI, avec un soleil sur une face.

66. Ramus avait été soutenu par le cardinal de Lorraine. Galland était en relation avec Pierre du Chastel, que Rabelais mentionne dans l'épître liminaire comme le « plus docte et fidele Anagnoste ».

67. *Mentula mentem* : équivoque traditionnelle.

68. La face cramoisie est une caractéristique traditionnelle de Bacchus.

69. Cette légende du renard feé est empruntée à la compilation de Julius Pollux, *Onomasticon*, V, V, mais Pollux ne mentionne pas que le renard de Teumesse appartenait à Bacchus.

70. Monesian est calqué sur le latin *Monesio*, qui traduit le nom d'une île grecque connue pour ses gisements de cuivre.

71. Ovide, *Métamorphoses*, II, v. 836-859.

72. Procris : fille d'Érechtée, mariée à Céphale ; elle exigea de Minos, en récompense de ses faveurs, un chien qui ne laissait jamais échapper le gibier.

73. Le récit de ces dons en série s'arrête ici. Céphale prêta ensuite le chien à Amphitryon pour l'aider à capturer le renard de Teumesse (voir plus bas), qui ne pouvait être atteint à la course.

74. Destin fatal : à travers cette histoire où Zeus est obligé de transformer les animaux en pierres pour respecter les Destins, il y a critique de la prédestination.

buchans : l'autre en vouldroit bien avoir. L'un a quelque sçavoir : l'autre n'est ignorant. L'un aime les gens de bien[66] : l'autre est des gens de bien aimé. L'un est un fin et cauld[A] Renard : l'aultre mesdisant, mesescrivant et abayant contre les antiques Philosophes et Orateurs comme un chien. Que t'en semble diz grand Vietdaze[B] Priapus ? J'ay maintes fois trouvé ton conseil et advis equitable et pertinent : *et habet tua mentula mentem*[C67].

— Roy Juppiter (respondit Priapus defleublant son capussion[D], la teste levée, rouge, flamboyante, et asseurée) puis que l'un vous comparez à un chien abayant, l'aultre à un fin freté[E] Renard, je suis d'advis, que sans plus vous fascher[F] ne alterer[G], d'eulx faciez ce que jadis feistez d'un chien, et d'un Renard.

— Quoy ? demanda Juppiter. Quand ? Qui estoient-ilz ? Où feut ce ?

— O belle memoire, respondit Priapus. Ce venerable pere Bacchus, lequel voyez cy à face cramoisie[68], avoit pour soy venger des Thebains un Renard feé[H69], de mode que quelque mal et dommaige qu'il feist, de beste du monde ne seroit prins ne offensé. Ce noble Vulcan avoit d'Ærain Monesian[70] faict un chien, et à force de souffler l'avoit rendu vivant et animé. Il le vous donna : vous le donnastes à Europe[71] vostre mignonne[I]. Elle le donna à Minos : Minos à Procris[72], Procris en fin le donna à Cephalus[73]. Il estoit pareillement feé, de mode que à l'exemple des advocatz de maintenant il prendroit toute beste rencontrée, rien ne luy eschapperoit.

« Advint qu'ilz se rencontrerent. Que feirent ilz ? Le chien par son destin fatal[74] doibvoit prendre le Renard :

A. rusé. B. imbécile (verge d'âne). C. et ta mentule a de l'esprit. D. ôtant son capuchon. E. parfaitement équipé. F. fatiguer. G. troubler. H. prédestiné. I. favorite.

75. Soixante et dixhuict : chiffre symbolique dans l'œuvre de Rabelais depuis le titre du *Tiers livre* et peut-être à rapprocher des 78 cartes du tarot.

76. Souligne la valeur symbolique de la soif.

77. Couilles molles : équivoque sur *coues molles*, « meules à aiguiser » ; ici, pierres issues de la dégustation des barriques de nectar.

78. Voir Pausanias, *La Description de la Grèce*, XIV, XIX ; Ovide, *Métamorphoses*, VII, v. 763 et suiv.

79. Proverbe non connu d'autre part.

80. Pierre de Cugnières, jurisconsulte du XIVe siècle, s'était illustré en défendant les prérogatives du pouvoir séculier contre les ecclésiastiques qui, par dérision, firent mettre une statue grotesque en un *coing* de Notre-Dame de Paris. Cette statue servait à éteindre les cierges. Rabelais joue sur le nom, le prénom, la fonction de la statue, alors que le *feu* va être pris dans son sens propre et son sens figuré.

81. Le jeu de Fouquet consistait à souffler une chandelle avec le nez.

82. Pour la philautie, « amour de soy », voir *Tiers livre*, XXIX. Le remède à la philautie, vivement condamnée par Érasme dans l'*Éloge de la folie* et les *Adages*, est la connaissance de soi.

le Renard par son destin ne doibvoit estre prins. Le cas fut rapporté à vostre conseil. Vous protestatez[A] non contrevenir aux Destins. Les Destins estoient contradictoires. La verité, la fin, l'effect de deux contradictions ensemble feut declairée impossible en nature. Vous en suastez d'ahan[B]. De vostre sueur tombant en terre nasquirent les chous cabutz[C]. Tout ce noble consistoire par default de resolution Categorique* encourut alteration mirifique : et feut en icelluy conseil beu plus de soixante et dixhuict[75] bussars[D] de Nectar*. Par mon advis vous les convertissez en pierres. Soubdain feustes hors toute perplexité : soubdain feurent tresves de soif[76] criées par tout ce grand Olympe*. Ce feut l'année des couilles molles[77], prés Teumesse[78], entre Thebes et Chalcide. À cestuy exemple je suis d'opinion que petrifiez ces Chien et renard. La Metamorphose* n'est incongrue. Tous deux portent nom de Pierre. Et par ce que scelon le proverbe des Limosins, à faire la gueule d'un four sont trois pierres necessaires[79], vous les associerez à maistre Pierre du coingnet[80], par vous jadis pour mesmes causes petrifié. Et seront en figure trigone equilaterale* on grand temple de Paris, ou on mylieu du Pervis[E] posées ces trois pierres mortes en office de extaindre avecques le nez, comme au jeu de Fouquet[81], les chandelles, torches, cierges, bougies, et flambeaux allumez : lesquelles viventes allumoient couillonniquement le feu de faction, simulte[F], sectes couillonniques et partialté[G] entre les ocieux[H] escholiers. À perpetuele memoire, que ces petites philauties*[82] couillonniformes plus tost davant vous contempnées[I] feurent que condamnées. J'ay dict.

— Vous leurs favorisez (dist Juppiter) à ce que je voy

A. vous vous engageâtes à. B. fatigue. C. pommés. D. barriques. E. parvis. F. inimitié. G. partis. H. oisifs. I. méprisées.

83. Messer : italianisme ironique.

84. Allusion à la guerre de Parme.

85. Pastophores : prêtres égyptiens chargés de porter les statues des dieux dans les chapelles du temple.

86. Les fours des Limosins : allusion vraisemblable au proverbe cité p. 61 et n. 79.

87. Condieux : formation burlesque sur le préfixe grec *con-*, « avec ».

88. Antioche la neufve : allusion possible aux tremblements de terre dont cette ville, malgré un temple dédié à Jupiter Sauveur, fut victime dans l'Antiquité.

89. Gorgias : mot employé par les soldats du Piémont.

90. Dindenaroys : nom forgé ; voir aussi *Dindenault*, V, n. 11, p. 118.

91. Tirer aux moineaux est une expression figurée au sens de « gaspiller sa poudre contre un objectif invulnérable ou de peu d'utilité ».

92. La liste des Cyclopes est dressée à partir d'Hésiode, *Théogonie*, v. 139-140, de l'*Énéide*, VIII, v. 424-425, et de l'*Odyssée* pour Polyphème. Brontes, Steropes (ou Asteropes) et Arges évoquent par leur nom le tonnerre, l'éclair et la foudre ; Pyracmon, le feu. Selon Homère, les Cyclopes ne connaissent pas l'usage du vin.

93. Boire d'autant signifie boire en abondance.

94. Par rapprochement avec *escoute*, Rabelais suggère une étymologie plaisante à escoutillon dont c'est ici la première attestation dans la langue française.

95. Lucien, *Icaroménippe* ; voir *Pantagruel*, I, pour une autre allusion.

bel messer[83] Priapus. Ainsi n'estes à tous favorable. Car veu que tant ilz couvoitent perpetuer leur nom et memoire, ce seroit bien leur meilleur estre ainsi aprés leur vie en pierres dures et marbrines[A] convertiz, que retourner en terre et pourriture. Icy darriere vers ceste mer Thyrrene* et lieux circumvoisins de l'Appennin* voyez vous quelles tragedies*[84] sont excitées par certains Pastophores*[85]. Ceste furie durera son temps, comme les fours des Limosins[86] : puis finira : mais non si tost. Nous y aurons du passetemps beaucoup. Je y voy un inconvenient. C'est que nous avons petite munition de fouldres, depuis le temps que vous aultres Condieux[87] par mon oultroy[B] particulier en jectiez sans espargne, pour vos esbatz sus Antioche la neufve[88]. Comme depuis à vostre exemple les gorgias[C89], champions, qui entreprindrent guarder la forteresse de Dindenaroys[90] contre tous venens, consommerent leurs munitions à force de tirer aux moineaux[D91]. Puis n'eurent dequoy en temps de necessité soy deffendre : et vaillamment cederent la place, et se rendirent à l'ennemy, qui jà levoit son siege, comme tout forcené et desesperé : et n'avoit pensée plus urgente que de sa retraicte acompagnée de courte honte. Donnez y ordre filz Vulcan : esveiglez vos endormiz Cyclopes*, Asteropes, Brontes, Arges, Polypheme, Steropes, Pyracmon[92] : mettez les en besoigne : et les faictes boire d'autant[93]. À gens de feu ne fault vin espargner. Or depeschons ce criart là bas. Voyez Mercure qui c'est ? et sachez qu'[E]il demande. »

Mercure reguarde par la trappe des Cieulx, par laquelle ce que l'on dict çà bas en terre ilz escoutent : et semble proprement à un escoutillon[94] de navire. Icaromenippe[95]

A. de marbre. B. autorisation. C. élégants. D. guérites fortifiées. E. ce qu'il.

96. Le duché de Milan est revendiqué par les rois de France depuis Louis XII.

97. Taulpeterie : création à partir de *taulpetier*, moine enfermé dans son couvent comme une taupe.

98. Landerousse, citée pour ses usuriers, *Tiers livre*, III ; réputée pour ses spectacles ; voir LII, p. 467.

99. Joviale est un emprunt récent à l'italien *giovale*, « qui concerne la planète Jupiter ».

100. Cité aussi comme dieu des jardins, V, p. 119 ; *guardian* est la forme provençale de *gardien*.

101. Gimbretiletolletée est formé à partir de *gimberter*, employé dans le Berry au sens de « sautiller », « prendre ses ébats ».

102. Mentule : équivoque sur *mens* et *mentula*; voir prologue, p. 59 et n. 67 (en latin).

a. duquel on fend et couppe boys *(exemplaire non cartonné).*

disoit qu'elle semble à la gueule d'un puiz. Et veoid que c'est Couillatris, qui demande sa coingnée perdue : et en faict le rapport au conseil. « Vrayement (dist Juppiter) nous en sommes bien. Nous à ceste heure n'avons aultre faciende[A], que rendre coingnées perdues ? Si[B] fault il luy rendre. Cela est escript es Destins, entendez vous ? aussi bien comme si elle valust la duché de Milan[96]. À la verité sa coingnée luy est en tel pris et estimation, que seroit à un Roy son Royaulme. Czà, çà, que ceste coingnée soit rendue. Qu'il n'en soit plus parlé. Resoulons[C] le different du clergé et de la Taulpeterie[97] de Landerousse[98]. Où en estions nous ? »

Priapus restoit debout au coing de la cheminée. Il entendent le rapport de Mercure, dist en toute courtoysie et Joviale[99] honesteté. « Roy Juppiter, on temps que par vostre ordonnance et particulier benefice[D] j'estois guardian des jardins[100] en terre, je notay que ceste diction Coingnée est equivocque à plusieurs choses. Elle signifie un certain instrument, par le service duquel est fendu et couppé boys[a]. Signifie aussi (au moins jadis signifioit) la femelle bien à poinct et souvent gimbretiletolletée[101]. Et veidz que tout bon compaignon appelloit sa guarse[E] fille de joye, ma Coingnée. Car avecques cestuy ferrement[F] (cela disoit exhibent son coingnouoir dodrental*) ilz leurs coingnent si fierement et d'audace leurs emmanchouoirs, qu'elles restent exemptes d'une paour[G] epidemiale entre le sexe feminin : c'est que du bas ventre ilz leurs tombassent sus les talons, par default de telles agraphes. Et me soubvient (car j'ay mentule[102], voyre diz je memoire, bien belle, et grande assez pour emplir un pot beurrier) avoir un jour du Tubilustre*, es

A. affaire. B. pourtant. C. résolvons. D. bienfait. E. jeune fille. F. outil. G. peur.

103. Les premiers de ces musiciens appartiennent à la fin du XVe siècle et sont évoqués par les grands rhétoriqueurs. D'autres sont du début du XVIe siècle et certains, comme Roussée, Richarfort, Rousseau ou Berchem, auraient dû plutôt prendre place dans la liste suivante. Quant au dizain, attribué en 1574 à Mellin de Saint-Gelais, il parut en 1543 avec la musique de Clément Jannequin cité avec les musiciens de la génération suivante !

104. Olympiades : la glose de la « Briefve declaration » (p. 593) montre la confusion, fréquente à l'époque, entre *olympiade* et *lustre.*

105. Musiciens célèbres dont la plus grande partie vécut au second quart du XVIe siècle. Toutefois certains, comme Doublet ou Du Moulin, auraient pu figurer dans la liste précédente.

feries[A] de ce bon Vulcan en may, ouy jadis en un beau parterre Josquin des prez, Olkegan, Hobrethz, Agricola, Brumel, Camelin, Vigoris, de la fage, Bruyer, Prioris, Seguin, De la rue, Midy, Moulu, Mouton, Guascoigne, Loyset compere, Penet, Fevin, Rouzée, Richardford, Rousseau, Consilion, Constantio festi, Jacquet bercan[103], chantans melodieusement.

> « *Grand Tibault se voulent coucher*
> *Avecques sa femme nouvelle,*
> *S'en vint tout bellement cacher*
> *Un gros maillet en la ruelle.*
> *"O mon doulx amy (ce dict elle),*
> *Quel maillet vous voy je empoingner ?*
> — *C'est (dist-il) pour mieulx vous coingner.*
> — *Maillet ? dist elle, il n'y fault nul.*
> *Quand gros Jan me vient besoingner,*
> *Il ne me coingne que du cul."*

« Neuf Olympiades*[104], et un an intercalare* aprés (ô belle mentule, voire diz je, memoire. Je solœcise* souvent en la symbolization et colliguance[B] de ces deux motz) je ouy Adrian villart, Gombert, Janequin, Arcadelt, Claudin, Certon, Manchicourt, Auxerre, Villiers, Sandrin, Sohier, Hesdin, Morales, Passereau, Maille, Maillart, Jacotin, Heurteur, Verdelot, Carpentras, Lheritier, Cadeac, Doublet, Vermont, Bouteiller, Lupi, Pagnier, Millet, Du mollin, Alaire, Marault, Morpain, Gendre[105], et autres joyeulx musiciens en un jardin secret[C] soubz belle feuillade[D] au tour d'un rampart de flaccons, jambons, pastez, et diverses Cailles coyphées[E] mignonnement chantans.

A. fêtes. B. concordance et liaison. C. privé. D. feuillée. E. filles légères.

106. Quatrain anonyme paru en 1543 dans la *Fleur de poésie françoyse*, Paris, A. Lotrian.

107. Expression introduite par Rabelais dans la langue française.

108. Saulx en plate forme : expression de sens inconnu.

109. Description traditionnelle de Mercure depuis Virgile, *Énéide*, IV, v. 238-244 ; Lemaire de Belges, *Les Illustrations de Gaule*, I, XXVIII, désignait par *talonniere* et *capeline* les ailes et le chapeau, correspondant au *galerus* latin qui évoque un casque à pointe. Rabelais semble avoir fait de la capeline un bonnet se portant sous le chapeau.

> *« S'il est ainsi que coingnée sans manche*
> *Ne sert de rien, ne houstil sans poingnée,*
> *Affin que l'un dedans l'autre s'emmanche*
> *Prens que soys manche, et tu seras coingnée*[106].

Ores seroit à sçauoir quelle espece de coingnée demande ce criart Couillatris. »

À ces motz tous les venerables Dieux et Deesses s'eclaterent de rire[107], comme un microcosme* de mouches. Vulcan avecques sa jambe torte[A] en feist pour l'amour de s'amye troys ou quatre beaulx petitz saulx en plate forme[108]. « Czà, çà, (dist Juppiter à Mercure) descendez præsentement là bas, et jectez es pieds de Couillatris troys coingnées : la sienne, une aultre d'or, et une tierce d'argent massives toutes d'un qualibre. Luy ayant baillé l'option de choisir, s'il prend la sienne et s'en contente, donnez luy les deux autres. S'il en prend aultre que la sienne, couppez luy la teste avecques la sienne propre. Et desormais ainsi faictes à ces perdeurs de coingnées. » Ces parolles achevées Juppiter contournant la teste comme un cinge qui avalle pillules, feist une morgue[B] tant espouvantable, que tout le grand Olympe trembla.

Mercure avecques son chappeau poinctu, sa capeline, talonnieres et caducée[109] se jecte par la trappe des Cieulx, fend le vuyde de l'air, descend legierement en terre : et jecte es pieds de Couillatris les trois coingnées. Puis luy dict. « Tu as assez crié pour boire. Tes prieres sont exaulsées de Juppiter. Reguarde laquelle de ces troys est ta coingnée, et l'emporte. » Couillatris soublieve la coingnée d'or : il la reguarde : et la trouve bien

A. tordue. B. mine.

110. L'offrande de lait et de produits horticoles à Mercure était rituelle.

111. Voir l'exemplaire de L. G. Giraldi, *De annis et mensibus*, Bâle, 1541 (BN Rés. G. 2108), où Rabelais a souligné le passage concernant les ides et Mercure.

112. Martin de Cambray : au XVe siècle, type populaire de l'homme sot à l'habit démodé.

113. Premiers mots de Pathelin à sa femme lorsqu'il revient avec le drap qu'il s'est fait remettre par le drapier (*La Farce de Maistre Pathelin*, v. 352).

114. Pour Chinon, première ville du monde, voir *Cinquiesme livre*, XXXIV (étymon *Caynon*, de *Cayn*).

poisante[A] : puis dict à Mercure. « Marmes*[B] ceste cy n'est mie la mienne. Je n'en veulx grain. » Autant faict de la coingnée d'argent : et dict : « Non est ceste cy. Je la vous quitte. » Puis prend en main la coingnée de boys : il reguarde au bout du manche : en icelluy recongnoist sa marque : et tressaillant tout de joye, comme un Renard qui rencontre poulles esguarées, et soubriant du bout du nez dict. « Merdigues*[C] ceste cy estoit mienne. Si me la voulez laisser, je vous sacrifiray un bon et grand pot de laict tout fin couvert de belles frayres[D][110] aux Ides (c'est le quinzieme jour) de May*[111].

— Bon homme, dist Mercure, je te la laisse, prens la. Et pource que as opté et soubhaité mediocrité en matiere de coingnée, par le vueil[E] de Juppiter je te donne ces deux aultres. Tu as dequoy dorenavant te faire riche. Soys homme de bien. »

Couillatris courtoisement remercie Mercure : revere le grand Juppiter : sa coingnée antique atache à sa ceincture de cuyr : et s'en ceinct sus le cul, comme Martin de Cambray[112]. Les deux aultres plus poisantes il charge à son coul. Ainsi s'en va prelassant[F] par le pays, faisant bonne troigne[G] parmy ses paroeciens[H] et voysins : et leurs disant le petit mot de Patelin. « En ay je[113] ? » Au lendemain vestu d'une sequenie[I] blanche, charge sus son dours[J] les deux precieuses coingnées, se transporte à Chinon ville insigne, ville noble, ville antique, voyre premiere du monde[114], scelon le jugement et assertion des plus doctes Massorethz*. En Chinon il change sa coingnée d'argent en beaulx testons et aultre monnoye blanche : sa coingnée d'Or, en beaulx Salutz, beaulx

A. pesante. B. par mon âme. C. par la mère de Dieu. D. fraises. E. volonté. F. marchant comme un prélat. G. mine. H. ceux qui habitent dans la même paroisse que lui. I. sarrau. J. dos.

115. Le *teston*, frappé à l'effigie des rois de France, était la principale monnaie d'argent. Les *salutz* portaient sur une de leurs faces la salutation angélique, les *moutons à la grande laine* un *Agnus Dei*, les *riddes* (monnaie hollandaise) un chevalier en armes *(ridder)*, les *royaulx* l'effigie du souverain, les *escutz au Soleil* l'écu de France avec les fleurs de lys, surmonté d'une couronne et d'un petit soleil.

116. Michel de Ballan, seigneur de Maulevrier, voisin de La Devinière.

117. Les francs gontiers et Jacques bons homs sont des types de paysan ; voir les *Contredits du franc Gontier* de Villon.

118. La révolution des cieulx : mouvement des huit cieux (le firmament, ciel des étoiles fixes, et les sept cieux des planètes).

119. La constellation des Astres fait référence aux figures formées par les étoiles fixes, l'aspect des Planettes aux positions respectives de celles-ci.

moutons à la grande laine, belles Riddes, beaulx Royaulx, beaulx escutz au Soleil[115]. Il en achapte force mestairies, force granges, force censes[A], force mas, force bordes et bordieux[B], force cassines[C] : prez, vignes, boys, terres labourables, pastis[D], estangs, moulins, jardins, saulsayes : beufz, vaches, brebis, moutons, chevres, truyes, pourceaulx, asnes, chevaulx, poulles, cocqs, chappons, poulletz, oyes, jars, canes, canars, et du menu[E]. Et en peu de temps feut le plus riche homme du pays : voyre plus que Maulevrier le boyteux[116].

Les francs gontiers[F] et Jacques bons homs[117] du voysinage voyants ceste heureuse rencontre de Couillatris, feurent bien estonnez : et feut en leurs espritz la pitié et commiseration, que au paravant avoient du paouvre Couillatris, en envie changée de ses richesses tant grandes et inopinées. Si[G] commencerent courir, s'enquerir, guementer[H], informer par quel moyen, en quel lieu, en quel jour, à quelle heure, comment, et à quel propous luy estoit ce grand thesaur advenu. Entendens que c'estoit par avoir perdu sa coingnée, « Hen, hen, dirent ilz, ne tenoit il qu'à la perte d'une coingnée, que riches ne feussions ? Le moyen est facile, et de coust bien petit. Et doncques telle est on temps præsent la revolution des Cieulx[118], la constellation des Astres, et aspect des Planettes[119], que quiconques coingnée perdera soubdain deviendra ainsi riche ? Hen, hen. Ha, par Dieu, coingnée, vous serez perdue, et ne vous en desplaise. » Adoncques[I] tous perdirent leurs coingnées. Au diable l'un à qui demoura coingnée. Il n'estoit filz de bonne mere, qui ne perdist sa coingnée. Plus n'estoit abbatu, plus n'estoit fendu boys on pays en ce default de coingnées.

A. fermes. B. métairies. C. fermes. D. pâturages. E. petite volaille. F. paysans. G. ainsi. H. s'informer. I. alors.

120. Selon Ésope, Mercure se contente de ne pas rendre la cognée, et la morale à tirer de l'anecdote est que la divinité est favorable aux honnêtes gens, mais hostile aux malhonnêtes.

121. Janspill'hommes : équivoque sur *gentilhomme*, fréquente au XVIe siècle ; voir Tabourot : « *Gentilshommes*, quasi hommes gentils sur les autres ; mais aujourd'hui depuis que chaque canaille les contrefait, on dit des *genspillehommes.* » L'épithète qui suit, *de bas relief*, est empruntée à l'italien, Rabelais jouant sur les expressions *basso rilievo*, « basse-taille » ; *cosa di rilievo, affare di molto rilievo*, « affaire importante ».

122. Les mandats concernant les bénéfices ecclésiastiques expiraient à la mort du pape. Les demandes affluaient auprès du nouveau pape.

Encores dict l'Apologue Æsopicque[120], que certains petitz Janspill' hommes[121] de bas relief[A], qui à Couillatris avoient le petit pré, et le petit moulin vendu pour soy gourgiaser à la monstre[B], advertiz que ce thesaur luy estoit ainsi et par ce moyen seul advenu, vendirent leurs espées pour achapter coingnées, affin de les perdre : comme faisoient les paysans, et par icelle perte recouvrir montjoye[C] d'Or, et d'Argent. Vous eussiez proprement dict, que feussent petitz Romipetes[D] vendens le leur, empruntans l'aultruy pour achapter Mandatz à tas d'un pape nouvellement creé[122]. Et de crier, et de prier, et de lamenter et invocquer Juppiter. « Ma coingnée, ma coingnée Juppiter. Ma coingnée deczà, ma coingnée delà, ma coingnée ho, ho, ho, ho. Juppiter ma coingnée. » L'air tout au tour retentissoit au cris et hurlemens de ces perdeurs de coingnées. Mercure feut prompt à leurs apporter coingnées, à un chascun offrant la sienne perdue, une aultre d'Or, et une tierce d'Argent. Tous choisissoient celle qui estoit d'Or, et l'amassoient[E] remercians le grand donateur Juppiter. Mais sus l'instant qu'ilz la levoient de terre courbez et enclins[F], Mercure leurs tranchoit les testes, comme estoit l'edict de Juppiter. Et feut des testes couppées le nombre equal et correspondent aux coingnées perdues. Voylà que c'est. Voylà qu'advient à ceulx qui en simplicité soubhaitent et optent choses mediocres. Prenez y tous exemple vous aultres gualliers de plat pays[G], qui dictez que pour dix mille francs d'intrade[H] ne quitteriez vos soubhaitz. Et desormais ne parlez ainsi impudentement, comme quelque foys je vous ay ouy soubhaitans. « Pleust à Dieu que

A. bas étage. B. faire les élégants à la revue de troupe. C. monceau. D. pèlerins allant à Rome. E. ramassaient. F. inclinés. G. mauvais plaisants de la campagne. H. rente.

123. Tac : « catarrhe bronchopulmonaire épidémique » ; clavelée : « variole du mouton ». La maladie devient manifestation de la corruption morale.

124. À l'usaige de Paris : plaisanterie sur l'expression *Heures* ou *bréviaire à l'usage de…*

j'eusse presentement cent soixante et dixhuict millions d'Or. Ho, comment je triumpheroys. » Vos males mules[A]. Que soubhaiteroit un Roy, un Empereur, un pape d'advantaige ? Aussi voyez vous par experience, que ayants faict telz oultrez soubhayts, ne vous en advient que le tac et la clavelée[123] : en bourse pas maille : non plus que aux deux belistrandiers[B] soubhaiteux à l'usaige de Paris[124]. Desquelz l'un soubhaytoit avoir en beaulx escuz au Soleil autant que a esté en Paris despendu[C], vendu, et achapté, depuys que pour l'edifier on y jecta les premiers fondements jusques à l'heure præsente : le tout estimé au taux, vente, et valeur de la plus chere année, qui ayt passé en ce laps de temps. Cestuy en vostre advis estoit il desgousté ? Avoit il mangé prunes aigres sans peler ? Avoit il les dens esguassées[D] ? L'aultre soubhaitoit le temple de nostre Dame tout plein d'aiguilles asserées[E], depuys le pavé jusques au plus hault des voultes : et avoir autant d'escuz au Soleil, qu'il en pourroit entrer en autant de sacs que l'on pourroit couldre de toutes et une chascune aiguille, jusques à ce que toutes feussent crevées ou espoinctées. C'est soubhayté cela. Que vous en semble ? Qu'en advint il ? Au soir un chascun d'eulx eut les mules au talon, le petit cancre[F] au menton, la male toux au poulmon, le catarrhe au gavion[G], le gros froncle[H] au cropion : et au diable le boussin[I] de pain pour s'escurer les dents.

Soubhaitez doncques mediocrité, elle vous adviendra, et encores mieulx, deument ce pendent labourans[J] et travaillans. « Voire mais (dictes vous) Dieu m'en eust aussi toust donné soixante et dixhuict mille, comme la

A. mauvaises engelures. B. gueux. C. dépensé. D. agacées. E. acérées. F. tumeur. G. gosier. H. furoncle. I. morceau. J. travaillant.

125. Prædestination de Dieu : allusion aux querelles contemporaines sur le libre arbitre.

126. Goutteux a ici un sens médical. Jusqu'à présent, contrairement aux autres prologues, Rabelais n'a apostrophé que les gens de bien.

127. Escuz de Guadaigne : jeu de mots populaire sur le nom du banquier florentin de Lyon, Thomas Guadagni.

128. Secouer l'aureille est une expression fréquente chez Calvin ; voir ce passage des *Sermons de Jehan Calvin sur le Cantique que feit le bon Roy Ezechias*, Genève, F. Estienne, 1562, p. 7 : « Nous ne faisons que secourre l'aureille (comme on dit) quand nous sommes eschappez [de maladie], et mettons tantost en oubli tout ce que nous faisons semblant d'avoir cognu. »

treziesme partie d'un demy. Car il est tout puissant. Un million d'Or luy est aussi peu qu'un obole. » Hay, hay, hay. Et de qui estez vous apprins ainsi discourir et parler de la puissance et prædestination de Dieu[125], paouvres gens ? Paix. St, St, St*. Humiliez vous davant sa sacrée face, et recongnoissez vos imperfections.

C'est Goutteux[126], sus quoy je fonde mon esperance, et croy fermement, que (s'il plaist au bon Dieu) vous obtiendrez santé : veu que rien plus que santé pour le present ne demandez. Attendez encores un peu, avecques demie once de patience. Ainsi ne font les Genevoys[A], quand au matin avoir[B] dedans leurs escriptoires[C] et cabinetz discouru[D], propensé[E], et resolu, de qui et de quelz celluy jour ilz pourront tirer denares[F] : et qui par leur astuce sera beliné[G], corbiné[H], trompé et affiné[I], ilz sortent en place, et s'entresaluant disent. *« Sanita et guadain messer*[J]. » Ilz ne se contentent de santé : d'abondant ilz soubhaytent guaing, voire les escuz de Guadaigne[127]. Dont advient qu'ilz souvent n'obtienent l'un ne l'autre. Or en bonne santé toussez un bon coup, beuvez en trois, secouez dehait vos aureilles[K128], et vous oyrez[L] dire merveilles du noble et bon Pantagruel.

A. Génois. B. après avoir. C. pièces où l'on écrit. D. projeté. E. réfléchi. F. deniers. G. trompé. H. volé. I. trompé par finesse. J. santé et gain, monsieur. K. soyez joyeusement insouciants. L. entendrez.

1. Rabelais reprend les indications du *Tiers livre*, XLIX, avec, jusqu'à la description de la *Thalamège*, une identité dans la distribution des éléments constitutifs et dans la construction même des phrases. Sont donc particulièrement significatives les quelques modifications des éditions du *Quart livre* de 1548 et 1552. Dès 1548, l'imprécision temporelle du *Tiers livre* a fait place à une date antique avec des rappels guerriers qui, pour être empruntés à Ovide, peuvent n'être pas anodins, si l'on songe que la mention des Espagnols ne devait pas manquer d'évoquer pour le lecteur contemporain la politique de Charles Quint. La précision locale au contraire a disparu : Thalasse n'est plus proche de Sammalo. La mention des douze navires d'Ajax du *Tiers livre* est ici supprimée, mais, en 1548, Rabelais a retenu du héros le nom de son père Télamon, puisqu'il appelle alors la nef principale *Telamone* (un peu plus loin dans le chapitre), la graphie *Thelamane* propre à ce passage (p. 83, var. *d* et p. 85, var. *e*) témoignant d'un rapprochement voulu avec *Theleme*; la coexistence en 1548 des deux graphies, qui marquent deux phases successives de la réflexion de Rabelais, manifeste le caractère de brouillon de cette première rédaction du *Quart livre. Thalamege*, du grec θαλαμηγός, « sorte de gondole égyptienne », utilisé comme nom commun dans le *Tiers livre*, LI, l'a emporté en 1552. L'addition de la parenthèse en 1552 (variante *d*) souligne l'importance donnée à la religion dans cet épisode. Les héros chantent mélodieusement un psaume dans la traduction de Marot publiée en 1539 *(Aulcuns pseaulmes et cantiques mys en chant)*; il faut rappeler que Henri II, lorsqu'il était dauphin, et Catherine avaient entrepris de mettre en musique certains des psaumes traduits par Marot. Le choix du psaume, qui évoque l'Exode, peut être significatif : le psaume CXIV (CXIII A) était devenu pour les réformés le symbole de la lutte anti-papiste, et il fut chanté par Jean Leclerc sur son bûcher à Metz en 1523. Ce psaume est largement mis à contribution par les auteurs qui traitent de l'exégèse allégorique de saint Augustin à Dante (voir P. Smith, *Voyage et écriture*, p. 75-78), à l'imitation de saint Paul. Pour E. M. Duval, « La Messe, la Cène, et le Voyage sans fin du *Quart livre* », p. 138, cette Cène paléo-chrétienne laïque et non sacramentelle (sans communion et sans représentants du culte) manifeste un idéal d'humaniste chrétien contre les abus de l'Église. Il est remarquable que le voyage commence par un psaume et qu'il se termine par *sela* (LXVII), mot hébraïque qui se lit à la fin de certains psaumes et marque une pause.

a. de la dive bouteille. Chap. premier. // Du moys. *b.* conquesta l'Hespaigne. *c.* fut deffaict, et vaincu par *d.* priant pour *e.* Epistemon, Carpalin, Ponocrates, Gymnaste, Rhizotome, et autres siens serviteurs domesticques et anciens : *f.* de Panurge. *[5 lignes]* Le

Comment Pantagruel monta sus mer,
pour visiter l'Oracle de la dive[A] *bacbuc**[1]

CHAPITRE PREMIER

On moys[a] de Juin, au jour des festes Vestales*[2] : celluy propre on quel Brutus conquesta Hespaigne[b], et subjugua les Hespaignolz, on quel aussi Crassus l'avaricieux[B] feut vaincu et deffaict par[c] les Parthes[3], Pantagruel prenent congé du bon Gargantua son pere, icelluy bien priant (comme en l'Eglise primitive estoit louable coustume entre les saincts Christians[4]) pour[d] le prospere naviguaige[C] de son filz, et toute sa compaignie, monta sus mer au port de Thalasse*[5], acompaigné de Panurge[6], frere Jan des entomeures[D][7], Epistemon[8], Gymnaste[9], Eusthenes[10], Rhizotome[11], Carpalim[12], et aultres siens serviteurs et domestiques[E] anciens[e] : ensemble de Xenomanes le grand voyageur et traverseur des voyes perilleuses[13], lequel certains jours par avant estoit arrivé au mandement de Panurge. Icelluy pour certaines et bonnes causes avoit à Gargantua laissé et signé[F] en sa grande et universelle Hydrographie* la routte qu'ilz tiendroient visitans l'oracle de la dive Bouteille Bacbuc.

Le[f] nombre des navires feut tel que vous ay exposé on tiers livre[14], en conserve de[G] Triremes, Ramberges,

A. divine. B. cupide. C. navigation. D. entamures. E. familiers. F. marqué. G. escortés par.

À côté des symboles religieux, les symboles alchimiques arborés par les vaisseaux sont particulièrement évidents : or, argent, quatre métaux ensemble ; les couleurs blanche et rouge évoquent les étapes de la blancheur et de la rubification par lesquelles passe la matière du grand œuvre et, comme le rappelle dom Pernety (*Dictionnaire mytho-hermétique*, p. 523) : « Raymond Lulle, Jean de Roquetaillade, connu sous le nom de De Rupe Scissa, ont beaucoup parlé du vin rouge et du vin blanc comme principe et matière de la quintessence philosophique. » Quant au but du voyage, en 1548, il ne s'agit encore que de la *dive bouteille* (var. *a*), tout comme dans le *Tiers livre*. Le nom en 1552 est tiré de l'hébreu *bacbouc*, « bouteille », forme modifiée en *bacbuc* pour la rapprocher du *Bacchus* et de *but*. **2.** Festes Vestales : si les Vestalia se fêtaient principalement le 9 juin, le temple de Vesta était ouvert dès le 7 juin aux mères de famille, ce qui expliquerait la mention de la « Briefve declaration ». Dans le choix du 9 juin, il pourrait y avoir une allusion au début de l'exploration du Labrador par Jacques Cartier (9 juin 1534). La chronologie interne du *Quart livre* de 1552 invite toutefois à adopter la date du 12 juin (voir II, n. 3, p. 91). Le voyage des Argonautes commence au début du mois de juin (voir Apollonios de Rhodes, *Argonautiques*, t. I, p. 119). **3.** Voir Ovide, *Fastes*, VI, v. 465-468, à qui Rabelais emprunte les références à la victoire de Brutus et à la défaite du consul Crassus (tué en 53 av. J.-C.), dont Plutarque, *Crassus*, II, 543, mentionne l'avarice. **4.** Actes des apôtres, XX, 36 ; XXI, 5, où, avant l'embarquement, les chrétiens, escortés d'une foule nombreuse, prient à genoux sur la grève. **5.** Thalassa, grec θάλασσα « mer », évoque peut-être Le Tallart, près de Saint-Malo. **6.** Panurge (du grec πανοῦργος, « rusé ») occupe la première place de la liste. C'était déjà une des figures principales de *Pantagruel* et du *Tiers livre*. Pour son portrait voir *Pantagruel*, chap. XVI. **7.** Frere Jan des entomeures (« entamures »), dont le nom est une double allusion à son humeur batailleuse et à son goût pour la cuisine, s'était illustré dans *Gargantua* par la défense du clos de Seuillé et la guerre picrocholine, avant d'être fait abbé de Thélème. Il assiste Panurge dans ses consultations du *Tiers livre*. Pour son portrait, voir *Gargantua*, chap. XXVII. **8.** Epistemon (du grec ἐπιστήμων, « savant et sage ») est le pédagogue de Pantagruel dans *Pantagruel*. Il a activement participé aux consultations du *Tiers livre*. **9.** Gymnaste (du grec γυμναστής, « maître de gymnastique ») est l'écuyer de Gargantua dans *Gargantua*. **10.** Eusthenes (du grec

a. exposé au tiers livre, bien *b*. avec grande abondance de Pantagruellions. *c*. Pillotz, Nauchiers. *d*. Thelamane *e*. incarnal. *f*. les couleurs et devises des *g*. pierre speculaire, *h*. metaulx. La septiesme,

Gallions, et Liburnicques[15] nombre pareil : bien[a] equippées, bien calfatées, bien munies, avecques abondance de Pantagruelion[b][16]. L'assemblée de tous officiers, truchemens, pilotz[A], capitaines, nauchiers[B][c], fadrins[C], hespailliers[D], et matelotz feut en la Thalamege[d][17]. Ainsi estoit nommée la grande et maistresse nauf[E] de Pantagruel : ayant en pouppe pour enseigne une grande et ample bouteille à moytié d'argent bien liz[F] et polly : l'autre moytié estoit d'or esmaillé de couleur incarnat[e]. En quoy facile estoit juger, que blanc[18] et clairet[G] estoient les couleurs des[f] nobles voyagiers : et qu'ilz alloient pour avoir le mot de la Bouteille.

Sus la pouppe de la seconde estoit hault enlevée[H] une lanterne antiquaire[I] faicte industrieusement[J] de pierre sphengitide*[19] et speculaire[g] : denotant qu'ilz passeroient par Lanternoys[20]. La tierce pour divise[K] avoit un beau et profond hanat[L] de Porcelaine. La quarte un potet d'or à deux anses, comme si feust une urne antique. La quinte un brocq insigne de sperme d'Emeraulde[21]. La sizieme un Bourrabaquin[M] monachal faict des quatre metaulx[22] ensemble. La septieme[h] un entonnoir de Ebene tout requamé[N] d'or à ouvraige de Tauchie[O]. La huictieme un guoubelet de Lierre bien precieux battu d'or à la Damasquine. La neufieme une brinde[P] de fin or obrizé[Q]. La dizieme une breusse[R] de odorant Agalloche (vous l'appellez boys d'Aloés) porfilée[S] d'or de Cypre à ouvraige d'Azemine[T]. L'unzieme une portouoire[U] d'or faicte à la Mosaicque. La douzieme un barrault[V] d'or terny cou-

A. pilotes. B. nochers. C. matelots sans spécialité. D. deux premiers rameurs d'un banc sur une galère. E. nef. F. lisse. G. rosé. H. élevée. I. ancienne. J. habilement. K. devise. L. hanap. M. grand verre à boire. N. orné. O. d'incrustation. P. verre cylindrique. Q. pur. R. tasse. S. ornée. T. d'incrustation orientale. U. hotte de vendanges. V. tonnelet.

εὐσθενής, « robuste ») personnage présent antérieurement seulement dans *Pantagruel*. **11.** Rhizotome (du grec ῥιζοτόμος « herboriste »), cité dans *Gargantua* comme jeune page et mentionné une seule fois dans le *Tiers livre*. **12.** Carpalim (du grec καρπάλιμος, « rapide »), laquais de Pantagruel dans *Pantagruel*, bien représenté dans le *Tiers livre*. **13.** Xenomanes (du grec Ξενομανεῖν, « se passionner pour l'étranger ») emprunte son surnom de « traverseur des voyes perilleuses » à l'ami poitevin de Rabelais, le grand rhétoriqueur Jean Bouchet. Son *Hydrographie* (carte marine) ajoutée dans le texte de 1552 pourrait être mise en rapport avec la *Cosmographie* que Jean Alfonse, capitaine pilote de François Ier, originaire de Saintonge, acheva en 1545 et dont Mellin de Saint-Gelais avait conservé le manuscrit. Celui qui devait être encore en 1548 dans l'esprit de Rabelais son ami Jean Bouchet a pu s'enrichir de traits empruntés au navigateur. C'est pour avoir voulu introduire, en 1552, le nom d'Eusthenes dans le texte de 1548 que Rabelais oublie dans la liste précédente Ponocrates (du grec πόνος, « peine » et κράτος, « force »), l'ancien précepteur de Gargantua, qui rejoint ses compagnons au chap. IX. **14.** Voir *Tiers livre*, XLIX. **15.** Additions de 1552 (var. *a*) : *triremes*, galères antiques comportant trois étages de rameurs ; *ramberges*, vaisseaux de guerre très rapides, imités des *rowbarges* britanniques qui avaient fait merveille lors de la bataille de Wight (19 juillet 1545 ; Henri II en avait fait mettre en chantier en 1549) ; *liburnicques*, du latin *liburnicae*, vaisseaux de guerre très légers empruntés par les Romains aux pirates liburniens. Le lecteur, ici, aura tôt fait d'oublier cette flotte imposante, au profit de la seule Thalamège. **16.** Voir *Tiers livre*, XLIX à LII, l'éloge du pantagruelion, proche du chanvre, doté de pouvoirs exceptionnels. **17.** Voir n. 1, p. 80. **18.** Sur la signification du blanc, « joye, plaisir, delices, et resjouissance », voir *Gargantua*, IX et X. **19.** Sphengitide : sélénite transparente ou pierre d'albâtre ; speculaire : pierre transparente, sorte de mica dont les Anciens faisaient des vitres. **20.** Le Lanternoys : pays des Lanternes emprunté à Lucien et au *Disciple de Pantagruel* (1538) ; déjà évoqué dans *Pantagruel* (IX). Voir aussi *Tiers livre*, XLVII, et *Cinquiesme livre*, XXXI, XXXII. **21.** Sperme d'Emeraulde : il s'agit du presme d'émeraude, gemme verte dont Pline, XXXVII, XXXIV,

a. petites *b.* triste, rechiné, ou melencolic, voyre *c.* ploreur, *d.* ratelle *e.* santé parfaicte. // En la [Telamonie *48-1*] [Telamone *48-2*] donc *f.* navigaige. *g.* fut faicte hault & clair priere commune à *h.* estoient accouruz sur le mole, pour veoir leur embarquement. *i.* Pseaulme de David, *j.* Quand Israel etc. // Le *k.* avoient chanté le Pseaulme susdict) firent de leurs maisons apporter force vivres et vinaigre. Tous beurent à eulx, et ilz *l.* pour

vert d'une vignette[A] de grosses[a] perles Indicques en ouvraige Topiaire[B]. De mode que personne n'estoit, tant triste, fasché, rechigné, ou melancholicque feust, voyre[b] y feust Heraclitus le pleurart[c][23], qui n'entrast en joye nouvelle, et de bonne ratte[d][24] ne soubrist, voyant ce noble convoy de navires en leurs devises : ne dist que les voyagiers estoient tous beuveurs gens de bien : et ne jugeast en prognostic asceuré, que le voyage tant de l'aller que du retour seroit en alaigresse et santé perfaict[C].

En la Thalamege doncques[e] feut l'assemblée de tous. Là Pantagruel leurs feist une briefve et saincte exhortation toute auctorisée des propous extraictz de la saincte escripture, sus l'argument[D] de naviguation[f]. Laquelle finie feut hault et clair faicte priere à[g] Dieu, oyans et entendens tous les bourgeoys[E] et citadins de Thalasse, qui estoient sus le mole accourruz pour veoir l'embarquement[h].

Aprés l'oraison feut melodieusement chanté le psaulme du sainct roy David[i], lequel commence. *Quand Israel hors d'Ægypte sortit*[25]. Le[j] pseaulme parachevé feurent sus le tillac[F] les tables dressées, et viandes[G] promptement apportées. Les Thalassiens qui pareillement avoient le pseaulme susdict chanté, feirent de leurs maisons force vivres et vinage[H] apporter. Tous beurent à eulx. Ilz[k] beurent à tous. Ce feut la cause pourquoy personne de l'assemblée oncques[I] par[l] la marine[J] ne rendit sa guorge[K], et n'eut perturbation d'estomach ne de teste. Au quelz inconveniens ne eussent tant commodement obvié, beuvans par quelques jours paravant de l'eaue marine, ou

A. motif ornemental figurant des feuilles de vigne et des pampres. B. d'art de paysagiste. C. accompli. D. sujet. E. habitants d'une ville. F. pont. G. nourritures. H. vin. I. jamais. J. mer. K. vomit.

mentionne plusieurs variétés. Jeu de mots, ou utilisation d'un terme que l'on trouve en alchimie ? **22.** Quatre metaulx : or, argent, acier, cuivre ; voir *Gargantua*, VIII (anneau de Gargantua). **23.** Heraclitus le pleurart : allusion au pessimisme proverbial du philosophe. **24.** Selon la théorie des quatre humeurs, la rate est le siège de la bile noire ou mélancholie. **25.** Premier vers de la traduction du psaume CXIV (CXIII A) par Marot. **26.** Ces fruits entraient dans les formules antinauséeuses de Galien. La critique anti-galénique de Rabelais est remarquable. **27.** Jamet Brayer est une addition de 1552 ; ce nom d'un marchand de la Loire, allié de la famille Rabelais, mort en 1533, pourrait aussi désigner Jacques Cartier : en effet, le chanoine Doremet écrit en 1628 que « Rabelais vint apprendre de ce Cartier les termes de la marine et du pilotage à Saint-Malo pour en chamarrer ses bouffonnesques lucianismes et impies épicuréismes » (A. Lefranc, *Les Navigations de Pantagruel*, p. 60). R. Marichal, « Le Nom des vents chez Rabelais », p. 7-28, a prouvé que, si cette rencontre a bien eu lieu, elle est postérieure à la rédaction de 1548, puisque Rabelais, dans cette première version, utilise la langue du Levant, apprise de quelque marin provençal — le vent *Grec levant* déjà présent en 1548 est ainsi un terme méditerranéen — et que ce n'est qu'en 1552 qu'il fera usage de la langue du Ponant. **28.** Catay : Chine septentrionale. **29.** L'Inde supérieure est à l'extrémité la plus orientale de l'Asie (voir les planches de la *Cosmographia* de S. Munster, 1544). **30.** La route traditionnelle des Portugais est empruntée par Pantagruel au chap. XXIV de *Pantagruel*. **31.** En 1552 (var. *c* et *d*), Rabelais introduit *Ceincture ardente* et *aisseuil Septentrional* en remplacement de *Zone torride* et *Pol Arctique*, expressions plus usuelles ; la « Briefve declaration » (p. 595) traduit les termes nouveaux par ceux de 1548. Sur les huit termes glosés dans ce chapitre, six sont absents en 1548. **32.** Passage obscur, témoin d'un savoir emprunté ou d'une volonté de brouiller les références réelles et de donner à lire une navigation vers l'ouest aussi bien que vers l'est. Dans la première hypothèse — les héros auraient trouvé le passage des Indes par le nord-ouest selon l'itinéraire tracé par Cabot, Cartier et Roberval (voir A. Lefranc, *Les Navigations de Pantagruel*) — faut-il comprendre qu'au retour les navigateurs ont sur leur droite le parallèle des Sables d'Olonne qui était sur leur gauche au départ de Saint-Malo ? Mais dans cette phrase le pronom personnel renvoie au pôle, non au parallèle. Faut-il penser (suggestion d'I. Pantin) que Rabelais joue sur les représentations astronomique (sphérique) et géographique (plate)

a. le Pillot principal avoit *b.* Bouteille *c.* passans la Zone torride, et *d.* guide du pol Articque, font *e.* Occident, tant que tournoyans au Septentrion, *f.* regulier *g.* serenité firent

Comment Pantagruel en l'isle de Medamothi[1]*
achapta plusieurs belles choses[2]

CHAPITRE II[a]

Cestuy jour, et les deux subsequens ne leurs apparut terre ne[b] chose aultre nouvelle. Car aultres foys avoient aré[A] ceste routte[c]. Au quatrieme[3] descouvrirent une isle nommée Medamothi, belle à l'œil et plaisante à cause du grand nombre des Phares*[4] et haultes tours marbrines, des quelles tout le circuit estoit orné, qui n'estoit moins grand que de Canada[5]. Pantagruel s'enquerant qui en estoit dominateur entendit, que c'estoit le roy Philophanes*, lors absent pour le mariage de son frere Philotheamon* avecques l'Infante du royaulme de Engys*[6]. Adoncques[B] descendit on havre[C], contemplant, ce pendent que les chormes[D] des naufz[E] faisoient aiguade[F], divers tableaulx, diverses tapisseries, divers animaulx, poissons, oizeaulx, et aultres marchandises exotiques[7] et peregrines[G], qui estoient en l'allée du mole, et par les halles du port. Car c'estoit le tiers jour des grandes et solennes[H] foires du lieu : es quelles annuellement convenoient[I] tous les plus riches et fameux marchans d'Afrique et Asie. D'entre les quelles frere Jan achapta

A. parcouru. B. alors. C. port. D. chiourmes. E. navires. F. provision d'eau douce. G. étrangères. H. importantes. I. se réunissaient.

8. La description d'œuvres d'art appartient à la tradition de l'art alexandrin.

9. Visaige d'un appellant : visage défait d'un plaideur malheureux qui fait appel ; alors synonyme d'*affligé*.

10. Charles Charmois : peintre qui travailla à Fontainebleau pour François Ier et à Saint-Maur-des-Fossés pour Jean du Bellay ; la facture que lui prête Rabelais est en accord avec l'art « maniériste » de Fontainebleau.

11. Le roy Megiste, « très grand », désigne ici François Ier et, en LXI, Henri II.

12. Monnoie de Cinge : premier emploi connu de l'expression (les montreurs de singe faisaient faire des gambades à leur singe en guise de péage).

13. Tableau décrit dans le roman alexandrin d'Achilles Tatius, *Les Amours de Leucippe et Clitophon*, à l'occasion du séjour des héros à Alexandrie.

14. Voir Ovide, *Métamorphoses*, VI, v. 412-676.

15. Sous-entendu grivois, fallot correspondant à *phallus*.

16. Theleme : abbaye fondée pour frère Jean dans *Gargantua*, chap. L-LVIII et inspirée par les châteaux de Madrid et de Chambord.

17. Allusion probable aux peintures allégoriques de la galerie de Fontainebleau, qui renvoient à l'histoire ou aux symboles de la royauté. Resterait à savoir la signification que Rabelais accorde à la fable de Térée et Progné.

18. Ces tableaux sont des *adunata* (« impossibilités »).

19. La tapisserie connut une grande vogue au XVIe siècle. L'*Histoire de Scipion*, tissée de 1532 à 1535 sur une commande de François Ier pour Fontainebleau, comptait vingt-deux pièces. En 1540, François Ier fit installer un atelier dans les communs du château, où furent exécutés des panneaux reproduisant la décoration de la galerie François Ier (où figurait l'éducation d'Achille par le Centaure). La salle du festin donné à l'évêché de Paris, en l'honneur de Catherine de Médicis, le 19 juin 1549, était ornée des figures des dieux et déesses présents aux noces de Thétis et Pélée.

20. La toise correspond à six pieds, soit environ 2 mètres.

21. Les Phrygiens furent les inventeurs de la broderie. *Saye* désigne la soie comme le donnent à penser les emplois des chap. XXXII et LI.

deux rares et precieux tableaux[8] : en l'un des quelz estoit au vif[A] painct le visaige d'un appellant[9] : en l'aultre estoit le protraict[B] d'un varlet qui cherche maistre, en toutes qualitez requises, gestes, maintien, minois[C], alleures, physionomie, et affections[D] : painct et inventé par maistre Charles Charmois[10] painctre du roy Megiste*[11] : et les paya en monnoie de Cinge[12].

Panurge achapta un grand tableau painct et transsumpt[E] de l'ouvrage jadis faict à l'aiguille par Philomela[13] exposante[F] et representante à sa sœur Progné, comment son beaufrere Tereus l'avoit depucellée : et sa langue couppée, affin que tel crime ne decelast[14]. Je vous jure par le manche de ce fallot[G15], que c'estoit une paincture gualante[H] et mirifique[I]. Ne pensez, je vous prie, que ce feust le protraict d'un homme couplé sus une fille. Cela est trop sot, et trop lourd. La paincture estoit bien aultre, et plus intelligible. Vous la pourrez veoir en Theleme[16] à main guausche entrans en la haulte guallerie[17].

Epistemon en achapta une aultre, on quel estoient au vif painctes les Idées* de Platon, et les Atomes* de Epicurus. Rhizotome en achapta un aultre, on quel estoit Echo selon le naturel representée[18].

Pantagruel par Gymnaste feist achapter la vie et gestes[J] de Achilles en soixante et dixhuict pieces de tapisserie[19] à haultes lisses, longues de quatre, larges de trois toises[20], toutes de saye[K] Phrygiene[21], requamée[L] d'or et d'argent. Et commençoit la tapisserie au nopces de Peleus et Thetis, continuant la nativité d'Achilles, sa jeunesse descripte par Stace Papinie : ses gestes et faicts d'armes celebrez par Homere : sa mort et exeques[M] des-

A. naturel. B. portrait. C. mine. D. expressions de sentiments. E. copié. F. expliquant. G. fanal. H. belle. I. admirable. J. actions. K. soie. L. brodée. M. obsèques.

22. Beaucoup d'écrivains ont illustré ce thème, à la suite d'Homère dans l'*Iliade* : Stace, *Achilleis*; Ovide, *Métamorphoses*, XII, v. 580-628; Quintus de Smyrne, dont les œuvres avaient été découvertes en Calabre au XVe siècle, auteur d'une suite de l'*Iliade*; Euripide, *Hécube*, v. 35 et suiv., et 521 et suiv. Voir, pour les choix esthétiques des trois personnages principaux, P. Smith, *Voyage et écriture*, p. 273 (naturalisme pour frère Jean ; maniérisme pour Panurge ; imitation idéalisante pour Pantagruel).

23. À la licorne décrite par Pline, VIII, XXXI, et qui hante les bestiaires médiévaux, les navigateurs contemporains donnaient une existence réelle.

24. Peuple scythe dans l'Ukraine actuelle ; la Scythie, sur les cartes du XVIe siècle, se trouve à la place de la Sibérie. Dans les *Argonautiques orphiques*, v. 1061, il s'agit d'un peuple qui habite près du marais Méotis, de l'autre côté du Pont-Euxin par rapport à la Colchide.

25. La description est empruntée à Pline, VIII, XXXIV, qui note que le tarande est le seul animal couvert de poils (avec le lycaon et le thos) à changer de couleur. Pline insiste sur le fait que ce camouflage permet à cet animal peureux de n'être pas pris. Rabelais, au contraire, semble en faire un animal facile à apprivoiser.

26. *Thoes* et *Lycaons* (vraisemblablement chacals et guépards) sont empruntés à Pline, VIII, XXXIV.

27. Ouvrage perdu.

28. Sur le caméléon, voir Pline, VIII, XXXIII ; *Cinquiesme livre*, XXIX (le narrateur dit en avoir vu un chez le médecin lyonnais Charles Marais). Comme l'unicorne, c'est dans le pays de Satin qu'il se trouve mentionné.

29. Trouvasmes : premier emploi de la première personne du pluriel dans le récit de navigation qui avait débuté à la troisième personne du pluriel. Il en était de même au début du chapitre II de 1548. Selon la suggestion de J. Lecointe, il pourrait s'agir d'une imitation du récit de navigation des *Actes des apôtres*, XXVII, où alternent le *ils* et le *nous*.

criptz par Ovide, et Quinte Calabrois : finissant en l'apparition de son umbre, et sacrifice de Polyxene descript par Euripides[22]. Feist aussi achapter trois beaulx et jeunes Unicornes*[23] : un masle de poil alezan tostade[A], et deux femelles de poil gris pommelé. Ensemble un Tarande[B], que luy vendit un Scythien de la contrée des Gelones[24].

Tarande[25] est un animal grand comme un jeune taureau, portant teste comme est d'un cerf, peu plus grande : avecques cornes insignes largement ramées : les piedz forchuz : le poil long comme d'un grand Ours : la peau peu moins dure, qu'un corps de cuirasse. Et disoit le Gelon peu en estre trouvé parmy la Scythie : par ce qu'il change de couleur selon la varieté des lieux es quelz il paist et demoure. Et represente la couleur des herbes, arbres, arbrisseaulx, fleurs, lieux, pastiz[C], rochiers, generalement de toutes choses qu'il approche. Cela luy est commun avecques le Poulpe marin, c'est le Polype : avecques les Thoes : avecques les Lycaons[26] de Indie : avecques le Chameleon : qui est une espece de Lizart[D] tant admirable, que Democritus a faict un livre[27] entier de sa figure, anatomie, vertus, et proprieté en Magie. Si est ce que[E] je l'ay veu couleur changer[28] non à l'approche seulement des choses colorées, mais de soy mesmes, selon la paour[F] et affections qu'il avoit. Comme sus un tapiz verd, je l'ay veu certainement verdoyer : mais y restant quelque espace de temps devenir jaulne, bleu, tanné[G], violet par succés[H] : en la façon que voiez la creste des coqs d'Inde couleur scelon leurs passions changer. Ce que sus tout trouvasmes[29] en cestuy Tarande admirable est, que non seulement sa face et peau, mais aussi

A. brûlé. B. renne. C. pâturages. D. lézard. E. cependant. F. peur. G. brun. H. successivement.

30. Les Isiaces, prêtres d'Isis, vêtus d'un habit de lin, participaient au culte d'Anubis, fils d'Isis (Plutarque, *Isis et Osiris*, 352 c-d).

31. Par Pline, VIII, XXXIII.

32. Les ânes de Meung-sur-Loire étaient renommés

tout son poil telle couleur prenoit, quelle estoit es choses voisines. Prés de Panurge vestu de sa toge bure[A], le poil luy devenoit gris : prés de Pantagruel vestu de sa mante d'escarlate, le poil et peau luy rougissoit : prés du pilot[B] vestu à la mode des Isiaces[30] de Anubis en Ægypte, son poil apparut tout blanc. Les quelles deux dernieres couleurs sont au Chameleon deniées[31]. Quand hors toute paour et affections il estoit en son naturel, la couleur de son poil estoit telle que voiez es asnes de Meung[32].

A. couleur de bure. B. pilote.

1. Letres est employé au pluriel par latinisme.

2. Les pigeons voyageurs n'étaient pas utilisés en Europe. Pline, X, LIII, avait évoqué ce moyen de correspondance bien représenté dans l'Antiquité et que les sultans développèrent. Le sultan Noureddin (XIIe siècle) établit en Égypte un véritable service de poste et, pour ce faire, il fit élever des tours, colombiers d'où l'on épiait l'arrivée des pigeons.

3. Celoces : du latin *celox*, embarcation romaine à voiles et à rames très rapide.

4. Chelidoine : en grec, hirondelle de mer.

5. L'airain de Corinthe était particulièrement réputé selon Pline, XXXIV, III.

6. Environ 2 mètres.

7. Jehan de Chaources, seigneur de Malicorne, apparenté par son mariage aux Du Bellay, était écuyer d'Henri II. Cité dans la *Sciomachie* de 1549. Le choix du nom de ce personnage dans cet épisode est aussi motivé par un rapprochement avec *licorne*. R. Estienne, dans son dictionnaire de 1549, précise que certains prononcent *Alicorne* le terme correspondant à *unicornis*.

Comment Pantagruel repceut letres[1] *de son pere Gargantua : et de l'estrange maniere de sçavoir nouvelles bien soubdain*[A] *des pays estrangiers et loingtains*[2]

CHAPITRE III

Pantagruel occupé en l'achapt de ces animaulx peregrins[B] feurent ouiz du mole dix coups de Verses et Faulconneaulx[C] : ensemble grande et joyeuse acclamation de toutes les naufz[D]. Pantagruel se tourne vers le havre, et veoyd que c'estoit un des Celoces*[3] de son pere Gargantua, nommé la Chelidoine[4] : pource que sus la pouppe estoit en sculpture de ærain Corinthien[5] une Hirondelle de mer elevée. C'est un poisson grand comme un dar de Loyre[E], tout charnu, sans esquames[F], ayant aesles cartilagineuses (quelles[G] sont es Souriz chaulves) fort longues et larges : moyenans les quelles je l'ay souvent veu voler une toyse[6] au dessus l'eau plus d'un traict d'arc. À Marseille on le nomme Lendole. Ainsi estoit ce vaisseau legier comme une Hirondelle, de sorte que plus toust sembloit sus mer voler que voguer. En iceluy estoit Malicorne[7] escuyer tranchant de Gargantua, envoyé expressement de par luy entendre l'estat et portement[H] de son filz le bon Pantagruel, et luy porter letres de creance.

Pantagruel aprés la petite accollade et barretade[I] gra-

A. promptement. B. étrangers. C. petits canons. D. navires. E. vandoise. F. écailles. G. telles que. H. état de santé. I. salut du bonnet.

8. Pline, X, XXXIV et LIII, évoque les hirondelles porteuses de messages symbolisés par des rubans colorés attachés à leurs pattes.

9. Souvenir de Pline, X, et peut-être de Plutarque, *Thésée*, XVII et XXII : Thésée avait promis à son père Égée qu'au retour de son navire de Crète, où le jeune homme était allé tuer le Minotaure, ses marins hisseraient une voile blanche en cas de succès, noire en cas d'échec.

cieuse, avant ouvrir les letres ne aultres propous tenir à Malicorne, luy demanda. « Avez vous icy le Gozal* celeste messaigier[8] ?

— Ouy, respondit il. Il est en ce panier emmailloté. » C'estoit un pigeon prins on colombier de Gargantua, esclouant[A] ses petitz sus l'instant que le susdict Celoce departoit[B]. Si fortune adverse feust à Pantagruel advenue, il y eust des jectz[C] noirs attaché es pieds : mais pource que tout luy estoit venu à bien et prosperité, l'ayant faict demailloter, luy attacha es pieds[9] une bandelette de tafetas blanc : et sans plus differer sus l'heure le laissa en pleine liberté de l'air. Le pigeon soubdain s'en vole haschant[D] en incroyable hastiveté : comme vous sçavez qu'il n'est vol que de Pigeon, quand il a œufz ou petitz, pour l'obstinée sollicitude en luy par nature posée de recourir[E] et secourir ses pigeonneaulx. De mode qu'en moins de deux heures il franchit par l'air le long chemin, que avoit le Celoce en extreme diligence par troys jours et troys nuyctz perfaict[F], voguant à rames et à veles[G], et luy continuant vent en pouppe. Et feut veu entrant dedans le colombier on propre nid de ses petitz. Adoncques[H] entendent le preux Gargantua, qu'il portoit la bandelette blanche resta en joye et sceureté du bon partement[I] de son filz.

Telle estoit l'usance[J] des nobles Gargantua et Pantagruel, quand sçavoir promptement vouloient nouvelles de quelque chose fort affectée[K] et vehementement desirée : comme l'issue de quelque bataille, tant par mer, comme par terre : la prinze ou defense de quelque place forte : l'appoinctement[L] de quelques differens de impor-

A. éclosant. B. partait. C. anneaux. D. fendant l'air. E. protéger. F. accompli. G. voiles. H. alors. I. départ. J. usage. K. désirée. L. jugement.

10. Mesnagerie est un terme récent pour désigner l'organisation domestique ; voir *Tiers livre*, II (*Mesnagerie* de Caton, ouvrage sur l'administration de la maison et des terres).

11. Salpetre en roche : sel gemme, prisé par les pigeons.

12. La verveine, sacrée pour les Anciens, n'a rien d'un aphrodisiaque.

13. Ovide, *Héroïdes*, I, XII.

14. Adage qu'Érasme attribue à tort à Hésiode ; voir *Adages*, I, II, 39, *Principium dimidium totius*.

tance : l'accouchement heureux ou infortuné de quelque royne, ou grande dame : la mort ou convalescence de leurs amis et alliez malades : et ainsi des aultres. Ilz prenoient le Gozal, et par les postes[A] le faisoient de main en main jusques sus les lieux porter, dont ilz affectoient les nouvelles. Le Gozal portant bandelette noire ou blanche scelon les occurrences et accidens[B], les houstoit de pensement[C] à son retour, faisant en une heure plus de chemin par l'air, que n'avoient faict par terre trente postes en un jour naturel. Cela estoit rachapter et guaingner temps. Et croyez comme chose vraysemblable, que par les colombiers de leurs cassines[D], on trouvoit sus œufz ou petitz, tous les moys et saisons de l'an, les pigeons à foizon. Ce que[E] est facile en mesnagerie[10], moyennant le Salpetre en roche[11], et la sacre[F] herbe Vervaine[12].

Le Gozal lasché, Pantagruel leugt les missives de son pere Gargantua, des quelles la teneur ensuyt.

FILZ TRESCHER,

l'affection que naturellement porte le pere à son filz bien aymé, est en mon endroict tant acreue, par l'esguard et reverence des graces particulieres en toy par election[G] *divine posées, que depuys ton partement me a non une foys tollu*[H] *tout aultre pensement. Me delaissant*[I] *on cueur ceste unicque et soingneuse paour*[J], *que vostre embarquement ayt esté de quelque meshaing*[K] *ou fascherie acompaigné. Comme tu sçays que à la bonne et syncere amour est craincte perpetuellement annexée*[13]. *Et pource que scelon le dict de Hesiode, d'une chascune chose le commencement est la moytié du tout*[14] *: et scelon le proverbe commun, à l'enfourner on faict*

A. courriers. B. événements. C. levait leur doute. D. fermes. E. qui. F. sacrée. G. choix. H. enlevé. I. laissant. J. peur. K. peine.

15. Proverbe déjà utilisé au XIIIe siècle ; sagesse antique et sagesse populaire coïncident.

16. Voir II, n. 3, p. 91 ; la lettre de Gargantua est datée du 13 juin, et il est dit que le céloce qui l'a apportée a mis trois jours et trois nuits (p. 101). Mais la réponse date du 15 juin (p. 113). Rabelais se moquerait-il du lecteur qui, trop scrupuleux, s'essaye à restituer une chronologie plausible ?

les pains cornuz[15]*, j'ay pour de telle anxieté vuider*[A] *mon entendement, expressement depesché Malicorne : à ce que par luy je soys acertainé*[B] *de ton portement sus les premiers jours de ton voyage. Car s'il est prospere, et tel que je le soubhayte, facile me sera preveoir, prognosticquer, et juger du reste. J'ay recouvert*[C] *quelques livres joyeulx, les quelz te seront par le present porteur renduz. Tu les liras, quand te vouldras refraischir*[D] *de tes meilleures estudes. Ledict porteur te dira plusamplement toutes nouvelles de ceste court. La paix de l'Æternel soyt avecques toy. Salue Panurge, frere Jan, Epistemon, Xenomanes, Gymnaste et aultres tes domesticques*[E] *mes bons amis. De ta maison paternelle, ce trezieme de Juin*[16].

TON PERE ET AMY

Gargantua.

A. vider. B. assuré. C. acquis. D. reposer. E. intimes.

1. La lettre de Pantagruel, de style cicéronien, abonde en latinismes anciens comme *benefice*, ou récents comme *patissent, preveuz, auguste, prevenu, conferé*, ou dotés d'un de leurs sens étymologiques non usuel en français comme *impotentes, teneur* ou *crime*. Les binaires qui donnent son emphase à la phrase ont aussi pour le lecteur valeur didactique. Gargantua, lui, se plaît à parler par adages, à utiliser des archaïsmes comme *meshaing* (voir p. 103). Rabelais oppose deux manières épistolaires. Érasme, dans ses traités d'art épistolaire, a mis en valeur l'extrême diversité des lettres selon la personnalité de l'auteur et le sujet, faisant du *decorum* (la convenance) le maître mot de sa pratique.

2. Letres au pluriel par latinisme.

3. La collation est le repas léger que les moines prenaient après la conférence du soir, d'où le repas du soir.

4. La représentation d'un satyre à cheval sur un bouc était populaire au Moyen Âge.

Comment Pantagruel escript à son pere Gargantua, et luy envoye plusieurs belles et rares choses[1]

CHAPITRE IIII

Aprés la lecture des letres[2] susdictes Pantagruel tint plusieurs propous avecques l'escuyer Malicorne, et feut avecques luy si long temps, que Panurge interrompant luy dist. « Et quand boyrez vous ? Quand boyrons nous ? Quand boyra monsieur l'escuyer ? N'est ce assez sermonné[A] pour boyre ?

— C'est bien dict, respondit Pantagruel. Faictez dresser la collation[3] en ceste prochaine hostellerie, en laquelle pend pour enseigne l'image d'un Satyre à cheval[4]. » Ce pendent pour la depesche[B] de l'escuyer, il escrivit à Gargantua comme s'ensuyt.

PERE tresdebonnaire,

comme à tous accidens[C] *en ceste vie transitoire non doubtez*[D] *ne soubsonnez, nos sens et facultez animales patissent plus enormes et impotentes*[E] *perturbations (voyre jusques à en estre souvent l'ame desemparée*[F] *du corps, quoy que telles subites nouvelles feussent à contentement et soubhayt) que si eussent au paravant esté propensez*[G] *et preveuz : ainsi me a grandement esmeu et perturbé*[H] *l'inopinée venue de vostre*

A. conversé. B. courrier. C. événements. D. prévus. E. non maîtrisables. F. séparée. G. prévus. H. bouleversé.

5. Sur l'emploi de servateur, voir prologue, p. 51 et n. 20.
6. Luc, XVII, 10.
7. Pour l'exemple de Furnius, voir Sénèque, *De beneficiis*, II, XXV ; Érasme, *Apophtegmes*, VIII, XLII.
8. Passage emprunté à Sénèque, *De beneficiis*, II, XXXI-XXXIII.

escuyer Malicorne. Car je n'esperoys aulcun veoir de vos domesticques[A]*, ne de vous nouvelles ouyr avant la fin de cestuy nostre voyage. Et facilement acquiesçoys*[B] *en la doulce recordation*[C] *de vostre auguste majesté, escripte, voyre certes insculpée*[D] *et engravée on posterieur ventricule de mon cerveau* : souvent au vif*[E] *me la representant en sa propre et naïfve*[F] *figure.*

Mais puys que m'avez prevenu[G] *par le benefice*[H] *de vos gratieuses letres, et par la creance de vostre escuyer mes espritz recreé*[I] *en nouvelles de vostre prosperité et santé, ensemble de toute vostre royale maison, force m'est ce que par le passé m'estoit voluntaire, premierement louer le benoist*[J] *Servateur*[5] *: lequel par sa divine bonté vous conserve en ce long teneur*[K] *de santé perfaicte : secondement vous remercier sempiternellement de ceste fervente et inveterée affection que à moy portez vostre treshumble filz et serviteur inutile*[6]*. Jadis un Romain nommé Furnius*[7] *dist à Cæsar Auguste recepvant à grace et pardon son pere, lequel avoit suyvy la faction de Antonius. « Aujourd'huy me faisant ce bien, tu me as reduict en telle ignominie, que force me sera vivant mourant estre ingrat reputé par impotence*[L] *de gratuité*[M]*. » Ainsi pourray je dire que l'excés de vostre paternelle affection me range en ceste angustie*[N] *et necessité, qu'il me conviendra vivre et mourir ingrat. Si non que de tel crime*[O] *soys relevé par la sentence des Stoiciens : lesquelz disoient troys parties estre en benefice. L'une du donnant, l'aultre du recepvant, la tierce du recompensant*[8] *: et le recepvant tresbien recompenser le donnant, quand il accepte voluntiers le bienfaict, et le retient en soubvenance*

A. gens de votre maison. B. je me reposais. C. souvenir. D. gravée. E. naturel. F. naturelle. G. devancé. H. bienfait. I. fortifié. J. béni. K. suite. L. impuissance. M. gratitude. N. anxiété. O. accusation.

9. Dans le *Tiers livre*, XLVII, Rabelais a redonné à *peregrination*, «pèlerinage» dans la langue courante son sens du latin classique «voyage à l'étranger».

10. Pline, VIII, XXI : *« Hanc feram uiuam negant capi. »*

perpetuelle. Comme au rebours le recepvant estre le plus ingrat du monde, qui mespriseroit et oubliroit le benefice. Estant doncques opprimé d'obligations infinies toutes procreés de vostre immense benignité, et impotent à la minime partie de recompense, je me saulveray pour le moins de calumnie, en ce que de mes espritz n'en sera à jamais la memoire abolie : et ma langue ne cessera confesser et protester que vous rendre graces condignes est chose transcendente ma faculté et puissance.

Au reste j'ay ceste confiance en la commiseration et ayde de nostre Seigneur, que de ceste nostre peregrination[9] *la fin correspondera au commencement : et sera le totaige*[A] *en alaigresse et santé perfaict*[B]*. Je ne fauldray*[C] *à reduire en commentaires et ephemerides tout le discours*[D] *de nostre naviguaige : affin que à nostre retour vous en ayez lecture veridicque. J'ay icy trouvé un Tarande*[E] *de Scythie, animal estrange et merveilleux à cause des variations de couleur en sa peau et poil, scelon la distinction des choses prochaines. Vous le prendrez en gré. Il est autant maniable et facile à nourir qu'un aigneau. Je vous envoie pareillement troys jeunes Unicornes*[F] *plus domesticques et apprivoisées, que ne seroient petitz chattons. J'ay conferé avecques l'escuyer, et dict la maniere de les traicter. Elles ne pasturent en terre, obstant*[G] *leur longue corne on front. Force est que pasture elles prenent es arbres fruictiers, ou en rattelliers idoines, ou en main, leurs offrant herbes, gerbes, pommes, poyres, orge, touzelle*[H] *: brief toutes especes de fruictz et legumaiges*[I]*. Je m'esbahis comment nos escrivains antiques les disent tant farouches, feroces*[J]*, et dangereuses, et oncques*[K] *vives*[L] *n'avoir esté veues*[10]*. Si bon vous semble ferez espreuve du*

A. total. B. accompli. C. manquerai. D. cours. E. renne. F. licornes. G. empêchant. H. variété de blé. I. légumes. J. sauvages. K. jamais. L. vivantes.

11. L'écu est une monnaie et non une unité de poids.
12. Pour l'escu au Soleil, voir prologue, p. 57 et n. 65.

contraire : et trouverez qu'en elles consiste une mignotize[A] *la plus grande du monde, pourveu que malicieusement*[B] *on ne les offense.*

Pareillement vous envoye la vie et gestes[C] *de Achilles en tapisserie bien belle et industrieuse*[D]*. Vous asceurant que les nouveaultez d'animaulx, de plantes, d'oyzeaulx, de pierreries que trouver pourray, et recouvrer*[E] *en toute nostre peregrination, toutes je vous porteray, aydant Dieu nostre Seigneur lequel je prie en sa saincte grace vous conserver. De Medamothi ce quinzieme de Juin. Panurge, frere Jan, Epistemon, Xenomanes, Gymnaste, Eusthenes, Rhizotome, Carpalim, aprés le devot baisemain vous resaluent*[F] *en usure centuple.*

Vostre humble filz et serviteur

Pantagruel.

Pendent que Pantagruel escrivoit les letres susdictes, Malicorne feut de tous festoyé, salué, et accollé à double rebraz[G]. Dieu sçayt comment tout alloit et comment recommendations[H] de toutes pars trotoient en place. Pantagruel avoir parachevé[I] ses letres bancqueta avecques l'escuyer. Et luy donna une grosse chaine d'Or poisante[J] huyct cens escuz[11], en laquelle par les chainons septenaires[K] estoient gros Diamans, Rubiz, Esmerauldes, Turquoises, Unions[L], alternativement enchassez. À un chascun de ses nauchiers[M] feist donner cinq cens escuz au Soleil[12]. À Gargantua son pere envoya le Tarande couvert d'une housse de satin broché d'Or : avecques la tapisserie contenente la vie et gestes de Achilles : et les

A. gentillesse. B. méchamment. C. actions. D. faite avec habileté. E. me procurer. F. rendent votre salut. G. de toutes leurs forces. H. compliments. I. après avoir achevé. J. pesant. K. septièmes. L. perles. M. nochers.

13. De *frize,* « étoffe de laine à poil frisé ».

troys Unicornes capparassonnées de drap d'Or frizé[13]. Ainsi departirent[A] de Medamothi Malicorne pour retourner vers Gargantua ; Pantagruel pour continuer son naviguaige. Lequel en haulte mer feist lire par Epistemon les livres apportez par l'escuyer. Desquelz, pource qu'il les trouva joyeulx et plaisans, le transsumpt[B] voluntiers vous donneray, si devotement[C] le requerez.

A. partirent. B. copie. C. instamment.

1. Les rencontres d'autres navires sont rares dans le *Quart livre.* Mis à part la *Chelidoine*, la *Thalamege* ne croise que la « navire marchande » de ce chapitre et les « neuf Orques chargées de moines [...] » du chapitre XVIII, p. 221, en prélude à la tempête. Joie générale dans le premier cas, joie du seul Panurge dans le second, les deux épisodes sont à lire en parallèle. L'altercation entre Panurge et Dindenault réintroduit le thème du mariage, qui n'était pas encore intervenu dans cet ouvrage, et du cocuage de Panurge.

Rabelais a emprunté l'idée de cet épisode aux *Macaronées* de Folengo (1517) où, après une altercation entre des paysans tessinois et Balde et son escorte, pour venger ceux-ci, Cingar, en pleine mer, achète à l'un des paysans un mouton qu'il jette à l'eau, et qui entraîne à sa suite tous les moutons du navire. Le personnage de Dindenault, le marchandage, la noyade des marchands sont absents du modèle.

La leçon est la même que celle de l'apologue de la cognée. Comme le dit Panurge, « Vous n'estez le premier de ma congnoissance, qui trop toust voulent riche devenir et parvenir, est à l'envers tombé en paouvreté : voire quelques foys s'est rompu le coul » (VII). Mercure châtiait dans le prologue ; c'est ici Panurge qui, fidèle à son image dans *Pantagruel*, joue le rôle de Mercure comme agent du châtiment du marchand perdu pour son absence de « médiocrité ».

2. Pour le Lanternoys, voir I, n. 20, p. 83.

3. Sur les dates, voir II, n. 3, p. 91.

4. En I, p. 87, l'itinéraire fixé amenait à « suyvre au plus prés le parallele de ladicte Indie [...] » ; dans l'hypothèse d'une navigation vers l'ouest, inconséquence de Rabelais dans la restitution d'un savoir emprunté ? lecture fautive de cartes contemporaines ? R. Marichal, « *Quart livre.* Commentaires », 1956, p. 153-158, a émis l'hypothèse que l'*Æquinoctial* pourrait désigner « le colure des équinoxes » et son équivalent géographique, « la ligne dyametralle », c'est-à-dire le méridien origine. Dans l'hypothèse de la navigation vers l'est par le nord, il n'y a pas discordance entre la direction du chapitre I et celle-ci.

5. Chapitre general des Lanternes : voir dans *Le Disciple de Pantagruel*, XIV, l'allusion à l'assemblée de « toutes les lanternes du monde, comme vous pourriés dire les cordeliers en leur chapitre general, pour traicter des negoces et affaires desdictes lanternes et de leur royaulme [...]. » Voir *Cinquiesme livre*, XXXI « [...] et faisoient escorte à quelques lanternes estrangeres, qui, comme bons Cordeliers et Jacobins alloient là comparoistre au chapitre Provincial. » La mention de *juillet* pourrait faire allusion à la session de juillet 1546 du concile de Trente, comme dans l'épisode parallèle du chapitre XVIII où Rabelais parle du concile

a. Au quatriesme *[var. c, p. 91]* ja *b.* fin du mois de *c.* general des Lanternes, et

Comment Pantagruel rencontra une nauf[A] de voyagers[1] retournans du pays Lanternois[2]

CHAPITRE V

Au cinquieme[3] jour jà[a] commençans tournoyer[B] le pole peu à peu, nous esloignans de l'Æquinoctial[C4] descouvrismes une navire marchande faisant voile à horche[D] vers nous. La joye ne feut petite tant de nous, comme des marchans : de nous entendens nouvelles de la marine[E], de eulx entendens nouvelles de terre ferme. Nous rallians avecques eulx congneusmes qu'ilz estoient François Xantongeoys[F]. Devisant et raisonnant[G] ensemble Pantagruel entendit qu'ilz venoient de Lanternoys. Dont eut nouveau accroissement d'alaigresse, aussi eut toute l'assemblée, mesmement[H] nous enquestans de l'estat du pays, et meurs du peuple Lanternier : et ayans advertissement que sus la fin de[b] Juillet subsequent estoit l'assignation du chapitre general des Lanternes[5] : et que si lors y arrivions (comme facile nous estoit) voyrions belle, honorable, et joyeuse compaignie des Lanternes : et[c] que l'on y faisoit grands apprestz, comme si l'on y deust profondement lanterner[I]. Nous feut aussi dict, que passans le grand royaulme de Gebarim[6] nous

A. navire. B. faire le tour de. C. équateur. D. à bâbord. E. mer. F. Saintongeais. G. parlant. H. principalement. I. dire des niaiseries.

de Chesil (p. 221) ; ou encore, aux foires de La Rochelle. On n'oubliera pas que *lanterne* peut s'entendre dans un sens religieux de « lumière ecclésiastique », mais aussi dans un sens « cabalistique ou archimistique » (voir Béroalde de Verville, *Le Moyen de parvenir*).

6. Gebarim : mot hébreu : les « forts » ou les « coqs », c'est-à-dire les Gaulois ; allusion possible au Canada.

7. Ohabé : mot hébreu : « mon ami ».

8. Ces deux phrases, addition de 1552, s'inscrivent dans la réflexion linguistique de Rabelais sur la filiation de l'hébreu au français.

9. Contrairement aux *Macaronées*, le débat ne se fait qu'entre deux personnages.

10. Taillebourg : village de Saintonge.

11. Dindenault : dérivé de *dandin*, « nigaud », ou, plutôt, formation à partir de syntagnes comme poule d'Inde, coq d'Inde désignant alors le dindon (voir chap. LX).

12. Costume de Panurge depuis le *Tiers livre*, VII.

13. Branche de Coural rouge : allusion équivoque ; voir *Gargantua*, XI, surnom donné à la braguette de Gargantua.

14. La venue de l'Antéchrist doit précéder la fin du monde.

15. Terme composé de *saquer*, *bezer*, *veziner* (« courir »), *massir* (« bourrer ») ; remplace en 1552 *biscoté* (var. *k*).

16. Sur Priapus, dieu des jardins, voir prologue, p. 65 et n. 100.

a. si on y deust lanterner profondement. Ce pendant *b.* Dindenault, lequel avoit dedans la nauf grande quantité de moutons. L'occasion *c.* Ce glorieux Dindenault *d.* braguette, et portant lunettes à son bonnet, *e.* oyoit plus clair des aureilles que de coustume : dont entendant *f.* toutes les braguettes d'Asie et d'Africque. *g.* honestes *h.* corail *i.* tu affaire ? *j.* D'ou *k.* par le consentement de tous les Elements j'avoye biscoté ta femme

serions honorifiquement repceuz et traictez par le Roy Ohabé[7] dominateur d'icelle terre. Lequel et tous ses subjectz pareillement parlent languaige François Tourangeau[8].

Ce pendent[a] que entendions ces nouvelles, Panurge print debat[9] avecques un marchant de Taillebourg[10], nommé Dindenault[11]. L'occasion[b] du debat feut telle. Ce Dindenault[c] voyant Panurge sans braguette avecques ses lunettes attachées au bonnet[d][12], dist de luy à ses compaignons. « Voyez là une belle medaille de Coqu. » Panurge à cause de ses lunettes oyoit des aureilles beaucoup plus clair que de coustume. Doncques entendent[e] ce propous demanda au marchant. « Comment diable seroys je coqu, qui ne suys encores marié, comme tu es, scelon que juger je peuz à ta troigne[A] mal gracieuse ?

— Ouy vrayement, respondit le marchant, je le suys : et ne vouldrois ne l'estre pour toutes les lunettes d'Europe : non pour toutes les bezicles d'Afrique[f]. Car j'ay une des plus belles, plus advenentes, plus honestes, plus prudes[g] femmes en mariage, qui soit en tout le pays de Xantonge[B] : et n'en desplaise aux aultres. Je luy porte de mon voyage une belle et de unze poulsées[C] longue branche de Coural[D][h] rouge[13], pour ses estrenes. Qu'en as tu à faire[i] ? Dequoy te meslez tu ? Qui es tu ? Dont[E][j] es tu ? O Lunettier[F] de l'Antichrist[14], responds si tu es de Dieu.

— Je te demande, dist Panurge, si par consentement et convenence[G] de tous les elemens j'avoys sacsacbezevezinemassé[15] ta tant belle, tant advenente, tant honeste, tant preude femme[k], de mode que le roydde[H] Dieu des jardins Priapus[16], lequel icy habite en liberté, subjection

A. mine. B. Saintonge. C. pouces. D. corail. E. d'où. F. porteur de lunettes. G. accord. H. vigoureux.

17. Belinier est formé à partir de *belin*, « bélier » et « sot », « cocu » ; remplace en 1552 *Braguetier* (var. *d*).

a. Priapus, qui icy habite en liberté, forcluse toute subjection de braguettes, luy *b.* seroit, *c.* bien, l'en tirerois *d.* Braguetier *e.* facilement s'en roillent, à cause de l'humidité trop excessive. Panurge *f.* Bracquemard, et en eust *g.* n'eust esté que *h.* prierent *i.* d'autant, et dehayt :

forcluse[A] de braguettes attachées, luy[a] feust on corps demeuré, en tel desastre[B], que jamais n'en sortiroit, eternellement y resteroit[b], sinon que tu le tirasse avecques les dens, que feroys tu ? Le laisseroys tu là sempiternellement ? ou bien le tireroys[c] tu à belles dents ? Responds ô belinier[C][d][17] de Mahumet, puys que tu es de tous les diables.

— Je te donneroys (respondit le marchant) un coup d'espée sus ceste aureille lunetiere, et te tueroys comme un belier. » Ce disant desguainnoit son espée. Mais elle tenoit au fourreau. Comme vous sçavez que sus mer tous harnoys[D] facilement chargent rouille, à cause de l'humidité excessive, et nitreuse. Panurge[e] recourt vers Pantagruel à secours. Frere Jan mist la main à son bragmard fraischement esmoulu, et eust[f] felonnement[E] occis le marchant : ne feust que[g] le patron de la nauf, et aultres passagiers supplierent[h] Pantagruel, n'estre faict scandale en son vaisseau. Dont feut appoincté[F] tout leur different : et toucherent les mains ensemble Panurge et le marchant : et beurent d'autant l'un à l'autre dehayt[G][i], en signe de perfaicte reconciliation.

A. contrainte exclue. B. influence néfaste des astres. C. berger. D. armures. E. furieusement. F. réglé. G. de bon cœur.

1. Le caractère théâtral de cet épisode, l'interprétation morale à lui donner se retrouvent dans l'épisode de Basché (XII, p. 169 et n. 2). Est posée la question du châtiment et de son agent.

2. En 1552 (var. *b*), Pantagruel est exclu, au profit d'Épistémon, du spectacle de la farce cruelle que Panurge met en scène.

3. Allusion à un trucage de théâtre, corde sur laquelle on faisait glisser une couronne lumineuse représentant l'étoile des Rois mages.

4. Mon amy, nostre voisin : la double apostrophe va être reprise avec des variations sur la place respective des substantifs et des possessifs.

5. *Colas* est le diminutif de *Nicolas. Faillon*, forme meusienne, équivaut à « mon vieux ».

6. Quartier de Paris dans le faubourg Saint-Marcel, sujet aux inondations de la Bièvre et mal famé.

7. L'historiographe est le personnage officiellement chargé d'écrire l'histoire.

a. Comment Panurge feit noyer en mer les moutons, et le marchant qui les conduisoit. Chap. III. Ce *b.* Pantagruel, *c.* mon *d.* truffer de pouvres *e.* Colas, qu'il

Comment le debat appaisé Panurge marchande avecques Dindenault un de ses moutons[1]

CHAPITRE VI

Ce[a] debat du tout appaisé Panurge dist secretement à Epistemon[b2] et à frere Jan. « Retirez vous icy un peu à l'escart, et joyeusement passez temps à ce que voirez. Il y aura bien beau jeu, si la chorde ne rompt[3]. » Puis se addressa[A] au marchant, et de rechef beut à luy plein hanat[B] de bon vin Lanternoys. Le marchant le pleigea guaillard[C], en toute courtoisie et honesteté. Cela faict Panurge devotement[D] le prioyt luy vouloir de grace vendre un de ses moutons. Le marchant luy respondit. « Halas halas mon amy, nostre[c] voisin[4] comment vous sçavez bien trupher[E] des paouvres[d] gens. Vrayement vous estez un gentil chalant. O le vaillant achapteur de moutons. Vraybis[F] vous portez le minoys[G] non mie d'un achapteur de moutons, mais bien d'un couppeur de bourses. Deu Colas, faillon*[5] qu'il[e] feroit bon porter bourse pleine auprés de vous en la tripperie[6] sus le degel ? Han, han, qui ne vous congnoistroyt, vous feriez bien des vostres. Mais voyez hau bonnes gens, comment il taille de l'historiographe[H7].

A. se tourna vers. B. hanap. C. répondit gaillardement à sa santé. D. instamment. E. vous moquer. F. vrai Dieu. G. mine. H. fait l'important.

8. Jeu de mots sur une monnaie ainsi dénommée; voir prologue, n. 115, p. 73.

9. Allusion à l'ordre de chevalerie fondé en 1430 par Philippe le Bon; sur l'histoire des Argonautes et la lecture qu'en fait le XVIe siècle, voir la préface, p. 12-13.

10. Voir *Pantagruel*, prologue (« livres dignes de haulte fustaye »); *Gargantua*, prologue (« livres de haulte gresse »).

11. Vient une addition de 1552 (var. *a*, p. 127), composée comme une scène de théâtre, avec la mention du nom du personnage avant chaque réplique.

12. Robin : type du sot et nom donné au mouton.

13. Le joyeulx du Roy : allusion à la fonction officielle de bouffon du roi, rôle souvent donné à Panurge (voir LXVII).

a. grand *b.* gresse. Je le croy (dist Panurge) mais *c.* vous le payant *d. Pour la suite, voir var. a, p. 127.*

— Patience (dist Panurge). Mais à propous de grace speciale vendez moy un de vos moutons. Combien ?

— Comment (respondit le marchant) l'entendez vous, nostre amy, mon voisin. Ce sont moutons à la grande[a] laine[8]. Jason y print la toison d'Or. L'ordre de la maison de Bourguoigne en feut extraict[9]. Moutons de Levant, moutons de haulte fustaye, moutons de haulte gresse[10].

— Soit (dist Panurge). Mais[b] de grace vendez m'en un, et pour cause[A] bien et promptement vous payant[c] en monnoye de Ponant, de taillis, et de basse gresse. Combien[d]?

— Nostre voisin[11], mon amy (respondit le marchant) escoutez çà un peu de l'aultre aureille.

PAN. À vostre commandement.

LE MARCH. Vous allez en Lanternoys ?

PAN. Voire[B].

LE MARCH. Veoir le monde ?

PAN. Voire.

LE MARCH. Joyeusement ?

PAN. Voire.

LE MARCH. Vous avez ce croy je nom Robin[12] mouton.

PAN. Il vous plaist à dire.

LE MARCH. Sans vous fascher.

PAN. Je l'entends ainsi.

LE MARCH. Vous estez ce croy je, le joyeulx[C] du Roy[13].

PAN. Voire.

LE MARCH. Fourchez là[D]. Ha. Ha. Vous allez veoir le monde, vous estez le joyeulx du Roy, vous avez nom Robin mouton. Voyez ce mouton là, il a nom Robin

A. voilà qui suffit pour ma cause. B. vraiment. C. bouffon. D. Touchez là.

14. Souvenir du berger de *La Farce de Maistre Pathelin.*

15. Huîtres de La Teste-de-Buch (bassin d'Arcachon), renommées au XVIe siècle.

16. Les chantres et les chapelains constituaient le bas chœur d'un chapitre, les chanoines le chœur.

17. Syre monsieur : comique de cette appellation : *sire*, suivi d'un prénom, pouvait être usité pour des marchands, mais ne pouvait précéder l'appellation de *monsieur*, encore réservée aux hommes de haute condition.

18. Qualité la plus fine des draps de Rouen ; *li mestre*, « le maître » en ancien français, est un calembour, vraisemblablement à partir d'un nom anglais, Leicester (voir *Pantagruel*, XII, « louchetz des balles de lucestre ») ou Leominster.

19. Maroquins : faits de peaux de bouc ou de chèvre et non de mouton.

20. Montelimart : ville réputée au XVIe siècle pour ses maroquins, à l'instar de ceux de Turquie.

21. Allusion au siège d'Aquilée, en 238, où les habitants utilisèrent les cheveux de leurs femmes comme cordes à leurs arcs. On a pu voir derrière les cordes de Munich une signification religieuse. Voir éd. Pléiade, p. 551, n. 10.

22. Au courrail de vostre huys : en signe d'hommage, le vassal devait baiser le verrou de la porte du manoir de son seigneur.

23. Les nouveaulx Henricus sont déjà mentionnés en 1548, alors que les premières pièces à l'effigie du roi datent de 1549 ; vraisemblable référence à des pièces frappées par des faussaires. Cingar, chez Folengo, paye le mouton en fausse monnaie.

a. Combien ? *[var. d, p. 125]* Mon amy (respond le *b.* et de harpes, *c.* Munican. Que *d.* vendre *e.* seray fort bien tenu comme vous. Robin, Robin, Robin, Bes, Bes, Bes, Bes[14]. O la belle voix.

PA. Bien belle et harmonieuse.

LE MARCH. Voicy un pact, qui sera entre vous et moy, nostre voisin et amy. Vous qui estez Robin mouton serez en ceste couppe de balance, le mien mouton Robin sera en l'aultre : je guaige un cent de huytres de Busch[15], que en poix, en valleur, en estimation il vous emportera hault et court : en pareille forme que serez quelque jour suspendu et pendu.

— Patience (dist Panurge). Mais vous feriez beaucoup pour moy et pour vostre posterité, si me le vouliez vendre, ou quelque aultre du bas cueur[16]. Je vous en prie syre monsieur[17].

— Nostre amy (respondit le[a] Marchant) mon voisin, de la toison de ces moutons seront faictz les fins draps de Rouen, les louschetz[A] des balles de Limestre[18], au pris d'elle ne sont que bourre. De la peau seront faictz les beaulx marroquins[19] : lesquelz on vendra pour marroquins Turquins ou de Montelimart[20], ou de Hespaigne pour le pire. Des boyaulx, on fera chordes de violons et harpes[b], lesquelles tant cherement on vendra, comme si feussent chordes de Munican ou Aquileie[21]. Que[c] pensez vous ?

— S'il vous plaist (dist Panurge) m'en vendrez[d] un, j'en seray bien fort tenu[e] au courrail de vostre huys[B22]. Voyez cy argent content[C]. Combien ? » Ce disoit monstrant son esquarcelle pleine de nouveaulx Henricus[23].

A. écheveaux. B. verrou de votre porte. C. comptant.

1. Ce chapitre est un éloge à la gloire du mouton dont, une fois encore, Rabelais souligne le lien avec la Toison d'or.

2. Foy de pieton : parodie du serment de François Ier, *foy de gentilhomme.*

3. Bélier ailé à la toison d'or qui servit la fuite de Phrixos et d'Hellé, laquelle se noya dans le détroit appelé depuis lors Hellespont. Phrixos sacrifia à Zeus l'animal dont la toison devint la Toison d'or. Voir Ovide, *Fastes*, III, v. 851-876.

4. Calembour ajouté en 1552 (var. *f*), fondé sur la double valeur de *chou*, légume ou forme dialectale de *ce*; *ita*, « oui », étant l'équivalent de *chou*, *uere*, autre formule latine assertive, devait donc avoir pour équivalent un autre légume. Plaisanterie scolaire, ou manifestation de l'ignorance du marchand ?

5. Exemple de son signifiant par nature ; voir XXXVII.

6. Voir Pline, XVII, IV, pour l'amendement des terres par le marnage.

a. Henricus. *[p. 127]* Mon amy (respondit le marchand) mon voysin *b.* Myrobalans, et les truyes ne *c.* un, je *d.* Combien ? Mon amy (respondit le marchand) nostre voysin, *e.* porta Helle *f.* Hellesponte. Par

Continuation du marché
entre Panurge et Dindenault[1]

CHAPITRE VII

« Mon amy (respondit le marchant) nostre voisin[a] ce n'est viande[A], que pour Roys et Princes. La chair en est tant delicate, tant savoureuse, et tant friande[B] que c'est basme[C]. Je les ameine d'un pays, on quel les pourceaulx (Dieu soit avecques nous) ne mangent que Myrobalans. Les truyes en leur gesine (saulve l'honneur de toute la compaignie) ne[b] sont nourriez que de fleurs d'orangiers.

— Mais (dist Panurge) vendez m'en un, et je[c] le vous payeray en Roy, foy de pieton[D][2]. Combien ?

— Nostre amy (respondit le marchant) mon voisin[d], ce sont moutons extraictz de la propre race de celluy[3] qui porta Phrixus et Helle[e], par la mer dicte Hellesponte.

— Cancre[E] (dist Panurge) vous estez *clericus uel adiscens*[F].

— *Ita*, sont choux (respondit le marchant) *uere*, ce sont pourreaux[4]. Mais rr. rrr. rrrr. rrrrr. Ho Robin rr. rrrrrrr[5]. Vous n'entendez ce languaige. À propous. Par[f] tous les champs es quelz ilz pissent, le bled y provient comme si Dieu y eust pissé*. Il n'y fault aultre marne[6], ne fumier.

A. mets. B. agréable au goût. C. baume. D. fantassin. E. te vienne le chancre ! F. clerc ou étudiant.

7. Quintessentiaux : à côté des nombreuses références implicites à l'alchimie, ce texte offre donc également des références explicites.

8. La coprothérapie, fréquente dans la médecine ancienne, n'était pas abandonnée au XVIe siècle.

9. Saint Eutrope guérissait les hydropiques ; honoré à Saintes.

10. Mode de fumure recommandé par Pline, XIX, XLII, qui vante aussi les asperges de Ravenne.

11. L'astragale est un néologisme (première attestation en 1546 chez Ch. Estienne, *La dissection des parties du corps humain*, p. 31).

12. Asne Indian : animal légendaire (rhinocéros ?) ; selon Pline, XI, XLV, le seul solipède à avoir des osselets.

13. Dorcades (du grec δορκάς), le terme concurrent de *gazelle*, emprunté à l'arabe, est représenté en français depuis le XIIe siècle.

14. Suétone, *Vie des douze Césars*, « Auguste », LXXI ; Auguste raconte avoir gagné 20 000 sesterces au jeu, et qu'il aurait même pu en gagner 50 000. Le marchand confond écus et sesterces.

a. maladies, *b. Voir var. a, p. 133.*

« Plus y a. De leur urine les Quintessentiaux[A7] tirent le meilleur Salpetre du monde. De leurs crottes (mais qu'il ne vous desplaise) les medicins de nos pays guerissent soixante et dixhuict especes de maladie[a8]. La moindre des quelles est le mal sainct Eutrope* de Xaintes[9], dont Dieu nous saulve et guard. Que pensez vous nostre voisin, mon amy ? Aussi me coustent ilz bon[b].

— Couste et vaille (respondit Panurge). Seulement vendez m'en un le payant bien.

— Nostre amy (dist le marchant) mon voisin considerez un peu les merveilles de nature consistans en ces animaulx que voyez, voire en un membre[B] que estimeriez inutile. Prenez moy ces cornes là, et les concassez un peu avecques un pilon de fer, ou avecques un landier, ce m'est tout un[C]. Puis les enterrez en veue du Soleil la part que[D] vouldrez et souvent les arrouzez. En peu de moys vous en voirez naistre les meilleurs Asperges du monde[10]. Je n'en daignerois excepter ceulx de Ravenne. Allez moy dire que les cornes de vous aultres messieurs les coquz ayent vertus telle, et proprieté tant mirifique[E].

— Patience (respondit Panurge).

— Je ne sçay (dist le marchant) si vous estez clerc. J'ay veu prou[F] de clercs, je diz grands clercs, coquz. Ouy dea[G]. À propous, si vous estiez clerc, vous sçauriez que es membres plus inferieurs de ces animaulx divins, ce sont les piedz, y a un os, c'est le talon, l'astragale[11], si vous voulez, duquel non d'aultre animal du monde, fors de l'asne Indian[12], et des Dorcades[H13] de Libye, l'on jouoyt antiquement au Royal jeu des tales[I], auquel l'Empereur Octavian Auguste un soir guaingna plus de 50 000. escuz[14]. Vous aultres coquz n'avez guarde d'en guaingner aultant.

A. alchimistes. B. organe. C. peu m'importe. D. là où. E. admirable. F. beaucoup. G. Oui-da. H. gazelles. I. osselets.

15. Allusion à la guerre légendaire des Pygmées contre les grues (Homère, *Iliade*, III, v. 6 ; Pline, VII, 26).

16. Viander : terme de vénerie signifiant « manger », que Dindenault a dû confondre avec *fienter*.

17. Reprise du thème de la « médiocrité » développé dans le prologue.

18. Fiebvres quartaines : fièvre intermittente avec accès le quatrième jour.

19. L'abbaye de Charroux (Vienne) conservait une relique de la circoncision du Christ, appelée le *saint vœu*.

20. Strabon, III, II, 6, cité par Budé, *De asse*, 1524, IV, f° 90, avec, selon R. Marichal, « *Quart livre*. Commentaires », 1956, p. 174, des erreurs volontaires pour ridiculiser l'érudition factice ou l'exagération de Dindenault : *Tuditanie* pour *Turdetania*, mention de *moutons* à la place de béliers, de *talent d'or* alors qu'il s'agit de monnaie d'argent dans le texte de Budé — le talent d'or valant 6 570 écus, soit 12 000 livres, soit dix fois le talent d'argent. Il s'agit d'additions de 1552 (var. *a*, p. 135). Les Coraxiens sont un peuple de Colchide.

21. « Les hautes paies sont des bas officiers qui ont plus de paie que les autres, comme les Sous-Brigadiers, Sergens [...] » (Furetière).

a. me coustent ilz bon *[var. b, p. 131]* // Bren

— Patience, respondit Panurge. Mais expedions.

— Et quand (dist le marchant) vous auray je nostre amy mon voisin, dignement loué les membres internes ? L'espaule, les esclanges[A], les gigotz, le hault cousté, la poictrine, le faye[B], la ratelle[C], les trippes, la guogue[D], la vessye, dont on joue à la balle. Les coustelettes dont on faict en Pygmion[E][15] les beaulx petitz arcs pour tirer des noyaulx de cerise contre les Grues. La teste dont avecques un peu de soulphre on faict une mirificque decoction pour faire viander[16] les chiens constippez du ventre ?

— Bren[a] bren (dist le patron de la nauf[F] au marchant) c'est trop icy barguigné[G]. Vends luy si tu veulx. Si tu ne veulx : ne l'amuse plus.

— Je le veulx (respondit le marchant) pour l'amour de vous. Mais il en payera trois livres tournois de la piece en choisissant.

— C'est beaucoup, dist Panurge. En nos pays j'en auroys bien cinq, voire six pour telle somme de deniers. Advisez que ne soit trop. Vous n'estez le premier de ma congnoissance, qui trop toust voulent riche devenir et parvenir, est à l'envers tombé en paouvreté : voire quelque foys s'est rompu le coul[17].

— Tes fortes fiebvres quartaines[18] (dist le marchant) lourdault sot que tu es. Par le digne veu de Charrous[19], le moindre de ces moutons vault quatre foys plus que le meilleur de ceulx que jadis les Coraxiens en Tuditanie contrée d'Hespaigne[20] vendoient un talent d'Or la piece. Et que penses tu O sot à la grande paye[21], que valoit un talent d'or ?

— Benoist[H] monsieur, dist Panurge, vous eschauffez

A. cuisses. B. foie. C. rate. D. boyau. E. pays des Pygmées. F. navire. G. marchandé. H. béni.

22. Candale en 1548 (var. *d*) ; le comté de Candale (Angleterre) appartenait à la famille de Foix.

a. tombé, voire quelque fois rompu le col. *[10 lignes]* Bien *b.* voyez vostre *c.* bellant, voyans et oyans *d.* Candale, *e.* à

en vostre harnois[A], à ce que je voy et congnois. Bien[a] tenez, voyez là vostre[b] argent. » Panurge ayant payé le marchant choisit de tout le trouppeau un beau et grand mouton, et le emportoit cryant et bellant, oyans[c] tous les aultres et ensemblement bellans, et reguardans quelle part on menoit leur compaignon.

Ce pendent le marchant disoit à ses moutonniers[B]. « O qu'il a bien sceu choisir le challant. Il se y entend le paillard. Vrayement, le bon vrayement, je le reservoys pour le seigneur de Cancale[d][22], comme bien congnoissant son naturel. Car de sa nature il est tout joyeulx et esbaudy, quand il tient une espaule de mouton en[e] main bien seante et advenente, comme une raquette gauschiere[C], et avecques un cousteau bien trenchant, Dieu sçait comment il s'en escrime. »

A. armure. B. bergers. C. tenue de la main gauche.

1. En 1552, l'épisode s'achève par une citation de Paul dans son Épître aux Romains (voir n. 16, p. 141). De même, c'est une citation biblique, dans le texte adressé par Paul aux Romains, qui clôt l'épisode de Basché (XVI, p. 205 et n. 2). Ainsi, par ces épisodes de farces cruelles mises en scène ou racontées par Panurge, l'homme de la *philautie,* Rabelais pose le problème du châtiment et du pardon.

2. Érasme, *Adages*, III, I, 95, *Ouium mores*; *animant*, « être animé », est un latinisme usuel au XVIe siècle. La référence à Aristote est ajoutée en 1552 (var. *b*).

a. il s'en escrime. // Soubdain : *b.* qu'il aille. Le *c.* voioit noyer *d.* retenir de tout son pouvoir. *e.* Finalement

Comment Panurge feist en mer noyer le marchant et les moutons[1]

CHAPITRE VIII

Soubdain[a], je ne sçay comment, le cas feut subit, je ne eu loisir le consyderer. Panurge sans aultre chose dire jette en pleine mer son mouton criant et bellant. Tous les aultres moutons crians et bellans en pareille intonation commencerent soy jecter et saulter en mer aprés à la file. La foulle[A] estoit à qui premier y saulteroit aprés leur compaignon. Possible n'estoit les en guarder. Comme vous sçavez estre du mouton le naturel, tous jours suyvre le premier, quelque part qu'il aille. Aussi le dict Aristoteles *lib. 9. de histo. animal.* estre le plus sot et inepte animant[B] du monde[2]. Le[b] marchant tout effrayé de ce que davant ses yeulx perir voyoit et noyer[c] ses moutons, s'efforçoit les empescher et retenir tout de son povoir[d]. Mais c'estoit en vain. Tous à la file saultoient dedans la mer, et perissoient.

Finablement[C][e] il en print un grand et fort par la toison sus le tillac[D] de la nauf[E], cuydant[F] ainsi le retenir, et saulver le reste aussi consequemment. Le mouton feut si puissant qu'il emporta en mer avecques soy le marchant, et feut noyé, en pareille forme que les moutons de Poly-

A. presse. B. être animé. C. finalement. D. pont. E. navire. F. croyant.

3. Homère, *Odyssée*, IX, v. 420 et suiv.

4. Frere Olivier Maillard : célèbre prédicateur de l'ordre des Cordeliers, mort en 1502.

5. Frere Jan bourgeoys : célèbre prédicateur franciscain du XVe siècle.

6. Lieux communs.

7. Vallée de misere : métaphore empruntée au *Salve Regina*.

8. Allusion à la chapelle du Mont-Cenis, où l'on déposait le corps des voyageurs morts de froid.

9. Pays de satin : pays de tapisserie, pays imaginaire ; voir *Cinquiesme livre*, XXIX et XXX.

10. Jonas, III.

11. Ulle : seule utilisation du mot chez Rabelais, à la faveur d'une transformation de *nulle* (var. *d*) ; elle s'inscrit dans les débats contemporains sur la valeur des renforcements de la négation : pour bien montrer le statut négatif de *nul*, Rabelais emploie *ulle*, latinisme peu fréquent.

12. Thibault l'aignelet : nom du berger dans *La Farce de Maistre Pathelin* ; voir v. 1017.

13. Regnauld belin : personnage non identifié. Serait-ce une création à partir de *belin*, dénomination du mouton, sur le modèle de *Thibault l'aignelet*, ou *Robin mouton* (VI) ?

a. Cyclope, qui emporterent *b.* evader de naufrage, *c.* Balene, qui au *d.* (dist. Panurge) nulle ame moutonniere ? Je

phemus le borgne Cyclope emporterent[a] hors la caverne Ulyxes et ses compaignons[3]. Autant en feirent les aultres bergiers et moutonniers[A] les prenens uns par les cornes, aultres par les jambes, aultres par la toison. Lesquelz tous feurent pareillement en mer portez et noyez miserablement.

Panurge à cousté du fougon[B] tenent un aviron en main, non pour ayder aux moutonniers, mais pour les enguarder[C] de grimper sus la nauf, et evader[D] le naufraige[b], les preschoit eloquentement, comme si feust un petit frere Olivier Maillard[4], ou un second frere Jan bourgeoys[5], leurs remonstrant par lieux de Rhetoricque[6] les miseres de ce monde, le bien et l'heur[E] de l'autre vie, affermant[F] plus heureux estre les trespassez, que les vivans en ceste vallée de misere[7], et à un chascun d'eulx promettant eriger un beau cenotaphe*, et sepulchre honoraire au plus hault du mont Cenis[8], à son retour de Lanternoys : leurs optant[G] ce neantmoins, en cas que vivre encores entre les humains ne leurs faschast, et noyer ainsi ne leur vint à propous, bonne adventure, et rencontre de quelque Baleine, laquelle au[c] tiers jour subsequent les rendist sains et saulves en quelque pays de satin[9], à l'exemple de Jonas[10]. La nauf vuidée[H] du marchant et des moutons, « Reste il icy (dist Panurge) ulle[I 11] ame moutonniere* ? Où sont ceulx de Thibault l'aignelet[12] ? Et ceulx de Regnauld belin[13], qui dorment quand les aultres paissent ? Je[d] n'y sçay rien. C'est un tour de vieille guerre. Que t'en semble frere Jan ?

— Tout bien de vous (respondit frere Jan). Je n'ay rien trouvé maulvais si non qu'il me semble que ainsi

A. bergers. B. cuisine. C. empêcher. D. échapper au. E. bonheur. F. affirmant. G. souhaitant. H. vidée. I. quelque.

14. Allusion à la bataille de Cérisoles (avril 1544), gagnée par le comte d'Enghien contre les Impériaux ; le roi n'ayant pu fournir que le quart de la somme demandée pour payer les troupes, on leur laissa entendre qu'elles seraient payées le jour de Pâques, jour auquel on prévoyait le combat. Les mercenaires du comte de Gruyères lâchèrent pied. Les bandes françaises victorieuses furent invitées au pillage.

15. Proposition complétive dépendant de *il me semble que*, avec reprise de la conjonction *que* déjà exprimée.

16. Paul, Romains, XII, 19, pour traiter de la charité envers tous, même les ennemis, s'appuie sur cette citation du Deutéronome, XXXII, 35.

17. Matière de breviaire : cette expression, chère à frère Jean, est à prendre ici au sens propre, puisque ce texte était lu au bréviaire pour l'octave de saint Étienne.

a. assault de place forte, promettre *b.* vous fust demouré. C'est *c.* fuz, ny le seray. *d. Fin du chapitre* comme jadis on souloyt[A] en guerre au jour de bataille, ou assault, promettre[a] aux soubdars[B] double paye pour celluy jour : s'ilz guaingnoient la bataille, l'on avoit prou[C] de quoy payer : s'ilz la perdoient, c'eust esté honte la demander, comme feirent les fuyars Gruyers aprés la bataille de Serizolles[14] : aussi qu'en fin vous doibviez le payement reserver[15]. L'argent vous demourast en bourse.

— C'est[b] (dist Panurge) bien chié[D] pour l'argent. Vertus Dieu j'ay eu du passetemps pour plus de cinquante mille francs. Retirons nous, le vent est propice. Frere Jan escoutte icy. Jamais homme ne me feist plaisir sans recompense[E], ou recongnoissance pour le moins. Je ne suys point ingrat, et ne le feuz, ne seray[c]. Jamais homme ne me feist desplaisir sans repentence, ou en ce monde ou en l'autre. Je ne suys poinct fat[F] jusques là[d].

— Tu (dist frere Jan) te damne comme un vieil diable. Il est escript, *Mihi uindictam*[G16], *et cætera.* Matiere de breviaire[17]. »

A. avait l'habitude. B. soldats. C. beaucoup. D. dit. E. compensation. F. sot. G. à moi la puissance de punir.

1. Ennasin : nom formé à partir d'*esnasé*, « au nez coupé », et du suffixe hébraïque *-in*; couper le nez était un châtiment imposé à certains criminels.

2. La signification de l'épisode est ambiguë. Pour certains commentateurs, Ennasin serait à rapprocher des Esséniens, secte bien connue au XVIe siècle, comme l'attestent les mentions qu'en font les humanistes Lefebvre d'Étaples ou Érasme. Les Esséniens étaient alors considérés comme les ancêtres du monachisme. Selon l'historien Flavius Josèphe (Ier siècle ap. J.-C.), *De bello iudaico*, II, VIII, ils se perpétuaient quoique pratiquant la chasteté. M. A. Sabellicus, dans les *Ennéades* (1538), évoque le développement rapide des ordres dominicain et franciscain, qu'il appelle familles. Par ailleurs, certaines coutumes monacales, comme celle des mariages spirituels où religieux et religieuses s'appellent ma fille, ma niepce, ma rose..., semblent visées. Il pourrait s'agir aussi d'une parodie des « amours d'alliance » très en vogue au XVIe siècle; voir, par exemple, Marot et Anne d'Alençon, sa « Pensée ». Il n'est pas impossible que ce chapitre soit également en rapport avec la condamnation de certains jeux de mots au nom de l'orthographe et de la prononciation, condamnation dont le chapitre IX de *Gargantua* s'était fait l'écho, ce qui expliquerait le caractère linguistique des interventions de Pantagruel. — Les alliances de mots se font par parenté lexicale *(savatte / pantophle, botine / estivallet, mitaine / guand)*, par dissociation d'expressions *(couane de lard, homelaicte d'œufz, poys en gousse)* ou de mots *(verdcoquin, cornemuse)*, ou par retour au sens propre d'expressions proverbiales. Les équivoques *(lodier, vesse)* sont fréquentes.

3. Selon Flavius Josèphe, le paradis essénien est perpétuellement rafraîchi par un doux zéphyr venu de l'Océan.

4. Garbin : vent du sud-ouest, incongruité dans l'hypothèse d'une navigation vers l'ouest, bienvenu dans l'hypothèse d'une navigation vers l'est.

5. L'aube des mousches : trois ou quatre heures après le lever du soleil, selon Cotgrave.

6. Rabelais se souvient sans doute ici de ce que les Grecs, frappés par la forme triangulaire de l'île, l'avaient appelée Trinacria, « l'île aux trois pointes ». Cette île pourrait aussi évoquer l'Angleterre.

7. Pour J. Bouchet, *Les Annales d'Acquitaine*, Poitiers, 1524, I, II, f° 2 r°, les Poitevins descendraient des Scythes qui se peignaient le visage en rouge. Le poitevin désigne aussi une petite monnaie.

8. Évoque les Esquimaux?

a. Chap. IIII. // Zephire *b.* de *c.* forme et grandeur) à *d.* (ce fut porte Carmentale, depuis *e.* (c'estoient les Venitiens) sortirent

Comment Pantagruel arriva en l'isle Ennasin[1] *et des estranges alliances du pays*[2]

CHAPITRE IX

Zephyre[a][3] nous continuoit en participation d'un peu du[b] Garbin[4], et avions un jour passé sans terre descouvrir. Au tiers jour à l'aube des mousches[5] nous apparut une isle triangulaire bien fort resemblante quant à la forme et assiette à[c] Sicile[6]. On la nommoit l'isle des alliances. Les hommes et femmes ressemblent aux Poictevins rouges[7], exceptez que tous homes, femmes, et petitz enfans ont le nez en figure d'un as de treuffles[A][8]. Pour ceste cause le nom antique de l'isle estoit Ennasin. Et estoient tous parens et alliez ensemble, comme ilz se vantoient, et nous dist librement le Potestat[9] du lieu. « Vous aultres gens de l'aultre monde tenez pour chose admirable, que d'une famille Romaine[10] (c'estoient les Fabians) pour un jour (ce feut le trezieme du moys de Febvrier) par une porte (ce feut la porte Carmentale, jadis située au pied du Capitole, entre le roc Tarpeian et le Tybre, depuys[d] surnommée Scelerate) contre certains ennemis des Romains (c'estoient les Veientes Hetrusques) sortirent[e] trois cens six hommes de guerre tous parens, avecques cinq mille aultres souldars[B] tous leurs vassaulx : qui tous feurent occis, ce feut prés le

A. trèfles. B. soldats.

9. Podestat, premier magistrat de certaines villes d'Italie et du Midi.

10. Sur l'histoire des trois cent six Fabius, voir Tite-Live, *Histoire romaine*, II, XLIX-L ; Aulu-Gelle, *Nuits attiques*, XVII, XXI ; Ovide, *Fastes*, II, v. 193-242. Les mentions de la porte Carmentale et du lac de Baccane proviennent de Marliani, *Topographia antiquae Romae*, Lyon, 1534, texte édité par Rabelais.

11. Sens libre de l'expression se frotter le lard.

12. Le Fauveau à la raie noire (voir *Gargantua*, V) est le héros d'un roman de chevalerie — la raie noire étant symbole de vanité. L'expression *estrille fauveau* désignait un flagorneur qu'en bon rébus de Picardie, on représentait par une estrille, une faulx et un veau.

13. Sainct Treignan : déformation de saint Ringan ou Ninian ; juron des soldats écossais.

14. Verdcoquin : « espèce d'helminthe qui se développe dans la tête du mouton et qui cause un genre de vertige appelé tournis », puis « ce vertige lui-même » (Littré).

a. tous parens. De

fleuve Cremere, qui sort du lac de Baccane. De[a] ceste terre pour un besoing sortiront plus de trois cens mille tous parens et d'une famille. »

Leurs parentez et alliances estoient de façon bien estrange. Car estans ainsi tous parens et alliez l'un de l'autre, nous trouvasmes que persone d'eulx n'estoit pere ne mere, frere ne sœur, oncle ne tante, cousin ne nepveu, gendre ne bruz, parrain ne marraine de l'autre. Sinon vrayement un grand vieillard enasé[A] lequel, comme je veidz, appella une petite fille aagée de trois ou quatre ans, mon pere : la petite fillette le appelloit ma fille. La parenté et alliance entre eulx, estoit que l'un appelloit une femme, ma maigre[B] : la femme le appelloit mon marsouin. « Ceulx là (disoit frere Jan) doibvroient bien sentir leur marée, quand ensemble se sont frottez leur lard[11]. » L'un appelloit une guorgiase bachelette[C] en soubriant. « Bon jour mon estrille. » Elle le resalüa[D] disant. « Bon estreine[E] mon Fauveau. »

« Hay, hay, hay, s'escria Panurge, venez veoir une estrille, une fau, et un veau. N'est ce Estrille fauveau[12] ? Ce fauveau à la raye noire doibt bien souvent estre estrillé. » Un autre salua une siene mignonne disant. « À dieu mon bureau. » Elle luy respondit. « Et vous aussi mon procés. »

« Par sainct Treignan[13] (dist Gymnaste) ce procés doibt estre soubvent sus ce bureau. » L'un appelloit une autre mon verd. Elle l'appelloit, son coquin. « Il y a, bien là, dist Eusthenes, du Verdcoquin[14]. » Un aultre salua une sienne alliée disant. « Bon di[E], ma coingnée. » Elle respondit. « Et à vous mon manche. »

« Ventre beuf, s'escria Carpalim, comment ceste coin-

A. sans nez. B. seiche. C. élégante jeune fille. D. lui rendit son salut. E. bonjour.

15. Manche : jeu de mots à partir de l'italien *mancia*, « pourboire ».
16. Cordelier à la grande manche : cordelier qui, au début du XVIe siècle, n'avait pas admis les réformes de l'Observance.
17. Haultes mulles : engelures au talon. Voir la forme *males mules*, prologue, p. 77.

a. lard. L'un appeloit une *[20 lignes]* autre, mon Materatz : *b.* appelloit sa savate : elle le nommoit sa pantoufle. L'un, une autre nommoit ma mitaine : elle le nommoit mon gant. L'un, une autre nommoit ma botine : elle l'appeloit son estival. L'un, une autre *c.* nommoit œuf. *d.* Carpalim) un huystre en escaille. *e. Voir var. a p. 149.*

gnée est emmanchée. Comment ce manche est encoingné. Mais seroit ce point la grande manche[15] que demandent les courtisanes Romaines ? Ou un cordelier à la grande manche[16]. » Passant oultre je veids un averlant[A] qui saluant son alliée, l'appella mon matraz[B][a], elle le appelloit mon lodier[C]. De faict il avoit quelques traictz de lodier[D] lourdault. L'un appelloit une aultre ma mie, elle l'appelloit ma crouste. L'un une aultre appelloit sa palle[E], elle l'appelloit son fourgon[F]. L'un une aultre appelloit ma savatte, elle le nommoit pantophle*. L'un une aultre nommoit ma botine, elle l'appelloit son estivallet[G]. L'un une aultre nommoit sa mitaine, elle le nommoit mon guand. L'un une aultre[b] nommoit sa couane, elle l'appelloit son lard. Et estoit entre eulx, parenté de couane de lard. En pareille alliance, l'un appelloit une sienne mon homelaicte, elle le nommoit mon œuf[c]. Et estoient alliez comme une homelaicte d'œufz. De mesmes un aultre appelloit une sienne ma trippe, elle l'appelloit son fagot. Et oncques[H] ne peuz sçavoir quelle parenté, alliance, affinité, ou consanguinité feust entre eulx, la raportant à nostre usaige commun, si non qu'on nous dist, qu'elle estoit trippe[I] de ce fagot. Un aultre saluant une siene disoit. « Salut mon escalle[J]. » Elle respondit. « Et à vous mon huytre. »

« C'est (dist Carpalim) une huytre en escalle[d]. » Un aultre de mesmes saluoit une sienne disant. « Bonne vie ma gousse. » Elle respondit. « Longue à vous mon poys. »

« C'est (dist Gymnaste) un poys en gousse[e]. » Un aultre grand villain clacquedens[K] monté sus haultes mulles[17] de boys rencontrant une grosse, grasse, courte,

A. lourdaud. B. matelas. C. courtepointe. D. vaurien. E. pelle. F. pique-feu. G. botte. H. jamais. I. parement. J. écaille. K. gueux.

18. Sang sainct Gris : juron d'origine inconnue.

19. « À mauvais jeu, bonne mine », proverbe courant. Voir A. Oudin, *Curiositez françoises*, p. 348 : « faire bonne Mine. *i.* demeurer ferme : dissimuler son deffaut, excuser par des apparences. On y adjouste, et mauvais jeu. »

20. Bacchelier en busche : parodie de *bachelier en armes*, « apprenti chevalier ».

21. Tourner la truie au foin : « changer de propos ».

22. Le terme de *vesse* s'applique aussi à une femme de mauvaise vie.

a. en gousse. *[var. e, p. 147]* Un *b.* totalement *c.* Aussi fera il pet :

guarse[A] luy dist. « Dieu guard mon sabbot[B], ma trombe[B], ma touppie. » Elle luy respondit fierement. « Guard pour guard mon fouet. »

« Sang sainct Gris[18], dist Xenomanes, est il fouet competent, pour mener ceste touppie ? » Un docteur regent[C] bien peigné et testonné[D] avoir quelque temps divisé[E] avecques une haulte damoizelle, prenant d'elle congié luy dist. « Grand mercy Bonne mine.

— Mais, dist elle, tresgrand à vous Mauvais jeu. »

« De Bonne mine (dist Pantagruel) à Mauvais jeu n'est alliance impertinente[19]. » Un bacchelier en busche[F][20] passant dist à une jeune bachelette[G]. « Hay, hay, hay. Tant y a que ne vous veidz Muse.

— Je vous voy (respondit elle) Corne voluntiers. »

« Acoupplez les (dist Panurge) et leurs soufflez au cul. Ce sera une cornemuse. » Un[a] aultre appella une sienne ma truie, elle l'appella son foin. Là me vint en pensement, que ceste truie voluntiers se tournoit à ce foin[21]. Je veidz un demy guallant bossu quelque peu prés de nous saluer une sienne alliée disant. « Adieu mon trou. » Elle de mesmes le resalua disant. « Dieu guard ma cheville. » Frere Jan dist. « Elle ce croy je est toute trou, et il de mesmes tout cheville. Ores est à sçavoir, si ce trou par ceste cheville peult entierement[b] estre estouppé[H]. » Un aultre salua une sienne disant. « Adieu ma mue. » Elle respondit. « Bon jour mon oizon. »

« Je croy (dist Ponocrates) que cestuy oizon est souvent en mue. » Un averlant causant avecques une jeune gualoise[I] luy disoit. « Vous en souvieigne vesse[22].

— Aussi fera ped[c] », respondit elle.

A. jeune fille. B. toupie. C. qui tient école. D. coiffé. E. après avoir devisé. F. apprenti bûcheron. G. jeune fille. H. bouché. I. jolie fille.

23. Vent de Galerne : vent du nord-ouest ; terme en usage chez les marins du Ponant et les mariniers de la Loire. Jeu de mots avec *galler*, « faire la noce », *gualoise, guallant* et *galerner*, « se livrer à la débauche ».

24. Lanterné, sens libre ; allusion à la légende, bien représentée dans l'Antiquité, des animaux fécondés par le vent.

25. Gens de delà l'eau : expression employée par dédain pour des gens qui ne sont pas d'ici, des gens naïfs.

26. Gens bottez de foin : « grossiers comme ces pauvres paisans qui au défaut d'autres bottes s'en font avec du foin cordelé », selon Le Duchat.

27. Le mariage de la poyre et du fromaige : expression proverbiale ; sur le *pays de vache*, voir *Pantagruel*, prologue.

28. Bonne robbe : de l'italien *buona robba*, « bonne marchandise ».

a. gens dela l'eau, *b.* jeune soupple

« Appellez vous (dist Pantagruel au Potestat) ces deux là parens ? Je pense qu'ilz soient ennemis, non alliez ensemble : car il l'a appellée Vesse. En nos pays vous ne pourriez plus oultrager une femme que ainsi l'appellant.

— Bonnes gens de l'aultre monde (respondit le Potestat) vous avez peu de parens telz et tant proches, comme sont ce Ped et ceste Vesse. Ilz sortirent invisiblement tous deux ensemble d'un trou en un instant.

— Le vent de Galerne[23] (dist Panurge) avoit doncques lanterné[24] leur mere.

— Quelle mere (dist le Potestat) entendez vous ? C'est parenté de vostre monde. Ilz ne ont pere ne mere. C'est à faire à gens de delà l'eau[a25], à gens bottez de foin[26]. » Le bon Pantagruel tout voyoit, et escoutoit : mais à ces propous il cuyda perdre contenence.

Avoir[A] bien curieusement[B] consyderé l'assiette de l'isle et meurs du peuple Ennasé, nous entrasmez en un cabaret pour quelque peu nous refraischir. Là on faisoit nopces à la mode du pays. Au demourant chere et demye[C]. Nous presens feut faict un joyeulx mariage, d'une poyre femme bien gaillarde, comme nous sembloit, toutesfoys ceulx qui en avoient tasté, la disoient estre mollasse, avecques un jeune fromaige à poil follet un peu rougeastre. J'en avoys aultres foys ouy la renommée, et ailleurs avoient esté faictz plusieurs telz mariages. Encores dict on en nostre pays de vache[D], qu'il ne feut oncques tel mariage, qu'est de la poyre et du fromaige[27]. En une aultre salle je veids qu'on marioit une vieille botte avecques un jeune et soupple[b] brodequin. Et feut dict à Pantagruel, que le jeune brodequin prenoit la vieille botte à femme, pource qu'elle estoit bonne robbe[E28], en bon

A. après avoir. B. soigneusement. C. bombance. D. natal. E. avantageuse.

a. estoit contrepoinctée.

poinct et grasse à profict de mesnaige[A], voyre feust ce pour un pescheur. En une aultre salle basse je veids un jeune escafignon[B] espouser une vieille pantophle. Et nous feut dict que ce n'estoit pour la beaulté ou bonne grace d'elle, mais par avarice et couvoitise de avoir les escuz dont elle estoit toute contrepoinctée[C][a]

A. totalement. B. escarpin. C. rembourrée.

1. Cheli : de l'hébreu *scheli*, « paix », ou *salî*, « rôti ».

2. *Panigon* provient de l'italien *panicone*, « gros mangeur ». Pour l'identification du « royaume panigonnois » au pays de cocagne, voir A. Huon, « *Le Roy sainct Panigon* dans l'imagerie populaire du XVIe siècle », *François Rabelais*, Genève, Droz, 1953, p. 210-225. Ce chapitre évoque les coutumes et le langage de la cour et fait la satire de l'italianisme.

3. Le garbin était un vent du sud-ouest. La nef va donc vers le nord-est. R. Marichal, « Le Nom des vents [...] », p. 19, en tire argument pour montrer que Rabelais aurait acquis une connaissance nautique superficielle. Cette mention devient pertinente dans l'hypothèse de l'itinéraire des *Argonautiques orphiques*.

a. regnoit Panigon. Chapitre V. // Le *b.* truffles, *c.* regnoit Panigon le bon Roy, lequel *d.* employer *e.* il n'avient pas toutes et quantes foys *f.* vingt cinq,

Comment Pantagruel descendit
en l'isle de Cheli[1] *en laquelle regnoit*
le Roy sainct Panigon[2]

CHAPITRE X

Le[a] Garbin nous souffloit en pouppe[3], quand laissans ces mal plaisans Allianciers, avecques leurs nez de as de treuffle[A][b] montasmes en haulte mer. Sus la declination[B] du Soleil feismez scalle[C] en l'isle de Cheli : isle grande, fertile, riche, et populeuse, en laquelle regnoit le roy sainct Panigon. Lequel[c] acompaigné de ses enfans, et princes de sa court s'estoit transporté jusques prés le havre pour receptvoir Pantagruel. Et le mena jusques en son chasteau, sus l'entrée du dongeon se offrit la royne acompaignée de ses filles et dames de court. Panigon voullut qu'elle et toute sa suyte baisassent Pantagruel et ses gens. Telle estoit la courtoisie et coustume du pays. Ce que[D] feut faict, excepté frere Jan, qui se absenta, et s'escarta par my les officiers du Roy. Panigon vouloit en toute instance pour cestuy jour et au lendemain retenir Pantagruel. Pantagruel fonda son excuse sus la serenité du temps, et oportunité du vent, lequel plus souvent est desiré des voyagiers que rencontré, et le fault emploiter[E][d] quand il advient, car il ne advient toutes et quantes foys[F][e] qu'on le soubhayte. À ceste remonstrance aprés boyre vingt et cinq[f] ou trente

A. trèfle. B. déclin. C. escale. D. qui. E. utiliser. F. toutes les fois.

4. Euphémisme : « par la mort Dieu ».

5. Rue en cuisine : fait de grands apprêts de cuisine.

6. Fusion de deux expressions : *à profit de mesnage* et *à l'usage de*, qui se dit « des rituels dont on se sert en la célébration du service divin » (Furetière).

7. Gippon : plastron ajusté rembourré de coton, qui se portait sous la cotte de mailles.

8. Corpe de galline : euphémisme à l'imitation de l'italien *sangue di gallina* pour *sangue di christo*.

9. Suit une satire des italianismes de langage et de comportements de politesse, introduits à la cour par l'entourage de Catherine de Médicis.

10. Chiabrener : fait sur *chiabrena*; voir *le Chiabrena des pucelles*, *Pantagruel*, VII, et *Tiers livre*, VIII ; au propre « chiasse », au figuré « simagrée » ; dans la suite, décomposé en *chiasser* et *bren*.

11. Magny, magna : onomatopée.

12. Reverence, double, reprinze : pas de danse élémentaires.

13. Accollade (néologisme, première attestation en 1546 ; voir III), « embrassade en mettant les bras autour du cou » ; fressurade, « autour de la fressure » (gros viscères d'un animal).

14. En 1552 (var. *c*), Rabelais a changé *de vostre Majesté, de vostre excellence* en *de vostre maiesta*, forme italienne.

15. « Vous soyez le bienvenu », formule de politesse.

16. Tarabin, tarabas : onomatopée.

17. Plaisanterie traditionnelle.

18. Sens libre ; au propre, « mettre un tonneau en perce ».

19. Sens libre ; au propre, « faire enregistrer sa nomination ».

20. Brenasserie : dérivé de *bren*, employé en Poitou. *Vreniller*, un peu plus haut, est aussi un terme poitevin. Rabelais oppose un dialecte à l'italianisme.

21. Le jeusne double est un jeûne de deux jours.

22. Selon la règle de saint Benoît, la discrétion est de rigueur dans la réception des hôtes.

23. Le seigneur de Guyercharois : peut-être Jean-Baptiste de Villequier, vicomte de La Guerche-sur-Creuse, chambellan du roi.

a. pour *b.* en *c.* l'accolade, baise les mains, de vostre mercy, de vostre Majesté, de vostre excellence : vous soyez le bien venu : Tarabin *d.* jeune *e. Voir var. a, p. 159.*

foys par[a] home, Panigon nous donna congié. Pantagruel retournant au port et ne voyant frere Jan, demandoit quelle part[A] il estoit, et pourquoy n'estoit ensemble[B] la compaignie. Panurge ne sçavoit comment l'excuser, et vouloit retourner au chasteau pour le appeller, quand frere Jan accourut tout joyeulx, et s'escria en grande guayeté de cœur disant. « Vive le noble Panigon. Par la mort beuf de boys[4] il rue en cuisine[C5]. J'en viens, tout y va par escuelles[D]. J'esperoys bien y cotonner à profict et usaige monachal[6] le moulle de mon gippon[E7].

— Ainsi mon amy (dist Pantagruel) tous jours à[b] ses cuisines.

— Corpe de galline[F8] (respondit frere Jan) j'en sçay mieulx l'usaige et cerimonies[9], que de tant chiabrener[G10] avecques ces femmes, magny, magna[11], chiabrena, reverence, double, reprinze[12], l'accollade, la fressurade[13], baise la main de vostre mercy, de vostre maiesta[14], vous soyez[15]. Tarabin[c], tarabas[16]. Bren, c'est merde à Rouan[17]. Tant chiasser, et vreniller[H]. Dea, je ne diz pas que je n'en tirasse quelque traict dessus la lie[18], à mon lourdois[I] : qui me laissast insinuer ma nomination[19]. Mais ceste brenasserie[20] de reverences me fasche plus qu'un jeune diable. Je voulois dire, un jeusne[d] double[21]. Sainct Benoist n'en mentit jamais[22e].

« Vous parlez de baiser damoizelles, par le digne et sacre[J] froc que je porte, voluntiers je m'en deporte[K], craignant que m'advieigne ce que advint au seigneur de Guyercharois[23].

— Quoy ? demanda Pantagruel. Je le congnois. Il est de mes meilleurs amis.

A. où. B. avec. C. mange énormément. D. on n'épargne rien. E. corps. F. corps de poule. G. faire des manières. H. tourner de côté et d'autre. I. à ma façon rustique. J. sacré. K. abstiens.

24. Baiser les dames lors de l'arrivée dans un château était usuel au XVIe siècle.
25. De Dieu est un hébraïsme pour marquer l'excellence.
26. Évoque l'harmonie des sphères.
27. Début du psaume CXIX (CXVIII).
28. Sur cette fin, voir VIII, p. 141 et n. 17.

a. n'en mentit jamais. *[var. e, p. 157]* Vertu Dieu que ne *b.* le branslement et harmonie des broches, la *c.* de

— Il estoit, dist frere Jan, invité à un sumptueux et magnificque bancquet, que faisoit un sien parent et voysin : au quel estoient pareillement invitez tous les gentilz hommes, dames, et damoyselles du voysinage. Icelles attendentes sa venue, desguiserent les paiges de l'assemblée, et les habillerent en damoyselles bien pimpantes[A] et atourées[B]. Les paiges endamoysellez à luy entrant prés le pont leviz se presenterent. Il les baisa[24] tous en grande courtoysie, et reverences magnificques. Sus la fin, les dames qui l'attendoient en la guallerie, s'esclatterent de rire, et feirent signes aux paiges, à ce qu'ilz houstassent[C] leurs atours. Ce que voyant le bon seigneur, par honte et despit ne daigna baiser icelles dames et damoyselles naïfves[D]. Alleguant veu qu'on luy avoit ainsi desguysé les paiges, que par la mort beuf de boys ce doibvoient là estre les varletz encores plus finement desguysez.

« Vertus Dieu, *da iurandi*[E], pourquoy plus toust ne[a] transportons nous nos humanitez[F] en belle cuisine de Dieu[25] ? Et là ne consyderons le branlement[G] des broches, l'harmonie[26] des contrehastiers[H], la position des lardons, la[b] temperature des potaiges, les preparatifz du dessert, l'ordre du service du[c] vin ? *Beati immaculati in uia*[I27]. C'est matiere de breviaire[28]. »

A. fardées. B. parées. C. ôtassent. D. véritables. E. permets-moi de jurer. F. corps. G. danse. H. chenets. I. Heureux ceux qui sont irréprochables.

1. Le chapitre s'inscrit dans la série de ceux qui prétendent répondre à une question touchant certaines particularités. Voir *Gargantua*, XL (question monacale), « Pourquoy les Moynes sont refuyz du monde, et pourquoy les ungs ont le nez plus grand que les aultres » ; ou *Tiers livre*, VI (exemption de guerre pour les nouveaux mariés).

2. Moine moiné : parodie des expressions scolastiques ***nature naturante*** (le Créateur) et ***natures naturées*** (les créatures).

3. Rabelais découvrit Florence en 1534 ; l'édition de 1548 fournit la leçon *douze ans*.

4. Motivations qui animaient Rabelais lors de son premier voyage en Italie. Voir épître-dédicace de la *Topographia* de Marliani.

5. Bernard lardon : personnage inconnu ; nom forgé pour la circonstance ?

6. « Fâché comme quelqu'un contre qui on a monopolé [comploté]. »

a. Breviaire. C'est *b.* recordation, *c.* douze *d.* studieux, convoiteux de voir les singularitez *e.* considerions *f.* contention, à qui plus proprement les *g.* nommé frere Bernard Lardon, comme tout fasché nous *h.* aveugle non plus

Pourquoy les moines sont voluntiers en cuisine[1]

CHAPITRE XI

« Cest[a] dist Epistemon, naïfvement[A] parlé en moine. Je diz moine moinant, je ne diz pas, moine moiné[2]. Vrayement vous me reduisez en memoire[b], ce que je veidz et ouy en Florence, il y a environ vingt[c] ans[3]. Nous estions bien bonne compaignie de gens studieux, amateurs de peregrinité[B], et couvoyteux[C] de visiter les gens doctes, antiquitez, et singularitez[d] d'Italie[4]. Et lors curieusement[D] contemplions[e] l'assiete et beaulté de Florence, la structure du dome, la sumptuosité des temples, et palais magnificques. Et entrions en contention[E], qui plus aptement[F] les[f] extolleroit[G] par louanges condignes : quand un moine d'Amiens, nommé Bernard lardon[5], comme tout fasché et monopolé[6] nous[g] dist. "Je ne sçay que diantre vous trouvez icy tant à louer. J'ay aussi bien contemplé comme vous, et ne suys aveuigle plus[h] que vous. Et puys ? Qu'est ce ? Ce sont belles maisons. C'est tout. Mais Dieu, et monsieur sainct Bernard nostre bon patron soit avecques nous, en toute ceste ville encores n'ay je veu une seulle roustisserie, et y ay curieusement[H]

A. vraiment. B. voyage à l'étranger. C. désireux. D. soigneusement. E. rivalité. F. convenablement. G. célébrerait. H. soigneusement.

7. Roustisseries roustissantes : voir p. 161 et n. 2.

8. Voir LI (cabaret de Guillot à Amiens).

9. *Africanae* était le terme générique désignant les bêtes fauves amenées d'Afrique à Rome pour les jeux du cirque.

10. Tygres : d'emploi plus répandu en Italie qu'en France ; pouvait s'appliquer à toute espèce de fauves.

11. Philippes Strossy : oncle par alliance de Catherine de Médicis, il avait une ménagerie célèbre.

12. Fieulx : forme picarde pour *fils*.

13. Selon la tradition, saint Ferréol avait grande compétence pour la garde des oies.

14. *Electio* et *consilium*, caractéristiques de l'acte volontaire, par opposition à l'acte instinctif, que les platoniciens comparent à l'aimantation.

a. une seule Roustisserie *[5 lignes]*. Dedans *b.* moins quatre fois de chemin que n'avons *c.* Roustisseries. Je *d.* prins, en voyant *e.* semble) ou bien Ours lybistides, ce *f.* Porphires et ces *g.* meilleures. Ces *h.* mil *i.* demandoit *j.* vous trouverez moines en cuisine, *k.* Est-ce quelque *l.* l'aymant attire à soy le fer : et ny attire Papes, Empereurs, ny Roys ? ou est-ce une inclination naturelle adherente aux frocz, qui les bons Religieux de soy mene et poulce en cuisine, encore qu'ilz n'eussent l'election ny deliberation

reguardé et consyderé. Voire je vous diz comme espiant, et prest à compter et nombrer tant à dextre comme à senestre[A] combien et de quel cousté plus nous rencontrerions de roustisseries roustissantes[7]. Dedans[a] Amiens[8] en moins de chemin quatre foys voire troys qu'avons[b] faict en nos contemplations, je vous pourrois monstrer plus de quatorze roustisseries antiques et aromatizantes. Je[c] ne sçay quel plaisir avez prins[B] voyans[d] les Lions, et Afriquanes[9] (ainsi nommiez vous, ce me semble, ce[e] qu'ilz appellent Tygres[10]) prés le beffroy : pareillement voyans les Porczespicz et Austruches on palais du seigneur Philippes Strossy[11]. Par foy nos fieulx[C12] j'aymeroys mieulx veoir un bon et gras oyzon en broche. Ces Porphyres, ces[f] marbres sont beaulx. Je n'en diz poinct de mal. Mais les Darioles[D] d'Amiens sont meilleures à mon guoust. Ces[g] statues antiques sont bien faictes, je le veulx croire. Mais par sainct Ferreol[13] d'Abbeville, les jeunes bachelettes[E] de nos pays sont mille[h] foys plus advenentes."

— Que signifie (demanda[i] frere Jan) et que veult dire, que tousjours vous trouvez moines en cuysines[j], jamais n'y trouvez Roys, Papes, ne Empereurs ?

— Est ce, respondit Rhizotome, quelque[k] vertus latente, et proprieté specificque absconse[F] dedans les marmites et contrehastiers[G], qui les moines y attire, comme l'Aymant à soy le fer attire, n'y attire Empereurs, Papes, ne Roys ? Ou c'est une induction et inclination naturelle aux frocz et cagoulles adherente, laquelle de soy mene et poulse les bons religieux en cuisine, encores qu'ilz n'eussent election ne deliberation[l14] d'y aller ?

A. gauche. B. pris. C. fils. D. flans. E. élégantes jeunes filles. F. cachée. G. chenets.

15. Parmi les formes substantielles, la scolastique distinguait les formes subsistantes, indépendantes de la matière ; les formes non subsistantes, unies à la matière ; et les formes matérielles, exclusivement matérielles.

16. Averroès : cité avec Platon dans l'épître liminaire, p. 30 et n. 21 ; voir prologue de 1548, p. 629 (« Platonicques, et Averroistes »).

17. Anecdote d'Antigonus empruntée à Plutarque, *Regum apophthegmata*, ou à Érasme, *Apophtegmes*, IV (« Antigonus », XVII).

18. Cette anecdote est une addition de 1552 (var. *a*, p. 167). Jean Breton, seigneur de Villandry, mort en 1542, contrôleur général de la guerre à partir de 1532, en relation avec Jean du Bellay, a pu rencontrer le duc de Guise en 1536-1537 lors des campagnes contre les Impériaux en Picardie, à moins que Rabelais n'ait inventé l'anecdote à partir de l'adage d'Érasme, V, I, I, *Tu in legione, ego in culina.*

19. Solleret : partie de l'armure recouvrant le pied.

20. Terme de manège : « montant un bon cheval ».

a. sans respondre au probleme proposé : Car *b.* espiner. Il me souvient *c.* la paelle, et lui demanda. Homere fricassoit il des congres *d.* (lors qu'il faisoit telles prouesses) fust *e. Voir var. a, p. 167.*

— Il veult dire, respondit Epistemon, formes suyvantes la matiere[15]. Ainsi les nomme Averrois[16].

— Voyre, voyre, dist frere Jan.

— Je vous diray, respondit Pantagruel, sans au probleme proposé respondre. Car[a] il est un peu chatouilleux : et à peine y toucheriez vous, sans vous espiner[A]. Me soubvient[b] avoir leu[17], que Antigonus roy de Macedonie un jour entrant en la cuisine de ses tentes, et y rencontrant le poete Antagoras, lequel fricassoit un Congre, et luy mesmes tenoit la paille[B], luy demanda en toute alaigresse. “Homere fricassoit il Congres[c], lors qu'il descrivoit les prouesses de Agamennon ?

— Mais, respondit Antagoras, ô Roy, estime tu que Agamennon, lors que telles prouesses faisoit, feust[d] curieux de sçavoir si personne en son camp fricassoit[e] Congres ?” Au Roy sembloit indecent que en sa cuisine le poete faisoit telle fricassée. Le Poete luy remonstroit, que chose trop plus abhorrente[C] estoit rencontrer le Roy en cuisine.

— Je dameray[D] ceste cy, dist Panurge, vous racontant ce que Breton Villandry[18] respondit un jour au seigneur duc de Guyse. Leur propous estoit de quelque bataille du Roy François contre l'Empereur Charles cinquieme : en laquelle Breton estoit guorgiasement[E] armé, mesmement[F] de grefves[G], et solleretz[19] asserez, monté aussi à l'adventaige[20], n'avoit toutes foys esté veu au combat. “Par ma foy, respondit Breton, je y ay esté, facile me sera le prouver, voyre en lieu on quel vous n'eussiez ausé vous trouver.” Le seigneur duc prenant en mal ceste parolle, comme trop brave[H] et temerairement proferée, et se haulsant de propous, Breton facilement

A. piquer. B. poêle. C. absurde. D. surpasserai. E. élégamment. F. surtout. G. jambières. H. insolente.

a. fricassoit des congres ? Le Roy trouvoit mauvais, qu'en cuisine on trouvast les Poëtes : Le Poëte monstroit, que chose trop plus indecente estoit, y rencontrer les Roys. En

en grande risée l'appaisa, disant, "J'estois avecques le baguaige. On quel lieu vostre honneur n'eust porté[A] soy cacher, comme je faisois." » En[a] ces menuz devis arriverent en leurs navires. Et plus long sejour ne feirent en icelle isle de Cheli.

A. supporté.

1. « Donna procuration » ; locution juridique prise au sens propre.

2. L'épisode des *Chicquanous* — forme de l'Ouest pour *chicaneurs*, « huissiers » —, où est faite la critique des assignations de la noblesse par des membres du clergé ou du tiers état, a été considérablement augmenté en 1552. Le long épisode des noces de Basché, constitue la seconde farce cruelle de l'ouvrage. Si la première était mise en scène par Panurge (VI), il se fait ici récitant et inclut dans sa narration celle de Basché racontant la farce encore plus cruelle jouée par Villon. Ces farces de caractère moral posent toutes la question du châtiment et du rôle de l'homme, intermédiaire dans celui-ci.

C'est ici l'occasion pour Rabelais de monter la première tragi-comédie du répertoire français. Rabelais parle de *tragicque comedie* dans l'épisode même et en donne une définition dans la « Briefve declaration » : « Farce plaisante au commencement, triste en la fin », qui montre une évolution par rapport au prologue du *Tiers livre* où l'expression mettait en valeur la qualité des personnages.

La pièce de Rabelais est conçue en cinq actes : les préparatifs, l'arrivée du premier chiquanous, la diablerie de Villon, le second chiquanous, le troisième chiquanous.

3. Chaffouré : terme poitevin signifiant « barbouillé », avec équivoque sur *Chat fourré*.

4. Procultous : équivoque sur *procureur*; voir *Tiers livre*, XIV *(proculteur)*.

5. Sur la mauvaise réputation de Rome, voir H. Estienne, *Deux Dialogues [...]*, I, p. 51 : « Car il a bien falu que l'Italie ait dict *Assasino* long temps devant que la France dict *Assacin* ou *Assacinateur*, veu que le mestier d'assaciner avoit esté exercé en ce pays la long temps auparavant qu'on sceust en France que c'estoit. »

6. En fait, Galien relève le rôle tonique de la flagellation sur les esclaves et non un rôle aphrodisiaque (*Methodi medendi*, XIV, XVI).

7. Sainct Thibault : patron des cocus.

a. Comment nous passasmes Procuration, *b.* Chapitre VI. // Pleins et refaictz du bon traictement du Roy Panigon, continuasmes nostre route. Le jour *c.* tout barboillé. *d.* Seulement nous dirent, qu'ilz estoient à *e.* contoit *f.* à empoisonner, à tuer, et à batre : les Chiquanoux, la gaignoient à *g.* par rapport *h.* qui me fouetteroit, me feroit au rebours bien desarsonner

Comment Pantagruel passa Procuration[a1],
et de l'estrange maniere de vivre
entre les Chicquanous[2]

CHAPITRE XII

Continuant nostre routte au jour[b] subsequent passasmes Procuration, qui est un pays tout chaffouré[3] et barbouillé[c]. Je n'y congneu rien. Là veismes des Procultous[4] et Chiquanous gens à tout le poil[A]. Ilz ne nous inviterent à boyre ne à manger. Seulement en longue multiplication de doctes reverences nous dirent, qu'ilz estoient tous à[d] nostre commendement en payant. Un de nos truchemens racontoit[e] à Pantagruel comment ce peuple guaignoient leur vie en façon bien estrange : et en plein Diametre contraire[B] aux Romicoles[C]. À Rome[5] gens infiniz guaingnent leur vie à empoisonner, à batre, et à tuer. Les Chiquanous la guaingnent à[f] estre battuz. De mode que si par long temps demouroient sans estre battuz, ilz mourroient de male faim[D], eulx, leurs femmes et enfans. « C'est, disoit Panurge, comme ceulx qui par le rapport[g] de Cl. Gal. ne peuvent le nerf caverneux vers le cercle æquateur dresser, s'ilz ne sont tresbien fouettez[6]. Par sainct Thibault[7], qui ainsi me fouetteroit me feroit bien au rebours desarsonner[h] de par tous les diables.

A. vigoureux. B. diamétralement opposée. C. habitants de Rome. D. faim cruelle.

8. Gyrine : propre à Rabelais, vient de *gyrinus*, « jeune grenouille ».

9. Jarretade : allusion au « coup de Jarnac », blessure au jarret qui coûta la vie en 1547 à François de Vivonne ?

10. Allusion à la sévérité accrue des peines — confiscation des biens, prison — qui touchaient ceux qui se rebellaient contre les arrêts de justice, ce qui était particulièrement fréquent dans l'Ouest.

11. Sur René du Puy, seigneur de Basché (Indre-et-Loire), mort en 1545, voir R. Marichal, « René du Puy et les Chicanous ».

12. Alphonse d'Este, duc de Ferrare, resté fidèle à la France lors de la ligue de Cambrai, défendit Ferrare avec Bayard et permit la victoire de Ravenne en 1512.

13. Gras : épithète traditionnelle des prieurs.

14. Le prieur de Saint-Louand (Indre-et-Loire) de 1510 à 1565 fut Jacques Le Roy.

a. Pilot) *b.* Quand un prestre, un usurier, un advocat *c.* teste, ou le *d.* neufves *e.* aura du prestre, ou *f.* Gentilhomme aucunesfois si grande, que *g. Pour la suite du texte, voir var. a, p. 205.*

— La maniere, dist le truchement[a], est telle. Quand un moine, prebstre, usurier, ou advocat[b] veult mal à quelque gentilhome de son pays, il envoye vers luy un de ces Chiquanous. Chiquanous le citera, l'adjournera[A], le oultragera, le injurira impudentement, suyvant son record[B] et instruction : tant que le gentilhome, s'il n'est paralytique de sens, et plus stupide[C] qu'une Rane Gyrine*[D8], sera constrainct luy donner bastonnades, et coups d'espée sus la teste, ou la belle jarretade[E9], ou mieulx le[c] jecter par les creneaulx et fenestres de son chasteau. Cela faict, voylà Chiquanous riche pour quatre moys. Comme si coups de baston feussent ses naïfves[Fd] moissons. Car il aura du moine, de l'usurier, ou[e] advocat salaire bien bon : et reparation du gentilhome aulcunefois[G] si grande et excessive, que[f] le gentilhome y perdra tout son avoir : avecques dangier de miserablement pourrir en prison : comme s'il eust frappé le Roy[g10].

— Contre tel inconvenient, dist Panurge, je sçay un remede tresbon, duquel usoit le seigneur de Basché[11].

— Quel ? demanda Pantagruel.

— Le seigneur de Basché, dist Panurge, estoit homme couraigeux, vertueux, magnanime, chevalereux. Il retournant de certaine longue guerre, en laquelle le duc de Ferrare par l'ayde des François vaillamment se defendit contre les furies du pape Jules second[12], par chascun jour estoit adjourné, cité, chiquané, à l'appetit et passetemps du gras[13] prieur de sainct Louant[14]. Un jour desjeunant avecques ses gens (comme il estoit humain et debonnaire) manda querir son boulangier nommé Loyre, et sa femme, ensemble[H] le curé de sa parœce nommé Oudart, qui le servoit de sommellier, comme lors estoit la cous-

A. assignera. B. rapport. C. insensible. D. têtard. E. coups sur les jarrets. F. naturelles. G. quelquefois. H. avec.

15. Les curés mettaient souvent leurs compétences au service des seigneurs comme intendants et chapelains.

16. *Trudon, trudaine,* onomatopée pour le roulement de tambour.

17. Dans le droit canon, distinction des fiançailles *per verba de praesenti,* « mariage », et *per verba de futuro,* « fiançailles ».

18. Voir XLVIII, p. 433, pour des coups destinés à frapper l'imagination.

tume[15] en France, et leurs dist en presence de ses gentilhommes et aultres domesticques[A]. "Enfans vous voyez en quelle fascherie[B] me jectent journellement ces maraulx Chiquanous. J'en suys là resolu, que si ne me y aydez, je delibere[C] abandonner le pays, et prandre le party du Soubdan[D] à tous les diables. Desormais quand ceans ilz viendront, soyez prestz vous Loyre et vostre femme pour vous representer[E] en ma grande salle avecques vos belles robbes nuptiales, comme si l'on vous fiansoit[F], et comme premierement feustez fiansez. Tenez. Voylà cent escuz d'Or, lesquelz je vous donne, pour entretenir vos beaulx acoustremens[G]. Vous messire Oudart ne faillez y comparoistre en vostre beau supellis[H] et estolle, avecques l'eaue beniste, comme pour les fianser. Vous pareillement Trudon[16] (ainsi estoit nommé son tabourineur) soyez y avecques vostre flutte et tabour[I]. Les parolles[17] dictes, et la mariée baisée, au son du tabour vous tous baillerez l'un à l'aultre du souvenir des nopces, ce sont petitz coups de poing[18]. Ce faisans vous n'en soupperez que mieulx. Mais quand ce viendra au Chiquanous, frappez dessus comme sus seigle verde, ne l'espargnez. Tappez, daubez[J], frappez, je vous en prie. Tenez presentement je vous donne ces jeunes guanteletz de jouste, couvers de chevrotin[K]. Donnez luy coups sans compter à tors et à travers. Celluy qui mieulx le daubera, je recongnoistray pour mieulx affectionné[L]. N'ayez paour[M] d'en estre reprins[N] en justice. Je seray guarant pour tous. Telz coups seront donnez en riant, scelon la coustume observée en toutes fiansailles.

« — Voyre mais, demanda Oudart, à quoy congnois-

A. familiers. B. ennui. C. projette. D. sultan. E. présenter. F. mariait. G. habits. H. surplis. I. tambour. J. frappez. K. peau de chevreau. L. zélé. M. peur. N. repris.

19. Ce terme de Tragicque comedie fournit la clef formelle de l'épisode.

trons nous le Chiquanous ? Car en ceste vostre maison journellement abourdent[A] gens de toutes pars.

«— Je y ay donné ordre, respondit Basché. Quand à la porte de ceans viendra quelque home ou à pied, ou assez mal monté, ayant un anneau d'argent gros et large on poulce, il sera Chiquanous. Le portier l'ayant introduict courtoisement sonnera la campanelle[B]. Allors soyez prestz, et venez en salle jouer la Tragicque comedie*[19], que vous ay exposé."

«Ce propre jour, comme Dieu le voulut, arriva un viel, gros, et rouge Chiquanous. Sonnant à la porte, feut par le portier recongnu à ses gros et gras ouzeaulx[C], à sa meschante jument, à un sac de toille plein d'informations[D], attaché à sa ceincture : signamment[E] au gros anneau d'argent qu'il avoit on poulce guausche. Le portier luy feut courtoys le introduict honestement : joyeusement sonne la campanelle. Au son d'icelle Loyre et sa femme se vestirent de leurs beaulx habillemens, comparurent en la salle faisans bonne morgue[F]. Oudart se revestit de suppellis et d'estolle : sortant de son office rencontre Chiquanous : le mene boyre en son office longuement, ce pendent qu'on chaussoit guanteletz de tous coustez : et luy dist. "Vous ne poviez à heure venir plus oportune. Nostre maistre est en ses bonnes[G] : nous ferons tantoust bonne chere : tout ira par escuelles[H] : nous sommes ceans de nopces : tenez, beuvez, soyez joyeulx." Pendent que Chiquanous beuvoit Basché voyant en la salle tous ses gens en equippage requis, mande querir Oudart. Oudart vient portant l'eaue beniste. Chiquanous le suyt. Il entrant en la salle n'oublia faire nombre de humbles reverences, cita Basché, Basché luy feist la

A. arrivent. B. cloche. C. bottes. D. enquêtes. E. notamment. F. mine. G. de bonne humeur. H. on n'épargnera rien.

20. Angelot : monnaie à l'effigie de saint Michel.
21. Expression qui provient d'une équivoque entre *œil* et *œuf.*
22. Acoustré à la Tigresque : la peau rayée d'ecchymoses.
23. Voir Psaumes, IX-X, 6 : *« Periit memoria eorum […]. »*

plus grande charesse[A] du monde, luy donna un Angelot[20], le priant assister au contract et fiansailles. Ce que[B] feut faict. Sus la fin coups de poing commencerent sortir en place. Mais quand ce vint au tour de Chiquanous, ilz le festoierent à grands coups de guanteletz si bien, qu'il resta tout eslourdy[C] et meurtry : un œil poché au beurre noir[21], huict coustes freussées[D], le brechet enfondré[E], les omoplates en quatre quartiers, la maschouere inferieure en trois loppins : et le tout en riant. Dieu sçayt comment Oudart y operoit, couvrant de la manche de son suppellis le gros guantelet asseré[F] fourré d'hermines car il estoit puissant ribault. Ainsi retourne à l'isle Bouchard Chiquanous acoustré à la Tigresque[22] : bien toutesfois satisfaict et content du seigneur de Basché : et moyennant le secours des bons chirurgiens du pays vesquit tant que vouldrez. Depuis n'en feut parlé. La memoire en expira avecques le son des cloches[23], lesquelles quarrilonnerent à son enterrement. »

A. démonstration d'amitié. B. qui. C. hébété. D. brisées. E. enfoncé. F. d'acier.

1. Une autre anecdote dans le *Quart livre*, LXVII, met en scène Villon. Il est également présent dans les Enfers, *Pantagruel*, XXX, et dans le même ouvrage en XIV.

2. À l'intérieur du récit de la « tragicque farce », le metteur en scène de cette pièce raconte la mise en scène d'une diablerie à l'occasion d'une Passion. Rabelais se complaît à l'évocation de ces représentations (voir aussi *Tiers livre*, XXXIV : « la morale comœdie de celluy qui avoit espousé une femme mute »).

3. Esgue est la forme méridionale correspondant au latin *equa*, « jument », et orbe (du latin *orba*) signifie « aveugle ».

4. Voir IV, p. 107, n. 3.

5. S. Maixent : localité près de Niort.

6. Le terme de mystère désigne la représentation théâtrale. On notera le vocabulaire technique utilisé en début de phrase.

7. Les foires de Niort se tenaient le 30 novembre, le 6 février et le 6 mai.

8. Tappecoue : « tape-queue », forme phonétique de l'Ouest.

Comment à l'exemple de maistre François Villon[1] *le seigneur de Basché loue ses gens*[2]

CHAPITRE XIII

« Chiquanous issu du chasteau, et remonté sus son esgue orbe[3] (ainsi nommoit il sa jument borgne) Basché soubs la treille de son jardin secret[A] manda querir sa femme, ses damoiselles, tous ses gens : feist apporter vin de collation[4] associé d'un nombre de pastez, de jambons, de fruictz, et fromaiges, beut avecques eulx en grande alaigresse : puys leurs dist. "Maistre François Villon sus ses vieulx jours se retira à S. Maixent[5] en Poictou, soubs la faveur d'un home de bien, abbé du dict lieu. Là pour donner passetemps au peuple entreprint faire jouer la passion en gestes[B] et languaige Poictevin. Les rolles distribuez, les joueurs recollez[C], le theatre preparé, dist au Maire et eschevins, que le mystere[6] pourroit estre prest à l'issue des foires de Niort[7] : restoit seulement trouver habillemens aptes aux personnaiges. Les Maire et eschevins y donnerent ordre. Il[D] pour un vieil paisant habiller qui jouoyt Dieu le pere, requist frere Estienne Tappecoue[8] secretain[E] des Cordeliers du lieu, luy prester une chappe et estolle. Tappecoue le refusa, alleguant que par leurs statutz provinciaulx estoit rigoureusement defendu rien bail-

A. privé. B. actions. C. ayant répété. D. Villon. E. sacristain.

9. Le prêt des ornements sacerdotaux pour les jeux de la Passion était courant. Toutefois, les *Constitutions de Barcelone* (texte de 1451) en interdisaient la pratique aux cordeliers. De même, J. Bouchet, qui monta une Passion en 1534 à Poitiers, s'était vu tout d'abord refuser ce prêt.

10. Lors d'une des célèbres représentations annuelles des *Sept joies de la Vierge* à Bruxelles.

11. Poultre : terme signifiant « jeune jument » et qui survivra dans les parlers de l'Ouest.

12. Sainct Ligaire : près de Niort.

13. La diablerie était une pièce populaire dans laquelle figuraient des diables.

14. Carrefou : forme dialectale, comme *chiquanou.*

15. Macaronicques : première attestation en français, emprunté à l'italien *maccheronico*, adjectif appliqué à un « mélange d'italien, de latin, de formes dialectales (dialecte de Brescia et de Mantoue), de langues étrangères imaginaires, etc. assorti de désinences latines, et dont l'œuvre la plus représentative est le *Baldus* de T. Folengo (1517) » (*Trésor de la langue française*, art. « Macaronique »).

ler[A] ou prester pour les jouans[9]. Villon replicquoit que le statut seulement concernoit farces, mommeries[B], et jeuz dissoluz : et qu'ainsi l'avoit veu practiquer à Bruxelles[10] et ailleurs. Tappecoue ce non obstant luy dist peremptoirement, qu'ailleurs se pourveust, si bon luy sembloit, rien n'esperast de sa sacristie. Car rien n'en auroit sans faulte. Villon feist aux joueurs le rapport en grande abhomination, adjoustant que de Tappecoue Dieu feroit vengence et punition exemplaire bien toust.

« "Au Sabmedy subsequent Villon eut advertissement que Tappecoue sus la poultre[11] du convent[C] (ainsi nomment ilz une jument non encores saillie) estoit allé en queste à sainct Ligaire[12], et qu'il seroit de retour sus les deux heures aprés midy. Adoncques[D] feist la monstre[E] de la diablerie[13] parmy la ville et le marché. Ses diables estoient tous capparassonnez de peaulx de loups, de veaulx, et de beliers, passementées de testes de mouton, de cornes de bœufz, et de grands havetz[F] de cuisine : ceinctz de grosses courraies[G] es quelles pendoient grosses cymbales de vaches, et sonnettes de muletz à bruyt horrificque[H]. Tenoient en main aulcuns[I] bastons noirs pleins de fuzées, aultres portoient longs tizons allumez, sus les quelz à chascun carrefou[14] jectoient plenes poingnées de parasine[J] en pouldre, dont sortoit feu et fumée terrible. Les avoir[K] ainsi conduictz avecques contentement du peuple et grande frayeur des petitz enfans, finablement[L] les mena bancqueter en une cassine[M] hors la porte en laquelle est le chemin de sainct Ligaire. Arrivans à la cassine de loing il apperceut Tappecoue, qui retournoit de queste, et leurs dist en vers Macaronicques[15].

A. donner. B. mascarades. C. couvent. D. alors. E. parade. F. crochets. G. courroies. H. très fort. I. certains. J. poix-résine. K. après les avoir. L. finalement. M. maison de campagne.

16. Par la mort diene : euphémisme pour *Mort Dieu.*
17. Montouoir : pierre pour monter à cheval ; on montait du côté gauche.
18. Liberté prise par les cordeliers qui, selon leur règle, auraient dû aller « nus pieds, à tout le moins les souliers couppez par dessus » (Jean Menard, *Declaration de la reigle et estat des Cordeliers*, p. 65).
19. Carnaige : « longue traînée de chair déchirée » (Huguet).

« *"Hic est de patria, natus de gente belistra,*
Qui solet antiquo bribas portare bisacco[A].

« "— Par la mort diene[16] (dirent adoncques les Diables) il n'a voulu prester à Dieu le pere une paouvre chappe : faisons luy paour[B].

« "— C'est bien dict (respond Villon). Mais cachons nous jusques à ce qu'il passe, et chargez vos fuzées et tizons." Tappecoue arrivé au lieu, tous sortirent on chemin au davant de luy en grand effroy[C] jectans feu de tous coustez sus luy et sa poultre : sonnans de leurs cymbales, et hurlans en Diable.

« "— Hho, hho, hho, hho : brrrourrrourrrs, rrrourrrs, rrrourrrs. Hou, hou, hou. Hho, hho, hho : frere Estienne faisons nous pas bien les Diables ?"

« "La poultre toute effrayée se mist au trot, à petz, à bonds, et au gualot : à ruades, fressurades[D], doubles pedales[D], et petarrades : tant qu'elle rua bas Tappecoue, quoy qu'il se tint à l'aube du bast de toutes ses forces. Ses estrivieres estoient de chordes : du cousté hors le montouoir[E17] son soulier fenestré[F18] estoit si fort entortillé qu'il ne le peut oncques[G] tirer. Ainsi estoit trainné à escorchecul par la poultre tousjours multipliante en ruades contre luy, et fourvoyante de paour par les hayes, buissons, et fossez. De mode qu'elle luy cobbit[H] toute la teste, si que la cervelle en tomba prés la croix Osanniere*, puys les bras en pieces, l'un çà, l'aultre là, les jambes de mesmes, puys des boyaulx feist un long carnaige[19], en sorte que la poultre au convent arrivante, de

A. Voici un homme du pays, né de la race des bélîtres, qui porte des bribes dans un vieux bissac. B. peur. C. vacarme. D. ruades. E. à droite. F. tailladé. G. jamais. H. brisa.

20. Voir *Tiers livre*, III (Passion de Saulmur où Panurge aurait joué Dieu le père et la diablerie des « jeuz de Doué »).

21. Des représentations de mystères furent fréquemment données à Angers.

22. La Passion mise en scène par J. Bouchet fut représentée en 1534 dans le *parloir aux bourgeois*, grande salle de l'hôtel de ville.

23. Flac con : jeu de mots sur *con* fréquent chez Rabelais.

24. Happesouppes : jeu de mots sur *happelourde*, « fausse pierre précieuse » ?

luy ne portoit que le pied droict, et soulier entortillé. Villon voyant advenu ce qu'il avoit pourpensé[A], dist à ses Diables. 'Vous jourrez bien, messieurs les Diables, vous jourrez bien, je vous affie[B]. O que vous jourrez bien. Je despite[C] la diablerie de Saulmur, de Doué[20], de Mommorillon, de Langés, de Sainct Espain, de Angiers[21] : voire, par Dieu, de Poictiers avecques leur parlouoire[22], en cas qu'ilz puissent estre à vous parragonnez[D]. O que vous jourrez bien.'"

« "Ainsi (dist Basché) prevoy je mes bons amys, que vous dorenavant jouerez bien ceste tragicque farce : veu que à la premiere monstre et essay, par vous a esté Chiquanous tant disertement[E] daubbé[F], tappé, et chatouillé. Præsentement je double à vous tous vos guaiges. Vous mamie (disoit il à sa femme) faictez vos honneurs[G], comme vouldrez. Vous avez en vos mains et conserve[H] tous mes thesaurs. Quant est de moy, premierement je boy à vous tous mes bons amys. Orçà, il est bon et frays. Secondement vous maistre d'hostel, prenez ce bassin d'argent. Je le vous donne. Vous escuiers prenez ces deux couppes d'argent doré. Vos pages de troys moys ne soient fouettez. M'amye donnez leurs mes beaulx plumailz[I] blancs avecques les pampillettes[J] d'or. Messire Oudart je vous donne ce flac con[23] d'argent : cestuy aultre je donne aux cuisiniers : aux varletz de chambre je donne ceste corbeille d'argent : aux palefreniers je donne ceste nasselle[K] d'argent doré : aux portiers je donne ces deux assietes : aux muletiers, ces dix happesouppes[L][24]. Trudon prenez toutes ces cuilleres d'argent, et ce drageouir. Vous lacquais prenez ceste grande salliere. Servez

A. prémédité. B. assure. C. mets au défi. D. comparés. E. si bien. F. frappé. G. récompensez. H. garde. I. panaches. J. pendeloques. K. vase. L. cuillers.

moy bien amys, je le recongnoistray : croyans fermement que j'aymeroys mieulx, par la vertus Dieu, endurer en guerre cent coups de masse sus le heaulme au service de nostre tant bon Roy, qu'estre une foys cité par ces mastins Chiquanous, pour le passetemps d'un tel gras Prieur." »

1. Mystère peut avoir ici le double sens d'action compliquée et secrète et de représentation théâtrale.

2. Probablement jeu de cartes.

3. L'imperiale : jeu de cartes italien, absent des jeux de Gargantua (*Gargantua*, XXII), où sont mentionnés les *pingres*, la *mourre* et les *chinquenauldes*.

4. Basse court : cour où se trouvent les écuries et dépendances d'un château.

Continuation des Chiquanous daubbez[A] *en la maison de Basché*

CHAPITRE XIIII

« Quatre jours aprés un aultre jeune, hault, et maigre Chiquanous alla citer Basché à la requeste du gras Prieur. À son arrivée feut soubdain par le portier recongneu, et la campanelle[B] sonnée. Au son d'icelle tout le peuple du chasteau entendit le mystere[1]. Loyre poitrissoit[C] sa paste, sa femme belutoit[D] la farine. Oudart tenoit son bureau[E], les gentilzhomes jouoient à la paulme. Le seigneur Basché jouoit aux troys cens troys[2] avecques sa femme. Les damoiselles jouoient aux pingres[F], les officiers jouoient à l'imperiale[3], les paiges jouoient à la mourre à belles chinquenauldes[G]. Soubdain feut de tous entendu, que Chiquanous estoient en pays. Lors Oudart se revestir. Loyre et sa femme prendre leurs beaulx acoustremens[H]. Trudon sonner de sa flutte, batre son tabourin[I], chascun rire, tous se preparer, et guanteletz en avant. Basché descend en la basse court[4]. Là Chiquanous le rencontrant, se meist à genoilz davant luy, le pria ne prendre en mal, si de la part du gras Prieur il le citoit : remonstra par harangue diserte comment il estoit persone publicque, serviteur de Moinerie, appariteur de

A. frappés. B. cloche. C. pétrissait. D. blutait. E. tenait ses comptes. F. osselets. G. chiquenaudes. H. habits. I. tambourin.

5. Quinquenays : près de Chinon ; voir XLIV, p. 401, n. 4.
6. Raphe : jeu de dés où le gagnant prend rapidement la mise.

la mitre Abbatiale : prest à en faire autant pour luy, voyre pour le moindre de sa maison, la part qu'il luy plairoyt l'emploicter[A] et commender.

« "Vrayement, dist le seigneur, jà ne me citerez, que premier[B] n'ayez beu de mon bon vin de Quinquenays[5], et n'ayez assisté aux nopces que je foys[C] præsentement. Messire Oudart faictez le boyre tresbien, et refraischir : puys l'amenez en ma salle. Vous soyez le bien venu."

« Chiquanous bien repeu et abbrevé[D] entre avecques Oudart en salle, en laquelle estoient tous les personaiges de la farce en ordre, et bien deliberez[E]. À son entrée chascun commença soubrire. Chiquanous rioit par compaignie[F], quand par Oudart feurent sus les fiansez dictz motz mysterieux, touchées les mains, la mariée baisée, tous aspersez d'eaue beniste. Pendent qu'on apportoit vin et espices, coups de poing commencerent trotter. Chiquanous en donna nombre à Oudart. Oudart soubs son supellis[G] avoit son guantelet caché : il s'en chausse comme d'une mitaine. Et de daubber Chiquanous, et de drapper[H] Chiquanous : et coups des jeunes guanteletz de tous coustez pleuvoir sus Chiquanous. "Des nopces, disoient ilz, des nopces, des nopces : vous en soubvieine." Il feut si bien acoustré[I] que le sang luy sortoit par la bouche, par le nez, par les aureilles, par les œilz. Au demourant courbatu, espaultré[J], et froissé[K] teste, nucque, dours[L], poictrine, braz, et tout. Croyez qu'en Avignon on temps de Carneval les bacheliers oncques[M] ne jouerent à la Raphe[6] plus melodieusement, que feut joué sus Chiquanous. En fin il tombe par terre. On luy

A. employer. B. d'abord. C. fais. D. abreuvé. E. décidés. F. par politesse. G. surplis. H. battre. I. arrangé. J. écrasé. K. brisé. L. dos. M. jamais.

7. Jaulne et verd : couleurs des fous.

8. L'exploict est l'acte d'exécution de la sentence par le sergent.

9. L'ordonnance de Villers-Cotterêts, en 1539, rappelait la présence obligatoire des records pour les ajournements.

10. Selon les prescriptions de l'édit d'Angoulême (1542), le chiquanous n'avait plus le droit de recevoir ce contrat.

jecta force vin sus la face : on luy atacha à la manche de son pourpoinct belle livrée de jaulne et verd[7] : et le mist on sus son cheval morveulx. Entrant en l'isle Bouchard, ne sçay s'il feut bien pensé[A] et traicté tant de sa femme, comme des Myres[B] du pays. Depuis n'en feut parlé.

« Au lendemain cas pareil advint, pource qu'on sac et gibbessiere du maigre Chiquanous n'avoit esté trouvé son exploict[8]. De par le gras Prieur feut nouveau Chiquanous envoyé citer le Seigneur de Basché, avecques deux Records[C9] pour sa sceureté. Le Portier sonnant la campanelle, resjouyt toute la famile, entendens que Chiquanous estoit là. Basché estoit à table, dipnant[D] avecques sa femme et gentilzhomes. Il mande querir Chiquanous : le feist asseoir prés de soy : les Records prés les damoiselles, et dipnerent tresbien et joyeusement. Sus le dessert Chiquanous se leve de table : præsens et oyans les Records cite Basché : Basché gracieusement luy demande copie de sa commission[E]. Elle estoit jà preste. Il prend acte de son exploict : à Chiquanous et ses Records feurent quatre escuz Soleil donnez : chascun s'estoit retiré pour la farce. Trudon commence sonner du tabourin. Basché prie Chiquanous assister aux fiansailles[F] d'un sien officier[G], et en recepvoir le contract, bien le payant et contentent. Chiquanous feut courtoys. Desguainna son escriptoire, eut papier promptement, ses Records prés de luy. Loyre entre en salle par une porte : sa femme avecques les damoiselles par aultre, en acoustremens nuptiaulx. Oudart revestu sacerdotalement les prend par les mains : les interroge de leurs vouloirs : leurs donne sa benediction sans espargne d'eaue beniste. Le contract[10] est passé et minuté[H]. D'un cousté

A. soigné. B. médecins. C. témoins. D. déjeunant. E. ordre de citer. F. mariage. G. serviteur. H. rédigé en brouillon.

sont apportez vin et espices : de l'aultre, livrée[A] à tas blanc et tanné, de l'aultre sont produictz[B] guanteletz secretement. »

A. rubans donnés par la mariée. B. pris pour s'en servir.

1. Vin de Loire, cépage dit gros cabernet ou breton.

2. Sainsambreguoy : euphémisme pour *par le sang Dieu.*

3. Expression imagée de même sens que la phrase précédente.

4. L'antienne chantée avant le Magnificat durant la semaine précédant Noël commençait toujours par *O* : *« O Sapientia »*, *« O Adonaï »*, etc. Elle était associée à des distributions de vin aux chantres.

5. Masticatoires est synonyme de molaires chez Charles Estienne, *La Dissection des parties du corps humain*, p. 18.

Comment par Chiquanous sont renouvelées les antiques coustumes des fiansailles[A]

CHAPITRE XV

« Chiquanous avoir degouzillé[B] une grande tasse de vin Breton[1], dist au seigneur. "Monsieur comment l'entendez vous ? L'on ne baille[C] poinct icy des nopces ? Sainsambreguoy[2] toutes bonnes coustumes se perdent. Aussi ne trouve l'on plus de lievres au giste[3]. Il n'est plus d'amys. Voyez comment en plusieurs ecclises[D] l'on a desemparé[E] les antiques beuvettes[F] des benoists[G] saincts OO, de Noel[4]. Le monde ne faict plus que resver[H]. Il approche de sa fin. Or tenez. Des nopces, des nopces, des nopces." Ce disant frappoit sus Basché et sa femme, aprés sus les damoiselles, et sus Oudart. Adoncques[I] feirent guantelетz leur exploict, si que[J] à Chiquanous feut rompue la teste en neuf endroictz : à un des Records[K] feut le bras droict defaucillé[L], à l'aultre feut demanchée la mandibule superieure, de mode qu'elle luy couvroit le menton à demy, avecques denudation de la luette, et perte insigne des dens molares, masticatoires[5], et canines. Au son du tabourin[M] changeant son intonation feurent les guanteletz mussez[N], sans estre aulcunement apperceuz,

A. mariage. B. après avoir avalé. C. donne. D. églises. E. abandonné. F. actions de boire. G. bénis. H. délirer. I. alors. J. si bien que. K. témoins. L. démis. M. tambourin. N. cachés.

6. Confictures : éléments confits.

7. Voir *Pantagruel*, VII (*incornifistibulée*, fait sur le languedocien *cornifustibulat*, « troublé ») ; Rabelais, en interprétant comme composé de *corne*, *fistule* et *tubule*, donne le sens de « faire entrer péniblement » et crée l'antonyme.

8. Formé du gascon *esperucca*, « déchirer », du limousin *clanc*, « boiteux », et du terme de jeu de paume *belouse*, « creux pour recevoir les balles ».

9. Formé de *mourre*, « museau », *embouzé*, « enduit de bouse », *veze* (ou *vesse*), « cornemuse », *engouzé*, peut-être « dans le gosier », *quoqué*, « cogné », *morguata*, « nargué », *sac*, *bague*, *vezine* (dérivé de *veze*), *m'a fressé*, « m'a froissé ».

10. Scellées du grand sceau royal ; expression traditionnellement formée avec *royaulx*, ancienne forme de féminin pluriel, dotée ici de l'article indéfini pluriel encore utilisé au XVIe siècle devant les noms pluriels à sens collectif ou devant ceux qui ne possèdent pas de singulier.

11. Église romane Notre-Dame-de-Rivière, près de Chinon.

12. Jean Chasteignier, seigneur de La Rocheposay, parent du seigneur de Basché ; il avait eu la jambe cassée au siège de Pavie (1523).

13. La mâchoire pendante comme une *bavière*, pièce d'armure qui s'adaptait à la salade pour protéger le bas du visage.

14. Frappin est le nom de certains parents de Rabelais (voir le prologue de 1548, p. 619 et n. 16).

15. Frère frapart, « moine gaillard ».

16. Formé de *morceau*, *cassé*, *bezace*, *vezasse*, *grigueliguo* (peut-être de *gringot*, « chant »), *spondille*, « vertèbre ».

et confictures[6] multipliées de nouveau, avecques liesse nouvelle. Beuvans les bons compaignons uns aux aultres, et tous à Chiquanous et ses Records, Oudart renioit et despitoit[A] les nopces, alleguant qu'un des Records luy avoit desincornifistibulé[7] toute l'aultre espaule. Ce non obstant beuvoit à luy joyeusement. Le Records demandibulé joingnoit les mains, et tacitement luy demandoit pardon. Car parler ne povoit il.

« Loyre se plaignoit de ce que le Records debradé[B] luy avoit donné si grand coup de poing sus l'aultre coubte[C], qu'il en estoit devenu tout esperruquancluzelubelouzerirelu[8] du talon. "Mais (disoit Trudon cachant l'œil guausche avecques son mouschouoir, et monstrant son tabourin defoncé d'un cousté) quel mal leurs avoys je faict ? Il ne leurs a suffis m'avoir ainsi lourdement morrambouzevezengouzequoquemorguatasacbacguevezinemaffressé[9] mon paouvre œil : d'abondant ilz m'ont defoncé mon tabourin. Tabourins à nopces sont ordinairement battuz : tabourineurs bien festoyez, battuz jamais. Le Diable s'en puisse coyffer.

« — Frere (luy dist Chiquanous manchot) je te donneray unes belles, grandes, vieilles letres Royaulx[10], que j'ay icy en mon baudrier, pour repetasser[D] ton tabourin : et pour Dieu pardonne nous. Par nostre dame de Riviere[11], la belle dame, je n'y pensoys en mal."

« Un des escuyers chopant[E] et boytant contrefaisoit[F] le bon et noble seigneur de la roche Posay[12]. Il s'adressa au Records embavieré de machoueres[G13], et luy dist. "Estez vous des Frappins[14], des frappeurs, ou des Frappars[15] ? Ne vous suffisoit nous avoir ainsi morceocassebezassevezassegrigueliguoscopapopondrillé[16] tous les membres

A. maudissait. B. au bras démis. C. coude. D. rapetasser. E. trébuchant. F. imitait. G. à la mâchoire pendante.

17. Formé de *mordre, gripper,* « saisir », *freluche,* « bagatelle », *emburelucoqué,* « brouillé », et *timpanemens,* « tambourinades ».

18. Jeu n'est ce : jeu de mots déjà présent chez le grand rhétoriqueur Guillaume Crétin, *Débat entre deux Dames sur le passetemps des chiens et oyseaux* (XVe siècle, imprimé en 1526).

19. Rabelais donne ici l'étymon de marmonner dont la première attestation connue date de *Gargantua,* XXI.

20. Formé de *trepignement, penil, friser* et *fressure.*

21. Allusion à Jacques Le Roy, prieur de Saint-Louand ou à René Roy, un des deux sergents royaux de L'Île-Bouchard depuis 1544 ? ou plutôt nom traditionnel donné aux sergents ?

22. Formé de *mourgat,* « nargué », *quoqué,* « cogné », et *cassé.*

superieurs à grands coups de bobelins[A], sans nous donner telz morderegrippipiotabirofreluchamburelurecoquelurintimpanemens[17] sus les gresves[B] à belles poinctes de houzeaulx[C]? Appellez vous cela jeu de jeunesse? Par Dieu, jeu n'est ce[18]." Le Records joingnant les mains sembloit luy en requerir pardon, marmonnant[19] de la langue, "mon, mon, mon, vrelon, von, von" : comme un Marmot[D].

« La nouvelle mariée pleurante rioyt, riante pleuroit, de ce que Chiquanous ne s'estoit contenté la daubbant[E] sans choys ne election des membres : mais l'avoir lourdement deschevelée[F], d'abondant[G] luy avoit trepignemampenillorifrizonoufressuré[20] les parties honteuses en trahison.

« "Le diable (dist Basché) y ayt part. Il estoit bien necessaire, que monsieur le Roy[21] (ainsi se nomment Chiquanous) me daubbast ainsi ma bonne femme d'eschine. Je ne luy en veulx mal toutesfoys. Ce sont petites charesses nuptiales. Mais je apperçoy clerement qu'il m'a cité en Ange, et daubbé en Diable. Il tient je ne sçay quoy du frere frappart. Je boy à luy de bien bon cœur, et à vous aussi, messieurs les Records.

« — Mais disoit sa femme, à quel propous, et sus quelle querelle, m'a il tant et trestant festoyée à grands coups de poing? Le Diantre[H] l'emport, si je le veulx. Je ne le veulx pas pourtant, ma Dia*. Mais je diray cela de luy, qu'il a les plus dures oinces[I], qu'oncques[J] je senty sus mes espaulles."

« Le maistre d'hostel tenoit son braz guausche en escharpe, comme tout morquaquoquassé[22] : "Le Diable,

A. chaussures à forte semelle. B. jambes. C. bottes. D. singe. E. frappant. F. échevelée. G. en outre. H. diable. I. phalanges. J. jamais.

23. Formé de *en goule*, « en gueule », *vezine* et *massez*, « meurtris ».
24. Fiantailles, créé par Rabelais à partir de *fiant*, « fiente ».
25. Lucien, *Symposium seu Lapithae*, évoque un banquet de noces qui se termine en bagarre comme celui des Lapithes et des Centaures.
26. Pour ces deux exemples, voir Érasme, *Adages*, I, X, 97, *Equum habet Seianum*, et I, X, 98, *Aurum habet Tolossarum*.
27. Nopces de Basché : proverbe dont on ne trouve trace que chez des imitateurs de Rabelais.

dist il, me feist bien assister à ces nopces. J'en ay, par la vertus Dieu, tous les braz enguoulevezinemassez[23]. Appellez vous cecy fiansailles ? Je les appelle fiantailles[24] de merde. C'est, par Dieu, le naïf[A] bancquet des Lapithes, descript par le philosophe Samosatoys[25]." Chiquanous ne parloit plus. Les Records s'excuserent, qu'en daubbant ainsi n'avoient eu maligne volunté : et que pour l'amour de Dieu on leurs pardonnast. Ainsi departent[B]. À demye lieue de là Chiquanous se trouva un peu mal. Les Records arrivent à l'isle Bouchard, disans publicquement que jamais n'avoient veu plus home de bien que le seigneur de Basché, ne maison plus honorable que la sienne. Ensemble que jamais n'avoient esté à telles nopces. Mais toute la faulte venoit d'eulx, qui avoient commencé la frapperie. Et vesquirent encores ne sçay quants[C] jours aprés. De là en hors[D] feut tenu comme chose certaine, que l'argent de Basché plus estoit aux Chiquanous et Records pestilent, mortel, et pernicieux, que n'estoit jadis l'or de Tholose*, et le cheval Sejan*[26], à ceulx qui le possederent. Depuys feut ledict Seigneur en repous, et les nopces de Basché en proverbe commun[27]. »

A. véritable. B. ils partent. C. combien de. D. depuis.

1. Ce chapitre qui est la suite du chapitre XII, met l'accent sur la vénalité des Chiquanous.

2. Voir Paul, Romains, III, 18, qui cite un verset du Psaume XXXVI (XXXV), 2 (passage où il traite des païens et des juifs, objets de la colère divine, et de la révélation de la justice de Dieu).

3. Auxiliaires des magistrats, ne ressortissant pas aux justices royales, qui rendaient leurs arrêts en plein air, souvent debout sous l'orme de la place du village.

4. Aulu-Gelle, XX, I-XIII, raconte cette anecdote en la rapportant à un certain Lucius Veratius ; l'édition lyonnaise imprimée par Gryphe portait Neratius, leçon donnée par Rabelais.

a. le Roy. *[var. g, p. 171]* Il *b.* d'un Gentilhomme *c.* que partant de son Palais, il faisoit emplir l'escarcelle et gibessiere de son valet, d'or *d.* d'iceux avoir esté offencé,

Comment par frere Jan est faict essay du naturel des Chicquanous[1]

CHAPITRE XVI

« Ceste narration, dist Pantagruel, sembleroit joyeuse, ne feust que davant nos œilz fault la craincte de Dieu continuellement avoir[2].

— Meilleure, dist Epistemon, seroit, si la pluie de ces jeunes guanteletz feust sus le gras Prieur tombée. Il dependoit[A] pour son passetemps argent, part à fascher[B] Basché, part à veoir ses Chiquanous daubbez[C]. Coups de poing eussent aptement atouré[D] sa teste rase : attendue l'enorme concussion que voyons huy entre ces juges pedanées soubs l'orme[3]. En quoy offensoient ces paouvres Diables Chiquanous ?

— Il[a] me soubvient, dist Pantagruel, à ce propous d'un antique gentilhome[b] Romain, nommé L. Neratius[4]. Il estoit de noble famile et riche en son temps. Mais en luy estoit ceste tyrannique complexion, que issant[E] de son palais il faisoit emplir les gibessieres de ses varletz d'or[c] et d'argent monnoyé[F] : et rencontrant par les rues quelques mignons braguars[G] et mieulx en poinct[H], sans d'iceulx estre aulcunement offensé[d], par guayeté de cœur[I] leurs donnoit grands coups de poing

A. dépensait. B. ennuyer. C. frappés. D. orné. E. sortant. F. servant de monnaie. G. élégants. H. dispos. I. délibérément.

5. Code de lois romaines du V[e] siècle av. J.-C., mentionné dans le texte d'Aulu-Gelle.
6. Botte de sainct Benoist : grande cuve du couvent bénédictin de Bologne ; frère Jean est un bénédictin.
7. Io, recours à l'italien.
8. Sur cette pratique des bénéfices, voir prologue, p. 75 et n. 122.
9. Crapauldine : talisman contre les maux de tête.

a. de son argent à coups de poing. // Frere Jean des Entomeures dist, Par la sacrée bote sainct Benoist, j'en sçauray presentement la verité. Adoncques mist la main en sa facque, et en tira dix escuz *b.* voix, [oyant *48-1* : oyans *48-2*] une grande turbe du *c.* gaigner dix escuz *d.* respondirent tous : et accouroient à la foule, *e.* d'argent. L'ayant *f.* murmuroit : c'estoit d'envie, et entendy *g.* grand jeune Chiquanoux habille homme, bon

en face[A]. Soubdain aprés pour les appaiser et empescher de non soy complaindre en justice, leurs departoit[B] de son argent. Tant qu'il les rendoit contens et satisfaictz, scelon l'ordonnance d'une loig des douze tables[5]. Ainsi despendoit son revenu battant les gens au pris de son argent.

— Par la sacre[C] botte de sainct Benoist[6], dist frere Jan, presentement j'en sçauray la verité. » Adoncques[D] descend en terre, mist la main à son escarselle, et en tira vingt escuz[a] au Soleil. Puys dist à haulte voix en presence et audience d'une grande tourbe[E] du[b] peuple Chiquanourroys. « Qui veult guaingner vingt escuz[c] d'or, pour estre battu en Diable ?

— Io, io, io[F7], respondirent tous. Vous nous affollerez[G] de coups, monsieur : cela est sceur. Mais il y a beau guaing. » Et tous accouroient à la foulle[d], à qui seroit premier en date[8], pour estre tant precieusement battu. Frere Jan de toute la trouppe choysit un Chiquanous à rouge muzeau : lequel on poulse de la main dextre portoit un gros et large anneau d'argent : en la palle[H] du quel estoit enchassée une bien grande Crapauldine[9].

L'ayant[e] choysi je veidz que tout ce peuple murmuroit, et entendiz[f] un grand, jeune, et maisgre Chiquanous habile et bon[g] clerc, et (comme estoit le bruyt commun) honeste home en court d'ecclise, soy complaignant et murmurant de ce que le rouge muzeau leurs oustoit[I] toutes practicques : et que si en tout le territoire n'estoient que trente coups de baston à guaingner, il en emboursoit tous jours vingt huict et demy. Mais tous ces complainctz[J] et murmures ne procedoient que d'envie. Frere Jan daubba tant et trestant Rouge muzeau,

A. sur la face. B. distribuait. C. sacrée. D. alors. E. foule. F. moi, moi, moi. G. blesserez. H. chaton. I. ôtait. J. plaintes.

10. Feston diene : euphémisme pour *Fête-Dieu.*

11. Official : ecclésiastique désigné par l'évêque pour juger en son nom les affaires contentieuses ; indique que les protagonistes sont des clercs.

12. Mirelaridaine : refrain d'une chanson populaire.

13. Le château de Vauvert (au sud de l'actuel jardin du Luxembourg) construit par Robert II au XIIe siècle après son excommunication, puis possession des Chartreux, était considéré comme un lieu de prédilection pour les revenants et les diables.

14. Pere en Diable : transformation plaisante de l'expression *pere en Dieu,* titre donné aux prélats et docteurs en théologie.

15. Pour bonne robbe, voir IX, p. 151 et n. 28.

a. compleignant et *[7 lignes]* disant, que le rouge museau, leur ostoit toute la practicque, et que s'il n'y avoit que trente coups de baston à gaigner en tout le territoire : il en embourssoit tousjours vingt et huict et demy. Frere Jean le dauba tant, doz et *b.* dix *c.* encor quelqu'un batre *d. Voir var. e, ci-dessous.* *e.* nous sommes *[var. d, ci-dessus]* tous à vous, autant en dirent à Panurge, autant à Gymnaste, et autres : mais nul n'y vouloit entendre.

dours[A] et[a] ventre, braz et jambes, teste et tout, à grands coups de baston, que je le cuydois[B] mort assommé. Puys luy bailla[C] les vingt[b] escuz. Et mon villain debout, ayse comme un Roy ou deux. Les aultres disoient à Frere Jan. « Monsieur frere Diable, s'il vous plaist encores quelques uns batre[c] pour moins d'argent, nous sommes tous à vous, monsieur le Diable. Nous sommes[d] trestous à vous, sacs, papiers, plumes, et tout. »

Rouge muzeau s'escria contre eulx, disant à haulte voix. « Feston diene[10] Guallefretiers[D], venez vous sus mon marché ? Me voulez vous houster et seduyre mes chalans ? Je vous cite par davant l'Official[11] à huyctaine Mirelaridaine[12]. Je vous chiquaneray en Diable de Vauverd[13]. » Puys se tournant vers frere Jan, à face riante et joyeuse luy dist. « Reverend pere en Diable[14] Monsieur, si m'avez trouvé bonne robbe[E15], et vous plaist encores en me battant vous esbatre, je me contenteray de la moitié de juste pris. Ne m'espargnez je vous en prie. Je suys tout et trestout à vous, Monsieur le Diable : teste, poulmon, boyaulx, et tout. Je le vous diz à bonne chere[F]. » Frere Jan interrompit son propous, et se destourna aultre part. Les aultres Chiquanous se retiroient vers Panurge, Epistemon, Gymnaste, et aultres : les supplians devotement[G] estre par eulx à quelque petit pris battuz : aultrement estoient en dangier de bien longuement jeusner. Mais nul n'y voulut entendre[e].

Depuys cherchans eaue fraische pour la chorme[H] des naufz[I], rencontrasmes deux vieilles Chiquanourres du lieu : les quelles ensemble miserablement pleuroient et lamentoient. Pantagruel estoit resté en sa nauf, et jà

A. dos. B. croyais. C. donna. D. vauriens. E. avantageux. F. amicalement. G. instamment. H. chiourme. I. navires.

16. En 1548, c'est Pantagruel qui pose la question.

17. Proverbe encore en usage pour *bailler le moyne à quelc'un*, qui signifie « berner » et, dans la langue judiciaire, « donner la question ».

18. Voir Oudin, *Curiositez françoises*, p. 350 : « Donner le Moine, c'est attacher une cordelette à l'orteil, ou au pied de celuy qui dort, et tirer tant que l'on peut pour l'esveiller ».

19. L'insistance sur l'expression *bailler le moine*, l'allusion à *sainct Jan de la Palisse* et la fin sont des additions de 1552 (var. *d* et *e*).

a. Pantagruel doubtant, qu'elles *b.* bastonnades, interroguoit les *c.* cause tresbonne, veu *d.* avoit *[7 lignes]* mené au gibet pendre les deux plus gens de bien qui fussent en toute l'Isle. Interrogées, *e. Fin du chapitre*

faisoit sonner la retraicte. Nous doubtans[A] qu'elles[a] feussent parentes du Chiquanous, qui avoit eu bastonnades, interrogions[16] les[b] causes de telle doleance. Elles respondirent, que de plourer avoient cause bien equitable, veu[c] qu'à heure presente l'on avoit au gibbet baillé le moine[17] par le coul aux deux plus gens de bien, qui feussent en tout Chiquanourroys. « Mes Paiges, dist Gymnaste, baillent le moine par les pieds[18] à leurs compaignons dormars[B]. Bailler le moine par le coul, seroit pendre et estrangler la persone.

— Voire, voire, dist frere Jan. Vous en parlez comme sainct Jan de la Palisse*. » Interrogées[d] sus les causes de cestuy pendaige, respondirent qu'ilz avoient desrobé les ferremens de la messe*[e] : et les avoient mussez[C] soubs le manche de la parœce. « Voy là, dist Epistemon, parlé en terrible Allegorie[19]. »

A. soupçonnant. B. dormeurs. C. cachés.

1. Thohu et Bohu : transcription de l'hébreu *tohou oubohou*, chaos avant la création du monde ; voir Genèse, I, 2. La Vulgate traduit par *terra erat inanis et uacua.*

2. Bringuenarilles : ce géant (que l'on retrouvera au chapitre XLIV et dont le nom provient de *bringuer*, « briser », et *narilles*, « narines ») est emprunté au *Disciple de Pantagruel* où, grand avaleur d'hommes, navires et œufs, il meurt de l'ingestion inhabituelle d'un moulin à vent qui, faute de grain, prend feu. La mort du géant va être l'occasion pour Rabelais de dresser un catalogue de morts étranges. De la compilation du génois Fulgose, *De dictis factisque memorabilibus*, 1507, il a extrait les anecdotes concernant Anacréon, Fabius, Lecanius Bassus, Spurius Saufeius ; de Suétone, *Vies des douze Césars*, « Claude », XXXII, celle de son convive qui, selon Suétone, était seulement tombé malade ; de Valère Maxime, *Faits et dits memorables*, IX, XII, celle de Philomenes (le poète comique Philémon) ; de Boccace, *Contes*, IV, VII, celle du jeune Pasquin au brin de sauge contaminé par le venin d'un crapaud ; d'Érasme, *Adages*, III, V, 1, *Risus Sardonius*, celle de Zeuxis. De 1548 à 1552, la liste a été considérablement augmentée par les mentions de Lecanius Bassus, de Philomenes, de Boccace, de Philippot Placut, de Zeuxis.

3. Expression usuelle ; voir un pamphlet de 1522 portant le titre *Le Monde qui n'a plus que frire.*

4. Hypostases et eneoremes : termes d'uroscopie : sédiments et matières en suspension ; *hypostases* remplace en 1552 *sedimens* (var. *g*).

5. Barrique de 268 litres.

6. Dans *Le Disciple de Pantagruel*, mis à part le cas du renard dévoreur de poules (voir XLIV), les seuls remèdes dont use Bringuenarilles sont les soins de son « ramoneur de cheminée ».

a. Chapitre VII. // Ce *b.* trouva *c.* avoit avalé toutes les paeles, paelons, chauldrons, coquasses, et marmites du pais, en *d.* estoit tombé en griefve maladie, par *e.* les Medecins du lieu) que *f.* naturellement à digerer moulins à vent tous brandifz, n'avoit peu à perfection digerer les paeles *g.* congnoistre aux sedimens, et eneoremes de trois tonnes d'urine, qu'il avoit faict en ce matin. Pour *h.* selon leur art. *i.* et estoit trespassé à cestuy matin en

Comment Pantagruel passa les isles de Thohu et Bohu[*1] *: et de l'estrange mort de Bringuenarilles avalleur de moulins à vent*[2]

CHAPITRE XVII

Ce[a] mesmes jour passa Pantagruel les deux isles de Thohu et Bohu : es quelles ne trouvasmes[b] que frire[3]. Bringuenarilles le grand geant avoit toutes les paelles[A], paellons[B], chauldrons, coquasses[C], lichefretes[D], et marmites du pays avallé, en[c] faulte de moulins à vent, des quelz ordinairement il se paissoit[E]. Dont estoit advenu, que peu davant le jour sus l'heure de sa digestion il estoit en griefve[F] maladie tombé, par[d] certaine crudité d'estomach, causée de ce (comme disoient les Medicins) que[e] la vertus concoctrice[G] de son estomach apte naturellement à moulins à vent tous brandifz[H] digerer, n'avoit peu à perfection consommer les paelles[f] et coquasses : les chauldrons et marmites avoit assez bien digeré. Comme disoient congnoistre aux hypostases et eneoremes[4] de quatre bussars[5] de urine, qu'il avoit à ce matin en deux foys rendue.

Pour[g] le secourir userent de divers remedes scelon l'art[h]. Mais le mal feut plus fort que les remedes[6]. Et estoit le noble Bringuenarilles à cestuy matin trespassé, en[i] façon tant estrange, que plus esbahir ne vous fault de

A. poêles. B. poêlons. C. chaudrons. D. lèchefrites E. rassasiait. F. grave. G. digestive. H. vifs.

7. Voir Érasme, *Adages*, II, IX, 97, *Non contingat seruari.*
8. Proverbe pour souligner une hypothèse absurde.
9. Strabon, *Géographie*, VII, CCCI-CCCII.
10. Arrien, *De l'Inde*, I, IV-VIII, historien grec du IIe siècle.
11. Phenace : Érasme, *Adages*, I, V, 64, *Quid si coelum ruat?*; nommé Pharnaces chez Plutarque.
12. Taprobaniens : habitants de l'île de Ceylan.
13. Après la défaite des géants, Atlas avait été condamné à porter le ciel sur ses épaules.

a. eust esté fatalement predict, *b.* s'estoit eloigné de la ville, [...] choses qui peuvent tomber, et *c.* demoura en une grande prairie, *d.* Toutesfois, lon dict que les alouetes la redoubtent : car le Ciel tombant, *e.* Aussi redoubtoient le Gymnosophistes d'Indie, lesquelz *f.* plus craignoient en ce monde : respondirent *g. Voir var. a, p. 217.*

la mort de Æschylus[7]. Lequel comme luy eust fatalement esté par les vaticinateurs[A] predict[a], qu'en certain jour il mourroit par ruine[B] de quelque chose qui tomberoit sus luy : iceluy jour destiné[C], s'estoit de la ville, de toutes maisons, arbres, rochiers, et aultres choses esloingné, qui tomber peuvent, et[b] nuyre par leur ruine. Et demoura on mylieu d'une grande praerie[D][c], soy commettant[E] en la foy du ciel libre et patent[F], en sceureté bien asseurée, comme luy sembloit. Si non vrayement que le ciel tombast. Ce que croyoist estre impossible. Toutes foys on dict que les Allouettes grandement redoubtent la ruine des cieulx. Car les cieulx tombans[d], toutes seroient prinses[8]. Aussi la redoubtoient jadis les Celtes voisins du Rin : ce sont les nobles, vaillans, chevalereux, bellicqueux, et triumphans François : les quelz[e] interrogez par Alexandre le grand, quelle chose plus en ce monde craignoient, esperant bien que de luy seul feroient exception, en contemplation[G] de ses grandes prouesses, victoires, conquestes, et triumphes : respondirent[f] rien ne craindre, si non que le ciel tombast[g]. Non toutes foys faire refus d'entrer en ligue, confederation, et amitié avecques un si preux et magnanime Roy. Si vous croyez Strabo[9] *lib. 7.* et Arrian[10] *lib. 1.* Plutarche aussi on livre qu'il a faict *de la face qui apparoist on corps de la Lune*, allegue un nommé Phenace[11], lequel grandement craignoit que la Lune tombast en terre : et avoit commiseration et pitié de ceulx qui habitent soubs icelle, comme sont les Æthiopiens et Taprobaniens[12] : si une tant grande masse tomboit sus eulx. Du ciel et de la terre avoit paour[H] semblable, s'ilz n'estoient deuement fulciz[I] et appuyez sus les colunnes de Atlas[13], comme estoit

A. devins. B. chute. C. fixé par le destin. D. prairie. E. s'en remettant. F. découvert. G. considération. H. peur. I. soutenus.

14. Épitaphe conservée dans une église romaine.
15. Quenelault : nom inventé ?

a. le ciel tombast. *[var. g, p. 215]* Aeschilus *b.* (ce non obstant) mourut par ruine et *c.* qui *d.* lequel mourut par default de peter un meschant coup, en la presence de Claudius Empereur. Plus *e.* est pres la porte Flaminie

l'opinion des anciens, scelon le tesmoingnage de Aristoteles *lib. 5. Meta ta phys.*

Æschilus[a] ce non ostant par ruine feut tué, et[b] cheute d'une caquerolle[A] de Tortue : laquelle d'entre les gryphes d'une Aigle haulte en l'air tombant sus sa teste luy fendit la cervelle.

Plus de Anacreon poete : lequel[c] mourut estranglé d'un pepin de raisin. Plus de Fabius preteur Romain, lequel mourut suffoqué d'un poil de chievre, mangeant une esculée[B] de laict. Plus de celluy honteux lequel par retenir son vent, et default de peter un meschant coup, subitement mourut en la presence de Claudius empereur Romain. Plus[d] de celluy qui à Rome est en la voye Flaminie[e] enterré, lequel en son epitaphe[14] se complainct estre mort par estre mords[C] d'une chatte on petit doigt. Plus de Q. Lecanius Bassus, qui subitement mourut d'une tant petite poincture[D] de aiguille on poulse de la main guausche, qu'à poine[E] la povoit on veoir. Plus de Quenelault[15] medicin Normant, lequel subitement à Monspellier trespassa, par de bies s'estre avecques un trancheplume tiré un Ciron de la main. Plus de Philomenes, auquel son varlet pour l'entrée de dipner[F] ayant apresté des figues nouvelles, pendent le temps qu'il alla au vin, un asne couillart[G] esguaré estoit entré on logis, et les figues apposées[H] mangeoit religieusement. Philomenes survenent, et curieusement[I] contemplant la grace de l'asne Sycophage*, dist au varlet qui estoit de retour. « Raison veult, puys qu'à ce devot asne as les figues abandonné, que pour boire tu luy produise[J] de ce bon vin que as apporté. » Ces parolles dictes entra en si exces-

A. carapace. B. écuelle. C. mordu. D. piqûre. E. peine. F. déjeuner. G. aux gros testicules. H. posées. I. soigneusement. J. donne.

16. Philippot placut : personnage inconnu.

17. Verrius : auteur d'un catalogue de morts singulières cité par Pline, VII, CLXXX.

18. Valère Maxime a intitulé un chapitre « De mortibus non uulgaris ».

19. Bacabery l'aisné : cet auteur imaginaire, qui remplace en 1552 *Rifflandoille* (var. *c*), pourrait être une anagramme de Rabelais.

20. Cullan : château du Cher ; un membre de la maison de Culan avait participé au combat livré par Brissac aux Anglais en 1545.

21. Mechloth : « extermination » en hébreu.

22. Belima : voir J. Reuchlin, *De arte cabalistica* : « Vous avez entendu le bref état des dix propriétés, notions ou attributs divins, qui sont appelés par les Cabalistes Beli Ma. Les uns entendent Beli, sans ou outre, et Ma, ce qui, comme pour dire les dix au-delà de quoi, c'est-à-dire excepté la quiddité de Dieu. Ils interprètent d'habitude Beli Ma ce qui est au-delà de ce qui est ineffable. D'autres entendent : en restreignant ou retenant ta langue, ne parle pas, comme des paroles sacrées qui ne doivent pas être transmises au vulgaire » (trad. F. Secret, Aubier-Montaigne, 1973, p. 251).

23. Ces différents couples d'îles ajoutés en 1552 ne se distinguent, comme *Tohu* et *Bohu*, que par une consonne.

24. Allusion au traité passé par Charles Quint avec le landgrave de Hesse en 1547, traité dans lequel la substitution par la mention *ohne ewige Gefangnis*, « sans détention *perpétuelle* », de *ohne einige Gefangnis*, « sans *aucune* détention », avait permis l'emprisonnement du landgrave. La traduction des deux adjectifs est fautive dans la glose de la « Briefve declaration », p. 601.

a. chate au petit doigt, Plus de Guignemauld Normand medecin, grand avaleur de pois gris, et Berlandier tresinsigne : lequel subitement en Montpellier trespassa, par faulte d'avoir payé ses debtes : et pour avec un trancheplume de bies s'estre tiré un ciron de la main. Plus de Spurius Saufenus, lequel mourut en humant *b.* à l'yssue du bain. *[8 lignes]* Plus *c.* fust Rifflandoille. Le *d. Fin du chapitre.*

sive guayeté d'esprit, et s'esclata de rire tant enormement, continuement, que l'exercice de la Ratelle[A] luy tollut[B] toute respiration, et subitement mourut.

Plus de Spurius Saufeius, lequel mourut humant[C][a] un œuf mollet à l'issue du baing. Plus de celluy lequel dict Bocace estre soubdainement mort par s'escurer les dens d'un brin de Saulge. Plus de Philippot placut[16] lequel estant sain et dru, subitement mourut en payant une vieille debte sans aultre precedente maladie. Plus de Zeusis le painctre, lequel subitement mourut à force de rire, considerant le minoys[D] et portraict d'une vieille par luy representée en paincture.

Plus[b] de nul aultre qu'on vous die, feust Verrius[17], feust Pline, feust Valere[18], feust Baptiste Fulgose, feust Bacabery l'aisné[19]. Le[c] bon Bringuenarilles (helas) mourut estranglé mangeant un coing de beurre frays à la gueule d'un four chauld, par l'ordonnance des medicins.

Là d'abondant nous feut dict que le Roy de Cullan[20] en Bohu avoit deffaict les Satrapes du roy Mechloth[21], et mis à sac les forteresses de Belima[d][22]. Depuys passasmes les isles de Nargues et Zargues*[23]. Aussi les isles de Teleniabin et Geneliabin*, bien belles et fructueuses en matiere de clysteres. Les isles aussi de Enig et Evig* : des quelles par avant estoit advenue l'estafillade[E] au Langrauff d'Esse[24].

A. rate. B. enleva. C. avalant. D. mine. E. affront.

1. La tempête est un *topos* des épopées et récits de voyage ; voir Homère, *Odyssée*, V, v. 290 et suiv. ; Virgile, *Énéide*, I ; Lucien, *Histoire véritable*, I ; Folengo, *Macaronées* (1517), XII. L'épisode a été fortement remanié en 1552. Les deux versions ont fait l'objet d'études comparatives. La première version est surtout inspirée de Folengo et de Virgile, la seconde du colloque « Le Naufrage » d'Érasme. La tempête classique devient une tempête chrétienne. Les additions du discours évangélique de Pantagruel permettent une opposition des trois rôles caractérisés par trois discours contrastés : couardise et prières superstitieuses de Panurge, travail rigoureux et blasphèmes profanes de frère Jean, et véritables prières efficaces de l'homme qui se fait coopérateur avec Dieu pour Pantagruel.

2. Neuf : chiffre symbolique, fréquent dans les récits homériques, entre autres pour la présence de calamités ; pour Agrippa, *De occulta philosophia*, II, XII, marque d'incomplétude.

3. Orques : jeu sur l'homonyme qui désigne le monstre marin ?

4. La simple rencontre de moines porte malheur. La mention de la droite *(poge)* est ambiguë. La diversité des usages grec et latin dans la signification à accorder à la droite et à la gauche dans l'apparition des présages entraînait des interprétations contradictoires chez les humanistes.

5. De 1548 à 1552, on relève le passage d'une à neuf orques, la disparition des bénédictins et l'apparition des hermites, théatins (ordre fondé au XVIe siècle par P. Caraffe, évêque de Théate), égnatins (ordre fondé par le Vénitien Égnace) et amadéans (ordre fondé par Amédée de Savoie). Plusieurs de ces ordres sont récents. Les minimes ont été fondés par saint François de Paule vers 1460 ; les jésuites, par Ignace de Loyola en 1534 ; les frères mineurs capucins ont pour origine la réforme inaugurée en 1525 par Mathieu de Basci, frère mineur observant.

6. Le concile de Chesil est une allusion au concile de Trente ; d'un mot hébreu, *kessil*, signifiant « fou ».

7. Suffraiges : courtes oraisons récitées à la fin de l'office.

8. Pour les Angelotz, voir XII, p. 177 et n. 20 ; monnaie particulièrement bienvenue ici pour les moines.

9. Le peneau est une banderole indiquant la direction du vent.

a. Chap. VIII. // Au *b.* à Poge une Orcque chargée de Moines, cordeliers, Jacobins, Carmes, Augustins, Celestins, Capussins, Bernardins, Minimes, Jesuites, Benedictins, et autres *c.* exces de joye, et *d.* jecter en leur nauf seze douzaines de jambons, et *e.* d'ou *48-1*

Comment Pantagruel evada vne forte tempeste en mer[1]

CHAPITRE XVIII

Au[a] lendemain rencontrasmes à poge[A] neuf[2] Orques[B][3] chargées de moines[4], Jacobins, Jesuites, Cappussins, Hermites, Augustins, Bernardins, Celestins, Theatins, Egnatins, Amadeans[5], Cordeliers, Carmes, Minimes, et aultres[b] sainctz religieux les quelz alloient au concile de Chesil[6], pour grabeler[C] les articles de la foy contre les nouveaulx hæreticques. Les voyant Panurge entra en excés de joye, comme asceuré d'avoir toute bonne fortune pour celluy jour et aultres subsequens en long ordre. Et[c] ayant courtoisement salüé les beatz[D] peres et recommendé le salut de son ame à leurs devotes prieres et menuz suffraiges[7], feist jecter en leurs naufz[E] soixante et dixhuict douzaines de jambons, nombre de Caviatz[F], dizaines de Cervelatz, centaines de Boutargues[G], et[d] deux mille beaulx Angelotz[8] pour les ames des trespassez. Pantagruel restoit tout pensif et melancholicque. Frere Jan l'apperceut, et demandoit dont[H][e] luy venoit telle fascherie[I] non acoustumée : quand le pilot[J] consyderant les voltigemens du peneau[9] sus la pouppe, et prevoiant

A. droite. B. navires de transport. C. passer au crible. D. bons. E. navires. F. caviars. G. œufs de mulet confits. H. d'où. I. tristesse. J. pilote.

10. À l'herte : de l'italien *all'erta*, « sur la hauteur ! », cri d'appel des gardes, à l'origine du français *alerte*.

11. *Mejane*, voile de misaine ; *contremejane*, voile de contremisaine ; *triou*, voile de fortune d'une galère ; *maistralle*, grande voile ; *epagon*, mot formé par Rabelais sur un mot grec signifiant « poulie », « voile basse carrée établie sur le troisième mât d'une nef à cinq mâts » ; *civadiere*, voile sous la voile de beaupré ; *boulingue*, petite voile au sommet d'un mât ; *trinquet de prore*, voile du mât de misaine ; *trinquet de gabie*, voile de hune.

12. Éjaculations : première attestation en français.

13. Cette liste de termes calqués sur le grec est empruntée à Aristote, *De mundo*, IV.

14. Aspectz : situation des astres à un moment donné.

15. Les « deux enfans bessons de Leda » de 1548 (var. *a*, p. 225), Castor et Pollux, étaient considérés comme des déités salvatrices des marins. Voir Érasme, « Le Naufrage ». L'invocation aux saints de 1552 évoque l'attitude de Cingar, superstitieux et couard, qui dans les *Macaronées* fait des vœux aux saints et promet des pèlerinages.

a. peneau sur la poupe, prendre un *48-1* *b.* goutieres. *c.* costé *d.* scatophages, estoit accropy sur le tillac tout affligé : tout matagrabolisé, et un[a] tyrannicque grain et fortunal[A] nouveau commenda tous estre à l'herte[B][10] tant nauchiers[C], fadrins[D], et mousses, que nous aultres voyagiers : feist mettre voiles bas, mejane, contremejane, Triou, Maistralle, Epagon, Civadiere : feist caller les Boulingues, Trinquet de prore, et trinquet de gabie[11], descendre le grand Artemon, et de toutes les antemnes ne rester que les grizelles et coustieres[b].

Soubdain la mer commença s'enfler et tumultuer du bas abysme, les fortes vagues batre les flans de nos vaisseaulx, le Maistral[E] acompaigné d'un cole[F][c] effrené, de noires Gruppades[G], de terribles Sions[H], de mortelles Bourrasques, siffler à travers nos antemnes. Le ciel tonner du hault, fouldroyer, esclairer, pluvoir, gresler, l'air perdre sa transparence, devenir opacque, tenebreux et obscurcy, si que[I] aultre lumiere ne nous apparoissoit que des fouldres, esclaires, et infractions[J] des flambantes nuées : les categides[K], thielles[L], lelapes[M] et presteres[N] enflamber tout au tour de nous par les psoloentes, arges, elicies[O], et aultres ejaculations[12] etherées[13], nos aspectz[14] tous estre dissipez et perturbez, les horrificques[P] Typhones[Q] suspendre les montueuses vagues du courrant. Croyez que ce nous sembloit estre l'antique Cahos on quel estoient feu, air, mer, terre, tous les elemens en refraictaire[R] confusion.

Panurge ayant du contenu en son estomach bien repeu les poissons scatophages*, restoit acropy sus le tillac tout affligé, tout meshaigné[S], et[d] à demy mort, invocqua tous les benoistz[T] saincts et sainctes à son ayde[15], protesta de

A. tempête. B. en alerte. C. nochers. D. mousses. E. mistral. F. ouragan. G. grains. H. trombes. I. si bien que. J. déchirements. K. vents violents. L. bourrasques. M. tourbillons. N. météores. O. éclairs, éclairs blancs, éclairs en zigzag. P. extraordinaires. Q. tourbillons. R. discordante. S. chagriné. T. bénis.

16. Probablement en rapport avec le concile de Trente.

17. Maigor dome : officier chargé du service des vivres sur les galères.

18. Addition de 1552 (var. *c*) ; dans « Le Naufrage », Érasme ridiculise aussi, outre les invocations aux saints, un chant à la Vierge entonné par les matelots.

19. Troys et quatre foys heureulx : voir Homère, *Odysée*, V, v. 290 et Virgile, *Énéide*, I, v. 94. Le style rappelle les gémissements d'Ulysse.

20. Destinez : satire de la prédestination.

21. Allusion aux discussions des philosophes de l'Antiquité.

22. Voir Érasme, *Apophtegmes*, VII, *Pyrrho Eliensis*, qui suit Plutarque ; le pourceau, symbole de la stupidité, est sur le navire.

23. Plancher des vaches : première attestation de l'expression.

24. Zalas, déformation d'une exclamation grecque ou forme dialectale de *hélas*, remplace le *jarus* (prononciation parisienne de *Jésus*) de 1548, voir var. *e*.

25. Valeur comique : la guatte étant le sommet du grand mât, il ne peut exister de mât du haut de la guatte.

26. Tout est frelore bigoth : « Tout est perdu par Dieu », exclamation de lansquenet germanique, présente dans la chanson des Suisses à Marignan.

a. Invoca les deux enfans bessons de Leda, et la cocque d'œuf, dont ils furent esclouz, et s'escria *b.* disant : Major d'homme, *c.* à Dieu estre en *d.* planteur des choulx ! *e.* Jarus ; *de même, 4 et 5 lignes plus bas.*

soy confesser[16] en temps et lieu, puys s'escria[a] en grand effroy[A] disant. « Maigor dome[b17] hau, mon amy, mon pere, mon oncle, produisez[B] un peu de sallé. Nous ne boirons tantoust que trop, à ce que je voy. À petit manger bien boire, sera desormais ma devise. Pleust à Dieu et à la benoiste, digne, et sacrée Vierge[18] que maintenant, je diz tout à ceste heure, je feusse en[c] terre ferme bien à mon aise. O que troys et quatre foys heureulx[19] sont ceulx qui plantent chous. O Parces[C] que ne me fillastez vous pour planteur de Chous[d]? O que petit est le nombre de ceulx à qui Juppiter a telle faveur porté, qu'il les a destinez[20] à planter chous. Car ilz ont tousjours en terre un pied : l'aultre n'en est pas loing. Dispute de felicité et bien souverain[21] qui vouldra, mais quiconques plante Chous est præsentement par mon decret declairé bien heureux, à trop meilleure raison que Pyrrhon estant en pareil dangier que nous sommes, et voyant un pourceau prés le rivaige qui mangeoit de l'orge espandu, le declaira bien heureux en deux qualitez, sçavoir est qu'il avoit orge à foison, et d'abondant[D] estoit en terre[22]. Ha pour manoir deificque et seigneurial il n'est que le plancher des vaches[23]. Ceste vague nous emportera Dieu servateur. O mes amys un peu de vinaigre. Je tressue[E] de grand hahan[F]. Zalas[24e] les vettes[G] sont rompues, le Prodenou[H] est en pieces, les Cosses[I] esclattent, l'arbre du hault de la guatte[J25] plonge en mer : la carine[K] est au Soleil, nos Gumenes[L] sont presque tous rouptz[M]. Zalas, Zalas, où sont nos boulingues ? Tout est frelore bigoth[26]. Nostre trinquet est avau l'eau. Zalas à qui appartiendra ce briz[N] ?

A. tumulte. B. apportez. C. Parques. D. en outre. E. sue. F. effort. G. drisses. H. amarre de proue. I. anneaux protégeant les cordages. J. hune. K. quille. L. gros câbles. M. rompus. N. épave.

27. Rambades : château d'avant des galères.

28. Renvoie aux sons *(uoces illiteratae)* d'un langage naturel et émotif, semblable à celui du langage animal. La peur de Panurge, émotion brute et incontrôlée, s'oppose à celle des autres héros.

29. Formule de lamentation traditionnelle dans les tragédies grecques, chez Sophocle et Euripide, par exemple.

a. souciez. Bebebebous, bous, bous. Iarus. Voyez *b.* d'ou, *le chapitre prend fin sur cette phrase.*

Amis prestez moy icy darriere une de ces rambades[27]. Enfans, vostre Landrivel[A] est tombé. Helas ne abandonnez l'orgeau[B], ne aussi le Tirados[C]. Je oy l'aigneuillot[D] fremir. Est il cassé? Pour dieu saulvons la brague[E] : du fernel[F] ne vous souciez. Bebebe bous bous, bous[28]. Voyez[a] à la calamite[G] de vostre boussole de grace maistre Astrophile[H] dont[b] nous vient ce fortunal. Par ma foy j'ay belle paour. Bou bou, bou bous bous. C'est faict de moy. Je me conchie de male raige de paour[I]. Bou bou, bou bou. Otto to to to to ti[29]. Otto to to to to ti. Bou bou bou, ou ou ou bou bou bous bous. Je naye[J]. Je naye. Je meurs. Bonnes gens je naye. »

A. cordage servant au halage. B. barre. C. cordage. D. gonds du gouvernail. E. cordage retenant l'affût d'un canon. F. cordage manœuvrant le gouvernail. G. aiguille. H. astrologue. I. peur violente. J. noie.

1. Le titre du chapitre insiste sur les attitudes des personnages, Rabelais jouant sur les contrastes entre les divers héros, qu'il accentue en 1552.

2. Pour Servateur, voir prologue, p. 51 et n. 20.

3. Fervente devotion : la mention de cette prière évangélique, qui s'oppose à celle de Panurge, est une addition de 1552.

4. L'arbre est le mât. Pantagruel a l'attitude d'Ulysse attaché au mât de son navire, mât qui, selon les Pères de l'Église, préfigurerait le bois de la Croix ; voir P. Smith, *Voyage et écriture*, p. 93. L'interprétation allégorique voit la mer comme monde, le navire comme Église, le capitaine comme Christ et la tempête comme forces diaboliques.

5. L'attitude de frère Jean est semblable à celle de Baldus dans les *Macaronées* de Folengo.

6. Coursie : passage de la proue à la poupe d'une galère entre les rangs de rameurs.

7. Panurge fait l'ascenseur de crête en creux de vague. *E la* et *gamma ut* sont les notes extrêmes, aiguë et grave, de l'hexacorde médiéval à partir duquel se faisait la solmisation (solfège) depuis Guido d'Arezzo (vers 1030) et encore à l'époque de Rabelais.

a. Chap. IX. // Pantagruel (par *b.* assis sur les coillons, *c.* Bebebebou : bous : *d.* saulver. Jarus, jarus, nous ; *de même, dans tout le chapitre (voir n. 24, p. 224).* *e.* Ela, au dessus de toute *f.* Bebebebou, bous,

Quelles contenences eurent Panurge et frere Jan durant la tempeste[1]

CHAPITRE XIX

Pantagruel prealablement avoir imploré[A] l'ayde du grand Dieu Servateur[2] et faicte oraison publicque en fervente devotion[3] par[a] l'advis du pilot[B] tenoit l'arbre[4] fort et ferme, frere Jan s'estoit mis en pourpoinct pour secourir les nauchiers[C5]. Aussi estoient Epistemon, Ponocrates et les aultres. Panurge restoit de cul sus le tillac pleurant et lamentant. Frere Jan l'apperceut passant sus la Coursie[6] et luy dist. « Par Dieu Panurge le veau, Panurge le pleurart, Panurge le criart, tu feroys beaucoup mieulx nous aydant icy, que là pleurant comme une vache, assis sus tes couillons[b], comme un magot.

— Be be be bous, bous[c], bous (respondit Panurge) frere Jan mon amy, mon bon pere, je naye[D], je naye mon amy, je naye. C'est faict de moy, mon pere spirituel, mon amy c'en est faict. Vostre bragmart ne m'en sçauroit saulver. Zalas, Zalas, nous[d] sommes au dessus de Ela, hors toute[e] la gamme. Bebe be bous bous[f]. Zalas à ceste heure sommes nous au dessoubs de Gama ut[7]. Je naye. Ha mon pere, mon oncle, mon tout. L'eau est entrée en mes souliers par le collet. Bous, bous, bous,

A. après avoir imploré. B. pilote. C. nochers. D. noie.

8. L'arbre forchu est un jeu correspondant au poirier.

9. Rabelais a conservé la mention d'une orque comme en 1548 (chap. XVIII).

10. Breneux : effets particuliers de la peur : voir XVIII et LXVII.

a. paisch : hu, hu, hu, hu, ha, ha, ha, ha : Bebebebous, bo, bous, bo, bus : lio, ho, ho, ho, ho. Jarus, jarus. A *b.* joyeux, et *c.* holos : Jarus, ceste *d.* Bebebebe bebou, bonnes gens, bous. Hores sommes *e.* Confiteor. Jarus. Mille *f.* confession *g.* ô paisch, hu, hu, hu, ha, ha, ha, ha, ha. Je naye. Zalas, Zalas, hu, hu, hu, hu, hu, hu. Bebe bous, bous bobous, bobous, ho, ho, ho, ho, ho. Zalas, Zalas. À[a] ceste heure foys[A] bien à poinct l'arbre forchu[8], les pieds à mont, la teste en bas. Pleust à Dieu que præsentement je feusse dedans la Orque[B9] des bons et beatz peres[C] Concilipetes* les quelz ce matin nous rencontrasmes, tant devotz, tant gras, tant joyeulx, tant douilletz[D], et[b] de bonne grace. Holos, holos, holos, Zalas, Zalas, ceste[c] vague de tous les Diables *(mea culpa Deus*[E]*)*, je diz ceste vague de Dieu enfondrera[F] nostre nauf[G]. Zalas frere Jan mon pere, mon amy, confession. Me voyez cy à genoulx. *Confiteor*[H], vostre saincte benediction.

— Vien pendu au Diable (dist frere Jan) icy nous ayder, de par trente Legions de Diables, vien : viendra il ?

— Ne jurons poinct (dist Panurge) mon pere, mon amy, pour ceste heure. Demain tant que vouldrez. Holos, holos. Zalas, nostre nauf prent eau. Je naye. Zalas, Zalas. Be be be be be bous, bous, bous, bous. Or sommes[d] nous au fond. Zalas, Zalas. Je donne dixhuict cent mille escuz de intrade[I] à qui me mettra en terre, tout foireux et tout breneux[10] comme je suys, si oncques[J] home feut en ma patrie de bren. *Confiteor*. Zalas, un petit mot de testament, ou Codicille pour le moins.

— Mille[e] Diables (dist frere Jan) saultent on corps de ce coqu. Vertus Dieu parle tu de testament[f] à ceste heure que sommes en dangier, et qu'il nous convient evertuer[K], ou jamais plus? Viendras tu, ho[g] Diable? Comite[L] mon mignon. O le gentil Algousan[M], deçà

A. je fais. B. navire de transport. C. bons pères. D. tendres. E. c'est ma faute, mon Dieu. F. fera couler. G. navire. H. je me confesse. I. rente. J. jamais. K. faire effort. L. officier commandant la chiourme. M. argousin.

11. Estanterol : pilier sur la poupe, où l'on plaçait l'étendard.

12. *Consummatum est* : dernières paroles du Christ (Jean, XIX, 30) ; addition de 1552.

13. Escantoula : chambre d'une galère destinée aux argousins ou pompe d'un navire.

14. Bitous : charpente servant à fixer les amarres.

15. *In manus tuas, Domine, commendo spiritum meum,* « Père, je remets mon esprit entre vos mains » (Luc, XXIII, 46) ; prière du chrétien à l'article de la mort.

16. Sainct Michel d'Aure : vallée pyrénéenne.

17. Quande (= Candes) et Monssoreau (= Montsoreau) sont des villages contigus, d'où le proverbe.

a. icy sus *[10 lignes]* l'eslauterot. Mousse *b.* meurs. // Amis : *c.* A Dieu. Jarus. In *d.* aux

Gymnaste, icy sus l'estanterol[11]. Nous sommes par la vertus Dieu troussez[A] à ce coup. Voylà nostre Phanal extainct. Cecy s'en va à tous les millions de Diables.

— Zalas, Zalas (dist Panurge) Zalas, Bou, bou, bou, bous. Zalas, Zalas. Estoit ce icy que de perir nous estoit prædestiné? Holos bonnes gens je naye, je meurs. *Consummatum est*[B12]. C'est faict de moy.

— Magna, gna, gna (dist frere Jan) Fy qu'il est laid le pleurart de merde. Mousse[a] ho de par tous les Diables, guarde l'escantoula[13]. T'es tu blessé? Vertus Dieu. Atache à l'un des Bitous[14], icy, de là, de par le Diable hay. Ainsi mon enfant.

— Ha frere Jan (dist Panurge) mon pere spirituel mon amy ne jurons poinct. Vous pechez. Zalas, Zalas. Bebebebous, bous bous, je naye, je meurs mes amys[b]. Je pardonne à tout le monde. Adieu. *In*[c] *manus*[C15]. Bous, bous, bouououous. Sainct Michel D'aure[16]. Sainct Nicolas à ceste foys et jamais plus. Je vous foys icy bon veu et à nostre Seigneur, que si à ce coup m'estez aydant, j'entends que me mettez en terre hors ce dangier icy, je vous edifieray une belle grande petite chappelle ou deux entre Quande et Monssorreau[17], et n'y paistra vache ne veau. Zalas, Zalas. Il m'en est entré en la bouche plus de dixhuict seillaux[D] ou[d] deux. Bous, bous, bous, bous. Qu'elle est amere et sallée.

— Par la vertus (dist frere Jan) du sang, de la chair, du ventre, de la teste, si encores je te oy pioller[E] Coqu au diable, je te gualleray[F] en loup marin : vertus Dieu que ne le jectons nous au fond de la mer? Hespaillier[G] ho gentil compaignon, ainsi mon amy. Tenez bien lassus[H]. Vrayement voicy bien esclairé, et

A. perdus. B. Tout est consommé. C. dans tes mains. D. seaux. E. pleurer. F. frapperai. G. rameur. H. là-haut.

18. Proserpine : mère des diables dans les mystères du Moyen Âge ; dans le *Mystère des Actes des Apostres* (écrit entre 1460 et 1470), mère du petit « diableteau » Pantagruel.

19. Allusion à la *morisque*, qui se danse avec des sonnettes attachées aux jambes.

bien tonné. Je croy que tous les Diables sont deschainez aujourdhuy, ou que Proserpine[18] est en travail d'enfant. Tous les Diables dansent aux sonnettes[19]. »

1. Rabelais multiplie dans ce chapitre les termes techniques. Pour les noms des vents et les manœuvres, en 1548, utilisation de la langue du Levant et, dans les additions de 1552, de la langue du Ponant.

2. Je suys nul : addition de 1552 en rapport avec un adage d'Érasme, I, III, 44, *Nullus sum : « Prouerbiales sunt et illae apud Comicos hyperbolae, Nullus sum et occidi, perii ».*

3. Cabirotades : jeu de mots avec *Cabires* (4 lignes plus bas).

4. Les Cabires sont des divinités protectrices de la navigation, que les Anciens assimilaient souvent aux Dioscures.

5. Voir Strabon, X, 472-473 ; Pausanias, IX, XXV-XXVI ; Hérodote, II, LI, et III, XXXVII. Pherecydes, philosophe maître de Pythagore, cité par Strabon. Les deux premiers noms cités sont les auteurs d'*Argonautiques.*

6. Paronomase à relever.

a. sonnettes. Ha *b.* mon amy ancien. *[10 lignes]* Il me fasche vous le dire. Car je croy qu'il vous face grand bien de jurer ainsi. Toutesfois

Comment les nauchiers[A] abandonnent les navires[B] au fort de la tempeste[1]

CHAPITRE XX

« Ha[a] (dist Panurge) vous pechez frere Jan mon amy ancien. Ancien dis je, car de præsent je suys nul[2], vous estes nul. Il me fasche[C] le vous dire. Car je croy que ainsi jurer vous face grand bien à la ratelle[D] : comme à un fendeur de boys faict grand soulaigement celluy qui à chascun coup prés de luy crie “Han”, à haulte voix : et comme un joueur de quilles est mirificquement[E] soulaigé quand il n'a jecté la boulle droict, si quelque home d'esprit prés de luy panche et contourne la teste et le corps à demy du cousté auquel la boulle aultrement bien jectée eust faict rencontre de quilles. Toutes foys[b] vous pechez mon amy doulx. Mais si præsentement nous mangeons quelque espece de Cabirotades[F3], serions nous en sceureté de cestuy oraige ? J'ay leu que sus mer en temps de tempeste jamais n'avoient paour[G], tous jours estoient en sceureté les ministres des Dieux Cabires[4] tant celebrez par Orphée, Apollonius, Pherecydes, Strabo, Pausanias, Herodote[5].

— Il radote[6], dist frere Jan, le paouvre Diable. À

A. nochers. B. abandonnent les navires à eux-mêmes. C. il m'est désagréable. D. rate. E. extrêmement. F. grillades de chevreaux. G. peur.

7. Le sens de « mari trompé » pour *cornard* n'est attesté qu'à partir du XVIIe siècle.

8. Cette injure empruntée à la langue des matelots italiens a remplacé les injures de 1548 où Panurge était traité de sodomite (*bougre* et *bredache*, var. *b*).

9. Grommeler entre ses dents comme un singe remuant les babines.

10. Jeu de mots sur les sens de *tempestatif* : sens propre « de tempête », sens figuré « violent ».

11. Nou : prononciation de l'Ouest.

12. Talemouze : mot apparaissant également en XL (cuisinier). Le texte de 1548 (var. *f*) porte la mention de *Talemont*, abbaye bénédictine près des Sables-d'Olonne connue sous le nom de Sainte-Croix ; en 1552, rapprochement plaisant de *Talemont* et *talmouse*, sorte de gâteau au fromage ?

13. Croullay : hameau près de Panzoult, qui possédait un couvent de cordeliers.

14. La dénomination de chapitre provincial s'applique à une assemblée de religieux d'une province ecclésiastique.

15. L'élection du recteur de l'université de Paris par les étudiants donnait lieu à des brigues fameuses.

16. Caveche : chevêche, sorte de poulie, à l'origine tête de chouette (dialectalement *caveche*).

17. Seuillé est une abbaye bénédictine proche de La Devinière. Voir *Gargantua*, XXVII, où frère Jean, moine de Seuillé, sauve le clos de l'abbaye.

a. amy doulx. *[8 lignes]* A mille (dist frere Jean) et *b.* icy, ho Bougre, Bredache de tous les Diables incubes, succubes, et tout quant il y a. Viendra *c.* tes *d.* chorme : encore nous importune il par ses criries. par *e.* marin. *f.* Abbé de Talemont, et que celuy *g.* fust Gardian de Croullay. *h.* vous vous blesserez *i.* j'ay *j.* coup de fouldre, dessus, Isse. C'est bien dict. Isse, Isse, Isse. Vienne esquif : Isse. Vertu Dieu, *k.* en pieces. Bren pour la vague. Par les vertuz Dieu, elle a failly *l.* tous les diables *m.* provincial. Orche *n.* ô *o.* Panurge) bous bous bous, je n'aye. Je *p.* ne terre. Jarus. Pleust *q.* vertu Dieu, qu'à ceste heure mille et[a] millions, et centaines de millions de Diables soyt le Coqu cornard[A7] au Diable. Ayde nous icy hau Tigre[8]. Viendra[b] il ? Icy à orche[B]. Teste Dieu plene de reliques*, quelle patenostre de Cinge[9] est ce que tu marmottez là entre les[c] dens ? Ce Diable de fol marin est cause de la tempeste, et il seul ne ayde à la chorme[C]. Par[d] Dieu si je voys[D] là, je vous chastieray en Diable tempestatif[e10]. Icy Fadrin[E] mon mignon : tiens bien, que je y face un nou[11] Gregeoys[F]. O le gentil mousse. Pleust à Dieu que tu feussez abbé de Talemouze[12], et celluy[f] qui de præsent l'est feust guardian du Croullay[g13]. Ponocrates mon frere vous blesserez[h] là. Epistemon guardez vous de la Jalousie[G], je y ay[i] veu tomber un coup de fouldre.

— Inse[H].

— C'est bien dict. Inse, inse, inse. Vieigne esquif. Inse. Vertus Dieu[j] qu'est ce là ? Le cap[I] est en pieces. Tonnez Diables, petez, rottez, fiantez. Bren pour la vague. Elle a, par la vertus Dieu, failly[k] à m'emporter soubs le courant. Je croy que tous les millions de Diables[l] tiennent icy leur chapitre provincial[14], ou briguent pour election de nouveau Recteur[15].

— Orche[m].

— C'est bien dict. Guare la caveche[16] hau[n] mousse, de par le Diable hay. Orche. Orche.

— Bebebebous, bous bous, (dist Panurge) bous, bous, bebe be bou bous. Je naye[J]. Je[o] ne voy ne Ciel, ne Terre. Zalas, Zalas. De quatre elemens ne nous reste icy que feu et eau. Bouboubous, bous, bous. Pleust[p] à la digne vertus de Dieu que à heure[q] præsente je feusse dedans le clos de Seuillé[17], ou chés Innocent le pastissier

A. niais. B. bâbord. C. chiourme. D. vais. E. mousse. F. nœud grec. G. bastingage. H. hisse. I. avant. J. noie.

18. Cave paincte : célèbre cellier taillé dans le tuf.

19. La chastellenie de Salmiguondin, donnée par Pantagruel à Alcofrybas (*Pantagruel*, XXXII), puis attribuée à Panurge (*Tiers livre*, II).

20. Scandal et bolides : ces synonymes sont empruntés à l'italien et au grec.

21. Amure : manœuvre retenant le point inférieur d'une voile du côté d'où vient le vent.

22. Érasme, dans « Le Naufrage », critique aussi les vœux faits sous l'emprise du danger.

23. Faisons un pelerin : cotisons-nous pour envoyer quelqu'un en pèlerinage.

a. mes *b.* donne tout ce que j'ay, et m'y jectez. Jarus, jarus, je *c.* hors de ce danger, *d.* ami *48-1* : ame *48-2; de même 2 lignes plus bas.* *e. Voir var. b.* *f.* Sachons si *[var. e]* icy lon boyroit bien tout debout. Je croy bien qu'ouy sans soy baisser. Deça hô davant la cave paincte[18] à Chinon, sus poine[A] de me mettre en pourpoinct pour cuyre les[a] petitz pastez. Nostre home sçauriez vous me jecter en terre ? Vous sçavez tant de bien, comme l'on m'a dict. Je vous donne tout Salmiguondinoys[19], et ma grande cacquerolliere[B], si par vostre industrie je trouve unes foys[C] terre ferme. Zalas, Zalas, je[b] naye. Dea, beaulx amys puys que surgir[D] ne povons à bon port, mettons nous à la rade, je ne sçay où. Plongez toutes vos ancres. Soyons hors ce dangier[c], je vous en prie. Nostre amé[d] plongez le scandal[E], et les bolides[F20] de grace. Sçaichons la haulteur du profond. Sondez nostre amé mon amy de par nostre Seigneur. Sçaichons si[e] l'on boyroit icy aisement debout, sans soy besser. J'en croy quelque chose.

— Uretacque[G] hau (cria le pilot[H]) Uretacque. La main à l'insail[I]. Amene Uretacque. Bressine[J]. Uretacque. Guare la pane[K]. Hau amure[21], amure bas. Hau Uretacque. Cap en houlle[L]. Desmanche le heaulme[M]. Acappaye[N].

— En sommes nous là ? dist Pantagruel. Le bon Dieu servateur nous soyt en ayde.

— Acappaye hau, s'escria Jamet Brahier maistre pilot, acappaye. Chascun pense de son ame, et se mette en devotion, n'esperans ayde que par miracle des Cieulx.

— Faisons, dist Panurge, quelque bon et beau veu[22]. Zalas, Zalas, Zalas. Bou bou bebebebous, bous, bous. Zalas, Zalas, faisons un pelerin[23]. Czà, çà, chascun boursille[O] à beaulx liards. Czà.

— Deçà hau[f] (dist frere Jan) de par tous les Diables. À poge[P]. Acappaye on nom de Dieu. Desmanche le

A. peine. B. escargotière. C. dans l'avenir. D. aborder. E. sonde. F. sondes. G. cordage du mât de misaine. H. pilote. I. drisse. J. Tire la drisse. K. voilure. L. face à la lame. M. barre. N. Mets à la cape. O. paye de sa bourse. P. tribord.

24. Majour dome : voir XVIII, p. 225 et n. 17.

25. Produisez, exhibez : formules juridiques.

26. Tirouoir : en fauconnerie, ce que l'on donne à déchiqueter à l'oiseau pour l'habituer au gibier.

27. Caryde : voir Érasme, *Adages*, I, V, 4, *Euitata Charybdi, in Scyllam incidi*; ici inversion des termes.

28. M. Alcofribas Nasier, abstracteur de quinte essence, ainsi nommé en tête de *Pantagruel* et de *Gargantua*; dans les éditions de 1537 et de 1542 de *Pantagruel*, il était feu maistre Alcofribas. Rabelais, s'il conserve la fiction de la narration par l'abstracteur, lui retire le prologue — qui se présente comme « Prologue de l'autheur M. François Rabelais [...] ».

29. Achates : fidèle compagnon d'Énée.

a. a poge. *[6 lignes]* Attendez *b.* en prie. Helas *c.* icy sur transpontin.

heaulme hau. Acappaye. Acappaye. Beuvons hau. Je diz du meilleur, et plus stomachal. Entendez vous hault majour dome[24]. Produisez[A], exhibez[B25]. Aussi bien s'en va cecy à tous les millions de Diables. Apporte cy hau page mon tirouoir[26] (Ainsi nommoit il son breviaire). Attendez[a] tyre mon amy, ainsi vertus Dieu voicy bien greslé et fouldroié vrayement. Tenez bien là hault, je vous en prie. Quand aurons nous la feste de tous sainctz ? Je croy que au jourd'huy est l'infeste[C] feste de tous les millions de Diables.

— Helas[b] (dist Panurge) frere Jan se damne bien à credit. O que je y perds un bon amy. Zalas, Zalas, voicy pis que antan. Nous allons de Scylle en Caryde[27], holos je naye. *Confiteor.* Un petit mot de testament frere Jan, mon pere, monsieur l'abstracteur[28] mon amy, mon Achates[29], Xenomanes mon tout. Helas je naye, deux motz de testament. Tenez icy sus ce transpontin[Dc]. »

A. apportez. B. présentez. C. hostile. D. hamac.

1. Rabelais pose ici un problème de légiste.

2. Voir César, *De bello gallico*, I, XXXIX. *Lances pesades* correspond à l'italien *lanza spezzata*, « lance rompue », et traduit le latin *tribuni militum et praefecti*; et *mignons* traduit *qui ex Urbe amicitae causa Caesarem secuti*.

3. Ariovistus : chef des Germains, qui menaçaient d'envahir la Gaule.

4. Voir Ésope, LXXXI ; Épistémon met en avant la nécessité de l'action.

a. tempeste et des propos de Frere Jan et de Panurge. Chap. X. // Faire

Continuation de la tempeste, et brief discours sus testamens faictz sus mer[1]

CHAPITRE XXI

« Faire[a] testament (dist Epistemon) à ceste heure qu'il nous convient evertuer[A] et secourir nostre chorme[B] sus poine[C] de faire naufraige, me semble acte autant importun et mal à propous comme celluy des Lances pesades[2] et mignons de Cæsar entrant en Gaule, les quelz se amusoient[D] à faire testamens et codicilles, lamentoient leur fortune[E], plouroient l'absence de leurs femmes et amys Romains, lors que par necessité leurs convenoit courir aux armes, et soy evertuer contre Ariovistus[3] leur ennemy. C'est sottize telle que du charretier lequel sa charrette versée par un retouble[F], à genoilz imploroit l'ayde de Hercules, et ne aiguillonnoit ses bœufz et ne mettoit la main pour soublever les roues[4]. Dequoy vous servira icy faire testament ? Car ou nous evaderons[G] ce dangier, ou nous serons nayez[H]. Si evadons il ne vous servira de rien. Testamens ne sont valables ne auctorizez si non par mort des testateurs. Si sommes nayez, ne nayera il pas comme nous ? Qui le portera aux executeurs ?

— Quelque bonne vague (respondit Panurge) le jec-

A. faire effort. B. chiourme. C. peine. D. perdaient leur temps. E. sort. F. guéret. G. échapperons à. H. noyés.

5. Allusion à l'épisode de Nausicaa.

6. La liste, considérablement augmentée en 1552 (var. *a* et *b*), provient peut-être d'une compilation. *Sychée :* Virgile, *Énéide*, I, v. 353-356 (Didon ne lui a pas élevé de cénotaphe) ; *Deiphobus : ibid.*, VI, v. 505 ; *Hector : ibid.*, III, v. 304 ; *Hermias :* Diogène Laërce, *Vie d'Aristote*, I, VIII ; *Euripides :* Pausanias, *La Description de la Grèce*, I, II ; *Drusus :* Suétone, *Vies des douze Césars*, « Claude », I ; *Severe :* Lampridius, *Vie d'Alexandre Sévère*, LXIII ; *Callaischre : Anthologie grecque*, VII, v. 395 ; *Lysidices : ibid.*, v. 291 ; *Teleutagores : ibid.*, v. 652 ; *Theotime : ibid.*, v. 539 ; *Timocles : ibid.*, v. 274 ; *Sopolis :* Callimaque, *Hymnes*, XIX ; *Anthologie grecque*, VII, v. 271 ; *Catulle : Poèmes*, v. 101 ; *Statius : Sylves*, V, v. 3.

7. Hermias : souverain bithynien, dont Aristote épousa la sœur ou la fille adoptive.

8. Eubulus : poète comique athénien (IVe siècle av. J.-C.).

9. Argentier : poète grec.

10. Germain de Brie : humaniste, aumônier du roi, puis chanoine à Notre-Dame de Paris ; il composa en 1513 un *Heruei cenotaphium* à la gloire d'Hervé de Primauguet qui, en 1512, face aux Anglais, avait préféré la mort à la reddition.

11. Addition de 1552 (var. *f*), où Pantagruel reprend le cri des disciples dans la tempête (Matthieu, VIII, 25) et la prière du Christ au mont des Oliviers (Luc, XXII, 42).

12. *In manus :* voir XIX, p. 233 et n. 15.

a. Eubulus : Les Romains *b.* en Gaulle : Catulle *c.* Hervey le Naucher. *d.* par *e.* n'eschapperons *f.* Diables.) *[5 lignes]* Dieu *g.* Holos, holos je naye, Jarus. Bebebebous bous bous

tera à bourt[A], comme feit Ulyxes[5] : et quelque fille de Roy allant à l'esbat[B] sus le serain le rencontrera : puis le fera tresbien executer : et prés le rivaige me fera eriger quelque magnificque cenotaphe : comme feist Dido à son mary Sichée[6], Æneas à Deiphobus sus le rivaige de Troie prés Rhœte : Andromache à Hector, en la cité de Butrot. Aristoteles à Hermias[7] et Eubulus[8]. Les Atheniens au poete Euripides, les Romains[a] à Drusus en Germanie, et à Alexandre Severe leur empereur en Gaulle, Argentier[9] à Callaischre. Xenocrite à Lysidices. Timares à son filz Teleutagores. Eupolis et Aristodice à leur filz Theotime. Onestes à Timocles. Callimache à Sopolis filz de Dioclides. Catulle[b] à son frere, Statius à son pere, Germain de Brie[10] à Hervé le nauchier[c] Breton.

— Resvez[C] tu ? (dist frere Jan). Ayde icy de part[d] cinq cens mille et millions de charretées de Diables, ayde que le cancre[D] te puisse venir aux moustaches, et troys razes de anguonnages*, pour te faire un hault de chausses, et nouvelle braguette. Nostre nauf[E] est elle encarée[F] ? vertus Dieu comment la remolquerons[G] nous ? Que tous les diables de coup de mer voicy ? Nous n'eschappons[e] jamais, ou je me donne à tous les Diables. » Allors feut ouye une piteuse[H] exclamation de Pantagruel disant à haulte voix. « Seigneur Dieu, saulve nous. Nous perissons. Non toutesfoys advieigne scelon nos affections[I]. Mais ta saincte volunté soit faicte[11].

— Dieu[f] (dist Panurge) et la benoiste[J] Vierge soient avecques nous. Holos, holas, je naye. Bebebebous, bebe bous, bous[g]. *In manus*[K12]. Vray Dieu envoye moy quelque daulphin pour me saulver en terre comme un

A. au rivage. B. se distraire. C. Délires. D. chancre. E. navire. F. échouée. G. remorquerons. H. pieuse. I. désirs. J. bénie. K. Dans tes mains.

13. Arion : musicien de Lesbos qui, pour échapper aux marins décidés à le tuer, attira de son chant les dauphins mélomanes ; l'un d'entre eux l'emporta sur son dos jusqu'au rivage. En 1548 (var. *a*), il s'agit d'*Amphion*, joueur de lyre qui éleva les murs de Thèbes en charmant les pierres du son de son instrument.

14. Sur cette fin de chapitre en 1548, voir var. *c* : l'allusion à la défense du clos de Seuillé (voir *Gargantua*, XXVII), a été en 1552 transférée au chapitre XXIII.

15. Psaumes, I, 1.

16. Sainct Nicolas : déjà mentionné en XIX ; il était invoqué dans les naufrages : dans la *lectio* V de son office (6 décembre), il est rappelé qu'en se rendant en Palestine, il apaisa une tempête.

17. Parodie d'Horace, *Épodes*, XIII, v. 1 : *Horrida tempestas caelum contraxit*, avec allusion à Pierre Tempeste, principal du collège de Montaigu, et à sa sévérité légendaire.

18. Selon les humanistes, le supplice d'Ixion attaché à une roue qui tourne sans cesse correspond à celui de l'enfer.

19. Chien courtault : chien à qui on a coupé oreilles et queue, ou chien châtré.

20. L'exclamation du début du chapitre suivant vient interrompre la phrase de frère Jean.

a. Amphion. *b.* donne au Diable (dist *c. Fin du chapitre :* si le clous de Seuille ne fust ainsi perdu, si je n'eusse que chanter contra hostium insidias, comme faisoient les autres Diables de moines, sans secourir la vigne contre les pillards de Lerne.

beau petit Arion[a13]. Je sonneray bien de la harpe, si elle n'est desmanchée.

— Je me donne à tous les Diables (dist[b] frere Jan)

(— Dieu soit avecques nous disoyt Panurge entre les dens)

— si[c14] je descens là, je te monstreray par evidence que tes couillons pendent au cul d'un veau coquart[A], cornart, escorné. Mgnan Mgnan, Mgnan. Vien icy nous ayder grand veau pleurart de par trente millions de Diables, qui te saultent au corps. Viendras tu? ô veau marin. Fy qu'il est laid le pleurart. Vous ne dictes aultre chose? Czà joyeulx Tirouoir en avant, que je vous espluche à contrepoil. *Beatus uir qui non abiit*[B15]. Je sçay tout cecy par cœur. Voyons la legende de monsieur sainct Nicolas[16].

« *Horrida tempestas montem turbauit acutum*[C17].

Tempeste feut un grand fouetteur d'escholiers au college de Montagu. Si par fouetter paouvres petitz enfans escholiers innocens les Pedagogues sont damnez, il est sus mon honneur, en la roue de Ixion[18], fouettant le chien courtault[19] qui l'esbranle : s'ilz sont par enfans innocens fouetter saulvez, il doibt estre au dessus des[20]. »

A. benêt. B. Heureux l'homme qui n'est pas parti. C. Une horrible tempête a troublé mont aigu.

1. Dans ce chapitre, Pantagruel apparaît comme dans le *Tiers livre* en personnage d'apophtegme. En 1552, dans le souci de syncrétisme qui l'anime, Rabelais a supprimé la critique du pythagorisme (var. *b*, p. 257).

2. Couraige de brebis : locution proverbiale pour désigner un faible courage.

3. Sur l'amure, voir n. 21, p. 241.

4. Les malettes désignaient les ouvertures où étaient passées les attaches de la bonnette, petite voile ajoutée à une plus grande.

a. Titre et mention de chapitre absents *b.* du *c.* qui se commence esparer

Fin de la tempeste[1]

CHAPITRE XXII[a]

« Terre, terre, s'escria Pantagruel, Je voy terre. Enfans couraige de brebis[A2]. Nous ne sommes pas loing de[b] port. Je voy le Ciel du cousté de la Transmontane[B], qui commence s'esparer[Cc]. Advisez à Siroch[D].

— Couraige enfans, dist le pilot[E], le courant est refoncé[F]. Au trinquet de gabie[G]. Inse[H], inse. Aux boulingues de contremejane[I]. Le cable au capestan[J]. Vire, vire, vire. La main à l'insail[K]. Inse, inse, inse. Plante le heaulme[L]. Tiens fort à guarant[M]. Pare les couetz[N]. Pare les escoutes[N]. Pare les Bolines[O]. Amure[3] babord. Le heaulme soubs le vent. Casse[P] escoute de tribord, filz de putain.

(— Tu es bien aise, home de bien, dist frere Jan au matelot, d'entendre nouvelles de ta mere.)

— Vien du lo[Q]. Prés et plain. Hault la barre.

(— Haulte est, respondoient les matelotz.)

— Taille vie[R]. Le cap au seuil. Malettes[4] hau. Que l'on coue[5] bonnette. Inse, inse.

A. un peu de courage. B. étoile polaire. C. s'éclaircir. D. vent du sud-est. E. pilote. F. refoulé. G. voile de hune. H. hisse. I. voiles de contremisaine. J. cabestan. K. drisse. L. barre du gouvernail. M. cordage orientant les voiles. N. cordages. O. petites voiles. P. serre. Q. lof. R. Coupe la voie. S. amure.

5. Ajout de 1552 (var. *d*), refrain d'un noël poitevin ; la forme *nau* pour *noë* est à rapprocher de *nayer* pour *noyer*. *Feriau* est un terme poitevin.

6. Celeume, emprunté au grec.

7. Sur le rôle bénéfique de Castor et de Pollux, voir XVIII, n. 15, p. 223 ; l'apparition d'un troisième feu météorologique, la flamme d'Hélène, était signe de naufrage. Selon Érasme, « Le Naufrage », le feu solitaire est un signe des plus funestes.

8. Mixarchagevas : surnom argien de Castor, emprunté à Plutarque, *Questions grecques*, XXIII.

9. Obeliscolychnie : obélisque surmonté d'un phare.

a. au trinquet *[13 lignes]* de prore, Isse, isse. Aux boulingues de contremejane. C'est *b.* dict, l'orage me semble minuer. Noz *c. Voir var. d.* *d.* dehinch. *[var. c]* O *e.* que ce soit helene. C'est

— Doublé est, respondoient les matelotz.

— Elle s'en va, dist le pilot : aussi vont celles de convoy. Ayde au bon temps.

— Sainct Jan, dist Panurge, c'est parlé cela. O le beau mot.

— Mgna, mgna, mgna, dist frere Jan, si tu en taste goutte, que le Diable me taste. Entends tu couillu[10] au Diable ? Tenez nostre amé, plein tanquart[A] du fin meilleur. Apporte les frizons[B], hau Gymnaste, et ce grand matin de pasté Jambique : ou Jambonique[11] ce m'est tout un. Guardez[a] de donner à travers.

— Couraige (s'escria Pantagruel) couraige enfans. Soyons courtoys. Voyez cy prés nostre nauf deux Lutz, troys Flouins, cinq chippes, huict volantaires, quatre guondoles et six Freguates[12], par les bonnes gens de ceste prochaine isle envoyées à[b] nostre secours. Mais qui est cestuy Ucalegon* là bas qui ainsi crie et se desconforte[C] ? Ne tenoys[c] je l'arbre[D] sceurement des mains, et plus droict que ne feroient deux cens gumenes[E] ?

— C'est (respondit frere Jan) le paouvre Diable de Panurge, qui a la fiebvre de veau. Il tremble de paour quand il est saoul

— Si (dist Pantagruel) paour il a eu durant ce[d] Colle[F] horrible et perilleux Fortunal[G], pourveu que au reste il se feust evertué[H13], je ne l'en estime un pelet[I] moins. Car comme craindre en tout heurt est[e] indice de gros[J] et lasche cœur, ainsi comme faisoit Agamennon : et pour ceste cause le disoit Achilles en ses reproches ignominieusement avoir œilz de chien, et cœur de cerf[14] : aussi ne craindre quand le cas est evidentement redoubtable, est signe de peu ou faulte de apprehen-

A. vase. B. pots. C. s'afflige. D. mât. E. gros câbles. F. ouragan. G. tempête. H. ait fait effort. I. petit poil. J. orgueilleux.

15. Platon, *Apologie de Socrate*, 40 ; Cicéron, *Tusculanes*, I, VIII.
16. Homère, *Odyssée*, V, v. 312 ; l'édition de 1548 (var. *b*) ajoutait la raison donnée par les Pythagoriciens (Aristote, *Météorologiques*, IV, 379 et Caelius Rhodiginus, *Antiquae lectiones*, XV, XV).
17. Virgile, *Énéide*, I, XCIV.

a. veulx point entrer *b.* mer. La raison est baillée par les Pitagoriens pource que l'ame est feu, et de substance ignée : Mourant doncques l'homme en eau (element contraire) leur semble (toutesfois le contraire est verité) l'ame estre entierement esteincte. De

sion[A]. Ores si chose est en ceste vie à craindre, aprés l'offense de Dieu, je ne veulx dire que soit la mort. Je ne veulx entrer[a] en la dispute de Socrates et des Academicques : mort n'estre de soy maulvaise, mort n'estre de soy à craindre[15]. Je diz ceste espece de mort par naufraige estre, ou rien n'estre à craindre. Car comme est la sentence de Homere, chose griefve[B], abhorrente[C], et denaturée est perir en mer[16]. De[b] faict Æneas en la tempeste de laquelle feut le convoy de ses navires prés Sicile surprins, regretoit n'estre mort de la main du fort Diomedes, et disoit ceulx estre troys et quatre foys heureux qui estoient mortz en la conflagration[D] de Troie[17]. Il n'est ceans mort persone. Dieu servateur en soit eternellement loué. Mais vrayement voicy un mesnage assez mal en ordre. Bien. Il nous fauldra reparer ce briz. Guardez que ne donnons par terre. »

A. intelligence. B. grave. C. absurde. D. incendie.

1. Ce chapitre offre en 1552 (voir les importantes variantes *a* et *c*, p. 261) la leçon centrale de l'épisode : « estre cooperateur » avec Dieu, à partir de Paul, I Corinthiens, III, 9. *Cooperateur* est un écho des traductions latines d'Érasme et de Lefebvre d'Étaples ; alors que, dans *Pantagruel*, XXIX, *coadjuteur* correspondait à la traduction de la Vulgate. Rabelais lie cette morale de l'effort à un autre épisode célèbre, celui du clos de Seuillé (*Gargantua*, XXVII).

2. Jeu de mots par l'apostrophe entre *decumane* et *ecume*, voir « Briefve declaration », p. 601.

3. La soif serait due à une altération de l'artère transportant le sang « spirituel ».

4. Allusion au diable qui suivait saint Martin, l'estaffier désignant un valet qui accompagnait à pied son maître à cheval.

5. Vertus guoy : euphémisme pour *Vertus Dieu.*

6. Érasme, *Adages*, I, II, 91 *Iucundissima nauigatio iuxta terram, ambulatio iuxta mare* ; Plutarque, *Quaest. conv.*, I, IV, 3, 5.

a. par terre. Ha *b.* passé. *c.* le Stafier *d.* nouvel oraige *e.* quand on tient

Comment la tempeste finie Panurge faict le bon compaignon[A1]

CHAPITRE XXIII

« Ha[a], ha (s'escria Panurge) tout va bien. L'oraige est passée[b]. Je vous prie de grace, que je descende le premier. Je vouldrois fort aller un peu à mes affaires. Vous ayderay je encores là ? Baillez[B] que je vrilonne[C] ceste chorde. J'ay du couraige prou[D], voyre. De paour[E] bien peu. Baillez çà mon amy. Non, non pas maille de craincte. Vray est que ceste vague d'écumane*[2], laquelle donna de prore[F] en pouppe, m'a un peu l'artere alteré[3].

— Voile bas.

— C'est bien dict. Comment vous ne faictez rien, frere Jan ? Est il bien temps de boire à ceste heure ? Que sçavons nous si l'estaffier[c] de sainct Martin[4] nous brasse encores quelque nouvelle oraige[d] ? Vous iray je encores ayder delà ? Vertus guoy[5] je me repens bien, mais c'est à tard, que n'ay suivy la doctrine des bons Philosophes[6], qui disent soy pourmener prés la mer et naviger prés la terre, estre chose moult sceure et delectable : comme aller à pied, quand l'on tient[e] son cheval par la bride. Ha, ha, ha, par Dieu tout va bien. Vous ayderay je encores là ? Baillez çà, je feray bien cela. Ou le Diable y sera. »

A. brave. B. donnez. C. enroule. D. beaucoup. E. peur. F. proue.

7. En 1552 (var. *a*), suppression de la mention du propre arbitre.

8. L'allusion à Paul est une addition de 1552. En 1548, où Rabelais parlait des *Dieux* et non de *Dieu*, référence aux *Mateologiens*, terme qui, dans le Nouveau Testament, évoque des parleurs aux discours vains (voir Paul, I Timothée I, 6, 7) et qu'Érasme a rapproché de *théologiens*.

9. Tite-Live, *Histoire romaine*, XXII, V ; les Romains furent néanmoins écrasés par Hannibal.

10. Salluste, *Catilina*, LII, XXIX : Caton, s'opposant à l'indulgence manifestée à leur endroit par César, veut inciter les Romains à punir sévèrement Catilina et ses complices.

11. Caton d'Utique ; ajout de 1552 (var. *d*).

a. inevitable : en telle ou telle façon mourir, est part en la volunté des Dieux, part en nostre arbitre propre. Pourtant, iceulx fault il implorer *b.* fault il faire *c.* nous evertuer, et leur ayder au moyen et remede. Si je n'en parle selon les decretz des Mateologiens, ilz me pardonneront : j'en parle par livre et authorité. Vous *d.* l'aide des *e.* succedant à bon

Epistemon avoit une main toute au dedans escorchée et sanglante par avoir en violence grande retenu un des gumenes[A], et entendent le discours de Pantagruel dist. « Croyez Seigneur que j'ay eu de paour et de frayeur non moins que Panurge. Mais quoy ? Je ne me suys espargné au secours. Je consydere, que si vrayement mourir est (comme est) de necessité fatale et inevitable, en telle ou telle heure, en telle ou telle façon mourir est en la saincte volunté de Dieu[7]. Pourtant[B] icelluy fault incessamment[C] implorer[a], invocquer, prier, requerir, supplier. Mais là ne fault faire[b] but et bourne : de nostre part convient pareillement nous evertuer[D], et comme dict le sainct Envoyé, estre cooperateurs[8] avecques luy. Vous[c] sçavez que[E] dist C. Flaminius consul lors que par l'astuce de Annibal il feut reserré prés le lac de Peruse dict Thrasymene. "Enfans (dist il à ses soubdars[F]) d'icy sortir ne vous fault esperer par veuz et imploration des Dieux. Par force et vertus il nous convient evader, et à fil d'espée chemin faire par le mylieu des ennemis[9]."

« Pareillement en Saluste[10], l'ayde (dist M. Portius Cato[11]) des[d] Dieux n'est impetré[G] par veuz ocieux, par lamentations muliebres[H]. En veiglant, travaillant, soy evertuant, toutes choses succedent[I] à soubhayt et bon[e] port. Si en necessité et dangier est l'home negligent, eviré[J], et paresseux, sans propous il implore les Dieux. Ilz sont irritez et indignez.

— Je me donne au Diable (dist frere Jan)

— Je en suys de moitié (dist Panurge)

— si le clous de Seuillé ne feust tout vendangé et destruict, si je ne eusse que chanté *contra hostium insi-*

A. gros câbles. B. c'est pourquoi. C. sans cesse. D. faire effort. E. ce que. F. soldats. G. obtenue. H. féminines. I. arrivent. J. privé de virilité.

12. Lerné : voir *Gargantua*, XXVII, pour la réplique de frère Jean en 1548, voir var. *c*, p. 249.

13. Vogue la gualère : vraisemblablement, refrain de pièce poétique.

14. Faictneant : cette notation à signification étymologique est une addition de 1552 (var. *b*).

15. Érasme, *Apophtegmes*, VII, « Anacharsis », VII.

16. Allusion à l'ouvrage du XVe siècle *Les Quinze Joyes de mariage*, satire de la vie de l'homme marié.

17. Guillaume d'Orange, héros d'une geste célèbre.

18. Ne craindre que les dangers : plaisanterie présente dans le *Monologue du Franc archier de Bagnolet* (XVe siècle) ; voir LV, p. 489 et n. 6 (avec l'origine de la locution).

a. indignez. *[9 lignes]* Vogue *b.* rien là, et *c.* sommes tous doncques à deux doigt pres *d.* danger, *dias*[A] (matiere de breviaire) comme faisoient les aultres Diables de moines, sans secourir la vigne à coups de baston de la croix contre les pillars de Lerné[12].

— Vogue[a] la gualere[13] (dist Panurge) tout va bien. Frere Jan ne faict rien là. Il se appelle frere Jan faictneant[14], et[b] me reguarde icy suant et travaillant pour ayder à cestuy home de bien Matelot premier de ce nom. Nostre amé ho. Deux motz : mais que je ne vous fasche. De quante espesseur sont les ais de ceste nauf[B] ?

— Elles sont (respondit le pilot[C]) de deux bons doigtz espesses, n'ayez paour.

— Vertus Dieu (dist Panurge) nous sommes doncques continuellement à deux doigtz prés[c] de la mort[15]. Est ce cy une des neuf joyes de mariage[16] ? Ha nostre amé, vous faictez bien mesurant le peril[d] à l'aulne de paour. Je n'en ay poinct, quant est de moy. Je m'appelle Guillaume sans paour[17]. De couraige tant et plus. Je ne entends couraige de brebis. Je diz couraige de Loup, asceurance de meurtrier. Et ne crains rien que les dangiers[18]. »

A. contre les embûches des ennemis. B. navire. C. pilote.

1. Ce chapitre est presque entièrement une création de 1552. Les compagnons font l'éloge de la peau de Panurge. Son pouvoir de rester sèche même au profond de l'eau évoque les propriétés de la toison de Gédéon qui, dans la dernière épreuve (Juges, VI, 36-40), reste sèche alors que tout le sol est humecté de rosée. Encore un passage en relation avec l'ordre de la Toison d'or où le patronage de Gédéon tend à se substituer à celui de Jason.

2. Genèse, III, 19.

3. Job, V, 7.

4. Érasme, *Apophtegmes*, VII, « Anacharsis », XIII.

a. les dangers. Bonjour *b.* messieurs, *[14 lignes]* bonjour trestous. Vous soyez les tresbien et à propos venuz. Descendons nous ? Vous ayderay je encor là ? À *c.* bon

Comment par frere Jan
Panurge est declairé avoir eu paour[A] *sans cause*
durant l'oraige[1]

CHAPITRE XXIIII

« Bon jour[a] Messieurs, dist Panurge, bon jour trestous. Vous vous portez bien trestous, Dieu mercy et vous ? Vous soyez les bien et à propous venuz. Descendons. Hespalliers[B] hau, jectez le pontal[C] : approche cestuy esquif. Vous ayderay je encores là ? Je suys allovy[D] et affamé de bien faire et travailler, comme quatre bœufz. Vrayement voycy un beau lieu, et bonnes gens. Enfans avez vous encores affaire de mon ayde ? N'espargnez la sueur de mon corps, pour l'amour de Dieu. Adam, c'est l'home, nasquit pour labourer[E] et travailler, comme l'oyseau pour voler[2]. Nostre Seigneur veult, entendez vous bien ? que nous mangeons nostre pain en la sueur de nos corps[3] : non pas rien ne faisans, comme ce penaillon[F] de moine que voyez, frere Jan qui boyt, et meurt de paour. Voycy beau temps. À[b] ceste heure congnois je la response de Anacharsis[4] le noble[c] philosophe estre veritable, et bien en raison fondée, quand il interrogé, quelle navire luy sembloit la plus sceure, respondit : "celle qui seroit on port."

— Encores mieulx, dist Pantagruel, quand il inter-

A. peur. B. mousses. C. passerelle. D. j'ai une faim de loup. E. travailler. F. tas de loques.

5. *Ibid.*, XV.
6. Plutarque, *Caton*, IX, 6.
7. Comme un cordelier.
8. Adiantos : en grec, « qui ne se mouille pas » ; voir *Tiers livre*, L.

a. en port. *[12 lignes]* // Par le digne froc, que je tien (dist
b. mon amy, tu as eu paour sans cause ne raison. Car tes destinées ne
c. seras certainement pendu hault en l'air : ou

rogé des quelz plus grand estoit le nombre, des mors ou des vivens ? demanda. "Entre les quelz comptez vous ceulx qui navigent sus mer ?" Subtilement signifiant que ceulx qui sus mer navigent, tant prés sont du continuel dangier de mort, qu'ilz vivent mourans, et mourent vivens[5]. Ainsi Portius Cato disoit de troys choses seulement soy repentir. Sçavoir est, s'il avoit jamais son secret à femme revelé : si en oiziveté jamais avoit un jour passé : et si par mer il avoit peregriné[A] en lieu aultrement accessible par terre[6].

— Par le digne froc que je porte, dist[a] frere Jan à Panurge, couillon mon amy, durant la tempeste tu as eu paour sans cause et sans raison. Car tes destinées fatales ne[b] sont à perir en eau. Tu seras hault en l'air certainement pendu : ou[c] bruslé guaillard comme un pere[7]. Seigneur voulez vous un bon guaban[B] contre la pluie ? Laissez moy ces manteaulx de Loup et de Bedouault[C]. Faictez escorcher Panurge, et de sa peau couvrez vous. Ne approchez pas du feu, et ne passez par davant les forges des mareschaulx, de par Dieu. En un moment vous la voyriez en cendres. Mais à la pluie exposez vous tant que vouldrez, à la neige, et à la gresle. Voire par Dieu, jectez vous au plonge dedans le profond de l'eau, jà ne serez pourtant mouillé. Faictez en bottes d'hyver : jamais ne prendront eau. Faictez en des nasses pour apprendre les jeunes gens à naiger. Ilz apprendront sans dangier.

— Sa peau doncques, dist Pantagruel, seroit comme l'herbe dicte Cheveu de Venus, laquelle jamais n'est mouillée ne remoytie[D] : tous jours est seiche, encores qu'elle feust on profond de l'eau tant que vouldrez. Pourtant[E] est dicte Adiantos[8].

A. il s'était rendu. B. caban. C. blaireau. D. humide. E. c'est pourquoi.

9. Voir XIX, p. 233 et n. 17.
10. Chapelle désignait aussi un alambic ; c'est ainsi que Panurge entend son vœu ; voir Érasme, « Le Naufrage » (marins refusant, le péril passé, de s'acquitter de leurs vœux).

a. comme un pere. *[20 lignes]* Voyre *b.* Diables errent quelque fois en *c. Fin du chapitre :* ce, qu'on destinoit pour brusler, fricasser, et roustir.

Comment aprés la tempeste
*Pantagruel descendit es isles des Macræons**[1]

CHAPITRE XXV

Sus[a] l'instant nous descendismez au port d'une isle laquelle on nommoit l'isle des Macræons. Les bonnes gens du lieu nous repceurent honnorablement. Un vieil Macrobe*[2] (ainsi nommoient ilz leur maistre eschevin) vouloit mener Pantagruel en la maison commune de la ville pour soy refraischir[A] à son aise, et prandre sa refection. Mais il ne voulut partir du mole que tous[b] ses gens ne feussent en terre. Aprés les avoir recongneuz, commenda chascun estre mué de vestemens, et toutes les munitions des naufz[B] estre en terre exposées, à ce que toutes les chormes[C] feissent chere lie. Ce que[D] feut incontinent faict. Et Dieu sçayt comment il y eut beu et guallé[E]. Tout le peuple du lieu apportoit vivres en abondance. Les Pantagruelistes leurs en donnoient d'adventaige. Vray[c] est que[3] leurs provisions estoient aulcunement[F] endommagées par la tempeste præcedente. Le repas finy Pantagruel pria un chascun soy mettre en office[G] et debvoir pour reparer le briz. Ce que feirent, et de bon hayt[H]. La reparation leurs estoit facile, par ce que tout le peuple de l'isle estoient charpentiers et

A. se reposer. B. navires. C. chiourmes. D. qui. E. on y but et ripailla. F. quelque peu. G. devoir. H. de bon cœur.

3. C'est sur une image de convivialité, qui évoque celle du départ (I, p. 87), que va prendre fin le *Quart livre* de 1548, dont « Vray est que quia plus n'en dict » est la dernière phrase : *quia* est une formule de conclusion du jardon scolastique ; *plus n'en dict* « le déposant », du langage judiciaire.

4. Le thème de la curiosité est particulièrement développé dans ce chapitre.

5. Obelisces : première attestation en français (voir XXII, p. 253 et n. 9).

6. Autant de monuments propres à flatter la passion des humanistes pour les antiquités.

7. Sur les hiéroglyphes, voir *Gargantua*, IX.

8. Languaige Ionicque : l'importance de ce dialecte grec est soulignée en XLI, p. 387 et LVIII, p. 507 ; et dans *Gargantua*, VIII (devise de Gargantua en lettres ioniques).

9. Curieuse omission du latin ; pour souligner la filiation directe grec-français ?

10. Defface : jeu de mots sur *face* ; un des sens de *défaire* au XVIe siècle est « tuer ».

11. R. Estienne, dans son dictionnaire de 1549, donnait un étymon hébraïque à *maquereau*.

12. L'île des Cygnes où avaient été enterrées de nombreuses victimes de la peste de 1544.

13. Pour servateur, voir prologue, p. 51 et n. 20.

avoit eu esguard à la simplicité et syncere affection[A] de ses gens : les quelz ne voyageoient pour guain ne traficque de marchandise. Une et seule cause les avoit en mer mis, sçavoir est studieux desir de veoir, apprendre, congnoistre, visiter l'oracle de Bacbuc, et avoir le mot de la Bouteille, sus quelques difficultez proposées par quelqu'un de la compaignie. Toutesfoys ce ne avoit esté sans grande affliction et dangier evident de naufraige. Puys luy demanda quelle cause lui sembloit estre de cestuy espovantable fortunal[B], et si les mers adjacentes d'icelle isle estoient ainsi ordinairement subjectes à tempeste, comme en la mer Oceane sont les Ratz de Sanmaieu[14], Maumusson[15], et en la mer Mediterranée le gouffre de Satalie[16], Montargentan[17], Plombin[18], Capo Melio[19] en Laconie, l'estroict de Gilbathar[20], le far[C] de Messine, et aultres.

A. désir. B. tempête. C. détroit.

1. Ce terme, attesté dans la langue française sous la forme *heroes* depuis le XIVe siècle (Oresme), à l'époque du *Quart livre* ne désigne encore que les demi-dieux, mortels divinisés après leur mort. Ce chapitre et le suivant, d'inspiration néoplatonicienne, sont à mettre en rapport avec les réflexions de Ficin sur la mort de Laurent de Médicis (voir J. Céard, *La Nature et les Prodiges*, p. 157). Il s'agit de la mise en œuvre romanesque de deux lettres de Ficin (avril 1492) écrites à l'occasion de la mort de son protecteur (voir *Epistolae Marsilii Ficini*, Venise, 1495, ffos 178-179) ; les hommes exceptionnels rejoignent les démons bienfaisants qui les accueillent avec joie, accueil qui se manifeste sur terre par des prodiges.

Le lien entre les prodiges marquant la mort de Laurent de Médicis et les calamités et troubles qui suivirent cette mort est présent chez Machiavel, *Histoires florentines*, dans *Œuvres complètes*, Gallimard, 1952, p. 1397.

2. Mer Carpathie : mer de l'archipel où est située l'île de Carpathos.

3. Les Sporades sont mentionnées par Plutarque.

4. Bretaigne : l'actuelle Grande-Bretagne.

5. Voir l'idée, communément partagée au XVIe siècle, d'un déclin du monde et d'une fin du monde proche.

6. Voir *Tiers livre*, I, la définition des *Daemons* (« Defaict Hesiode en sa *Hierarchie* colloque les bons Daemons (appellez les si voulez anges ou Genies) comme moyens et mediateurs des Dieux et homes : superieurs des homes, inferieurs des Dieux ») ; Rabelais redonne au mot la signification du grec classique.

7. Marsile Ficin distingue trois sortes de démons : l'ange gardien, le génie du lieu, enfin l'ordre sublime et chœur de divinités, responsable des prodiges, dont les comètes.

Comment le bon Macrobe raconte à Pantagruel le manoir[A] *et discession*[B] *des Heroes*[1]

CHAPITRE XXVI

Adoncques[C] respondit le bon Macrobe. « Amys peregrins[D] icy est une des isles Sporades, non de vos Sporades qui sont en la mer Carpathie[2] : mais des Sporades de L'ocean[3], jadis riche, frequente[E], opulente, marchande, populeuse et subjecte au dominateur de Bretaigne[4]. Maintenant par laps[F] de temps et sus la declination du monde[5], paouvre et deserte comme voyez. En ceste obscure forest que voyez longue et ample plus de soixante et dixhuict mille Parasanges* est l'habitation des Dæmons[6] et Heroes. Les quelz sont devenuz vieulx. Et croyons plus ne luisant le comete[7] præsentement, lequel nous appareut par trois entiers jours præcedens, que hier en soit mort quelqu'un. Au trespas duquel soyt excitée[G] celle horrible tempeste que avez pati. Car eulx vivens tout bien abonde en ce lieu et aultres isles voisines : et en mer est bonache[H] et serenité continuelle. Au trespas d'un chascun d'iceulx ordinairement oyons nous par la forest grandes et pitoyables lamentations, et voyons en terre pestes, vimeres[I] et afflictions, en

A. séjour. B. départ. C. alors. D. étrangers. E. fréquentée. F. écoulement. G. soulevée. H. bonace. I. désastres naturels.

8. Désordres cosmiques et politiques sont liés.

9. Guillaume du Bellay, seigneur de Langey, protecteur de Rabelais, mort le 9 janvier 1543 ; voir *Tiers livre*, XXI, pour une autre évocation de sa mort.

10. Virgile, *Énéide*, III, v. 707-710.

l'air troublemens et tenebres : en mer tempeste et fortunal[A].

— Il y a (dist Pantagruel) de l'apparence en ce que dictez. Car comme la torche ou la chandelle tout le temps qu'elle est vivente et ardente[B] luist es assistans, esclaire tout au tour, delecte un chascun, et à chascun expose[C] son service et sa clarté, ne faict mal ne desplaisir à persone. Sus l'instant qu'elle est extaincte, par sa fumée et evaporation elle infectionne l'air, elle nuist es assistans et à un chascun desplaist. Ainsi est il de ces ames nobles et insignes. Tout le temps qu'elles habitent leurs corps, est leur demeure[D] pacificque, utile, delectable, honorable : sus l'heure de leur discession, communement adviennent par les isles et continent grands troublemens en l'air, tenebres, fouldres, gresles : en terre concussions[E], tremblemens, estonnemens[F] : en mer fortunal et tempeste, avecques lamentations des peuples, mutations des religions, transpors des Royaulmes, et eversions[G] des Republicques[8].

— Nous (dist Epistemon) en avons naguieres veu l'experience on decés du preux et docte chevalier Guillaume du Bellay[9], lequel vivant, France estoit en telle felicité, que tout le monde avoit sus elle envie, tout le monde se y rallioit, tout le monde la redoubtoit. Soubdain aprés son trespas elle a esté en mespris de tout le monde bien longuement.

— Ainsi (dist Pantagruel) mort Anchises à Drepani en Sicile la tempeste donna terrible vexation[H] à Æneas[10]. C'est par adventure[I] la cause pourquoy Herodes le tyrant et cruel roy de Judée soy voyant prés de mort horrible et espovantable en nature (car il mourut d'une

A. tempête. B. allumée. C. offre. D. séjour. E. secousses. F. ébranlements. G. renversements. H. tourment. I. peut-être.

11. Actes des apôtres, XII, 23.

12. Emprunt à Pline, VII, LII, et XI, XXXIII.

13. Emprunt à Flavius Josèphe, *Antiquités judaïques*, XVIII, VI ; l'évocation de l'âme héroïque appartient à Rabelais.

14. Exemple et références empruntés à Érasme, *Adages*, I, III, 80, *Me mortuo terra misceatur incendio.*

Phthiriasis mangé des verms[A] et des poulx[11], comme paravant estoient mors L. Sylla, Pherecydes Syrien præcepteur de Pythagoras, le poete Gregeoys[B] Alcman, et aultres[12]) et prevoyant que à sa mort les Juifz feroient feuz de joye, feist en son Serrail[C] de toutes les villes, bourguades, et chasteaulx de Judée tous les nobles et magistratz convenir[D], soubs couleur et occasion fraudulente[E] de leurs vouloir choses d'importance communicquer pour le regime[F] et tuition[G] de la province. Iceulx venuz et comparens[H] en persones feist en l'hippodrome du Serrail reserrer[I]. Puys dist à sa sœur Salomé, et à son mary Alexandre. "Je suys asceuré que de ma mort les Juifz se esjouiront, mais si entendre voulez, et executer ce que vous diray, mes exeques[J] seront honorables, et y sera lamentation publicque. Sus l'instant que seray trespassé, faictez par les archiers de ma guarde, es quelz j'en ay expresse commission donné, tuer tous ces nobles et magistratz, qui sont ceans reserrez. Ainsi faisans toute Judée maulgré soy en dueil et lamentation sera, et semblera es estrangiers, que ce soyt à cause de mon trespas : comme si quelque ame Heroique feust decedée[13]." Autant en affectoit[K] un desesperé[L] tyrant, quand il dist. "Moy mourant la terre soyt avecques le feu meslée, c'est à dire, perisse tout le monde." Lequel mot Neron le truant[M] changea disant, "moy vivent" : comme atteste Suetone. Ceste detestable parole, de laquelle parlent Cicero *lib. 3. de Finibus*, et Senecque *lib. 2. de Clemence*, est par Dion Nicæus, et Suidas attribuée à l'empereur Tibere[14]. »

A. vers. B. grec. C. palais. D. se rassembler. E. trompeuse. F. gouvernement. G. défense. H. se présentant. I. enfermer. J. obsèques. K. prétendait. L. incorrigible. M. coquin.

Comment Pantagruel raisonne sus la discession[A] *des ames Heroicques : et des prodiges horrificques*[B] *qui præcederent le trespas du feu seigneur de Langey*

CHAPITRE XXVII

« Je ne vouldroys (dist Pantagruel continuant) n'avoir pati la tormente marine, laquelle tant nous a vexez et travaillez[C], pour non entendre ce que nous dict ce bon Macrobe. Encores suys je facilement induict à croyre ce qu'il nous a dict du comete veu en l'air par certains jours præcedens telle discession. Car aulcunes[D] telles ames tant sont nobles, precieuses, et Heroicques, que de leur deslogement[E] et trespas nous est certains jours davant donnée signification des cieulx. Et comme le prudent medicin voyant par les signes prognosticz son malade entrer en decours de mort[F], par quelques jours davant advertist les femme, enfans, parens, et amis du decés imminent du mary, pere, ou prochain, affin qu'en ce reste de temps qu'il a de vivre, ilz l'admonnestent[G] donner ordre à sa maison, exhorter et benistre[H] ses enfans, recommander la viduité de sa femme, declairer ce qu'il sçaura estre necessaire à l'entretenement[I] des pupilles, et ne soyt de mort surprins sans tester et ordonner de son ame et de sa maison : semblablement les cieulx benevoles comme joyeulx de la nouvelle reception de ces

A. départ. B. effrayants. C. tourmentés. D. certaines. E. départ. F. déclin vers la mort. G. exhortent à. H. bénir. I. entretien.

1. Élisant par ballottage. Il s'agit des tessons sur lesquels les Grecs inscrivaient la lettre indiquant leur vote.

2. Voir Érasme, *Adages*, I, IV, 56, Θ *praefigere*; Rabelais fait une confusion entre A et Λ.

3. Notes, comme 7 lignes plus haut, « signes »; ætherées, « de l'éther ».

4. Pour catastrophe, voir l'épître liminaire, p. 31 et n. 20.

beates[A] ames, avant leur decés semblent faire feuz de joye par telz cometes, et apparitions meteores[B]. Les quelles voulent les cieulx estre aux humains pour prognostic certain et veridicque prediction, que dedans peu de jours telles venerables ames laisseront leurs corps et la terre. Ne plus ne moins que jadis en Athenes les juges Areopagites ballotans[1] pour le jugement des criminelz prisonniers, usoient de certaines notes scelon la varieté des sentences : par Θ signifians condemnation à mort : par T absolution : par Λ ampliation[C] : sçavoir est, quand le cas n'estoit encores liquidé[D]. Icelles publiquement exposées houstoient[E] d'esmoy et pensement les parens, amis, et aultres curieulx d'entendre quelle seroit l'issue et jugement des malfaicteurs detenuz en prison[2]. Ainsi par telz cometes, comme par notes ætherées[3] disent les cieulx tacitement. "Homes mortelz si de cestes heureuses ames voulez chose aulcune[F] sçavoir, apprandre, entendre, congnoistre, preveoir touchant le bien et utilité publicque ou privée, faictez diligence de vous representer[G] à elles, et d'elles response avoir. Car la fin et catastrophe[H4] de la comœdie approche. Icelle passée, en vain vous les regretterez."

« Font d'adventaige. C'est que pour declairer la terre et gens terriens n'estre dignes de la presence, compaignie, et fruition[I] de telles insignes ames, l'estonnent et espovantent par prodiges, portentes[J], monstres, et aultres precedens signes formez contre tout ordre de nature. Ce que veismes plusieurs jours avant le departement[K] de celle tant illustre, genereuse, et Heroique ame du docte et preux chevalier de Langey duquel vous avez parlé.

A. bienheureuses. B. météoriques. C. complément d'information. D. jugé. E. ôtaient. F. quelque chose. G. présenter. H. dénouement. I. jouissance. J. prodiges. K. départ.

5. François de Genouillac, tué à la bataille de Cérisoles (1544).

6. François Errault, président du parlement de Turin et garde des sceaux en 1544.

7. Commissaire de l'artillerie de Guillaume du Bellay.

8. Étienne Lorens, capitaine du château de Turin.

9. Jacques d'Aunay, neveu de Guillaume du Bellay.

10. Gabriel Taphanon, médecin italien de la maison de Langey.

11. C'est la seconde fois que Rabelais se cite dans son œuvre. Voir *Tiers livre*, XXXIV, comme acteur d'une « morale comœdie ».

12. De la maison de Guillaume du Bellay.

13. Massuau : traducteur en français (Lyon, S. Gryphe, 1542) de l'ouvrage (perdu) que Rabelais écrivit en latin sur les *Stratagemes de guerre du seigneur de Langey.*

14. Les personnages qui suivent, inconnus, figurent dans le testament de Guillaume du Bellay.

15. Pensaroys : jeu de mots sur *pansart* (« ventru ») et *penseur*, avec le suffixe *-oys* dont Rabelais use pour des noms de lieu : *Dindenaroys, Chicquanourroys*, etc.

16. Fin de chapitre inspirée par Plutarque, *De la cessation des oracles*, XIX.

17. Hamadryades : nymphes sylvestres ; voir Plutarque, *De la cessation des oracles*, XIX, CDXV ; Érasme, *Adages*, I, VI, 64. *Cornicibus uiuacior.*

— Il m'en souvient (dist Epistemon) et encores me frissonne et tremble le cœur dedans sa capsule[A], quand je pense es prodiges tant divers et horrificques les quelz veismes apertement[B] cinq et six jours avant son depart. De mode que les seigneurs de Assier[5], Chemant[6], Mailly le borgne[7], Sainct Ayl[8], Villeneufve laguyart[9], maistre Gabriel medicin de Savillan[10], Rabelays[11], Cohuau[12], Massuau[13], Maiorici[14], Bullou, Cercu, dict Bourguemaistre, François proust, Ferron, Charles girad, François bourré, et tant d'aultres amis, domesticques[C], et serviteurs du deffunct tous effrayez se reguardoient les uns les aultres en silence sans mot dire de bouche, mais bien tous pensans et prevoyans en leurs entendemens que de brief seroit France privée d'un tant perfaict et necessaire chevallier à sa gloire et protection, et que les cieulx le repetoient[D] comme à eulx deu[E] par proprieté naturelle.

— Huppe[F] de froc (dist frere Jan) je veulx devenir clerc[G] sus mes vieulx jours. J'ay assez belle entendouoire[H], voire. Je vous demande en demandant, comme le Roy à son sergent, et la Royne à son enfant, ces Heroes icy et Semidieux des quelz avez parlé, peuvent ilz par mort finir ? Par nettre dene[I] je pensoys en pensaroys[15] qu'ilz feussent immortelz, comme beaulx anges, Dieu me le veueille pardonner. Mais ce reverendissime Macrobe dict qu'ilz meurent finablement[J].

— Non tous (respondit Pantagruel). Les Stoiciens[16] les disoient tous estre mortelz, un excepté, qui seul est immortel, impassible[K], invisible. Pindarus apertement dict es déesses Hamadryades[17] plus de fil, c'est à dire

A. péricarde. B. distinctement. C. intimes. D. revendiquaient. E. dû. F. extrémité. G. savant. H. intelligence. I. par Notre-Dame. J. finalement. K. qui n'est pas susceptible de souffrance.

18. Callimachus : *Hymne à Délos*, v. 80-85.
19. Pausanias : *La Description de la Grèce*, X, XXXII, 9.
20. Martianus Capella : *Noces de Mercure et de la philologie*, II, CLXVII.
21. Hésiode : *Les Travaux et les Jours*, v. 156 ; cité par Plutarque.
22. Ames intellectives : par distinction d'avec l'âme végétative et l'âme sensitive.
23. Atropos : celle des trois Parques qui coupe le fil représentant la vie d'un homme, signifiant par là sa mort.
24. Fidélité au dogme catholique ; voir la bulle *Apostolici Regiminis* (1513) de Léon X : *« Damnamus et reprobamus omnes asserentes animam intellectiuam mortalem esse, aut unicam in cunctis hominibus »*.

plus de vie, n'estre fillé de la quenoille et fillasse des Destinées et Parces[A] iniques, que es arbres par elles conservées. Ce sont chesnes, des quelz elles nasquirent scelon l'opinion de Callimachus[18], et de Pausanias[19] *in Phoci.* Es quelz consent[B] Martianus Capella[20]. Quant aux Semidieux, Panes[C], Satyres, Sylvains, Folletz, Ægipanes, Nymphes, Heroes, et Dæmons, plusieurs ont par la somme totale resultante des aages divers supputez par Hesiode[21] compté leurs vies estre de .9720. ans : nombre composé de unité passante en quadrinité[D], et la quadrinité entiere quatre foys en soy doublée, puys le tout cinq foys multiplié par solides triangles. Voyez Plutarche on livre *de la cessation des oracles.*

— Cela (dist frere Jan) n'est poinct matiere de breviaire. Je n'en croy si non ce que vous plaira.

— Je croy (dist Pantagruel) que toutes ames intellectives[22] sont exemptes des cizeaulx de Atropos[23]. Toutes sont immortelles[24] : Anges, Dæmons, et Humaines. Je vous diray toutes foys une histoire bien estrange, mais escripte et asceurée par plusieurs doctes et sçavans Historiographes à ce propous. »

A. Parques. B. s'accorde. C. faunes. D. nombre de quatre.

1. L'anecdote de la mort de Pan, empruntée à Plutarque, *De la cessation des oracles*, XVII, est très en vogue chez les humanistes, pour lesquels elle annonce la Révélation chrétienne. Sur les interprétations de cette mort, voir M. A. Screech, *Rabelais*, p. 456-467. Pour Eusebius (IVe siècle), *Preparatio evangelica*, V, XVII, Pan est un démon exorcisé par le Christ et dont les démons annoncent la mort par l'intermédiaire de Thamous. La référence énigmatique à la crucifixion viendrait d'un groupe d'humanistes italiens ; voir les éditions d'Ovide, *Fastes* annotées par Fanensius et Marsi. G. Postel, *De orbis terrae concordia*, 1543, I, VII, confond Pan le demi-dieu avec Pan signifiant tout. Pour G. Bigot, *Christianae philosophiae preludium*, 1549, IV, p. 442, Pan, fils de Mercure et héros superstitieusement déifié, était mort depuis longtemps et, dans le récit de Plutarque, il s'agit de démons propageant la mort du Christ.

Toute la première partie du chapitre (jusqu'à *Penelope*, p. 293) est démarquée de Plutarque. Dans la seconde partie, Pantagruel propose sa propre interprétation du récit de Plutarque.

2. Les îles Échinades sont, en fait, sur la côte de l'Acarnanie. La localisation est un ajout de Rabelais au texte de Plutarque.

3. Paxes : au sud de l'île de Corfou.

4. Les formes *Thamoun* ou *Thamous* suivent la variation du cas dans le texte antique.

5. Palodes : au large de Buthrote, en Épire.

6. Pan le grand Dieu : Plutarque ne fait mention que du grand Pan.

Comment Pantagruel raconte une pitoyable histoire touchant le trespas des Heroes[1]

CHAPITRE XXVIII

« Epitherses pere de Æmilian rheteur naviguant de Grece en Italie dedans une nauf[A] chargée de diverses marchandises, et plusieurs voyagiers, sus le soir cessant le vent auprés des isles Echinades[2], les quelles sont entre la Morée et Tunis, feut leur nauf portée prés de Paxes[3]. Estant là abourdée, aulcuns[B] des voyagiers dormans, aultres veiglans[C], aultres beuvans et souppans, feut de l'isle de Paxes ouie une voix de quelqu'un qui haultement appelloit Thamoun[4]. Auquel cris tous feurent espovantez. Cestuy Thamous estoit leur pilot[D] natif de Ægypte, mais non congneu de nom, fors à quelques uns des voyagiers. Feut secondement ouie ceste voix : laquelle appelloit Thamoun en cris horrificque[E]. Persone ne respondent, mais tous restans en silence et trepidation[F], en tierce foys ceste voix feut ouie plus terrible que davant. Dont advint que Thamous respondit. "Je suys icy, que me demande tu ? que veulx tu que je face ?" Lors feut icelle voix plus haultement ouie, luy disant et commandant, quand il seroit en Palodes[5] publier et dire que Pan le grand Dieu[6] estoit mort.

A. navire. B. certains. C. veillant. D. pilote. E. effrayant. F. tremblement.

7. Hérodote, *Histoires*, II, CXLV ; Cicéron, *De natura deorum*, III, XXII.

8. Interprétation identique chez Marsile Ficin ; expression usuelle dans les milieux réformistes.

« Ceste parolle entendue disoyt Epitherses tous les nauchiers[A] et voyaigiers s'estre esbahiz et grandement effrayez. Et entre eulx deliberans quel seroit meilleur ou taire ou publier ce que avoit esté commandé, dist Thamous son advis estre, advenent que lors ilz eussent vent en pouppe, passer oultre sans mot dire : advenent qu'il feust calme en mer, signifier ce qu'il avoit ouy. Quand doncques feurent prés Palodes advint qu'ilz ne eurent ne vent ne courant. Adoncques[B] Thamous montant en prore[C], et en terre projectant sa veue dist ainsi que luy estoit commandé, que Pan le grand estoit mort. Il n'avoit encores achevé le dernier mot quand feurent entenduz grands souspirs, grandes lamentations, et effroiz[D] en terre, non d'une persone seule, mais de plusieurs ensemble. Ceste nouvelle (par ce que plusieurs avoient esté præsens) feut bien toust divulguée en Rome. Et envoya Tibere Cæsar lors empereur en Rome querir cestuy Thamous. Et l'avoir entendu parler adjousta foy à ses parolles. Et se guementant[E] es gens doctes qui pour lors estoient en sa court et en Rome en bon nombre, qui estoit cestuy Pan, trouva par leur raport qu'il avoit esté filz de Mercure et de Penelope. Ainsi au paravant l'avoient escript Herodote et Cicero on tiers livre *de la nature des Dieux*[7]. Toutesfoys je le interpreteroys de celluy grand Servateur des fideles, qui feut en Judée ignominieusement occis par l'envie et iniquité des Pontifes, docteurs, presbtres, et moines de la loy Mosaicque. Et ne me semble l'interpretation abhorrente[F]. Car à bon droict peut il estre en languaige Gregoys[G] dict Pan. Veu que il est le nostre Tout[8], tout ce que sommes, tout ce que vivons, tout ce que avons, tout

A. nochers. B. alors. C. proue. D. vacarme. E. s'informant. F. absurde. G. grec.

9. Paul, I Corinthiens, VIII, 6.
10. Hébreux, XIII, 20.
11. Virgile, *Bucoliques*, II, v. 33.
12. Pour l'épithète tresgrand, voir prologue, p. 47 et n. 10.
13. Association traditionnelle, dans l'emblématique, entre les œufs d'autruche et l'action de la grâce divine.
14. Je me donne à Dieu : parodie de la formule *je me donne au diable*.

ce que esperons est luy, en luy, de luy, par luy[9]. C'est le bon Pan le grand pasteur[10] qui comme atteste le bergier passionné Corydon, non seulement a en amour et affection ses brebis, mais aussi ses bergiers[11]. À la mort duquel feurent plaincts[A], souspirs, effroys, et lamentations en toute la machine de l'Univers, cieulx, terre, mer, enfers. À ceste miene interpretation compete[B] le temps. Car cestuy tresbon tresgrand[12] Pan, nostre unique Servateur mourut lez Hierusalem, regnant en Rome Tibere Cæsar. »

Pantagruel ce propous finy resta en silence et profonde contemplation. Peu de temps aprés nous veismes les larmes decouller de ses œilz grosses comme œufz de Austruche[13]. Je me donne à Dieu[14], si j'en mens d'un seul mot.

A. plaintes. B. convient.

1. La locution en tapinois (tirée de *en tapin*, de *tapin*, « dissimulé ») est utilisée dans *La Farce de Maistre Pathelin* par le drapier (v. 846) que, plus loin, Pathelin traite de Caresmeprenant.

2. Le nom de *Quaresmeprenant* désigne les trois jours gras avant le mercredi des Cendres, occasion des réjouissances carnavalesques. Mais Rabelais en fait ici le synonyme de Carême, par souci étymologique, ou bien pour les mêmes raisons que celles qui lui font confondre ultérieurement *andouilles* et *anguilles*, confusion qui a été interprétée comme le symbole des confusions doctrinales qui accompagnent les discordes religieuses. Quaresmeprenant pourrait pour certains évoquer Charles Quint condamné par le pape pour ses négociations avec les princes protestants ou personnifier le jeûne. La critique des mortifications de carême était particulièrement d'actualité, le concile de Trente, par le canon XX et le chapitre XIV des décrets et anathèmes du 13 janvier 1547, ayant rappelé leur nécessité.

Dans cet épisode et celui des Andouilles, Rabelais s'est inspiré de la lutte traditionnelle entre Charnage et Carême, figures de Carnaval ; mais c'est contre Pantagruel pris à tort pour Quaresmeprenant que les Andouilles, alliées de Mardi-Gras, vont se battre.

3. Ce début souligne la joie réciproque née de l'harmonie entre les hommes et de l'harmonie du microcosme et du macrocosme.

4. Maigre est ici opposé à *gras*.

5. À poil follet : expression fréquente dans le *Quart livre* : voir IX *(fromaige)* ; LXV *(Diableteau)*.

6. Lanternier : homme occupé à des choses vaines.

7. Titre d'un des *Colloques* d'Érasme (contre l'observation de certaines lois monacales par simple formalisme).

8. Moustardois : création burlesque, avec le suffise *-ois*, des noms de pays (voir XXVII, p. 287 et n. 15) ; la moutarde était un condiment très utilisé en carême.

9. Voir en XLVIII, la colère de Pantagruel contre le maître d'école fouetteur.

10. Calcineur de cendres : allusion au mercredi des Cendres.

11. Nourrisson des medicins : satire contre les nourritures de carême ; aussi préjudiciables que les excès du carnaval.

12. Voir *Pantagruel*, XVII, la condamnation des indulgences.

Comment Pantagruel passa l'isle de Tapinois[1] *en la quelle regnoit Quaresmeprenant*[2]

CHAPITRE XXIX

Les naufz[A] du joyeulx convoy refaictes et reparées : les victuailles refraischiz[B] : les Macræons plus que contens et satisfaictz de la despense que y avoit faict Pantagruel : nos gens plus joyeulx que de coustume, au jour subsequent feut voile faicte au serain et delicieux Aguyon*[C], en grande alaigresse[3]. Sus le hault du jour feut par Xenomanes monstré de loing l'isle de Tapinois en laquelle regnoit Quaresmeprenant : duquel Pantagruel avoit aultre foys ouy parler, et l'eust voluntiers veu en persone, ne feut que Xenomanes l'en descouraigea, tant pour le grand destour du chemin, que pour le maigre[4] passetemps qu'il dist estre en toute l'isle et court du Seigneur. « Vous y voirez (disoit il) pour tout potaige un grand avalleur de poys gris[D], un grand cacquerotier[E], un grand preneur de Taulpes, un grand boteleur de foin, un demy geant à poil follet[5] et double tonsure extraict de Lanternoys, bien grand Lanternier[6] : confalonnier* des Ichthyophages*[7] : dictateur de Moustardois[8] : fouetteur de petitz enfans[9] : calcineur de cendres[10] : pere et nourrisson[F] des medicins[11] : foisonnant en pardons[12], indul-

A. navires. B. renouvelées. C. aquilon. D. pois secs. E. mangeur d'escargots. F. nourricier.

13. Stations : visites d'église permettant de gagner des indulgences.
14. Célébration du mariage interdite en carême.
15. Allusion aux quarante jours du carême ?
16. Les bouchers étaient les acteurs privilégiés du carnaval.
17. Voir XIX, p. 233 et n. 17 ; le portail de l'église de Candes, richement décoré, est encadré de deux aiguilles de pierre.
18. Jeu de mots, le Mardi gras étant le jour de salage de la viande.
19. Les fêtes mobiles sont suivies, dans le bréviaire, des lectures de carême.

gences, et stations[13] : home de bien : bon catholic, et de grande devotion. Il pleure les troys pars du jour. Jamais ne se trouve aux nopces[14]. Vray est que c'est le plus industrieux faiseur de lardoueres et brochettes qui soit en quarante[15] royaulmes. Il y a environ six ans que passant par Tapinois j'en emportay une grosse[A], et la donnay aux bouchiers[16] de Quande[17]. Ilz les estimerent beaucoup, et non sans cause. Je vous en monstreray à nostre retour deux attachées sus le grand portail. Les alimens des quelz il se paist sont aubers sallez, casquets, morrions[B] sallez, et salades[C18] sallées. Dont quelque foys patit une lourde pissechaulde. Ses habillemens sont joyeulx, tant en façon comme en couleur. Car il porte gris et froid : rien davant, et rien darriere : et les manches de mesmes.

— Vous me ferez plaisir, dist Pantagruel, si comme m'avez exposé ses vestemens, ses alimens, sa maniere de faire, et ses passetemps : aussi me exposez sa forme et corpulence en toutes ses parties.

— Je t'en prie Couillette, dist frere Jan. Car je l'ay trouvé dedans mon breviaire : et s'en fuyt aprés les festes mobiles[19].

— Voluntiers, respondit Xenomanes. Nous en oyrons par adventure plus amplement parler passant l'isle Farouche, en laquelle dominent les Andouilles farfelues[D] ses ennemies mortelles : contre les quelles il a guerre sempiternelle. Et ne feust l'aide du noble Mardigras leur protecteur et bon voisin, ce grand Lanternier Quaresmeprenant les eust jà pieça[E] exterminées de leur manoir[F].

— Sont elles (demandoit frere Jan) masles ou femelles ? anges ou mortelles ? femmes ou pucelles ?

A. douze douzaines. B. casques d'arquebusiers. C. casques à grand couvre-nuque. D. dodues. E. il y a longtemps. F. demeure.

— Elles sont, respondit Xenomanes, femelles en sexe, mortelles en condition : aulcunes[A] pucelles, aultres non.

— Je me donne au Diable, dist frere Jan, si je ne suys pour elles. Quel desordre est ce en nature faire guerre contre les femmes ? Retournons. Sacmentons[B] ce grand villain.

— Combatre Quaresmeprenant (dist Panurge) de par tous les Diables ? Je ne suys pas si fol et hardy ensemble. *Quid iuris*[C], si nous trouvions envelopez entre Andouilles et Quaresmeprenant ? Entre l'enclume et les marteaulx ? Cancre[D]. Houstez[E] vous de là. Tirons oultre[F]. Adieu vous diz, Quaresmeprenant. Je vous recommande les Andouilles : et n'oubliez pas les Boudins. »

A. certaines. B. massacrons. C. quelle décision de droit. D. chancre. E. ôtez. F. Avançons.

1. Pour M.-M. Fontaine, « Quaresmeprenant : l'image littéraire et la contestation de l'analogie médicale », l'épisode est à mettre en rapport avec les critiques contemporaines sur la méthode analogique de Galien qui part des ressemblances et différences et fait de la comparaison l'ordre du discours.

Dans les traités d'anatomie contemporains, la comparaison est de règle ; ainsi la capsule du cœur ou la bouteille du fiel.

Le vocabulaire médical utilisé par Rabelais est composite (gréco-latin : *gargareon, genitoires* ; arabe : *mirach, siphach* ; termes populaires : *luette, couillons*), comme celui de ses contemporains, tels celui du *Guidon* de Chauliac à qui Rabelais a emprunté les deux tiers de son vocabulaire anatomique, ou celui de Ch. Estienne, *La Dissection des parties du corps humain* (1546), chez qui Rabelais a puisé le vocabulaire des parties internes.

L'anatomie par sa forme évoque un rapport d'autopsie. Voir l'*Acte de Visitation et ouverture du corps de monseigneur le Dauphin* (1536)

M.-M. Fontaine, p. 90, a mis en valeur l'ordre utilisé : pour les parties internes, ordre descendant de la cervelle à la vessie, quelques parties simples (les « homéomères de Galien »), puis, par les esprits animaux et vitaux, retour à la tête par les facultés de l'âme ; pour les parties externes, des pieds à la tête avec des parties simples en final.

Les « contenances » (XXXII) sont les extériorisations du corps. Cet ordre n'est pas en accord avec l'ordre généralement suivi pour les dissections (ordre pratique), commençant dans les parties internes par le ventre et finissant par la tête ; et pour l'anatomie (ordre plus abstrait), qui traite des parties externes du haut en bas.

2. Alors que certains souhaitaient l'abolition du carême, la remarque de Xénomanes montre sa permanence.

3. « Ceste épiphyse ou excrescence susdicte / ayant similitude de quelque ver » (Ch. Estienne, *La Dissection des parties du corps humain*, p. 264).

4. Entonnoir : pore que l'on croyait à la base du ventricule moyen du cerveau, destiné à recueillir les humeurs pituiteuses.

5. Oiseau de masson : assemblage de deux ais servant à porter le mortier sur l'épaule.

6. Le retz admirable : lacis artériel, nommé hexagone de Willis, considéré par certains comme le lieu de transformation de l'esprit vital en esprit animal.

7. Additamens mammillaires : tubercules mamillaires de la face inférieure de l'encéphale.

8. Robinet : par les nerfs coulent les esprits animaux.

Comment par Xenomanes est anatomisé[1]
et descript Quaresmeprenant

CHAPITRE XXX

« Quaresmeprenant, dist Xenomanes, quant aux parties internes a, au moins de mon temps avoit[2], la cervelle en grandeur, couleur, substance, et vigueur semblable au couillon guausche d'un Ciron masle.
Les ventricules d'icelle, comme un tirefond.
L'excrescence[3] vermiforme, comme un pillemaille[A].
Les membranes, comme la coqueluche[B] d'un moine.
L'entonnoir[4], comme un oiseau de masson[5].
La voulte[C], comme un gouimphe[D].
Le conare[E], comme un veze[F].
Le retz admirable[6], comme un chanfrain.
Les additamens mammillaires[7], comme un bobelin[G].
Les tympanes[H], comme un moullinet.
Les os petreux[I], comme un plumail[J].
La nucque, comme un fallot.
Les nerfs, comme un robinet[8].
La luette, comme une sarbataine[K].
Le palat[L], comme une moufle.

A. maillet servant à un jeu du mail. B. capuchon. C. trigone cérébral. D. bonnet de femme. E. glande pinéale. F. cornemuse. G. gros soulier. H. caisses du tympan. I. portion de l'os temporal. J. bout de l'aile d'une oie. K. sarbacane. L. palais.

9. Isthme : ouverture du gosier au niveau de la luette.
10. Baudrier : bourse de cuir plate attachée à la ceinture.
11. Mediastin : parois de la plèvre qui contiennent le cœur.
12. Bonnet à la Coquarde : orné d'une patte découpée en crête de coq, alors à la mode.

La salive[A], comme une navette.
Les amygdales, comme lunettes à un œil.
Le isthme[9], comme une portouoire[B].
Le gouzier, comme un panier vendangeret.
L'estomach, comme un baudrier[10].
Le pylore, comme une fourche fiere[C].
L'aspre altere[D], comme un gouet[E].
Le guaviet[F], comme un peloton d'estouppes.
Le poulmon, comme une aumusse.
Le cœur, comme une chasuble.
Le mediastin[11], comme un guodet.
La plevre, comme un bec de Corbin[G].
Les arteres, comme une cappe de Biart[H].
Le diaphragme, comme un bonnet à la Coquarde[12].
Le foye, comme une bezague[I].
Les venes, comme un chassis[J].
La ratelle[K], comme un courquaillet[L].
Les boyaulx, comme un tramail[M].
Le fiel[N], comme une dolouoire[O].
La fressure[P], comme un guantelet.
Le mesantere[Q], comme une mitre abbatiale.
L'intestin jeun[R], comme un daviet[S].
L'intestin borgne[T], comme un plastron.
Le colon, comme une brinde[U].
Le boyau cullier[V], comme un bourrabaquin[W] monachal.
Les roignons, comme une truelle.
Les lumbes, comme un cathenat[X].

A. glandes salivaires. B. hotte de vendangeur. C. fourche de fer à deux dents. D. trachée artère. E. petit couteau. F. gosier. G. sorte de hallebarde. H. Béarn. I. outil de charpentier. J. chassis à broder. K. rate. L. appeau pour imiter le cri de la caille. M. filet de pêche. N. vésicule biliaire. O. hache de tonnelier. P. viscères. Q. repli triangulaire du péritoine. R. jejunum. S. pince. T. caecum. U. verre. V. rectum. W. grand verre. X. cadenas.

13. Vases spermatiques : vaisseaux qui amènent le sang et les esprits aux testicules.

14. Mirach : nom arabe de l'épigastre.

15. Albanois : chapeau à larges bords et pointu.

16. Siphach : nom arabe du péritoine.

17. Pour les papefigues, voir XLV.

18. La mi-carême était le seul jour du carême où les noces étaient autorisées.

19. Ces adverbes de lieu pourraient être une allusion aux interrogations portant sur les lieux où l'on pouvait en carême obtenir indulgences et pardons.

20. Le sens commun correspond au *sensus communis* des scolastiques.

21. Bourdon : les autres comparaisons invitent à voir un jeu de mots sur les trois sens du mot, « insecte », « cloche », « bâton de pèlerin ».

22. Les pensées correspondent aux *intentiones individuales*, quatrième des « sens internes » dans la doctrine scolastique, après la mémoire, le sens commun et l'imagination.

Les pores ureteres[A], comme une cramailliere[B].
Les venes emulgentes[C], comme deux glyphouoires[D].
Les vases spermatiques[13], comme un guasteau feueilleté.
Les parastates[E], comme un pot[F] à plume.
La vessie, comme un arc à jallet[G].
Le coul d'icelle, comme un batail[H].
Le mirach[14], comme un chappeau Albanois[15].
Le siphach[16], comme un brassal[I].
Les muscles, comme un soufflet.
Les tendons, comme un guand d'oyseau.
Les liguamens, comme une escarcelle.
Les os, comme cassemuzeaulx[J].
La mouelle, comme un bissac.
Les cartilages, comme une tortue de guarigues[K].
Les adenes[L], comme une serpe.
Les espritz animaulx, comme grands coups de poing.
Les espritz vitaulx, comme longues chiquenauldes.
Le sang bouillant, comme nazardes multipliées.
L'urine, comme un papefigue[17].
La geniture[M], comme un cent de clous à latte. Et me contoit sa nourrisse, qu'il estant marié avecques Lamyquaresme[18] engendra seulement nombre de Adverbes locaulx[19], et certains jeunes doubles[N].
La memoire avoit, comme une escharpe[O].
Le sens commun[20], comme un bourdon[21].
L'imagination, comme un quarillonnement de cloches.
Les pensées[22], comme un vol d'estourneaulx.
La conscience, comme un denigement[P] de Heronneaulx.
Les deliberations, comme une pochée d'orgues[Q].

A. de l'urètre. B. crémaillère. C. rénales. D. seringues. E. prostates. F. casque. G. galet. H. battant de cloches. I. brassard. J. gâteaux croquants. K. tortue terrestre. L. glandes. M. semence. N. de deux jours. O. gibecière. P. envol. Q. sac d'orge.

23. Intelligences : traduction probable d'*intellectus* dans la mesure où il y a plusieurs intellects.

24. Sainct foin : jeu de mots possible avec *feint*, à partir de la prononciation dialectale.

25. Le XVIe siècle fait la distinction entre entendement, intelligence, raison.

La repentence, comme l'equippage d'un double canon.
Les entreprinses, comme la sabourre[A] d'un guallion.
L'entendement, comme un breviaire dessiré[B].
Les intelligences[23], comme limaz[C] sortans des fraires[D].
La volunté, comme troys noix en une escuelle.
Le desir, comme six boteaux de sainct foin[24].
Le jugement, comme un chaussepied.
La discretion[E], comme une mouffle.
La raison[25], comme un tabouret[F]. »

A. lest. B. déchiré. C. limaces. D. fraises. E. discernement. F. petit tambour.

1. Xénomanes a commencé contre la logique à décrire les parties internes.

2. Sept costes : référence à une des erreurs de Galien qui, à partir du squelette du singe, donne sept parties au sternum, et allusion au débat des médecins du XVIe siècle à ce propos : Ch. Estienne n'en reconnaît que trois et attribue la divergence à la manière de disséquer ; le médecin Sylvius, de deux à six, et suppose que l'homme contemporain de Galien ne correspond pas à l'homme actuel. La mention des sept côtes peut laisser suggérer que *Quaresmeprenant* est un singe ; voir M.-M. Fontaine, « Quaresmeprenant [...] », p. 96.

3. L'épinette organisée appartient à la famille d'instruments à clavier et cordes pincées couplés à un mécanisme et des jeux d'orgue, souvent trois.

4. Ventre à poulaines : ventre proéminent par allusion aux souliers à longue pointe.

Anatomie de Quaresmeprenant quant aux parties externes[1]

CHAPITRE XXXI

« Quaresmeprenant, disoit Xenomanes continuant, quant aux parties externes estoit un peu mieulx proportionné : exceptez les sept costes[2] qu'il avoit oultre la forme commune des humains.

Les orteilz avoit, comme une espinette orguanisée[3].
Les ongles, comme une vrille.
Les pieds, comme une guinterne[A].
Les talons, comme une massue.
La plante, comme un creziou[B].
Les jambes, comme un leurre.
Les genoilz, comme un escabeau.
Les cuisses, comme un crenequin[C].
Les anches, comme un vibrequin.
Le ventre à poulaines[4] boutonné scelon la mode antique, et ceinct à l'antibust[D].
Le nombril, comme une vielle.
La penilliere[E], comme une dariolle[F].
Le membre, comme une pantophle.
Les couilles, comme une guedoufle[G].
Les genitoires, comme un rabbot.

A. guitare. B. lampe à huile. C. arbalète. D. poitrine. E. pénil. F. flan. G. bouteille à deux corps.

5. Billart : bâton terminé par une partie courbe en forme de masse pour pousser les billes.
6. Arbalète de siège avec un arc pouvant atteindre vingt mètres de long, bandée par un treuil.

Les cremasteres[A], comme une raquette.
Le perinæum, comme un flageollet[B].
Le trou du cul, comme un mirouoir crystallin.
Les fesses, comme une herse.
Les reins, comme un pot beurrier.
L'alkatin[C], comme un billart[5].
Le dours[D], comme une arbaleste de passe[6].
Les spondyles[E], comme une cornemuse.
Les coustes[F], comme un rouet.
Le brechet[G], comme un baldachin.
Les omoplates, comme un mortier.
La poictrine, comme un jeu de reguallES[H].
Les mammelles, comme un cornet à bouquin[I].
Les aisselles, comme un eschiquier.
Les espaules, comme une civiere à braz.
Les braz, comme une barbute[J].
Les doigts, comme landiers de frarie[K].
Les rasettes[L], comme deux eschasses.
Les fauciles[M], comme faucilles.
Les coubtes, comme ratouoires[N].
Les mains, comme une estrille.
Le coul, comme une salverne[O].
La guorge, comme une chausse d'Hippocras[P].
Le nou[Q], comme un baril : auquel pendoient deux guoytrouz[R] de bronze bien beaulx et harmonieux, en forme d'une horologe de sable[S].
La barbe, comme une lanterne.
Le menton, comme un potiron.

A. muscles des testicules. B. instrument à vent. C. sacrum. D. dos. E. colonne vertébrale. F. côtes. G. sternum. H. orgue portatif. I. embouchure d'une trompe de chasse. J. grand capuchon. K. chenêts d'une salle de confrérie. L. os du poignet. M. os du bras. N. ratières. O. tasse. P. filtre pour vin aromatisé. Q. larynx. R. goîtres. S. sablier.

7. Rebec : allusion possible à la figure grotesque sculptée au bout du manche de cet instrument à cordes.

8. Colonges : château appartenant à Geoffroy d'Estissac, protecteur de Rabelais.

9. La Brosse : château appartenant à Louis d'Estissac, neveu du protecteur de Rabelais. Il s'agit d'une « demeure philosophale » aux symboles alchimiques.

10. Anneau de pescheur : allusion au cachet des brefs pontificaux représentant saint Pierre en pêcheur.

Les aureilles, comme deux mitaines.
Le nez, comme un brodequin anté[A] en escusson.
Les narines, comme un beguin[B].
Les soucilles[C], comme une lichefrete[D].
Sus la soucille guausche avoit un seing[E] en forme et grandeur d'un urinal.
Les paulpieres, comme un rebec[7].
Les œilz, comme un estuy de peignes.
Les nerfs opticques, comme un fuzil[F].
Le front, comme une retombe[G].
Les temples[H], comme une chantepleure[I].
Les joues, comme deux sabbotz.
Les maschoueres, comme un guoubelet[J].
Les dens, comme un vouge[K]. De ses telles dens de laict vous trouverez une à Colonges[8] les royaulx en Poictou : et deux à la Brosse[9] en Xantonge, sus la porte de la cave.
La langue, comme une harpe.
La bouche, comme une housse.
Le visaige bistorié[L], comme un bast de mulet.
La teste, contournée comme un alambic.
Le crane, comme une gibbessiere.
Les coustures[M], comme un anneau de pescheur[10].
La peau, comme une gualvardine[N].
L'Epidermis, comme un beluteau[O].
Les cheveulx, comme une decrotouoire[P].
Le poil, tel comme a esté dict. »

A. greffé. B. bonnet d'enfant. C. sourcils. D. lèchefrite. E. marque. F. briquet. G. coupe. H. tempes. I. arrosoir. J. gobelet. K. sorte d'épieu. L. incisé avec le bistouri. M. sutures. N. cape. O. tamis. P. brosse à chaussures.

1. Contrairement au titre, ces contenances (extériorisations du corps), ne sont pas la continuation des deux chapitres précédents. Elles offrent une autre structure répétitive.

2. Poys pillez : expression utilisée pour désigner des farces ou soties.

3. Les singes verts sont considérés comme des animaux fantastiques.

Continuation des contenences de Quaresmeprenant[1]

CHAPITRE XXXII

« Cas admirable en nature, dist Xenomanes continuant, est veoir et entendre l'estat de Quaresmeprenant. S'il crachoit, c'estoient panereés de chardonnette[A].
S'il mouchoit, c'estoient Anguillettes sallées.
S'il pleuroit, c'estoient Canars à la dodine[B].
S'il trembloit, c'estoient grands patez de Lievre.
S'il suoit, c'estoient Moulues[C] au beurre frays.
S'il rottoit, c'estoient huytres en escalle[D].
S'il esternuoit, c'estoient pleins barilz de Moustarde.
S'il toussoit, c'estoient boytes de Coudignac[E].
S'il sanglouttoit, c'estoient denrées[F] de Cresson.
S'il baisloit[G], c'estoient potées de poys pillez[2].
S'il souspiroit, c'estoient langues de bœuf fumées.
S'il subloit[H], c'estoient hottées de Cinges verds[3].
S'il ronfloit, c'estoient jadaulx[I] de febves frezes[J].
S'il rechinoit, c'estoient pieds de Porc au sou[K].
S'il parloit, c'estoit gros bureau[L] d'Auvergne : tant s'en failloit[M] que feust saye[N] cramoisie, de laquelle vouloit

A. artichaut sauvage. B. sauce à l'oignon. C. morues. D. coquille. E. cotignac. F. petites quantités. G. bâillait. H. sifflait. I. jattes. J. pilées. K. saindoux. L. étoffe de bureau. M. fallait. N. soie.

4. Érasme, *Apophtegmes*, V, « Artaxerxes », XXX, d'après Plutarque, *Apophtegmes*, 174.

5. Chats nés au mois de mars considérés comme vigoureux et batailleurs.

6. Batterie à bâtons rompus, batterie de tambour qui désigne l'action des mains donnant chacune deux coups de suite.

7. Jeuz de la Bazoche : soties et moralités.

8. Voir *Gargantua*, XLIX, où les coquecigrues sont des oiseaux ; ici, peut-être des crustacés.

9. Traduction languedocienne.

10. Neiges d'Antan : refrain de la « Ballade des dames du temps jadis » de Villon.

11. Autant pour le brodeur : proverbe qui faisait allusion au prix demandé en sus par les brodeurs pour la bordure des habits.

12. Voir *Gargantua*, XI ; suivent des actions constituées de proverbes ou d'adages qui sont autant d'*adunata* (« impossibilités »).

13. Corybantioit, voir Érasme, *Adages*, III, VII, 39, Κορυβαντιᾶν, qui précise que le terme est fréquent chez Lucien.

Parisatis estre les parolles tissues[A] de ceulx qui parloient à son filz Cyrus roy des Perses[4].
S'il souffloit, c'estoient troncs pour les Indulgences.
S'il guygnoit[B] des œilz, c'estoient guauffres et Obelies[C].
S'il grondoit, c'estoient Chats de Mars[5].
S'il dodelinoit de la teste, c'estoient charrettes ferrées.
S'il faisoit la moue, c'estoient battons rompuz[6].
S'il marmonnoit, c'estoient jeuz de la Bazoche[7].
S'il trepignoit, c'estoient respitz et quinquenelles[D].
S'il reculloit, c'estoient Coquecigrues[8] de Mer.
S'il bavoit, c'estoient fours à ban[E].
S'il estoit enroué, c'estoient entrées de Moresques[F].
S'il petoit, c'estoient houzeaulx[G] de vache brune.
S'il vesnoit, c'estoient botines de cordouan[H].
S'il se gratoit, c'estoient ordonnances nouvelles.
S'il chantoit, c'estoient poys en guousse.
S'il fiantoit, c'estoient potirons et Morilles.
S'il buffoit[I], c'estoient choux à l'huille, *alias* Caules amb'olif[9].
S'il discouroit[J], c'estoient neiges d'Antan[10].
S'il se soucioit, c'estoit des rez[K] et des tonduz.
Si rien[L] donnoit, autant en avoit le brodeur[11].
S'il songeoit, c'estoient vitz volans et rampans contre une muraille.
S'il resvoit[M], c'estoient papiers rantiers[N].

« Cas estrange[12]. Travailloit rien ne faisant : rien ne faisoit travaillant. Corybantioit*[13] dormant : dormoit corybantiant les œilz ouvers comme font les Lievres de Champaigne, craignant quelque camisade[O] d'Andouilles

A. tissées. B. clignait. C. oublies. D. délais de cinq ans pour des débiteurs. E. banaux. F. danses mauresques. G. bottes. H. cuir de Cordoue. I. soufflait. J. réfléchissait. K. rasés. L. quelque chose. M. délirait. N. registres de rentes. O. attaque nocturne.

14. *Ibid.*, I, IV, 74, *In aere piscari, uenari in mare.*
15. Voir XXIII, p. 259 et n. 2.
16. Érasme, *Adages*, I, III, 75, *Cornicum oculos configere.*
17. Jeu de mots entre les *corps des saints*, les reliques, et les *cordes des ceints*, cordes qui ceignaient les cordeliers, mais aussi *cordes des sins*, c'est-à-dire des cloches (*signa* en latin).
18. Action risquée.
19. Dans la librairie de Saint-Victor (*Pantagruel*, VII), se trouve un *Almanach perpetuel pour les gouteux et verollez.*
20. Amodunt : la Démesure.
21. Ce mythe platonisant est un emprunt à l'Italien Caelius Calcagninus, dont les œuvres ont été publiées à Bâle, *Opera aliquot*, 1544 (ffos 622-623). Le dixième des *Hymnes* d'Orphée est consacré à Physis ; il est suivi d'un hymne au dieu universel Pan. Dans l'Antiquité, aux côtés de Physis et de Pan, Priape est élevé à la dignité de dieu universel ; il sera présent dans l'épisode suivant.
22. Tellumon : la déesse romaine qui présidait aux forces génératrices de la terre ; Rabelais la considère par erreur comme une divinité masculine.

ses antiques ennemies. Rioit en mordant, mordoit en riant. Rien ne mangeoit jeusnant : jeusnoit rien ne mengeant. Grignotoit[A] par soubson : beuvoit par imagination. Se baignoit dessus les haulx clochers, se seichoit dedans les estangs et rivieres. Peschoit en l'air[14], et y prenoit Escrevisses decumanes*[B][15]. Chassoit on profond de la mer, et y trouvoit Ibices[C], Stamboucqs[C], et Chamoys. De toutes Corneilles prinses en Tapinois ordinairement poschoit les œilz[16]. Rien ne craignoit que son umbre, et le cris des gras chevreaulx. Battoit certains jours le pavé. Se jouoyt es cordes des ceincts[D][17]. De son poing faisoit un maillet[18]. Escrivoit sus parchemin velu avecques son gros guallimart[E] Prognostications et Almanachz[19].

— Voylà le guallant, dist frere Jan. C'est mon home. C'est celuy que je cherche. Je luy voys[F] mander un cartel[G].

— Voylà, dist Pantagruel, une estrange et monstrueuse membreure d'home : si home le doibs nommer. Vous me reduisez en memoire[H] la forme et contenence de Amodunt[20] et Discordance.

— Quelle forme demanda frere Jan, avoient ilz ? Je n'en ouy jamais parler. Dieu me le pardoient[I].

— Je vous en diray, respondit Pantagruel, ce que j'en ay leu parmy les Apologues antiques[21]. Physis (c'est nature) en sa premiere portée enfanta Beaulté et Harmonie sans copulation charnelle : comme de soy mesmes est grandement feconde et fertile. Antiphysie, laquelle de tout temps est partie adverse de Nature, incontinent eut envie sus cestuy tant beau et honorable enfantement : et au rebours enfanta Amodunt et Discordance par copulation de Tellumon[22]. Ilz avoient la

A. mangeait. B. énormes. C. bouquetins. D. ceintures. E. étui à plumes. F. vais. G. défi. H. rappelez. I. pardonne.

23. La sphère était selon les Anciens la forme la plus parfaite.

24. Une arbre renversée : image traditionnelle depuis Platon, *Timée* 90a, ayant ses racines dans le ciel.

teste sphærique et ronde entierement comme un ballon : non doulcement comprimée des deux coustez, comme est la forme humaine. Les aureilles avoient hault enlevées, grandes comme aureilles d'asne : les œilz hors la teste fichez sus des os semblables aux talons, sans soucilles[A], durs comme sont ceulx des Cancres[B] : les pieds ronds comme pelottes : les braz et mains tournez en arriere vers les espaules. Et cheminoient sus leurs testes, continuellement faisans la roue, cul sus teste, les pieds contremont[C]. Et (comme vous sçavez que es Cingesses semblent leurs petits Cinges plus beaulx que chose du monde) Antiphysie louoit, et s'efforçoit prouver que la forme de ses enfans plus belle estoit et advenente, que des enfans de Physis : disant que ainsi avoir les pieds et teste sphæriques, et ainsi cheminer circulairement en rouant[D] estoit la forme competente[E] et perfaicte alleure retirante[F] à quelque portion de divinité : par laquelle les cieulx et toutes choses eternelles sont ainsi contournées[23]. Avoir les pieds en l'air, la teste en bas estoit imitation du createur de l'Univers : veu que les cheveulx sont en l'home comme racines : les jambes comme rameaux. Car les arbres plus commodement sont en terre fichées sus leurs racines, que ne seroient sus leurs rameaux. Par ceste demonstration alleguant que trop mieulx et plus aptement[G] estoient ses enfans comme une arbre droicte, que ceulx de Physis : les quelz estoient comme une arbre renversée[24]. Quant est des braz et des mains, prouvoit que plus raisonnablement estoient tournez vers les espaules : par ce que ceste partie de corps ne doibvoit estre sans defenses : attendu que le davant estoit competentement muny par les dens. Des quelles

A. sourcils. B. crabes. C. en l'air. D. tournant. E. convenable. F. ressemblant. G. convenablement.

25. Suit une liste des personnages que Rabelais excluait de Thélème (*Gargantua*, LIV) ; *Matagot* (« singe apprivoisé »), *cagot* (« lépreux blanc ») désignent les hypocrites.

26. Pistoletz : petites arquebuses, référence possible à Postel qui, en 1543, a accusé le *Pantagruel* d'impiété.

27. Demoniacle : seul emploi de ce mot chez Rabelais, qui ne l'utilise pas sous sa forme *démoniaque*.

28. Dans l'ouvrage *Des scandales*, Genève, 1550, Calvin s'en était pris nommément à Rabelais.

29. Gabriel de Puy-Herbault (en latin *Putherbeus*), religieux de l'abbaye de Fontevrault, docteur de la faculté de Paris, avait violemment attaqué Rabelais dans son *Theotimus* en 1549.

30. Briffaulx : frères lais faisant la quête pour les religieuses qui les entretiennent, d'où hommes avides.

31. Voir l'épître liminaire, p. 33 (Canibales cités avec misantropes et agelastes).

la persone peut non seulement user en maschant sans l'ayde des mains : mais aussi soy defendre contre les choses nuisantes. Ainsi par le tesmoinage et astipulation[A] des bestes brutes tiroit tous les folz et insensez en sa sentence, et estoit en admiration à toutes gens ecervelez et desguarniz de bon jugement, et sens commun. Depuys elle engendra les Matagotz[25], Cagotz, et Papelars : les Maniacles[B] Pistoletz[26] : les Demoniacles[27] Calvins[28] imposteurs de Geneve : les enraigez Putherbes[29], Briffaulx[30], Caphars, Chattemites, Canibales[31] : et aultres monstres difformes et contrefaicts en despit de Nature. »

A. garantie. B. insensés.

1. L'Océan est riche en monstres (voir le livre XXI de l'ouvrage du Suédois Olaus Magnus, *Histoire des pays septentrionaus,* consacré aux poissons monstrueux qui abondent dans l'Océan). Dans l'épisode du physétère, la *mètis* (« ruse »), particulièrement développée dans *Pantagruel,* est à l'honneur. Face au monstre, comme dans le cas de Loup-garou *(Pantagruel),* c'est par son ingéniosité que le héros triomphe. On notera la résurgence du thème du gigantisme pour Pantagruel, thème oublié dans le *Tiers livre.*

Physetere est un terme grec emprunté à Pline, *Histoire naturelle,* IX, III, (φυσητήρ, « souffleur »). P. Skarup, « Le Physétère et l'Île Farouche de Rabelais », rapproche *Farouche* et *Physétère* de la *Carta marina* d'Olaus Magnus, publiée à Venise en 1539, qui mentionne les îles Féroé, appelées *Fare,* et un monstre nommé *Pistr[is] siue Phiset[er].* *Fare* aurait pu donner à Rabelais l'idée de son île Farouche, alors que, dans le *Disciple de Pantagruel,* dont Rabelais s'est inspiré, n'existait que la mer des Farouches.

2. Détail emprunté à Pline, IX, IV.

3. Guarre Serre : sorte de sonnerie maritime.

4. Voir I, p. 83 et n. 15.

5. Voir P. Thevenin, commentaire de la *Sepmaine* de Du Bartas, 1585, p. 699 : « Pythagore par la lettre fourchue Y nous monstroit le chemin de vice et de vertu, que Virgile aux epigrammes a divinement dechifré. »

6. Cone : première attestation du mot en français.

Comment par Pantagruel feut un monstrueux Physetere[A1] *apperceu prés l'isle Farouche*

CHAPITRE XXXIII

Sus le hault du jour approchans l'isle Farouche, Pantagruel de loing apperceut un grand et monstrueux Physetere, venent droict vers nous bruyant, ronflant enflé enlevé plus hault que les hunes des naufz[B2], et jectant eaulx de la gueule en l'air davant soy, comme si feust une grosse riviere tombante de quelque montaigne. Pantagruel le monstra au pilot[C], et à Xenomanes. Par le conseil du pilot feurent sonnées les trompettes de la Thalamege en intonation de Guare Serre[3]. À cestuy son toutes les naufz, Guallions, Ramberges, Liburnicques[4] (scelon qu'estoit leur discipline navale) se mirent en ordre et figure telle qu'est le Y Gregeois[D] letre de Pythagoras[5] : telle que voyez observée par les Grues en leur vol : telle qu'est en un angle acut[E] : on cone[6] et base de laquelle estoit la dicte Thalamege en equippage de vertueusement[F] combatre.

Frere Jan on chasteau guaillard monta guallant et bien deliberé[G] avecques les bombardiers. Panurge commença crier et lamenter plus que jamais. « Babillebabou (disoit il) voicy pis qu'antan. Fuyons. C'est, par la mort

A. baleine. B. navires. C. pilote. D. grec. E. aigu. F. vaillamment. G. décidé.

7. Par la mort beuf : par euphémisme, « par la mort de Dieu ».

8. Leviathan : monstre aquatique (en hébreu, « serpent » ou « dragon ») fréquent dans la Bible ; voir Job, XL ; Isaïe, XXVII, I ; Psaumes, LXXIV (LXXIII), 14.

9. Andromeda : la jeune fille, attachée à un rocher et gardée par un monstre marin, fut délivrée par Persée ; voir Ovide, *Métamorphoses*, IV, v. 663-738.

10. Voir en XXXVII, p. 353, la valeur prémonitoire des noms.

11. Voir XXIV, p. 267.

12. Ovide, *Métamorphoses*, II, v. 153-154.

13. Flammivomes : allusion à l'expression employée par le poète Corippus (Ier siècle), I, v. 338, « *flammiuomis raptatus equis* ».

14. Les cartes de piques étant les plus mauvaises, expression employée pour dénigrer les propos de l'interlocuteur.

15. Voir XXIV, p. 269.

16. Voir XXVII, p. 289 et n. 23.

bœuf[7], Leviathan[8] descript par le noble prophete Moses[A] en la vie du sainct home Job. Il nous avallera tous et gens et naufz, comme pillules. En sa grande gueule infernale nous ne luy tiendrons lieu plus que feroit un grain de dragée musquée en la gueule d'un asne. Voyez le cy. Fuyons, guaingnons terre. Je croy que c'est le propre monstre marin qui feut jadis destiné pour devorer Andromeda[9]. Nous sommes tous perduz. O que pour l'occire præsentement feust icy quelque vaillant Perseus[10].

— Persé jus[B] par moy sera, respondit Pantagruel. N'ayez paour[C].

— Vertus Dieu, dist Panurge, faictez que soyons hors les causes de paour. Quand voulez vous que j'aye paour, sinon quand le dangier est evident ?

— Si telle est (dist Pantagruel) vostre destinée fatale, comme naguieres exposoit frere Jan[11], vous doibvez paour avoir de Pyrœis, Heoüs, Æthon, Phlegon[12] celebres chevaulx du Soleil flammivomes[D13], qui rendent feu par les narines : des Physeteres, qui ne jettent qu'eau par les ouyes et par la gueule, ne doibvez paour aulcune avoir. Jà par leur eau ne serez en dangier de mort. Par cestuy element plus toust serez guaranty et conservé que fasché ne offensé.

— À l'aultre, dist Panurge. C'est bien rentré de picques noires[14]. Vertus d'un petit poisson ne vous ay je assez exposé[15] la transmutation des elemens, et le facile symbole* qui est entre roust et bouilly, entre bouilly et rousty ? Halas. Voy le cy. Je m'en voys[E] cacher là bas. Nous sommes tous mors à ce coup. Je voy sus la hune Atropos*[16] la felonne avecques ses cizeaulx de frays

A. Moïse. B. à la renverse. C. peur. D. qui vomissent des flammes. E. vais.

17. Milourt Anglois : voir chez Commynes, *Mémoires,* I, VII, l'histoire de Georges duc de Clarence, frère d'Édouard IV.

18. Vestz : mot d'origine picarde.

19. Voir XII, p. 169.

esmouluz preste à nous tous coupper le filet de vie. Guare. Voy le cy. O que tu es horrible et abhominable. Tu en as bien noyé d'aultres, qui ne s'en sont poinct vantez. Dea[A], s'il jectast vin bon, blanc, vermeil, friant, delicieux, en lieu de ceste eau amere, puante, sallée, cela seroit tollerable aulcunement[B] : et y seroit aulcune[C] occasion de patience, à l'exemple de celluy milourt Anglois[17], auquel estant faict commendement pour les crimes des quelz estoit convaincu, de mourir à son arbitraige, esleut mourir nayé[D] dedans un tonneau de Malvesie[E]. Voy le cy. Ho ho Diable Satanas, Leviathan. Je ne te peuz veoir, tant tu es hideux et detestable. Vestz[F][18] à l'audience : vestz aux Chiquanous[19]. »

A. vraiment. B. en quelque façon. C. quelque. D. noyé. E. malvoisie. F. allez.

1. Ce chapitre met en scène l'ingéniosité de l'homme face aux forces du mal, le physétère étant assimilé au Léviathan.

2. Pincer sans rire : jeu consistant à se tenir le menton et à essayer de se faire rire.

3. Voir Job, XLI, 18-22. Olaus Magnus, dans l'*Histoire des pays septentrionaus*, p. 245, précise que les boulets ne peuvent endommager le physétère en raison de sa graisse.

4. Dans la compilation de Sabellicus, *Exemplorum libri decem*, Venise, 1507, X, « De sagittandi peritia », cette aptitude appartient à Domitien, mais l'auteur évoquait aussi l'habileté de Commode.

5. Arrien, *De l'Inde*, XVI.

Comment par Pantagruel feut deffaict le monstrueux Physetere[A][1]

CHAPITRE XXXIIII

Le Physetere entrant dedans les brayes[B] et angles des naufz[C] et Guallions, jectoit eau sus les premieres à pleins tonneaulx, comme si feussent des Catadupes du Nil* en Æthiopie. Dards, Dardelles, javelotz, espieux, Corsecques[D], Partuisanes[E], voloient sus luy de tous coustez. Frere Jan ne se y espargnoit. Panurge mouroit de paour[F]. L'artillerie tonnoit et fouldroyoit en Diable, et faisoit son debvoir de le pinser sans rire[2]. Mais peu profitoit : car les gros boulletz de fer et de bronze entrans en sa peau sembloient fondre, à les veoir de loing, comme font les tuilles au Soleil[3]. Allors Pantagruel considerant l'occasion et necessité, desploye ses braz, et monstre ce qu'il sçavoit faire.

Vous dictez, et est escript, que le truant[G] Commodus[4] empereur de Rome, tant dextrement tiroit de l'arc, que de bien loing il passoit les fleches entre les doigtz des jeunes enfans levans la main en l'air, sans aulcunement les ferir. Vous nous racontez aussi d'un archier Indian[5] on temps que Alexandre le grand conquesta Indie, lequel tant estoit de traire perit[H], que de loing il passoit

A. baleine. B. bastions. C. navires. D. javelines. E. pertuisanes. F. peur. G. coquin. H. habile à tirer.

6. Ravisius Textor, *Officina*, « Populorum diuersi mores et ritus uarii ».
7. *Ibid.*, « Sagittarii et iaculatores peritissimi ».
8. Hérodote, IV, CXXXI-CXXXII.
9. Gobryes : un des sept conjurés qui, après avoir tué les mages imposteurs, proclamèrent Darius roi.

les fleches par dedans un anneau : quoy qu'elles feussent longues de troys coubtées[A] : et feust le fer d'icelles tant grand et poisant[B], qu'il en persoit brancs[C] d'assier, boucliers espoys[D], plastrons asserez[E] : tout generalement qu'il touchoit, tant ferme, resistant, dur, et valide feust, que sçauriez dire. Vous nous dictez aussi merveilles de l'industrie des anciens François, les quelz à tous estoient en l'art sagittaire preferez : et les quelz en chasse de bestes noires et rousses frotoient le fer de leurs fleches avecques Ellebore : pource que de la venaison ainsi ferue la chair plus tendre, friande[F], salubre[G], et delicieuse estoit : cernant[H] toutesfoys et houstant[I] la partie ainsi attaincte tout au tour[6]. Vous faictez pareillement narré des Parthes[7], qui par darriere tiroient plus ingenieusement, que ne faisoient les aultres nations en face. Aussi celebrez vous les Scythes en ceste dexterité. De la part des quelz jadis un Ambassadeur[8] envoyé à Darius Roy des Perses, luy offrit un oyseau, une grenoille, une souriz, et cinq fleches, sans mot dire. Interrogé que prætendoient[J] telz præsens, et s'il avoit charge de rien[K] dire, respondit que non. Dont restoit Darius tout estonné et hebeté en son entendement, ne fust que l'un des sept capitaines qui avoient occis les Mages, nommé Gobryes[9] luy exposa[L] et interpreta disant. « Par ces dons et offrandes vous disent tacitement les Scythes. Si les Perses comme oyseaulx ne volent au ciel, ou comme souriz ne se cachent vers le centre de la terre : ou ne se mussent[M] on profond des estangs et paluz[N], comme grenoilles, tous seront à perdition mis par la puissance et sagettes[O] des Scythes. »

A. coudées. B. pesant. C. épées. D. épais. E. d'acier. F. agréable au goût. G. salutaire. H. incisant en cercle. I. ôtant. J. représentaient. K. quelque chose. L. expliqua. M. cachent. N. marais. O. flèches.

10. Pont-aux-Meuniers, pont en aval du Pont-au-Change et qui desservait les moulins situés dans la rivière.

Le noble Pantagruel en l'art de jecter et darder estoit sans comparaison plus admirable. Car avecques ses horribles piles[A], et dards (les quelz proprement ressembloient aux grosses poultres sus les quelles sont les pons de Nantes, Saulmur, Bregerac[B], et à Paris les pons au change et aux meusniers[10] soustenuz, en longueur, grosseur, poisanteur et ferrure) de mil pas loing il ouvroit les huytres en escalle[C] sans toucher les bords : il esmouchoit une bougie sans l'extaindre : frappoit les Pies par l'œil : dessemeloit les bottes sans les endommaiger : deffourroit les barbutes[D] sans rien guaster : tournoit les feuilletz du breviaire de frere Jan l'un aprés l'aultre sans rien dessirer[E]. Avecques telz dards, des quelz estoit grande munition dedans sa nauf, au premier coup il enferra le Physetere sus le front de mode qu'il luy transperça les deux machouoires et la langue, si que[F] plus ne ouvrit la gueule, plus ne puysa, plus ne jecta eau. Au second coup il luy creva l'œil droict. Au troyzieme l'œil guausche. Et feut veu le Physetere en grande jubilation de tous porter ces troys cornes au front quelque peu panchantes davant, en figure triangulaire æquilaterale : et tournoyer d'un cousté et d'aultre, chancellant et fourvoyant, comme eslourdy[G], aveigle[H], et prochain de mort. De ce non content Pantagruel luy en darda un aultre sus la queue panchant pareillement en arriere. Puys troys aultres sus l'eschine en ligne perpendiculaire*, par equale distance de queue et bac[I] troys foys justement compartie[J]. En fin luy en lança sus les flancs cinquante d'un cousté, et cinquante de l'aultre. De maniere que le corps du Physetere sembloit à la quille d'un guallion à

A. javelots. B. Bergerac. C. coquille. D. dégarnissait de leur fourrure les capuchons. E. déchirer. F. si bien que. G. étourdi. H. aveugle. I. proue. J. répartie.

11. Nicandre (IIe siècle av. J.-C.), naturaliste grec, n'indique pas le nombre de pattes de la scolopendre.

troys gabies[A] emmortaisée[B] par competente dimension de ses poultres, comme si feussent cosses[C] et portehausbancs de la carine[D]. Et estoit chose moult plaisante à veoir. Adoncques[E] mourant le Physetere se renversa ventre sus dours[F], comme font tous poissons mors : et ainsi renversé les poultres contre bas en mer ressembloit au Scolopendre serpent ayant cent pieds, comme le descript le saige ancien Nicander[11].

A. hunes. B. fixée par une mortaise. C. anneaux. D. quille. E. alors. F. dos.

1. Farouche et Andouilles sont présents dans *Le Disciple de Pantagruel*, mais en deux épisodes distincts. Le chapitre X, « De la mer des farouches, où les gens sont veluz comme ratz, et de leur maniere de faire », raconte comment les Farouches attaquent le navire en rampant et en grimpant avec les ongles et comment « à grand coups de halebardes de voulges de picques et de haches d'armes » ils sont abattus « en la mer plus dru que musches ». Le chapitre XI indique que le seul remède, d'inspiration divine, pour venir à bout de la « subtilité » des Farouches, qui se plongent dans l'eau quand on tire de l'artillerie, est de les ébouillanter, avec les brouets et eaux chaudes des « chauldieres, potz de cuivre, et marmites de noz cuisines ».

Le chapitre XII, « Comme en une isle il y a des gens que l'on nomme Andouilles de .XII. piedz de long, lesquelles arracherent le nez à aulcuns des gens de Bringuenarilles », met en scène une bataille avec les Andouilles, qui tombent sous les coups d'épée ou se noient dans un fleuve de moutarde. Dans le chapitre suivant, les Andouilles tuées sont emportées et salées sur le navire.

L'on a mis en avant les significations linguistique et politique, de cet épisode, qui porte sur une confusion entre carnaval et carême, andouilles (traditionnellement liées à Mardi-Gras) et anguilles (attributs de Carême).

2. Pour la nauf Lanterniere, voir I, p. 83 ; il s'agit de la seconde nef de la flotte.

3. Faulte d'argent : voir *Pantagruel*, XVI, pour cette maladie chronique de Panurge.

4. Ocean Gallicque : allusion au passage des baleines près des côtes françaises, qui démythifie le monstre.

5. *Topos* du *locus amoenus*, situé, par une sorte d'antiphrase, dans l'île Farouche.

Comment Pantagruel descend en l'isle Farouche, manoir antique des Andouilles[1]

CHAPITRE XXXV

Les Hespailliers[A] de la nauf[B] Lanterniere[2] amenerent le Physetere[C] lié en terre de l'isle prochaine dicte Farouche, pour en faire anatomie, et recuillir la gresse des roignons : laquelle disoient estre fort utile et necessaire à la guerison de certaine maladie, qu'ilz nommoient Faulte d'argent[3]. Pantagruel n'en tint compte, car aultres assez pareilz, voyre encores plus enormes, avoit veu en l'Ocean Gallicque[4]. Condescendit toutesfoys descendre en l'isle Farouche, pour seicher, et refraischir[D] aulcuns[E] de ses gens mouillez et souillez par le vilain Physetere, à un petit port desert vers le midy situé lez une touche[F] de boys haulte, belle, et plaisante : de laquelle sortoit un delicieux ruisseau d'eaue doulce, claire, et argentine[5]. Là dessoubs belles tentes feurent les cuisines dressées, sans espargne de boys. Chascun mué[G] de vestemens à son plaisir, feut par frere Jan la campanelle[H] sonnée. Au son d'icelle feurent les tables dressées et promptement servies.

Pantagruel dipnant[I] avecques ses gens joyeusement,

A. deux premiers rameurs d'un banc sur une galère. B. navire. C. baleine. D. changer. E. certains. F. bosquet. G. ayant changé. H. cloche. I. déjeunant.

6. Évoquent par leur mouvement et leur aspect extérieur les farouches « veluz comme ratz » du *Disciple de Pantagruel*, X.

7. *Énéide*, I, v. 563-564 ; mais, chez Virgile, Didon explique sa vigilance par le fait qu'elle est une femme fugitive, très récemment installée à Carthage.

8. Jeu de mots sur concile et reconcilier.

9. Voir XXIX, p. 299 (où Xénomanes précise être passé par Tapinois « Il y a environ six ans [...] »).

10. Allusion, comme la réplique précédente de Pantagruel, au rôle de médiateur des Du Bellay auprès des princes protestants allemands, les « confédérés » ?

sus l'apport de la seconde table[A] apperceut certaines petites Andouilles affaictées[B] gravir et monter sans mot sonner sus un hault arbre prés le retraict du guoubelet[C], si[D] demanda à Xenomanes, « Quelles bestes sont ce là ? » pensant que feussent Escurieux[E], Belettes, Martres, ou Hermines[6]. « Ce sont Andouilles, respondit Xenomanes. Icy est l'isle Farouche, de laquelle je vous parlois à ce matin : entre les quelles et Quaresmeprenant leur maling et antique ennemy est guerre mortelle de long temps. Et croy que par les canonnades tirées contre le Physetere ayent eu quelque frayeur et doubtance que leur dict ennemy icy feust avecques ses forces pour les surprendre, ou faire le guast[F] parmy ceste leur isle, comme jà plusieurs foys s'estoit en vain efforcé et à peu de profict, obstant[G] le soing et vigilance des Andouilles : les quelles (comme disoit Dido aux compaignons d'Æneas voulens prendre port en Cartage sans son sceu et licence[7]) la malignité de leur ennemy, et vicinité de ses terres contraignoient soy continuellement contreguarder et veigler[H].

— Dea[I] bel amy (dist Pantagruel) si voyez que par quelque honeste moyen puissions fin à ceste guerre mettre, et ensemble les reconcilier[8], donnez m'en advis. Je me y emploiray de bien bon cœur : et n'y espargneray du mien pour contemperer[J] et amodier[K] les conditions controverses entre les deux parties.

— Possible n'est pour le præsent, respondit Xenomanes. Il y a environ quatre ans que passant par cy et Tapinois[9] je me mis en debvoir[10] de traicter paix entre eulx, ou longues treves pour le moins : et ores feussent

A. service. B. habiles. C. lieu où l'on met la boisson à rafraîchir. D. alors. E. écureuils. F. piller. G. faisant obstacle. H. veiller. I. vraiment. J. régler. K. accorder.

11. Référence possible à l'*Interim*, promulgué le 22 décembre 1548 sur les terres de l'empire germanique, qui imposait une solution provisoire aux disputes religieuses entre Charles Quint et les princes. Il pourrait s'agir d'événements antérieurs si la « denonciation du concile national de Chesil » (ci-dessous) correspond à la confirmation de l'obligation du jeûne en janvier 1547.

12. Saulcissons montigenes : peut-être les protestants de la Forêt-Noire et des cantons suisses, qui supportaient les protestants allemands (voir A.J. Krailsheimer, « The Andouilles of the *Quart livre* », p. 229).

13. Voir XVIII, p. 221 et n. 6 ; le concile de Trente avait finalement exclu le projet de présence des protestants.

14. Correspondances phoniques dans les épithètes décernées aux Andouilles : *farouches, farfouillées, farfelues* (« dodues »).

15. L'obligation du jeûne avait été réaffirmée par le canon XX et le chapitre XIV des décrets et anathèmes promulgués le 13 janvier 1547

bons amis et voisins[11], si tant l'un comme les aultres soy feussent despouillez de leurs affections[A] en un seul article. Quaresmeprenant ne vouloit on traicté de paix comprendre les Boudins saulvaiges, ne les Saulcissons montigenes*[12] leurs anciens bons comperes et confœderez. Les Andouilles requeroient que la forteresse de Cacques[B] feust par leur discretion, comme est le chasteau de Sallouoir, regie et gouvernée : et que d'icelle feussent hors chassez ne sçay quelz puans, villains assassineurs, et briguans qui la tenoient. Ce que ne peut estre accordé, et sembloient les conditions iniques à l'une et à l'aultre partie. Ainsi ne feut entre eulx l'apoinctement[C] conclud. Resterent toutesfoys moins severes et plus doulx ennemis, que n'estoient par le passé. Mais depuys la denonciation[D] du concile national de Chesil[13], par laquelle elles feurent farfouillées[E14], guodelurées[F], et intimées[G15] : par laquelle aussi feut Quaresmeprenant declairé breneux hallebrené[H] et stocfisé[I] en cas que avecques elles il feist alliance ou appoinctement aulcun[J], se sont horrificquement[K] aigriz, envenimez, indignez, et obstinez en leurs couraiges[L] : et n'est possible y remedier. Plus toust auriez vous les chatz et ratz : les chiens et lievres ensemble reconcilié. »

A. prétentions. B. barils de harengs. C. accord. D. notification officielle. E. agitées. F. persécutées. G. citées. H. excédé de fatigue. I. desséché. J. quelque accord. K. extrêmement. L. sentiments.

1. Ce chapitre renoue avec ceux qui abordaient des problèmes de morale politique, comme dans la guerre picrocholine de *Gargantua* ou dans le chapitre I du *Tiers livre.*

2. Cheminées : désigne à la fois le lieu où l'on fume les andouilles et, dans certaines régions, la salle de délibération du conseil municipal.

3. Expression proverbiale : « il y aura échange de coups ».

Comment par les Andouilles farouches est dressée embuscade contre Pantagruel[1]

CHAPITRE XXXVI

Ce disant Xenomanes, frere Jan aperceut vingt et cinq ou trente jeunes Andouilles de legiere taille sus le havre soy retirantes le grand pas vers leur ville, citadelle, chasteau, et rocquette[A] de Cheminées[2], et dist à Pantagruel. « Il y aura icy de l'asne[3], je le prevoy. Ces Andouilles venerables vous pourroient par adventure[B] prendre pour Quaresmeprenant, quoy qu'en rien ne luy sembliez. Laissons ces repaissailles icy, et nous mettons en debvoir de leurs resister.

— Ce ne seroit, dist Xenomanes, pas trop mal faict. Andouilles sont Andouilles, tous jours doubles et traistresses. » Adoncques[C] se lieve Pantagruel de table pour descouvrir hors la touche[D] de boys : puys soubdain retourne, et nous asceure avoir à gausche descouvert une embuscade d'Andouilles farfelues[E], et du cousté droict à demie lieue loing de là un gros bataillon d'aultres puissantes et Gigantales[F] Andouilles le long d'une petite colline furieusement en bataille marchantes vers nous au son des vezes et piboles[G], des guogues[H] et des vessies, des joyeulx pifres et tabours[I], des trompettes et clairons. Par

A. fort. B. peut-être. C. alors. D. bosquet. E. dodues. F. gigantesques. G. cornemuses et flûtes. H. vessies. I. fifres et tambours.

4. Friquenelle : boulette de hachis, d'où personne de peu de valeur ; jeu de mots sur *friquerelle*, terme de mépris pour désigner la soldatesque.

5. Bandoulliers : mot appelé par ressemblance avec *andouille* ; emprunté au castillan au XVe siècle, s'applique aux soldats recrutés parmi les montagnards des Pyrénées, d'où le sens de brigand de grand chemin.

6. Allusion au cérémonial des entrées.

la conjecture de soixante et dixhuict enseignes qu'il y comptoit, estimions leur nombre n'estre moindre de quarante et deux mille. L'ordre qu'elles tenoient, leur fier marcher, et faces asceurées[A] nous faisoient croire, que ce n'estoient Friquenelles[4] : mais vieilles Andouilles de guerre. Par les premieres fillieres[B] jusques prés les enseignes estoient toutes armées à hault appareil[C], avecques picques petites, comme nous sembloit de loing, toutesfoys bien poinctues et asserées, sus les aesles estoient flancquegées[D] d'un grand nombre de Boudins sylvaticques[E], de Guodiveaux massifz, et Saulcissons à cheval, tous de belle taille, gens insulaires, Bandouilliers[F][5], et Farouches.

Pantagruel feut en grand esmoy, et non sans cause : quoy que Epistemon luy remonstrast que l'usance[G] et coustume du pays Andouillois povoit estre ainsi charesser[H] et en armes recepvoir leurs amis estrangiers : comme sont les nobles roys de France par les bonnes villes du royaulme repceuz et salüez à leurs premieres entrées aprés leur sacre, et nouvel advenement à la courone[6]. « Par adventure, disoit il, est ce la guarde ordinaire de la Royne du lieu, laquelle advertie par les jeunes Andouilles du guet que veistes sus l'arbre, comment en ce port surgeoit[I] le beau et pompeux convoy de vos vaisseaulx, a pensé que là doibvoit estre quelque riche et puissant Prince : et vient vous visiter en persone. » De ce non satisfaict Pantagruel assembla son conseil, pour sommairement leurs advis entendre sus ce que faire debvoient en cestuy estrif[J] d'espoir incertain, et craincte evidente.

A. assurées. B. rangs. C. avec une armure complète. D. flanquées. E. sauvages. F. brigands. G. usage. H. accueillir avec des démonstrations d'amitié. I. abordait. J. difficulté.

7. Hérodien, *Caracalla*, IX-X.
8. Genèse, XXXIV.
9. Trebellius Pollion, *Gallien*, VII.
10. Tacite, *Annales*, II, III.
11. Maillotins : hommes du peuple de Paris qui, en 1382, s'opposèrent à la perception des nouvelles taxes.
12. En 1383, après les émeutes des Maillotins ; voir Froissart, *Chroniques*, II, XVII.

Adoncques briefvement leurs remonstra comment telles manieres de recueil[A] en armes avoit souvent porté mortel prejudice soubs couleur de charesse et amitié. « Ainsi (disoit il) l'empereur Antonin Caracalle à l'une foys occist les Alexandrins : à l'autre desfist la compaignie de Artaban roy des Perses, soubs couleur et fiction de vouloir sa fille espouser. Ce que ne resta impuny : car peu aprés il y perdit la vie[7]. Ainsi les enfans de Jacob pour vanger le rapt de leur sœur Dyna, sacmenterent[B] les Sichimiens[8]. En ceste hypocritique* façon par Galien empereur Romain feurent les gens de guerre desfaicts dedans Constantinople[9]. Ainsi soubs espece d'amitié Antonius attira Artavasdes roy de Armenie : puys le feist lier et enferrer de grosses chaisnes : finablement[C] le feist occire[10]. Mille aultres pareilles histoires trouvons nous par les antiques monumens. Et à bon droict est jusques à præsent de prudence grandement loué Charles roy de France sixieme de ce nom, lequel retournant victorieux des Flamens et Gantois en sa bonne ville de Paris, et au Bourget en France entendent que les Parisiens avecques leurs mailletz (dont feurent surnommez Maillotins[11]) estoient hors la ville issuz en bataille jusques au nombre de vingt mille combatans, ne y voulut entrer, quoy qu'ilz remonstrassent que ainsi s'estoient mis en armes pour plus honorablement le recuillir[D] sans aultre fiction[E] ne mauvaise affection[F], que premierement ne se feussent en leurs maisons retirez et desarmez[12]. »

A. accueil. B. massacrèrent. C. finalement. D. accueillir. E. feinte. F. désir

1. Ce chapitre ne s'oppose pas au chapitre XIX du *Tiers livre* sur l'arbitraire des signes, acceptés par convention. En fait, Rabelais suit la synthèse que, dans son commentaire d'Aristote, Ammonius fait des idées aristoléliciennes et platoniciennes sur le langage (voir Aristote, *De interpretatione*; Platon, *Cratyle*) de pure institution ou naturellement signifiant. Pour Ammonius, les noms sont naturels au regard de leur étymologie, mais leur signification actuelle provient de la décision humaine, certains mots pouvant être les véhicules de la vérité (voir M. A. Screech, *Rabelais*, p. 485-510). Il est important, pour la compréhension du *Quart livre*, de noter qu'Ammonius a clarifié la distinction aristotélicienne des *uoces* (*ibid.*, p. 490) : aux *uoces literatae*, qui diffèrent d'un groupe de langue à l'autre et sont instaurées *ex instituto*, s'opposent les *uoces illiteratae* (ou *soni*), qui ont une signification naturelle, tels les cris d'animaux, et auxquelles on peut ajouter les manifestations humaines comprises de tous, tels gémissement, rire, qui traduisent perturbations et émotions.

Il y a par ailleurs au XVIe siècle un consensus sur le fait que les noms étaient à l'origine adaptés à leur objet (pour les kabbalistes, les mots hébraïques permettent la connaissance des choses), et que cette faculté, ignorée des créations des langues vulgaires, se retrouve en partie dans l'imposition du nom propre.

2. Riflandouille : nom traditionnel du bourreau dans les mystères, employé comme nom de géant dans *Pantagruel*, XXIV; ici, XVII, p. 219, var. *c*.

3. Voir I, p. 83 (neuvième et onzième nefs).

4. Tailleboudin : nom d'un des lieutenants dans la pièce de Jean d'Abondance *Le Testament de Carmentrant*; les noms des deux capitaines ne sont pas des créations de Rabelais.

5. Pour Couillu, voir XXII, p. 255 et n. 10.

6. Exode, XVII, 8-11 (combat de Josué contre Amaleq).

Comment Pantagruel manda querir
les capitaines Riflandouille et Tailleboudin :
avecques un notable discours
sus les noms propres des lieux et des persones[1]

CHAPITRE XXXVII

La resolution du conseil feut, qu'en tout evenement ilz se tiendroient sus leurs guardes. Lors par Carpalim et Gymnaste au mandement de Pantagruel feurent appellez les gens de guerre qui estoient dedans les naufz[A] Brindiere, (des quelz coronel[B] estoit Riflandouille[2]) et Portoueriere[3] (des quelz coronel estoit Tailleboudin[4] le jeune). « Je soulaigeray, dist Panurge, Gymnaste de ceste poine[C]. Aussi bien vous est icy sa præsence necessaire.

— Par le froc que je porte (dist frere Jan) tu te veulx absenter du combat, Couillu[5], et jà ne retourneras, sus mon honneur. Ce n'est mie grande perte. Aussi bien ne feroit il que pleurer, lamenter, crier : et descouraiger les bons soubdars[D].

— Je retourneray certes, dist Panurge, frere Jan mon pere spirituel, bien toust. Seulement donnez ordre à ce que ces fascheuses Andouilles ne grimpent sus les naufz. Ce pendent que combaterez, je priray Dieu pour vostre victoire, à l'exemple du chevalereux capitaine Moses[E] conducteur du peuple Israelicque[6].

— La denomination, dist Epistemon à Pantagruel, de ces deux vostres coronelz Riflandouille et Taillebou-

A. navires. B. colonel. C. peine. D. soldats. E. Moïse.

7. Agrippa, *De incertitudine [...]*, XV, « De sorte pythagorica », fournit l'exemple de Patroclus et d'Achille à propos de l'addition des lettres des noms et note que, selon les dires de Pline, on attribue à Pythagore le fait que le nombre impair de voyelles dans le nom propre d'une personne présage quelque sinistre accident. Toutefois il porte un jugement critique sur ces allégations.

8. Toute l'érudition du chapitre provient de Caelius Calcagninus, *Dialogui quorum titulus Equitatio*, 1544, sur le pouvoir que les Grecs attribuaient aux noms propres.

9. Pour ces deux anecdotes, voir Suétone, *Vies des douze Césars*, « Auguste », XCVI, et « Vespasien », VII ; comme Suétone, Rabelais voit en Auguste le second empereur de Rome, le premier étant César.

10. Voir Trebellius Pollion, *Triginta tyranni*, IX.

11. Cratyle : importance de ce dialogue platonicien aux implications linguistiques dans la genèse du *Quart livre*.

din en cestuy conflict nous promect asceurance, heur[A], et victoire, si par fortune[B] ces Andouilles nous vouloient oultrager.

— Vous le prenez bien (dist Pantagruel). Et me plaist que par les noms de nos coronnelz vous prævoiez et prognosticquez la nostre victoire. Telle maniere de prognosticquer par noms n'est moderne. Elle feut jadis celebrée et religieusement observée par les Pythagoriens[7]. Plusieurs grands seigneurs et empereurs en ont jadis[8] bien faict leur profict. Octavian Auguste second empereur de Rome quelque jour rencontrant un paisant nommé Euthyche, c'est à dire Bienfortuné, qui menoit un asne nommé Nicon, c'est en langue Grecque Victorien, meu de la signification des noms tant de l'asnier que de l'asne se asceura de toute prosperité, felicité, et victoire. Vespasian empereur pareillement de Rome estant un jour seulet en oraison on temple de Serapis, à la veue et venue inopinée d'un sien serviteur nommé Basilides, c'est à dire Royal, lequel il avoit loing darriere laissé malade, print espoir et asceurance de obtenir l'empire Romain[9]. Regilian non pour aultre cause ne occasion feut par les gens de guerre esleu Empereur, que par signification de son propre nom[10]. Voyez le *Cratyle*[11] du divin Platon.

— (Par ma soif, dist Rhizotome, je le veulx lire. Je vous oy souvent le alleguant).

— Voyez comment les Pythagoriens par raison des noms et nombres concluent que Patroclus doibvoit estre occis par Hector : Hector par Achilles : Achilles par Paris : Paris par Philoctetes.

« Je suys tout confus en mon entendement, quand je pense en l'invention admirable de Pythagoras, lequel par

A. bonheur. B. hasard.

12. Pline, XXVIII, VI.
13. Briand Vallée : président au présidial de Saintes, puis conseiller au parlement de Bordeaux, mort en 1544 ; cité dans *Pantagruel*, X, et « Francisci Rabelaesii allusio », (Rabelais, *Œuvres complètes*, Pléiade, p. 1026).
14. Venus : Servius, commentaire sur l'*Énéide*, XI, CCLXXVII ; Plutarque, *Propos de table*, IX, IV, qui cite Calcagninus.
15. Voir « Briefve declaration », p. 607 et n. 26 (discussion sur la leçon divergente).
16. Strabon, VII, XXII ; Cornelius Nepos, *Hannibal*, IV.

le nombre par ou impar[A] des syllabes d'un chascun nom propre exposoit[B] de quel cousté estoient les humains boyteulx, bossus, borgnes, goutteux, paralytiques, pleuritiques[C], et aultres telz malefices[D] en nature : sçavoir est assignant le nombre par au cousté guausche du corps, le impar au dextre[12].

— Vrayement, dist Epistemon, j'en veids l'experience à Xainctes en une procession generale, præsent le tant bon, tant vertueux, tant docte et equitable præsident Briend Valée seigneur du Douhet[13]. Passant un boiteux ou boiteuse, un borgne ou borgnesse, un bossu ou bossue, on luy rapportoit son nom propre. Si les syllabes du nom estoient en nombre impar, soubdain sans veoir les persones, il les disoit estre maleficiez[E] borgnes, boiteux, bossus du cousté dextre. Si elles estoient en nombre par, du cousté guausche. Et ainsi estoit à la verité, onques[F] n'y trouvasmes exception.

— Par ceste invention, dist Pantagruel, les doctes ont affermé[G] que Achilles estant à genoulx feut par la fleiche de Paris blessé on talon dextre. Car son nom est de syllabes impares. Icy est à noter que les anciens se agenoilloient du pied dextre. Venus*[14] par Diomedes davant Troie blessée en la main guausche, car son nom en Grec est de quatre syllabes. Vulcan boiteux du pied guausche, par mesmes raison[15]. Philippe roy de Macedonie, et Hannibal[16] borgnes de l'œil dextre. Encores pourrions nous particularizer[H] des Ischies*, Hernies, Hemicraines*, par ceste raison Pythagorique.

« Mais pour retourner au noms consyderez comment Alexandre le grand filz du roy Philippe du quel avons

A. pair ou impair. B. expliquait. C. atteints de pleurésie. D. infirmités. E. infirmes. F. jamais. G. affirmé. H. traiter particulièrement.

17. Plutarque, *Vies des hommes illustres*, « Alexandre », XXIV, cité par Calcagninus.

18. Molitions : terme emprunté au latin *molitio* et mis en rapport avec *demoli*.

19. Valère Maxime, *Faits et dits mémorables*, I, V, 6 et Plutarque, *Vies des hommes illustres*, « Pompée », LXXIX.

parlé, par l'interpretation d'un seul nom parvint à son entreprinse[17]. Il assiegeoit la forte ville de Tyre et la battoit de toutes ses forces par plusieurs sepmaines, mais c'estoit en vain. Rien ne profitoient ses engins et molitions[A][18]. Tout estoit soubdain demoli et remparé par les Tyriens. Dont print phantasie[B] de lever le siege, avecques grande melancholie voyant en cestuy departement[C] perte insigne de sa reputation. En tel estrif[D] et fascherie[E] se endormit. Dormant songeoit qu'un Satyre estoit dedans sa tente dansant et saultelant avecques ses jambes bouquines[F]. Alexandre le vouloit prendre, le Satyre tousjours luy eschappoit. En fin le Roy le poursuivant en un destroict[G] le happa. Sus ce poinct se esveigla. Et racontant son songe aux philosophes et gens sçavans de sa court, entendit que les dieux luy promettoient victoire, et que Tyre bien toust seroit prinse : car ce mot *Satyros* divisé en deux est *Sa Tyros*, signifiant. "Tiene est Tyre." De faict au premier assault qu'il feist, il emporta la ville de force et en grande victoire subjugua ce peuple rebelle.

« Au rebours consyderez comment par la signification d'un nom Pompée se desespera[19]. Estant vaincu par Cæsar en la bataille Pharsalique, ne eut moyen aultre de soy saulver que par fuyte. Fuyant par mer arriva en l'isle de Cypre. Prés la ville de Paphos apperceut sus le rivage un palais beau et sumptueux. Demandant au pilot comment l'on nommoit cestuy palais, entendit qu'on le nommoit Κακοβασιλέα, c'est à dire, Malroy. Ce nom luy feut en tel effroy et abomination, qu'il entra en desespoir, comme asceuré[H] de ne evader[I] que bien toust ne perdist la vie. De mode que les assistans et nauchiers[J]

A. machines. B. décida. C. départ. D. difficulté. E. affliction. F. de bouc. G. lieu resserré. H. assuré. I. éviter. J. nochers.

20. Achillas : en fait ministre du roi d'Égypte Ptolémée XII.
21. Cicéron, *De diuinatione*, I, XLVI et Valère Maxime, *Faits et dits mémorables*, I, V, 3, que cite Calcagninus, parlent de chien ; le compilateur, de chienne.
22. Cent passages insignes : ainsi, Genèse, XVII, 5, XXXII, 29 ; Exode, III, 14.

ouirent ses cris, souspirs, et gemissemens. De faict peu de temps aprés un nommé Achillas[20] paisant incongneu luy trancha la teste. Encores pourrions nous à ce propous alleguer ce que advint à L. Paulus Æmylius, lors que par le senat Romain feut esleu Empereur, c'est à dire chef de l'armée, qu'ilz envoyoient contre Perses[21] roy de Macedonie. Icelluy jour sus le soir retournant en sa maison pour soy aprester au deslogement[A], baisant une siene petite fille nommée Tratia, advisa qu'elle estoit aulcunement[B] triste. “Qui a il, (dist il) ma Tratia ? Pourquoy es tu ainsi triste et faschée ?

— Mon pere (respondit elle) Persa est morte.” Ainsi nommoit elle une petite chiene, qu'elle avoit en delices. À ce mot print Paulus asceurance de la victoire contre Perses. Si le temps permettoit que puissions discourir par[C] les sacres[D] bibles des Hebreux, nous trouverions cent passages insignes[22] nous monstrans evidemment en quelle observance et religion[E] leurs estoient les noms propres avecques leurs significations. »

Sus la fin de ce discours arriverent les deux coronnelz acompaignez de leurs soubdars tous bien armez, et bien deliberez[F]. Pantagruel leurs feist une briefve remonstrance, à ce qu'ilz eussent à soy monstrer vertueux au combat, si par cas estoient constraincts (car encores ne povoit il croire que les Andouilles feussent si traistresses) avecques defense de commencer le hourt[G] : et leurs bailla[H] Mardigras pour mot du guet[I].

A. à quitter son logis. B. quelque peu. C. parcourir. D. sacrées. E. scrupule. F. décidés. G. combat. H. donna. I. mot d'ordre.

1. Dès ses premières attestations, le terme d'*andouille* a servi à désigner le membre viril. Ce chapitre, qui assimile l'andouille au serpent, joue aussi sur la nature du serpent de la Genèse, selon certains le membre viril. La proximité phonique d'*anguis*, « serpent », *anguilla*, « anguille », et *andouille* a pu jouer. La progression conduit à l'identification totale *serpent / andouille* avec *andouille serpentine* ou *serpent andouillique*. Le narrateur retrouve ici le langage du bonimenteur tel qu'il apparaît par exemple dans le prologue de *Gargantua*.

2. Les mythographes décrivent les géants avec des corps de serpents pour jambes.

3. Genèse, III, 9.

4. Academies : terme emprunté au latin *academia*, du grec 'Ακαδήμεια, jardin consacré au héros 'Ακάδημος aux alentours d'Athènes où enseignait Platon ; à l'époque de Rabelais, le mot désigne et le lieu où se tenait l'école de Platon, et le Collège royal, ancêtre du Collège de France.

5. Ithyphalle : pour Agrippa, *De originali peccato*, 1532, le serpent tentateur n'est autre que le pénis d'Adam.

6. Priapus, représenté sous la forme d'un personnage ithyphallique préposé à la garde des jardins ; voir prologue, n. 100, p. 65 ; *messer* est un italianisme ironique.

7. Paradis : du grec παράδεισος, « jardin ».

Comment Andouilles ne sont à mespriser entre les humains[1]

CHAPITRE XXXVIII

Vous truphez[A] icy, Beuveurs, et ne croyez que ainsi soit en verité comme je vous raconte. Je ne sçaurois que vous en faire. Croyez le si voulez : si ne voulez, allez y veoir. Mais je sçay bien ce que je veidz. Ce feut en l'isle Farouche. Je la vous nomme. Et vous reduisez à memoire[B] la force des Geants antiques, les quelz entreprindrent le hault mons Pelion imposer sus Osse[C], et l'umbrageux[D] Olympe avecques Osse envelopper, pour combatre les dieux, et du ciel les deniger[E]. Ce n'estoit force vulgaire ne mediocre. Iceulx toutesfoys n'estoient que Andouilles pour la moitié du corps, ou Serpens que je ne mente[2]. Le serpens qui tenta Eve, estoit andouillicque, ce nonobstant est de luy escript, qu'il estoit fin et cauteleux sus tous aultres animans[F3]. Aussi sont Andouilles. Encores maintient on en certaines Academies[4] que ce tentateur estoit l'andouille nommée Ithyphalle[5], en laquelle feut jadis transformé le bon messer Priapus[6] grand tentateur des femmes par les paradis[7] en Grec, ce sont Jardins en François. Les Souisses peuple maintenant hardy et belliqueux, que sçavons nous si

A. vous vous moquez. B. rappelez-vous. C. Ossa. D. sombre. E. dénicher. F. êtres animés.

8. Filiation fondée sur une paronomase et qui accrédite l'hypothèse d'une identification des saucissons montigènes avec les Suisses (voir XXXV, p. 345 et n. 12).

9. Dérivé du grec ἱμάς, « courroie » ; pour Pline, V, VIII, les himantopodes aux pieds en lanières progressent par reptation.

10. De ces châteaux bâtis par Mélusine, le plus célèbre est Lusignan.

11. De la bonne forge : expression proverbiale pour désigner un homme de grande honnêteté.

12. Braz sainct Rigomé : reliquaire conservé à l'église de Maillezais.

13. Trioriz : danse de basse Bretagne, accompagnée de chants : fredons, roulades (sens musical).

14. Erichtonius : fils d'Héphaïstos et de la Terre, doté d'une queue de serpent.

15. Virgile, *Géorgiques*, III, v. 113, attribue à Erichtonius l'invention du char ; Servius, dans son commentaire de ce passage, explique cette invention par le désir qu'avait Erichtonius de cacher le bas de son corps.

16. Valerius Flaccus, *Argonautiques*, VI, XLVIII.

17. Il n'est rien si vray que l'Evangile : expression populaire antérieure à Rabelais.

jadis estoient Saulcisses[8] : je n'en vouldroys pas mettre le doigt on feu. Les Himantopodes[9] peuple en Æthiopie bien insigne sont Andouilles scelon la description de Pline, non autre chose. Si ces discours ne satisfont à l'incredulité de vos seigneuries, præsentement (j'entends aprés boyre) visitez Lusignan, Partenay, Vovant, Mervant, et Ponzauges[10] en Poictou. Là trouverrez tesmoings vieulx de renom et de la bonne forge[11], les quelz vous jureront sus le braz sainct Rigomé[12], que Mellusine leur premiere fondatrice avoit corps fœminin jusques aux boursavitz[A], et que le reste en bas estoit andouille serpentine, ou bien serpent andouillicque. Elle toutesfoys avoit alleures braves et guallantes : les quelles encores au jourdhuy sont imitées par les Bretons balladins dansans leurs trioriz[13] fredonnizez. Quelle feut la cause pourquoy Erichthonius[14] premier inventa les coches, Lectieres[B], et charriotz ? C'estoit parce que Vulcan l'avoit engendré avecques jambes de Andouilles[15] : pour les quelles cacher mieulx aima aller en lectiere que à cheval. Car encores de son temps ne estoient Andouilles en reputation. La nymphe Scythicque Ora avoit pareillement le corps my party en femme et en Andouilles. Elle toutesfoys tant sembla belle à Juppiter, qu'il coucha avecques elle et en eut un beau filz nommé Colaxes[16]. Cessez pourtant[C] icy plus vous trupher, et croyez qu'il n'est rien si vray que l'Evangile[17].

A. bourse à vits. B. litières. C. pour cette raison.

1. Comme le suggèrent les propos de frère Jean, c'est un spectacle qu'il s'apprête à donner à Pantagruel qui fournit une fois encore matière à réflexion à ses compagnons par un apophtegme. Les connotations carnavalesques de cette bataille, parodie épique, sont notables.

2. De foin : terme de mépris s'appliquant à une personne ou à une chose (voir le français moderne *de paille*) ; ici, sens propre : bataille de mannequins garnis de foin.

3. Matiere de breviaire : expression favorite de frère Jean (voir VIII, p. 141 et n. 17), ici mise en relation avec des passages de l'Ancien Testament.

4. Genèse, XXXIX, 1 ; mais l'eunuque Putiphar n'y est que commandant des gardes.

5. II Rois (IV Rois), XXV, 8 : Nabuzardan, commandant de la garde de Nabuchodonosor, est déjà dans la littérature médiévale un cuisinier.

Comment frere Jan se rallie avecques les cuisiniers pour combatre les Andouilles[1]

CHAPITRE XXXIX

Voyant frere Jan ces furieuses Andouilles ainsi marcher dehayt[A], dist à Pantagruel. « Ce sera icy une belle bataille de foin[2], à ce que je voy. Ho le grand honneur et louanges magnificques qui seront en nostre victoire. Je vouldrois que dedans vostre nauf[B] feussiez de ce conflict seulement spectateur, et au reste me laissiez faire avecques mes gens.

— Quelz gens ? demanda Pantagruel.

— Matiere de breviaire[3], respondit frere Jan. Pourquoy Potiphar[4] maistre queux des cuisines de Pharaon, celluy qui achapta Joseph, et lequel Joseph eust faict coqu, s'il eust voulu, feut maistre de la cavallerie de tout le royaulme d'Ægypte ? Pourquoy Nabuzardan[5] maistre cuisinier du Roy Nabugodonosor feut entre tous aultres capitaines esleu pour assieger et ruiner[C] Hierusalem ?

— J'escoute, respondit Pantagruel.

— Par le trou Madame, dist frere Jan, je auserois jurer qu'ilz autres foys avoient Andouilles combatu, ou gens aussi peu estimez que Andouilles : pour les quelles abatre, combatre, dompter, et sacmenter[D] trop plus sont

A. gaillardement. B. navire. C. détruire. D. massacrer.

6. Érasme, *Apophtegmes*, IV, « Cicero », XIX, d'après Plutarque.
7. Pour la guerre contre les pies, voir le prologue du *Quart livre* de 1548, p. 619.

sans comparaison cuisiniers idoines[A] et suffisans, que tous gensdarmes, estradiotz[B], soubdars[C], et pietons[D] du monde.

— Vous me refraischisez la memoire[E], dist Pantagruel, de ce que est escript entre les facecieuses et joyeuses responses de Ciceron[6]. On temps des guerres civiles à Rome entre Cæsar et Pompée, il estoit naturellement plus enclin à la part[F] Pompeiane, quoy que de Cæsar feust requis et grandement favorisé. Un jour entendent que les Pompeians à certaine rencontre avoient faict insigne perte de leurs gens, voulut visiter leur camp. En leur camp apperceut peu de force, moins de couraige, et beaucoup de desordre. Lors prævoyant que tout iroit à mal et perdition comme depuis advint, commença trupher[G] et mocquer maintenant les uns, maintenant les aultres, avecques brocards aigres et picquans, comme tresbien sçavoit le style. Quelques capitaines faisans des bons compaignons[H], comme gens bien asceurez[I] et deliberez[J] luy dirent. “Voyez vous combien nous avons encores d'Aigles?” C'estoit lors la devise des Romains en temps de guerre. “Cela, respondit Ciceron, seroit bon et à propous, si guerre aviez contre les Pies[7].» Donques veu que combatre nous fault Andouilles, vous inferez que c'est bataille culinaire, et voulez aux cuisiniers vous rallier. Faictez comme l'entendez. Je resteray icy attendant l'issue de ces fanfares[K].»

Frere Jan de ce pas va es tentes des cuisines, et dict en toute guayeté et courtoisie aux cuisiniers. «Enfans je veulx huy[L] vous tous veoir en honneur et triumphe. Par

A. capables. B. soldats de cavalerie légère. C. soldats. D. fantassins. E. rappelez. F. parti. G. se moquer de. H. braves. I. assurés. J. résolus. K. parades (de chevaux) en musique. L. aujourd'hui.

8. Ventre sus ventre : euphémisme pour *ventre dieu* avec connotation équivoque.

vous seront faictes apertises[A] d'armes non encores veues de nostre memoire. Ventre sus ventre[8], ne tient on aultre compte des vaillans cuisiniers ? Allons combatre ces paillardes Andouilles. Je seray vostre capitaine. Beuvons amis. Czà, couraige.

— Capitaine (respondirent les cuisiniers) vous dictez bien. Nous sommes à vostre joly[B] commandement. Soubs vostre conduicte nous voulons vivre et mourir.

— Vivre (dist frere Jan) bien : mourir, poinct. C'est à faire aux Andouilles. Or donques mettons nous en ordre. Nabuzardan vous sera pour mot du guet[C]. »

A. exploits. B. aimable. C. mot d'ordre.

1. Rabelais joue sur la paronomase *Truye/Troye. Porcus troianus* est un adage classique — mentionné par Érasme, *Adages*, IV, X, 70 —, appliqué au temps de la Rome décadente à de gros animaux farcis.

2. Dans la *Bataille de sainct Pensard à l'encontre de Caresme*, les alliés de Charnan sont cuisiniers.

3. Ce chapitre à signification linguistique est à mettre en relation avec le chapitre XXXVII qui traitait des rapports du signifié et du signifiant. Ici, Rabelais s'intéresse à la forme du signifiant, dans un chapitre de grammaire illustrée, leçon d'orthographe et de phonétique, et aussi leçon étymologique et morphologique dans le débat sur le nom. À côté des nombreuses remarques sur l'évolution phonétique, il illustre un procédé cher à Rabelais : la concurrence de graphies permettant de discriminer les noms d'origine antique ou vulgaire. Ainsi, la graphie *gu* est utilisée pour les noms sans étymon antique en γ ou en *g* qui s'opposent au seul mot en *ga*, *Gabaonite*, qui doit son nom au latin *Gabaonites*.

Mais ces noms s'inscrivent aussi dans les débats contemporains sur l'adaptation française des noms antiques : faut-il les conserver, les adapter par leur finale, ou même les transposer ? Macault, à la fin de sa traduction française de la *Batrachomyomachie* d'Homère, intitulée le *Grand combat des ratz et des grenouilles* (1540), fournit, pour les noms des combattants, un lexique où chaque terme est pourvu de sa traduction latine et de son correspondant français :

Αρτοφάγος Manducans panem	Maschepain
τυρόγλυφος Cauator caseorum	Percefromaige

Suivent des noms comme *Rongelard, Leicheplat, Grimpenpot, Leichequeuhe, Maschepain, Percefromaige, Rysflemye, Grippelopin*, liste qui devait revenir en mémoire au lecteur du *Quart livre* et qui est à l'origine de ce chapitre. Le lecteur pouvait aussi mettre ce chapitre en relation avec celui que, dans sa *Grammęre françoęze*, Meigret, en 1550, consacre au nom propre dont l'imposition peut être aussi arbitraire que le mot du guet. Il est significatif que les chapitres XXXVII et XXXIX s'achèvent sur un mot du guet.

Il faut relever également que, sous Henri II, « Ceux qui cuisinent pour la "bouche" sont affublés d'amusants surnoms : Charles La Guaiche ou l'Agasse (la Pie), Antoine Chabannes dit Chevreau, Jean Juge dit Dallemagne, Guillaume Cunbert dit le Mâle, Marc Birot dit le Hillot [...] » (I. Cloulas, *Henri II*, p. 353).

4. Bourrabaquiniere : nom de la sixième nef ; voir I, p. 83.

5. Froissart, *Chroniques*, II, V : « Eurent conseil ceux de l'ost [...] que ils envoierroient querre en la Riolle un grant engin que on appelle truie, lequel engin estoit de telle ordonnance que il jetoit pierres de faix : et se pouvoient bien cent hommes d'armes ordonner dedans et en approchant assaillir la ville. »

Comment par frere Jan est dressée la Truye[1] *et les preux cuisiniers*[2] *dedans enclous*[3]

CHAPITRE XL

Lors au mandement de frere Jan feut par les maistres ingenieux[A] dressée la grande Truye, laquelle estoit dedans la nauf[B] Bourrabaquiniere[C4]. C'estoit un engin mirificque[D] faict de telle ordonnance, que des gros couillarts[E] qui par rancs estoient au tour, il jectoit bedaines[F] et quarreaux[G] empenez d'assier : et dedans la quadrature[H] duquel povoient aisement combatre et à couvert demourer deux cens homes et plus : et estoit faict au patron de la Truye de la Riole[5], moyennant laquelle feut Bergerac prins sus les Anglois regnant en France le jeune roy Charles sixieme[6].

Ensuyt le nombre et les noms[7] des preux et vaillans cuisiniers, les quelz, comme dedans le cheval de Troye, entrerent dedans la Truye.

Saulpicquet.
Ambrelin[8].
Guavache[I].
Lascheron.
Porcausou[J].
Salezart[K].
Maindeguourre[L].
Paimperdu.

A. ingénieurs. B. navire. C. portant pour emblème un bourrabaquin. D. admirable. E. perrières. F. boulets de pierre. G. grosses flèches carrées. H. espace clos. I. lâche. J. porc au saindoux. K. salaud. L. mandragore.

6. La prise de Bergerac (1378) eut lieu sous le règne de Charles V.

7. Les listes de combattants sont traditionnelles dans les épopées. Il faut faire une lecture verticale de ces diverses listes.

8. Ambrelin : type du charlatan dans la littérature populaire du XVe siècle.

9. Lasdaller : paresseux ; voir *Gargantua*, XXXVIII (nom d'un pèlerin).

10. Pochecuilliere : spatule et nom d'oiseau.

11. Maistre Hordoux : voir *Tiers livre*, XXIII (cuisinier).

12. Jeu de mots sur *lesche vin/l'eschevin.*

13. Saulgrenée : pois et fèves au beurre, aux fines herbes et au sel.

14. Hoschepot : cuisinier (avec Pilleverjus) de Grandgousier (*Gargantua*, XXXVII).

15. De Gallardon, près de Maintenon (Eure-et-Loir).

16. Aftolardon : seul composé grec de la série, à partir de ἀυτος prononcé *afto.*

17. Trappelardon : de l'ancien français *trape*, « trapu ».

18. Vezelardon : de *veze*, « cornemuse ».

19. Myrelardon : de *myre*, « médecin » ; *La Sotie des coppieurs et lardeurs* pratique de même le polyptote sur *lard.*

20. Puisqu'ils ne mangent pas de porc.

21. Pour Couillu, voir XXII, p. 255 et n. 10.

Lasdaller[9].
Pochecuilliere[10].
Moustamoulüe[A].
Crespelet[B].
Maistre Hordoux[C][11].
Grasboyau.
Pillemortier.
L'eschevin[12].
Saulgrenée[13].
Cabirotade[D].
Carbonnade[E].
Fressurade[F].
Hoschepot[G][14]. Hasteret[H].
Balafré[I]. Gualimafré[J].

Tous ces nobles Cuisiniers portoient en leurs armoisies en champ de gueulle lardouoire de Sinople fessée[K] d'un chevron argenté penchant à guausche.

Lardonnet. Lardon. Rondlardon.
Croquelardon.
Tirelardon.
Graslardon.
Saulvelardon.
Archilardon.
Antilardon.
Frizelardon.
Lacelardon.
Grattelardon.
Marchelardon.
Guaillardon[15], par syncope natif prés de Rambouillet.

Le nom du docteur culinaire estoit Guaillartlardon.

Ainsi dictez vous Idolatre pour Idololatre.

Roiddelardon.
Aftolardon[16].
Doulxlardon.
Maschelardon.
Trappelardon[17].
Bastelardon.
Guyllevardon.
Mouschelardon.
Bellardon.
Neuflardon.
Aigrelardon.
Billelardon.
Guignelardon.
Poyselardon.
Vezelardon[18].
Myrelardon[19].
Noms incongneuz entre les Maranes et Juifz[20].
Couillu[21].
Salladier.
Cressonnadiere.
Raclenaveau.

A. moût à morue. B. frisé. C. sale. D. grillade de chevreau. E. grillade. F. fricassée de fressure. G. ragoût. H. foie de porc grillé. I. déchiré. J. ragoût de diverses viandes. K. fascée.

22. Apigratis : probablement transcription macaronique du terme dialectal *appigret*, « jus », « assaisonnement » ou de *appigret*, « ce que l'on grappille ».

23. Pastissandiere : sorte de pâtisserie, tout comme *francbeuignet*.

24. Vinetteux : de *vinette*, « oseille » ou « mauvais vin ».

25. Frillis : de *friller*, « trembler de froid ».

26. Souppimars : « Soupe de mars » ?

27. Prezurier : à mettre en relation avec *presure*, « qui fait cailler le lait ».

28. Escarsaufle : mot obscur.

29. Jean Le Veneur-Carrouges, évêque de Lisieux, cardinal en 1535, gastronome réputé, s'intéressait au nouveau monde ; il présenta Cartier au roi et négocia avec Clément VII au sujet de la bulle *Inter caetera* qui avait partagé les terres nouvelles entre Espagnols et Portugais.

30. Toute cette série est formée à partir de *vit*.

31. Vitault : terme amical selon Huguet.

32. Victorien : « Victorieux » ; voir XXXVII (nom donné à un âne).

Cochonnier.
Peaudeconnin.
Apigratis[22].
Pastissandiere[23].
Raslard.
Francbeuignet.
Moustardiot.
Vinetteux[24].
Potageouart.
Frelault[A].
Benest.
Jusverd[B].
Marmitige.

Accodepot[C].
Hoschepot[D].
Brizepot.
Guallepot[E].
Frillis[25].
Guorgesallée.
Escarguotandiere.
Bouillonsec.
Souppimars[26].
Eschinade[F].
Prezurier[27].
Macaron.
Escarsaufle[28].

Briguaille[G]. Cestuy feut de cuisine tiré en chambre pour le service du noble cardinal le Veneur[29].

Guasteroust[H].
Escouvillon.
Beguinet[I].
Escharbottier[J].
Vitet[30].
Vitault[31].
Vitvain.
Jolivet[K].
Vitneuf.
Vistempenard[L].
Victorien[32].
Vitvieulx.
Vitvelu.

Hastiveau[33].
Alloyandiere[34].
Esclanchier[35].
Guastelet[M].
Rapimontes[36].
Soufflemboyau.
Pelouze[N].
Gabaonite[37].
Bubarin[38].
Crocodillet.
Prelinguant[39].
Balafré.
Maschouré[O].

Mondam inventeur de la saulse Madame, et pour telle

A. bon vivant. B. verjus. C. appuie-pot. D. ragoût. E. gratte-pot. F. grillade. G. miette. H. gâte-sauce. I. dévot. J. qui éparpille le feu. K. joli. L. plumeau. M. gâte-lait. N. poisson-raie. O. taché.

33. Hastiveau : « hâtif » ; voir *Gargantua*, XLIII (capitaine de Picrochole).

34. Alloyandiere : dérivé d'*aloyau*.

35. Esclanchier : dérivé d'*esclanche*, « gigot ».

36. Rapimontes : « qui traverse rapidement les montagnes », épithète donnée au chevreau dans le jargon des écoliers.

37. Gabaonite : habitant de Gabaon, ville de Palestine.

38. Bubarin : à rapprocher de *butarin*, « lourdaud ». Voir l'injure *bustarin*, *Gargantua*, XXV.

39. Prelinguant : du languedocien *esperlingant*, « élégant », « fat » ; voir *Gargantua*, XXXIV (écuyer de Vauguyon).

40. Langage écorché parlé par les Écossais de la garde royale ; *mondam* est une de leurs particularités (absence de prononciation du *e* final).

41. Clacquedens : gueux dont les dents claquent de froid ; injure utilisée par les fouaciers de Lerné (*Gargantua*, XXV).

42. Myrelanguoy : de *myrelingues*, création de Rabelais ; voir *Tiers livre*, XXXVI.

43. Becdassée : du saintongeois *assée*, « bécasse ».

44. Urelelipipingues : création plaisante.

45. À rapprocher de *safre*, « glouton » ; *saffranier* est utilisé couramment pour un homme insolvable.

46. Malparouart : peut-être de *parouart*, « bruyère », avec le sens de « mal brossé ».

47. Antitus : nom fréquent chez Rabelais ; voir *Pantagruel*, XI *(maistre Antitus des crossonniers)* ; *Cinquiesme livre*, II *(maistre Antitus)* ; personnage burlesque bien représenté au XVe siècle.

48. Rougenraye : formé, comme le précédent, à partir d'un nom de poisson.

49. Gribouillis : type du niais ; voir *Pantagruel*, XIV (nom d'un diable).

50. Sacabribes : nom d'une pâtisserie.

51. Première attestation d'*Olibrius* chez Bonaventure des Periers (1537) pour le bravache ; vient du nom du gouverneur d'Antioche persécuteur de sainte Marguerite.

52. Dalyqualquain : mot de formation obscure.

53. Salmiguondin : « salmigondis » ; voir *Pantagruel*, XXXII (« la chatellenie de Salmigondin » donnée par Pantagruel à Alcofrybas).

54. Frippelippes : « goinfre » ; épithète donnée par Marot à son valet de chambre.

55. Friantaures : formé à partir de *taure*, « jeune vache ».

56. Grosguallon : de *gallon*, « onglon de pourceau ».

57. Pour la cocquecygrue, voir XXXII, p. 319 et n. 8.

invention feut ainsi nommé en languaige Escosse François[40].

Clacquedens[41].
Badiguoincier[A].
Myrelanguoy[42].
Becdassée[43].
Rincepot.
Urelelipipingues[44].
Maunet[B].
Guodepie[C].
Guauffreux.
Saffranier[45].
Malparouart[46].
Antitus[47].
Navelier[D].
Rabiolas[E].
Boudinandiere.
Cochonnet.

Robert. Cestuy feut inventeur de la saulce Robert tant salubre et necessaire aux Connilz[F] roustiz, Canars, Porcfrays, Œufz pochez, Merluz sallez, et mille aultres telles viandes[G].

Froiddanguille.
Rougenraye[48].
Guourneau[H].
Gribouillis[49].
Sacabribes[50].
Olymbrius[51].
Foucquet[I].
Dalyqualquain[52].
Salmiguondin[53].
Gringuallet.
Aransor.
Talemouse[J].
Grosbec.
Frippelippes[54].
Friantaures[55].
Guaffelaze[K].
Saulpouldré.
Paellefrite.
Landore[L].
Calabre[M].
Navelet[N].
Foyrart[O].
Grosguallon[56].
Brenous[P].
Mucydan[Q].
Matatruys[R].
Cartevirade[S].
Cocquecygrue[57].

A. qui joue des badigoinces. B. mal net. C. morue. D. qui prépare les navets. E. mange-raves. F. lapins. G. mets. H. espèce de poisson. I. écureuil. J. gâteau au fromage. K. chardon. L. fainéant. M. calabrais. N. qui prépare les navets. O. foireux. P. merdeux. Q. visqueux. R. assomme-truie. S. carte retournée.

58. Visedecache : de l'italien *viso de caccio*, « visage de niais » ; *caccio* désigne le membre viril.

59. Braguibus : mot de latin de cuisine, synonyme de *bragard*, « élégant », « prétentieux ».

Visedecache[58]. Vedel[B].
Badelory[A]. Braguibus[59].

Dedans la Truye entrerent ces nobles cuisiniers guaillars, guallans, brusquetz[C], et prompts au combat. Frere Jan avecques son grand badelaire[D] entre le dernier et ferme les portes à ressort par le dedans.

A. badaud. B. veau. C. vifs. D. cimeterre.

1. Rabelais dans ce chapitre redonne sa valeur première au proverbe signifiant « employer de mauvais moyens », car les anguilles ne peuvent se rompre, mais doivent être coupées. Avant Rabelais, le proverbe est plus communément usité sous la forme *rompre l'anguille au genou.* Olaus Magnus, *Histoire des pays septentrionaus,* f° 252 r°, rapporte le cas d'un pourceau monstrueux pris dans l'Océan germanique en 1537 : « [...] il avoit la tête d'un porceau, avec un quartier de Lune au derriere de la tête : les quatre piés d'un dragon, és hanches de chacun côté des yeus, et un au ventre tirant au nombril, la queuë forchue, comme un autre poisson. » Dans sa *Carta marina* de 1539, le pourceau, avec la date de 1537, se trouve à côté de l'île Fare, tout comme le physétère.

Il faut aussi rappeler la signification morale et la valeur à accorder aux monstres dans les querelles religieuses (voir la préface).

2. Confœderé : utilisé depuis le XVe siècle pour les alliances des cantons suisses entre eux ou avec des tiers.

3. Gradimars : voir la forme méridionale *dimars gras* pour *mardi gras.* Peut-être le nom évoque-t-il aussi celui du dieu romain de la Guerre, Mars Gradivus.

4. Cervelat : emprunt à l'italien *cervellato* ; première attestation du mot en français.

5. Baise mon cul : parodie des noms donnés par les chevaliers à leur épée ; *basimecu* était le sobriquet que la populace anglaise décernait au dauphin de France.

6. À la bataille de Marignan (1515), un sonneur de corne de taureau mit hors d'usage quelques pièces d'artillerie avant d'être tué.

Comment Pantagruel rompit les Andouilles au genoulx[1]

CHAPITRE XLI

Tant approcherent ces Andouilles que Pantagruel apperceut comment elles desployoient leurs braz, et jà commençoient besser boys[A]. Adoncques[B] envoye Gymnaste entendre qu'elles[C] vouloient dire, et sus quelle querelle elles vouloient sans defiance[D] guerroyer contre leurs amis antiques, qui rien n'avoient mesfaict ne mesdict. Gymnaste au davant des premieres fillieres[E] feist une grande et profonde reverence, et s'escria tant qu'il peut disant. « Vostres, vostres, vostres sommes nous trestous, et à commandement. Tous tenons de Mardigras, vostre antique confœderé[2]. » Aulcuns[F] depuys me ont raconté, qu'il dist Gradimars[3] non Mardigras. Quoy que soit, à ce mot un gros Cervelat[4] saulvaige et farfelu[G] anticipant davant le front de leur bataillon le voulut saisir à la guorge. « Par Dieu (dist Gymnaste) tu n'y entreras qu'à taillons : ainsi entier ne pourrois tu. » Si sacque[H] son espée Baise mon cul[5] (ainsi la nommoit il) à deux mains, et trancha le Cervelat en deux pieces. Vray Dieu qu'il estoit gras. Il me soubvint du gros Taureau de Berne[6] qui feut à Marignan tué à la desfaicte des

A. lances. B. alors. C. ce qu'elles. D. défi. E. rangs. F. certains. G. gras. H. ainsi il tire du fourreau.

7. Jeu sur la polysémie de *rifler*, « rafler » et « dévorer », et *tailler*, « mettre en pièces », dans un contexte guerrier ou culinaire.

8. Et dict le conte : parodie des formules d'épopée.

Souisses. Croyez qu'il n'avoit gueres moins de quatre doigts de lard sus le ventre.

Ce Cervelat ecervelé[A] coururent Andouilles sus Gymnaste, et le terrassoient vilainnement, quand Pantagruel avecques ses gens acourut le grand pas au secours. Adoncques commença le combat Martial pelle melle. Riflandouille rifloit[7] Andouilles : Tailleboudin tailloit Boudins. Pantagruel rompoit les Andouilles au genoil, Frere Jan se tenoit quoy dedans sa Truye tout voyant et considerant, quand les Guodiveaulx qui estoient en embuscade sortirent tous en grand effroy[B] sus Pantagruel.

Adoncques voyant frere Jan le desarroy et tumulte ouvre les portes de sa Truye, et sort avecques ses bons soubdars[C], les uns portans broches de fer, les aultres tenens landiers, contrehastiers[D], pælles[E], pales[F], cocquasses[G], grisles, fourguons, tenailles, lichefretes[H], ramons[I], marmites, mortiers, pistons[J], tous en ordre comme brusleurs de maisons : hurlans et crians tous ensemble espovantablement. « Nabuzardan, Nabuzardan, Nabuzardan. » En tel cris et esmeute[K] chocquerent les Guodiveaulx, et à travers les Saulcissons. Les Andouilles soubdain apperceurent ce nouveau renffort, et se mirent en fuyte le grand guallot, comme s'elles eussent veu tous les Diables. Frere Jan à coups de bedaines[L] les abbatoit menu comme mousches : ses soubdars ne se y espargnoient mie. C'estoit pitié. Le camp estoit tout couvert d'Andouilles mortes, ou navrées[M]. Et dict le conte[8], que si Dieu n'y eust pourveu, la generation[N] Andouillicque

A. vidé de sa cervelle. B. bruyamment et violemment. C. soldats. D. chenets. E. poêles. F. pelles. G. chaudrons. H. lèchefrites. I. balais. J. pilons. K. émoi. L. boulets de pierre. M. blessées. N. race.

9. Voir *Gargantua* (autre exemple de *cacephaton*) ; condamné par Fabri, *Le grant et vray art de pleine rhetorique* (1521), qui donne l'exemple « gros, gris, gras, grant » comme vice d'incongruité.

10. Marbre Lucullian : marbre noir importé d'Égypte à Rome par le riche Lucullus.

11. La reine aux pieds d'oie *(pede d'oca).*

12. Inscription qui provient d'Érasme, *Adages,* I, I, 40, *Sus Mineruam* ; fustige l'ignorant qui veut en remontrer au sage.

13. Présage à interpréter favorablement ou défavorablement suivant la valeur qu'on donne au côté gauche, défavorable chez les Grecs, ainsi que chez les Romains, sauf pour les phénomènes observés par les augures.

14. Attitude à relever : face à l'attitude d'adoration des Andouilles, Pantagruel se retire, alors que, dans l'épisode des Gastrolatres, devant les sacrificateurs, il se fâche (LX, p. 523).

eust par ces soubdars culinaires toute esté exterminée. Mais il advint un cas merveilleux. Vous en croyrez ce que vouldrez.

Du cousté de la Transmontane[A] advola un grand, gras, gros, gris[9] pourceau ayant æsles longues et amples comme sont les æsles d'un moulin à vent. Et estoit le pennaige[B] rouge cramoisy, comme est d'un Phœnicoptere : qui en Languegoth est appellé Flammant. Les œilz avoit rouges et flamboyans, comme un Pyrope[C]. Les aureilles verdes comme une Esmeraulde prassine[D] : les dens jaulnes comme un Topaze : la queue longue noire comme marbre Lucullian[10] : les pieds blans, diaphanes et transparens, comme un Diamant : et estoient largement pattez, comme sont des Oyes, et comme jadis à Tholose les portoit la royne Pedaucque[11]. Et avoit un collier d'or au coul, au tour du quel estoient quelques letres Ionicques, des quelles je ne peuz lire que deux motz. ΥΣ ΑΘΗΝΑΝ. Pourceau Minerve enseignant[12]. Le temps estoit beau et clair. Mais à la venue de ce monstre il tonna du cousté gausche[13] si fort, que nous restasmes tous estonnez[E]. Les Andouilles soubdain que l'apperceurent jecterent leurs armes et bastons[F], et à terre toutes se agenoillerent, levantes hault leurs mains joinctes sans mot dire, comme si elles le adorassent. Frere Jan avecques ses gens frappoit tous jours et embrochoit Andouilles. Mais par le commendement de Pantagruel feut sonnée retraicte, et cesserent toutes armes[14]. Le monstre ayant plusieurs foys volé et revolé entre les deux armées jecta plus de vingt et sept pippes de moustarde en terre : puys disparut volant par l'air et criant sans cesse. « Mardigras, Mardigras, Mardigras. »

A. étoile polaire. B. plumage. C. escarboucle. D. verte. E. étourdis. F. armes offensives.

1. L'équivoque sexuelle (voir XXXVIII) est aussi manifeste dans le nom de la reine tiré d'un mot hébreu signifiant « membre viril ». Ce chapitre a des résonances politiques et est à rapprocher du chapitre L de *Gargantua*, où se manifeste aussi la générosité du géant roi.

2. Veoir l'urine : allusion médicale ; au figuré, « sonder les intentions ».

Comment Pantagruel parlemente avecques Niphleseth[*1] Royne des Andouilles*

CHAPITRE XLII

Le monstre susdict plus ne apparoissant, et restantes les deux armées en silence, Pantagruel demanda parlementer avecques la dame Niphleseth, ainsi estoit nommée la Royne des Andouilles, laquelle estoit prés les enseignes dedans son coche[A]. Ce que[B] feut facilement accordé. La Royne descendit en terre, et gratieusement salüa Pantagruel, et le veid voluntiers. Pantagruel soy complaignoit[C] de ceste guerre. Elle luy feist ses excuses honestement, alleguant que par faulx rapport avoit esté commis l'erreur : et que ses espions luy avoient denoncé, que Quaresmeprenant leur antique ennemy estoit en terre descendu, et passoit temps à veoir l'urine[2] des Physeteres. Puys le pria vouloir de grace leur pardonner ceste offense alleguant qu'en Andouilles plus toust l'on trouvoit merde que fiel : en ceste condition, qu'elle et toutes ses successitres[D] Niphleseth à jamais tiendroient de luy et ses successeurs toute l'isle et pays à foy et hommaige : obeiroient en tout et par tout à ses mandemens : seroient de ses amis amies, et de ses ennemis ennemies : par chascun an en recongnoissance de ceste feaulté[E] luy

A. char. B. ce qui. C. se plaignait. D. celles qui succéderont. E. preuve de cette fidélité.

3. Infante : titre qui suggère que les andouilles sont sujets de la monarchie espagnole.

4. Roy de Paris : allusion au prévôt de Paris ?

5. Nom donné au XVIe siècle à l'actuelle rue Séguier, anciennement rue pavée ; la dénomination Pavée d'Andouilles pourrait être une corruption du nom du prévôt Nantouillet.

6. Idée : voir L (le pape est l'« idée de celluy Dieu de bien en terre »).

7. Saint Graal, coupe dans laquelle le Christ but le vin de la dernière cène, dans laquelle fut recueilli son sang par Joseph d'Arimathie et pour laquelle les chevaliers de la Table ronde entreprirent leur quête. Cette forme, qui semble propre à Rabelais, aurait, selon E. M. Duval, « La Messe, la Cène et le Voyage sans fin du *Quart Livre* », une fonction étymologique renvoyant au contenu mystique de ce vase, sang « royal » *(sanguis regalis)* ou « réel » *(realis)*, et lui donnerait une signification eucharistique permettant d'attaquer ici le dogme de l'efficacité de l'Eucharistie — en relation avec des termes comme ***bausme celeste*** ou ***resuscitoient***.

envoyroient soixante et dixhuict mille Andouilles Royalles pour à l'entrée de table le servir six moys l'an. Ce que feut par elle faict : et envoya au lendemain dedans six grands Briguantins le nombre susdict d'Andouilles Royalles au bon Gargantua soubs la conduicte de la jeune Niphleseth Infante[3] de l'isle. Le noble Gargantua en feist præsent et les envoya au grand Roy de Paris[4]. Mais au changement de l'air, aussi par faulte de moustarde Baulme naturel et restaurant[A] d'Andouilles moururent pres que toutes. Par l'oltroy et vouloir du grand Roy feurent par monceaulx en un endroict de Paris enterrées, qui jusques à præsent est appellé, la rue pavée d'Andouilles[5].

À la requeste des Dames de la court Royalle feut Niphleseth la jeune saulvée et honorablement traictée. Depuys feut mariée en bon et riche lieu, et feist plusieurs beaulx enfans, dont loué soit Dieu.

Pantagruel remercia gratieusement la royne : pardonna toute l'offense : refusa l'offre qu'elle avoit faict : et luy donna un beau petit cousteau parguoys[B]. Puys curieusement[C] l'interrogea sus l'apparition du monstre susdict. Elle respondit que c'estoit l'Idée[6] de Mardigras leur dieu tutellaire en temps de guerre, premier fondateur et original[D] de toute la race Andouillicque. Pourtant[E] sembloit il à un Pourceau, car Andouilles feurent de Pourceau extraictes.

Pantagruel demandoit à quel propous et quelle indication curative il avoit tant de moustarde en terre projecté. La royne respondit, que moustarde estoit leur Sangreal[7] et Bausme celeste : du quel mettant quelque peu dedans les playes des Andouilles terrassées, en bien

A. fortifiant. B. de Prague. C. soigneusement. D. source première. E. c'est pourquoi.

envoyerent [illegible] lesquelles pour l'entree de [illegible] [illegible] dedans [illegible] An-douilles Royalles au bon Gargantua soubs la conducte de la jeune Niphleseth, Infante de l'isle. Le noble Gar-gantua en feist present et les envoya au grand Roy de Paris. Mais au changement de l'air, aussi par faulte de moustarde (baulme naturel et restauratif d'Andouilles) moururent presque toutes. Par l'octroy et vouloir du grand Roy, feurent par monceaulx en un endroict de Paris enterrées, qui jusques à present est appellé la Rue pavée d'Andouilles.

A la requeste des Dames de la court Royalle fut Niphleseth la jeune saulvée et honorablement traictée. Depuys feut mariée en bon et riche lieu, et feist plu-sieurs beaulx enfans, dont loué soit Dieu.

Pantagruel remercia gracieusement la Royne, par-donna toute l'offense, refusa l'offre qu'elle avoit faict, et luy donna un beau petit cousteau Parguoys. Puys l'interrogea curieusement sus l'apparition de la susdicte figure. Elle respondit que c'estoit l'Idée de Mardigras leur Dieu tutelaire en temps de guerre, premier fonda-teur et original de toute la race Andouillicque. Pour-tant ressembloit il à un Pourceau: car Andouilles feurent de Pourceau extraictes.

Pantagruel demandoit à quel propous et quelle diffé-rence curative il avoit tant de moustarde en terre pro-jecté. La Royne respondit que Moustarde estoit leur Sangreal[4] et Baulme celeste: duquel mettant quelque peu dedans les playes des Andouilles terrassées, en bien

4. [illegible]

peu de temps les navrées[A] guerissoient, les mortes resuscitoient.

Aultres propous ne tint Pantagruel à la Royne : et se retira en sa nauf[B]. Aussi feirent tous les bons compaignons avecques leurs armes et leur Truye.

A. blessées. B. navire.

1. Ce chapitre joue sur l'équivoque *vent* ou *esprit* de *Ruach*. Le chapitre XXXI du *Disciple de Pantagruel*, à propos des îles Éolides dont Éole est le maître, fait une « declaration de la source des vents ». Pour « vivre de vent », Rabelais s'est inspiré d'Érasme, *Adages*, IV, IX, 3, *Vento uiuere*. Il redonne son sens propre à l'expression figurée proverbiale.

2. Rabelais utilise le ton du narrateur de l'*Histoire véritable* de Lucien.

3. Anemone : jeu sur ἄνεμος, « le vent », et la fleur qui, selon Pline, *Histoire naturelle*, XXI, XXIII, doit son nom au fait qu'elle s'ouvre au vent.

4. Rue : du latin *ruta*, plante qui, selon Pline, XX, XIII, élimine les distensions d'estomac.

5. Siroch (italien *sirocco*), vent brûlant du sud-est ; besch (roussillonnais *lebech*), vent du sud-ouest ; gualerne, vent de nord-ouest.

*Comment Pantagruel descendit en l'isle de Ruach** [1]

CHAPITRE XLIII

Deux jours aprés arrivasmes en l'isle de Ruach, et vous jure par l'estoille Poussiniere[A], que je trouvay l'estat et la vie du peuple estrange plus que je ne diz[2]. Ilz ne vivent que de vent. Rien ne beuvent, rien ne mangent, si non vent. Ilz n'ont maisons que de gyrouettes. En leurs jardins ne sement que les troys especes de Anemone[3]. La Rue[4] et aultres herbes carminatives* ilz en escurent[B] soingneusement. Le peuple commun pour soy alimenter use de esvantoirs de plumes, de papier, de toille, scelon leur faculté, et puissance. Les riches vivent de moulins à vent. Quand ilz font quelque festin ou banquet, on dresse les tables soubs un ou deux moulins à vent. Là repaissent[C] aises comme à nopces. Et durant leur repas disputent de la bonté, excellence, salubrité, rarité des vens, comme vous Beuveurs par les banquetz philosophez en matiere de vins. L'un loue le Siroch[5], l'aultre le Besch, l'aultre le Guarbin, l'aultre la Bize, l'aultre Zephyre, l'aultre Gualerne. Ainsi des aultres. L'aultre le vent de la chemise pour les muguetz[D] et amoureux. Pour les malades ilz usent de vent couliz comme de couliz on

A. constellation des Pléiades. B. nettoyent. C. ils mangent. D. galants.

6. Languegoth : pays de la langue des Goths.

7. Cyerce : du latin *cercius*, vent du nord-ouest dans la Narbonnaise romaine.

8. Jean Schyron, patron de Rabelais à la faculté de Montpellier, originaire de la région nîmoise, mort en 1556, doit vraisemblablement à son homonymie avec Scyron, vent grec, d'être cité ici. Selon M. A. Screech, *Rabelais*, p. 515, c'est aussi le nom d'un philosophe grec cité par Cicéron, et Bouchard, ami de Rabelais, dit que les Français appellent *scyron* ce que les Grecs nomment *hemorroïdes*.

9. Célèbre vin de l'Hérault.

10. La Bibliothèque nationale conserve un exemplaire d'une édition de 1529 du *De flatibus* d'Hippocrate, avec un *ex-libris* de Rabelais.

nourrist les malades de nostre pays. « O (me disoyt un petit enflé) qui pourroyt avoir une vessye de ce bon vent de Languegoth[6] que l'on nomme Cyerce[7]. Le noble Scurron[8] medicin passant un jour par ce pays nous contoit qu'il est si fort qu'il renverse les charettes chargées. O le grand bien qu'il feroit à ma jambe Œdipodicque*. Les grosses ne sont les meilleures.

— Mais (dist Panurge) une grosse botte[A] de ce bon vin de Languegoth qui croist à Mirevaulx[9], Canteperdris, et Frontignan. »

Je y veiz un home de bonne apparence bien resemblant à la Ventrose[B], amerement courroussé contre un sien gros grand varlet, et un petit paige, et les battoit en Diable à grands coups de brodequin. Ignorant la cause du courroux pensois que feust par le conseil des medicins, comme chose salubre[C] au maistre soy courrousser et battre : au varletz, estre battuz. Mais je ouyz qu'il reprochoit aux varletz luy avoir esté robbé à demy une oyre[D] de vent Guarbin, laquelle il guardoit cherement comme viande[E] rare pour l'arriere saison. Ilz ne fiantent, ilz ne pissent, ilz ne crachent en ceste isle. En recompense[F] ilz vesnent[G], ilz pedent[H], ilz rottent copieusement. Ilz patissent toutes sortes et toutes especes de maladies. Aussi toute maladie naist et procede de ventosité, comme deduyt Hippocrates *lib. de Flatibus*[10]. Mais la plus epidemiale est la cholicque venteuse. Pour y remedier usent de ventoses amples, et y rendent fortes ventositez. Ils meurent tous Hydropicques tympanites[I]. Et meurent les hommes en pedent, les femmes en vesnent. Ainsi leur sort l'ame par le cul.

Depuys nous pourmenans par l'isle rencontrasmes

A. tonneau. B. hydropisie. C. salutaire. D. outre. E. mets. F. compensation. G. vessent. H. pètent. I. hydropiques.

11. Définition du vent selon les principes de la définition aristotélicienne : genre prochain et différence spécifique (« en essentiale definition ») ; même définition au manuscrit du Ve livre, XLVII. Elle est empruntée au commentaire de Philandier, ami de Rabelais, sur l'ouvrage *De architectura* de Vitruve (1544) (cité dans la « Briefve declaration », p. 607, à propos d'*Æolipyle* employé au chapitre suivant). Philandier donne cette définition en rappelant que tous ne sont pas d'accord sur le nombre des vents : *« Ventus autem est aeris fluens unda, cum incerta motus redundantia »* (édition de Lyon, J. de Tournes, 1552). Cette définition se trouve juste avant la mention des *Æolipiles.*

12. Æolus : souvenir d'Homère, *Odyssée*, X, v. 19-21.

13. Si la paternité du premier sonnet français (forme empruntée à l'italien) est attribuée à Marot (1536), le mot existe depuis le Moyen Âge avec l'acception de « petit son », « chanson » et avec celle que rappelle Aneau en 1550 dans le *Quintil horatian*, où il invite J. du Bellay à laisser le nom aux Italiens : « Pource qu'un Sonnet en Françoys sonne vilainement pour l'acte du verbe que Alexandre Villedieu declare honnestement sans le nommer, disant *Quod turpe sonat fit in edi.* » Rabelais joue ici sur la polysémie du terme, « chant », « pet » et « forme poétique ».

troys gros esventez les quelz alloient à l'esbat veoir les pluviers[A], qui là sont en abondance et vivent de mesmes diete. Je advisay que ainsi comme vous Beuveurs allans par pays portez flaccons, ferrieres[B], et bouteilles, pareillement chascun à sa ceincture portoit un beau petit soufflet. Si par cas vent leurs failloit, avecques ces joliz souffletz ilz en forgeoient de tout frays, par attraction et expulsion reciprocque, comme vous sçavez que vent en essentiale[C] definition n'est aultre chose que air flottant et undoyant[11].

En ce moment de par leur Roy nous feut faict com mandement que de troys heures n'eussions à retirer[D] en nos navires home ne femme du pays. Car on luy avoit robbé[E] une veze[F] plene du vent propre que jadis à Ulysses donna le bon ronfleur Æolus*[12] pour guider sa nauf[G] en temps calme. Lequel il guardoit religieusement, comme un autre Sangreal[H], et en guerissoyt plusieurs enormes maladies : seulement en laschant et eslargissant es malades autant qu'en fauldroit pour forger un pet virginal : c'est ce que les Sanctimoniales* appellent sonnet[13].

A. oiseaux migrateurs. B. gourdes. C. essentielle. D. accueillir. E. dérobé. F. cornemuse. G. navire. H. saint Graal.

1. Comme au chapitre XLI, Rabelais redonne son sens propre à un proverbe déjà présent dans *Gargantua*, V, *Pantagruel*, XI. Il fait de même à la fin du chapitre pour *escorcher le renard*.

Rabelais a largement utilisé le texte du *Disciple de Pantagruel*, mais en lui apportant plusieurs modifications (voir n. 8, 10 et 12, p. 403-405).

2. Épicure n'est apparu jusqu'à présent que pour sa théorie des atomes ; voir II, p. 93. Rabelais sera un des interlocuteurs du dialogue de Louis le Caron intitulé *Valton, de la tranquillité d'esprit, ou du souverain bien* (*Les Dialogues de Loys Le Caron*, J. Longis, 1556).

3. Expression proverbiale venue d'Horace, *Odes*, II, XVI, v. 27-28.

4. Quinquenays : localité du Chinonais.

5. La proximité de ce dizain par rapport au terme de sonnet sur lequel s'achève le chapitre précédent n'est sûrement pas innocente.

Comment petites pluyes
abattent les grans vents[1]

CHAPITRE XLIIII

Pantagruel louoyt leur police[A] et maniere de vivre, et dist à leur potestat[B] Hypenemien*. « Si repcevez l'opinion de Epicurus, disant le bien souverain consister en volupté[2], Volupté, diz je, facile et non penible, je vous repute bien heureux. Car vostre vivre qui est de vent, ne vous couste rien ou bien peu, il ne fault que souffler.

— Voyre, respondit le Potestat. Mais en ceste vie mortelle rien n'est beat[C] de toutes pars[3]. Souvent quand sommes à table nous alimentans de quelque bon et grand vent de Dieu, comme de Manne celeste, aises comme peres, quelque petite pluye survient, la quelle nous le tollist[D] et abat. Ainsi sont maints repas perduz par faulte de victuailles.

— C'est, dist Panurge, comme Jenin de Quinquenays[4] pissant sus le fessier de sa femme Quelot abatit le vent punays, qui en sortoit comme d'une magistrale Æolipyle*. J'en feys nagueres un dizain[5] jolliet.

« Jenin tastant un soir ses vins nouveaulx
Troubles encor et bouillans en leur lie,
Pria Quelot apprester des naveaulx[E]

A. mœurs. B. gouverneur. C. heureux. D. enlève. E. navets.

6. Belutent : verbe (beluter) signifiant « tamiser », pris ici dans un sens libre.

7. Pour Bringuenarilles, voir XVII, p. 213 et n. 2 ; le thème du vent est important dans l'épisode de Bringuenarilles du *Disciple de Pantagruel* : le géant poussé par le vent se dirige comme un navire, il fait d'un pet chavirer les autres embarcations ou du vent de ses narines tomber les tours.

8. Dans *Le Disciple de Pantagruel* (VIII), l'ingestion d'un moulin à vent n'est qu'occasionnelle et provoque la mort du géant, par ailleurs grand destructeur de moulins à vent pour affamer les populations.

9. Mezarims : mot hébreu pouvant désigner un vent du nord.

10. Emprunt au *Disciple de Pantagruel*, VII, « Comment les coqctz chappons et poullailes chantoient dedans le ventre de Bringuenarilles » ; mais ces volailles provenaient des œufs ingérés par Bringuenarilles et éclos à la chaleur de son ventre.

À leur soupper, pour faire chere lie.
Cela feut faict. Puis sans melancholie
Se vont coucher, belutent[6], prenent somme.
Mais ne povant Jenin dormir en somme
Tant fort vesnoit[A] Quelot, et tant souvent,
La compissa. "Puys voylà, dist il, comme
Petite pluie abat bien un grand vent. »

— Nous d'adventaige (disoit le Potestat) avons une annuelle calamité bien grande et dommaigeable. C'est qu'un geant nommé Bringuenarilles*[7], qui habite en l'isle de Tohu, annuellement par le conseil de ses medicins icy se transporte à la prime Vere[B], pour prendre purgation : et nous devore grand nombre de moulins à vent[8], comme pillules, et de souffletz pareillement, des quelz il est fort friant. Ce que nous vient à grande misere : et en jeusnons troys ou quatre quaresmes par chascun an : sans certaines particulieres rouaisons[C] et oraisons.

— Et n'y sçavez vous, demandoit Pantagruel, obvier ?

— Par le conseil, respondit le Potestat, de nos maistres Mezarims[9], nous avons mis en la saison qu'il a de coustume icy venir, dedans les moulins force cocqs et force poulles. À la premiere foys qu'il les avalla, peu s'en fallut, qu'il n'en mourust. Car ilz luy chantoient dedans le corps[10], et luy voloient à travers l'estomach, dont tomboit en lipothymie*, cardiacque passion[D], et convulsion horrificque[E] et dangereuse : comme si quelque serpens luy feust par la bouche entré dedans l'estomach.

— Voylà, dist frere Jan, un *comme* mal à propous, et incongru. Car j'ay aultresfois ouy dire, que le serpens

A. vessait. B. printemps. C. rogations. D. maladie. E. de la nature du frisson.

11. Hippocrate, *Épidémies*, V, LXXXVI ; Érasme, *Colloquia* (« Amicitia »), rapporte que, seul, du lait permettait de calmer les douleurs causées par l'ingestion d'un serpent.

12. Jeu de mots sur *escorcher le renard*, « vomir ».

Deux chapitres du *Disciple de Pantagruel* traitent des poussins, des poules et des coqs qui croissaient et chantaient dans le ventre de Bringuenarilles, lequel, importuné dans sa digestion, suivit le conseil d'avaler un renard tout vif. Rabelais n'a pas hésité à changer le récit initial pour prendre au sens propre l'expression « escorcher le renard ».

entré dedans l'estomach ne faict desplaisir aulcun, et soubdain retourne dehors, si par les pieds on pend le patient, luy præsentant prés la bouche un paeslon[A] plein de laict chauld.

— Vous, dist Pantagruel, l'avez ouy dire : aussi avoient ceulx qui vous l'ont raconté. Mais tel remede ne feut oncques[B] veu ne leu. Hippocrates *lib. 5 Epid.* escript le cas estre de son temps advenu : et le patient subit[C] estre mort par spasme et convulsion[11].

— Oultre plus, disoit le Potestat, tous les Renards du pays luy entroient en gueule poursuyvans les gelines[D], et trespassoit à tous momens, ne feust que par le conseil d'un Badin[E] enchanteur, à l'heure du paroxysme* il escorchoit un Renard[F12] pour antidote et contrepoison.

« Depuys eut meilleur advis, et y remedie moyennant un clystere qu'on luy baille[G] faict d'une decoction de grains de bled et de millet, es quelz accourent les poulles, ensemble de fayes[H] d'oysons es quelz accourent les Renards. Aussi des pillules qu'il prent par la bouche, composées de levriers et de chiens terriers[I]. Voyez là nostre malheur.

— N'ayez paour gens de bien (dist Pantagruel) desormais. Ce grand Bringuenarilles avalleur de moulins à vent est mort. Je le vous asceure. Et mourut suffocqué[J] et estranglé mengeant un coin de beurre frays à la gueule d'un four chault par l'ordonnance des Medicins. »

A. poêlon. B. jamais. C. promptement. D. poules. E. sot. F. vomissait. G. donne. H. foies. I. bassets. J. étouffé.

1. Les *Papefigues* sont des hérétiques, par opposition aux *Papimanes.* Il semble qu'il y ait allusion aux Vaudois de Provence qui furent massacrés en 1545, en exécution d'un arrêt de 1540 émanant du parlement de Provence, par une expédition que dirigeait le baron d'Oppède, premier président du parlement ; vingt-deux villages furent détruits, trois mille personnes massacrées, six cents envoyées aux galères ; à la suite de plaintes auprès de la cour de France eut lieu un retentissant procès à Paris en 1551. Le massacre des Vaudois était imputable à la politique du cardinal de Tournon rival des Du Bellay, alors que, quand il était en Piémont, Guillaume du Bellay avait fait des rapports très favorables sur les Vaudois installés en Provence.

La symbolique du figuier est importante pour comprendre l'épisode : symbole d'abondance dans la tradition chrétienne, le figuier desséché représente la synagogue qui ne porte plus de fruits ou une Église à laquelle l'hérésie a fait perdre sa sève.

2. Guaillardetz : du languedocien *galhardet.*

3. Papimanes : ceux qui adorent le pape.

4. Le bâton de confrérie servait à porter dans les processions l'image de quelque saint ; la fête *à bastons* est « celle où l'on célèbre la fête du saint qui est au bout de ces bâtons ».

5. Feist la figue : équivoque obscène consistant à montrer le bout du pouce entre l'index et le majeur, correspondant à la locution italienne *far le fiche* où *fica,* « figue », a un sens libre.

6. Allusion à l'attitude de Barberousse en 1162 face aux Milanais vaincus.

Comment Pantagruel descendit
en l'isle des Papefigues[1]

CHAPITRE XLV

Au lendemain matin rencontrasmes l'isle des Papefigues. Lesquelz jadis estoient riches et libres, et les nommoit on Guaillardetz[2], pour lors estoient paouvres, mal heureux, et subjectz aux Papimanes[3]. L'occasion avoit esté telle. Un jour de feste annuelle à bastons[A][4], les Bourguemaistre, Syndicz et gros Rabiz[B] Guaillardetz estoient allez passer temps et veoir la feste en Papimanie, isle prochaine. L'un d'eulx voyant le protraict[C] Papal (comme estoit de louable coustume publicquement le monstrer es jours de feste à doubles bastons) luy feist la figue[5]. Qui est en icelluy pays signe de contempnement[D] et derision manifeste. Pour icelle vanger les Papimanes quelques jours aprés sans dire guare, se mirent tous en armes, surprindrent, saccaigerent, et ruinerent toute l'isle des Guaillardetz : taillerent à fil d'espée tout home portant barbe. Es femmes et jouvenceaulx pardonnerent avecques condition semblable à celle dont l'empereur Federic Barberousse jadis usa envers les Milanois[6].

Les Milanois s'estoient contre luy absent rebellez, et avoient l'Imperatrice sa femme chassé hors la ville igno-

A. avec de nombreuses bannières. B. rabbins. C. portrait. D. mépris.

7. Thacor : nom hébraïque significatif par rapport au reste de l'histoire.

8. Postposer a le sens de « mettre après », d'où « juger inférieur ».

9. Histoire relatée par Paradin, *De antiquo Burgundiae statu*, Lyon, 1542, p. 49.

minieusement montée sus une vieille mule nommée Thacor*[7] à chevauchons[A] de rebours : sçavoir est le cul tourné vers la teste de la mule, et la face vers la croppiere. Federic à son retour les ayant subjuguez et resserrez[B] feist telle diligence qu'il recouvra la celebre mule Thacor. Adoncques[C] on mylieu du grant Brouet* par son ordonnance le bourreau mist es membres honteux de Thacor une Figue præsens et voyans les citadins captifs : puys crya de par l'Empereur à son de trompe, que quiconques d'iceulx vouldroit la mort evader[D], arrachast publicquement la Figue avecques les dens, puys la remist on propre lieu, sans ayde des mains. Quiconques en feroit refus, seroit sus l'instant pendu et estranglé. Aulcuns[E] d'iceulx eurent honte et horreur de telle tant abhominable amende : la postpouserent[8] à la craincte de mort : et feurent penduz. Es aultres la craincte de mort domina sus telle honte. Iceulx avoir[F] à belles dens tiré la Figue, la monstroient au Boye[G] apertement[H] disans. *Ecco lo fico**[9].

En pareille ignominie, le reste de ces paouvres et desolez Guaillardetz feurent de mort guarantiz et saulvez. Feurent faicts esclaves et tributaires et leurs feut imposé nom de Papefigues : par ce qu'au protraict Papal avoient faict la Figue. Depuys celluy temps les paouvres gens n'avoient prosperé. Tous les ans avoient gresle, tempeste, peste, famine, et tout malheur, comme eterne[I] punition du peché de leurs ancestres et parens.

Voyans la misere et calamité du peuple, plus avant entrer ne voulusmes. Seulement pour prendre de l'eaue beniste et à Dieu nous recommander, entrasmes dedans une petite chapelle prés le havre ruinée, desolée, et des-

A. à cheval. B. enfermés. C. alors. D. échapper. E. certains. F. après avoir. G. bourreau. H. clairement. I. éternelle.

10. Temple de sainct Pierre : allusion aux interminables travaux de construction de la basilique : la première pierre fut posée en 1506, et la coupole n'était pas achevée au milieu du siècle.

11. Il s'agit d'une véritable scène d'exorcisme comme on pouvait en voir fréquemment à Rome.

12. Pestilence : terme courant pour désigner les idées luthériennes.

13. Touzelle : froment prisé en Italie et dans le sud de la France.

couverte, comme est à Rome le temple de sainct Pierre[10]. En la chapelle entrez et prenens de l'eaue beniste, apperceusmes dedans le benoistier[A] un home vestu d'estolles, et tout dedans l'eaue caché, comme un Canart au plonge[B], excepté un peu du nez pour respirer. Au tour de luy estoient troys presbtres bien ras et tonsurez, lisants le Grimoyre, et conjurans les Diables[11].

Pantagruel trouva le cas estrange. Et demandant quelz jeux c'estoient qu'ilz jouoient là, feut adverty que depuys troys ans passez avoit en l'isle regné une pestilence[12] tant horrible que pour la moitié et plus, le pays estoit resté desert, et les terres sans possesseurs. Passée la pestilence, cestuy home caché dedans le benoistier, aroyt[C] un champ grand et restile*, et le semoyt de touzelle[13] en un jour et heure qu'un petit Diable (lequel encores ne sçavoit ne tonner ne gresler, fors seulement le Persil et les choux, encor aussi ne sçavoit ne lire, n'escrire) avoit de Lucifer impetré[D] venir en ceste isle des Papefigues soy recreer et esbatre, en la quelle les Diables avoient familiarité grande avecques les homes et femmes, et souvent y alloient passer temps. Ce Diable arrivé au lieu s'adressa au Laboureur, et luy demanda qu'il[E] faisoit. Le paouvre home luy respondit qu'il semoit celluy champ de touzelle, pour soy ayder à vivre l'an suyvant. « Voire mais (dist le Diable) ce champ n'est pas tien, il est à moy, et m'appartient. Car depuys l'heure et le temps qu'au Pape vous feistez la figue, tout ce pays nous feut adjugé, proscript, et abandonné. Bled semer toutesfoys n'est mon estat. Pourtant[F] je te laisse le champ. Mais c'est en condition que nous partirons[G] le profict.

— Je le veulx, respondit le Laboureur.

A. bénitier. B. en plongeant. C. labourait. D. obtenu. E. ce qu'il. F. c'est pourquoi. G. partagerons.

14. Pettesec, voir *Pantagruel*, XXXI (plaisanterie de même style).
15. Cagotz : au sens propre, lépreux blancs, puis hypocrites.
16. Briffaulx : gloutons et frères lais quêtant pour des religieuses.
17. Combat : équivoque libre sur *con bas*.

— J'entens (dist le Diable) que du profict advenent nous ferons deux lotz. L'un sera ce que croistra sus terre, l'aultre ce que en terre sera couvert. Le choix m'apartient, car je suys Diable extraict de noble et antique race, tu n'es qu'un villain. Je choizis ce que sera en terre, tu auras le dessus. En quel temps sera la cuillette ?

— À my Juilet, respondit le Laboureur.

— Or (dist le Diable) je ne fauldray me y trouver. Fays au reste comme est le doibvoir[A]. Travaille villain, travaille. Je voys[B] tenter du guaillard peché de luxure les nobles nonnains de Pettesec[14], les Cagotz[15] et Briffaulx[16] aussi. De leurs vouloirs je suys plus que asceuré[C]. Au joindre[D] sera le combat[17]. »

A. devoir. B. vais. C. assuré. D. rencontre.

1. Olaus Magnus, *Histoire des pays septentrionaus*, f° 62 r°, mentionne le dommage que font les diables aux humains et souligne comment ils appartiennent à la vie quotidienne des peuples nordiques. Dans le chapitre précédent, Rabelais a noté la familiarité des diables avec « les homes et femmes ».

Comment le petit Diable feut trompé par un laboureur de Papefiguiere[1]

CHAPITRE XLVI

La my Juilet venue le Diable se representa au lieu acompaigné d'un escadron de petitz Diableteaulx de cœur. Là rencontrant le Laboureur, luy dist. « Et puys villain comment t'es tu porté depuys ma departie[A] ? Faire icy convient nos partaiges.

— C'est (respondit le Laboureur) raison. »

Lors commença le Laboureur avecques ses gens seyer[B] le bled. Les petitz Diables de mesmes tiroient le chaulme de terre. Le Laboureur battit son bled en l'aire, le ventit[C], le mist en poches[D], le porta au marché pour vendre. Les Diableteaulx feirent de mesmes, et au marché prés du Laboureur pour leur chaulme vendre s'assirent. Le Laboureur vendit tresbien son bled, et de l'argent emplit un vieulx demy brodequin, lequel il portoit à sa ceincture. Les Diables ne vendirent rien : ains[E] au contraire les paizans en plein marché se mocquoient d'eulx. Le marché clous dist le Diable au Laboureur. « Villain tu me as ceste foys trompé, à l'aultre ne me tromperas.

— Monsieur le Diable, respondit le Laboureur, comment vous auroys je trompé, qui premier avez choysi ? Vray est qu'en cestuy choys me pensiez trom-

A. départ. B. couper. C. vanna. D. sacs. E. mais.

2. Évangile de Jean, XII, 24 : « Si le grain tombé en terre ne meurt pas, il demeure seul ; mais s'il meurt, il porte beaucoup de fruit. »

3. Mauldict : jeu de mots ; « Il est mot dict en l'Évangile / Tel choisit qui prend le pire » (voir *Synonyma et Æquiuoca Gallica*, Lyon, 1619, p. 138).

4. Guorgechaulde : chair des animaux vivants que l'on donne aux oiseaux de proie.

per, esperant rien hors terre ne yssir pour ma part, et dessoubs trouver tout entier le grain que j'avoys semé, pour d'icelluy tempter les gens souffreteux[A], Cagotz, ou avares, et par temptation les faire en vos lacz[B] tresbucher. Mais vous estez bien jeune au mestier. Le grain que voyez en terre, est mort et corrumpu, la corruption d'icelluy a esté generation de l'aultre[2] que me avez veu vendre. Ainsi choisissiez vous le pire. C'est pourquoy estez mauldict[3] en l'Evangile.

— Laissons (dist le Diable) ce propous, dequoy ceste année sequente pourras tu nostre champ semer ?

— Pour profict, respondit le Laboureur, de bon mesnagier[C] le conviendroit semer de Raves.

— Or (dist le Diable) tu es villain de bien, seme Raves à force je les guarderay de la tempeste et ne gresleray poinct dessus. Mais entends bien, je retiens pour mon partaige ce que sera dessus terre, tu auras le dessoubs. Travaille villain, travaille. Je voys[D] tenter les Hereticques, ce sont ames friandes en carbonnade[E] : monsieur Lucifer a sa cholicque, ce luy sera une guorgechaulde[4]. »

Venu le temps de la cuillette, le Diable se trouva au lieu avecques un esquadron de Diableteaux de chambre. Là rencontrant le Laboureur et ses gens commença seyer[F] et recuillir les feuilles des Raves. Aprés luy le Laboureur bechoyt et tiroyt les grosses Raves, et les mettoit en poches. Ainsi s'en vont tous ensemble au marché. Le Laboureur vendoit tresbien ses Raves. Le Diable ne vendit rien. Que pis est, on se mocquoit de luy publicquement. « Je voy bien villain, dist adoncques[G] le Diable, que par toy je suys trompé. Je veulx faire fin[H] du champ

A. indigents. B. collets. C. cultivateur. D. vais. E. grillade. F. couper. G. alors. H. faire un arrangement définitif.

5. Farfadetz : terme emprunté au provençal ; première attestation dans *Pantagruel* (1542 ; VII).

6. Allusion directe à saint Paul, dont toute la doctrine nourrit le *Quart livre.*

entre toy et moy. Ce sera en tel pact[A], que nous entregratterons[B] l'un l'aultre, et qui de nous deux premier se rendra, quittera sa part du champ. Il entier demourera au vaincueur. La journée[C] sera à huytaine. Va villain, je te gratteray en Diable. Je alloys tenter les pillars Chiquanous, desguyseurs de procés, notaires faulseres, advocatz prevaricateurs : mais ilz m'ont faict dire par un truchement, qu'ilz estoient tous à moy. Aussi bien se fasche[D] Lucifer de leurs ames. Et les renvoye ordinairement aux Diables souillars de cuisine, si non quand elles sont saulpoudrées[E].

« Vous dictez qu'il n'est desjeusner que de escholiers : dipner[F], que d'avocatz : ressiner[G], que de vinerons : soupper, que de marchans : reguoubillonner[H], que de chambrieres. Et tous repas que de Farfadetz[5]. Il est vray de faict monsieur Lucifer se paist à tous ses repas de Farfadetz pour entrée de table. Et se souloit[I] desjeuner de escholliers. Mais (las) ne sçay par quel malheur depuys certaines années ilz ont avecques leurs estudes adjoinct les saincts Bibles. Pour ceste cause plus n'en pouvons au Diable l'un tirer. Et croy que si les Caphards ne nous y aident, leurs oustans[J] par menaces, injures, force, violence, et bruslemens leur sainct Paul[6] d'entre les mains, plus à bas n'en grignoterons. De advocatz pervertisseurs de droict, et pilleurs des paouvres gens, il se dipne ordinairement, et ne luy manquent. Mais on se fasche de tous jours un pain manger. Il dist nagueres en plein chapitre qu'il mangeroit voluntiers l'ame d'un Caphard, qui eust oublié soy en son sermon recommander. Et promist double paye et notable appoinctement à qui-

A. pacte. B. gratterons. C. bataille. D. dégoûte. E. couvertes de sel. F. déjeuner. G. goûter. H. collation après le souper. I. avait l'habitude. J. ôtant.

7. Proprement, « de broc en bouche », expression d'origine picarde.

8. Contrées Boreales : allusion à la diffusion des idées réformées dans le nord de l'Europe.

9. Billonneurs : ceux qui billonnent (« altèrent en lui donnant un titre inférieur ») la monnaie.

10. Allusion possible au grec Georges de Trebizonde (XVe siècle) auteur d'une *Rhetorica* qui adapte en latin l'enseignement du rhéteur grec Hermogène.

concques luy en apporteroit une de broc en bouc[A][7]. Chascun de nous se mist en queste. Mais rien n'y avons proficté. Tous admonnestent[B] les nobles dames donner à leur convent[C]. De ressjeuner[D] il s'est abstenu depuys qu'il eut sa forte colicque, provenente à cause que es contrées Boreales[8] l'on avoit ses nourrissons[E] vivandiers, charbonniers, et chaircuitiers oultragé villainement. Il souppe tresbien de marchans usuriers, apothecaires, faulsaires, billonneurs[9], adulterateurs de marchandises. Et quelques foys qu'il est en ses bonnes[F], reguobillonne de chambrieres, les quelles avoir beu[G] le bon vin de leurs maistres remplissent le tonneau d'eaue puante. Travaille villain, travaille. Je voys tenter les escholiers de Trebizonde[10], laisser peres et meres, renoncer à la police[H] commune, soy emanciper des edictz de leur Roy, vivre en liberté soubterraine, mespriser un chascun, de tous se mocquer, et prenans le beau et joyeulx petit beguin[I] d'innocence Poeticque, soy tous rendre Farfadetz gentilz. »

A. promptement. B. exhortent. C. couvent. D. goûter. E. nourriciers. F. bonnes heures. G. après avoir bu. H. gouvernement. I. masque.

1. C'est une ruse féminine qui a raison du diable. Rabelais retrouve ici une veine semblable à celle du chapitre XV de *Pantagruel*.

2. Gratelle : sorte de gale légère ; ici, désigne le combat par grattage.

Comment le Diable fut trompé par une Vieille de Papefiguiere[1]

CHAPITRE XLVII

Le Laboureur retournant en sa maison estoit triste et pensif. Sa femme tel le voyant, cuydoit[A] qu'on l'eust au marché desrobbé. Mais entendent la cause de sa melancholie, voyant aussi sa bourse pleine d'argent, doulcement le renconforta : et l'asceura que de ceste gratelle[2] mal aulcun ne luy adviendroit. Seulement que sus elle il eust à se poser[B] et reposer. Elle avoit jà pourpensé[C] bonne yssue. « Pour le pis (disoit le Laboureur) je n'en auray qu'une esrafflade[D] : je me rendray au premier coup et luy quitteray[E] le champ.

— Rien, rien, dist la vieille, posez vous sus moy, et reposez, laissez moy faire. Vous m'avez dict que c'est un petit Diable : je le vous feray soubdain[F] rendre, et le champ nous demourera. Si c'eust esté un grand Diable, il y auroit à penser. »

Le jour de l'assignation estoit lors qu'en l'isle nous arrivasmes. À bonne heure du matin le Laboureur s'estoit tresbien confessé, avoit communié, comme bon catholicque, et par le conseil du Curé s'estoit au plonge[G] caché dedans le benoistier[H], en l'estat que l'avions trouvé.

A. croyait. B. s'en remettre. C. réfléchi à. D. éraflure. E. céderai. F. promptement. G. en plongeant. H. bénitier.

3. Voir Érasme, *Apophtegmes*, VI, d'après Plutarque, *De uirtutibus mulierum.*

4. Les diables médiévaux sont souvent dotés de noms de dieux païens. Mégère et Alecto sont des Furies ; Perséphone est Proserpine, reine des Enfers. À la place de *Demogorgon*, père des diables dans les mystères médiévaux, Rabelais, comme dans le *Tiers livre* de 1552 (XXII), emploie Demiourgon (rapproché du grec demiourgos, « créateur du monde » dans la tradition platonicienne).

Sus l'instant qu'on nous racontoit ceste histoire, eusmez advertissement que la vieille avoit trompé le Diable, et guaingné le champ. La maniere feut telle. Le Diable vint à la porte du Laboureur, et sonnant s'escria. « O villain, villain. Czà, çà, à belles gryphes. » Puys entrant en la maison guallant et bien deliberé[A], et ne y trouvant le Laboureur advisa sa femme en terre pleurante et lamentante. « Qu'est cecy ? demandoit le Diable. Où est il ? Que faict il ?

— Ha (dist la vieille) où est il le meschant, le bourreau, le briguant ? Il m'a affolée[B], je suis perdue, je meurs du mal qu'il m'a faict.

— Comment ? dist le Diable. Qui a il ? Je le vous guallleray[C] bien tantoust.

— Ha, dist la vieille, il m'a dict, le bourreau, le tyrant, l'esgratineur de Diables, qu'il avoit huy[D] assignation de se gratter avecques vous, pour essayer ses ongles il m'a seulement gratté du petit doigt icy entre les jambes, et m'a du tout[E] affollée. Je suys perdue, jamais je n'en gueriray, reguardez. Encores est il allé chés le mareschal soy faire esguizer et apoincter les gryphes. Vous estez perdu monsieur le Diable mon amy. Saulvez vous, il n'arrestera poinct. Retirez vous, je vous en prie. » Lors se descouvrit jusques au menton en la forme que jadis les femmes Persides se præsenterent à leurs enfans fuyans de la bataille[3], et luy monstra son comment a nom[F] ? Le Diable voyant l'enorme solution de continuité en toutes dimentions, s'escria. « Mahon, Demiourgon, Megere, Alecto, Persephone[4], il ne me tient pas. Je m'en voys bel erre[G]. Cela ? Je luy quitte le champ. » Entendens la catastrophe*[H] et fin de l'histoire

A. résolu. B. blessée. C. frapperai. D. aujourd'hui. E. complètement. F. sexe. G. Je m'en vais en hâte. H. dénouement.

5. Pantagruel est pitoyable à la cause des Papefigues comme Guillaume du Bellay l'avait été à celle des Vaudois.

nous retirasmes en nostre nauf[A]. Et là ne feismes aultre sejour.

Pantagruel donna au tronc de la fabricque de l'Eclise[B] dixhuyt mille Royaulx d'or, en contemplation[C] de la paouvreté du peuple, et calamité du lieu[5].

A. nef. B. construction de l'église. C. considération.

1. Dans l'épisode des Papimanes, fortement marqué par la crise gallicane de 1551, Rabelais fait la critique de la notion de « Dieu en terre ». L'expression, employée par les canonistes depuis le XIIIe siècle, se réfère à la « plénitude de la puissance » que l'on reconnaît au pape considéré comme le « seul vray Monarque universel, spirituel et temporel » (R. Marichal, « *Quart livre.* Commentaires », 1964, p. 106). Pour Alvarez, *De planctu ecclesiae*, Lyon, 1517, le pape représentant vraiment le Christ sur terre, celui qui voit le pape voit le Christ. Rabelais s'en prendra au cours de l'épisode à la personnalité même de Jules III, Homenaz (en provençal, homme fort et bête).

Le pouvoir papal est attaqué au travers des Décrétales. Le *Corpus iuris canonici* comportait deux parties : le Décret de Gratien, antérieur à 1150, parfaitement admis des gallicans et de Rabelais, qui parle des « sainctz Decretz » (LVIII) ; et un ensemble de textes postérieurs affirmant le pouvoir temporel des papes et vivement critiqués par les juristes français — les Décrétales, composées en 1234, sous le pontificat de Grégoire IV, le Sexte (complément aux cinq livres des Décrétales) en 1298 sous celui de Boniface VIII, les Clémentines en 1313 sous celui de Clément V, et les Extravagantes, recueil de textes ultérieurs publiés en 1500.

2. Représentants des quatre états de la société : clergé, noblesse, robe et roture.

3. Par la mort beuf : euphémisme pour « par la mort Dieu ».

Comment Pantagruel descendit en l'isle des Papimanes[1]

CHAPITRE XLVIII

Laissans l'isle desolée des Papefigues navigasmes par un jour en serenité et tout plaisir, quand à nostre veue se offrit la benoiste[A] isle des Papimanes. Soubdain que nos ancres feurent au port jectées avant que eussions encoché nos gumenes[B], vindrent vers nous en un esquif quatre persones[2] diversement vestuz. L'un en moine enfrocqué, crotté, botté. L'aultre en faulconnier avecques un leurre[C] et guand de oizeau. L'aultre en solliciteur de procés ayant un grand sac plein d'informations, citations, chiquaneries, et adjournemens en main. L'aultre en vigneron d'Orleans, avecques belles guestres de toille, une panouere[D] et une serpe à la ceincture. Incontinent qu'ilz feurent joinctz à nostre nauf[E], s'escrierent à haulte voix tous ensemble demandans. « Le avez vous veu gens passagiers ? l'avez vous veu ?

— Qui ? demandoit Pantagruel.

— Celluy là, respondirent ilz.

— Qui est il ? demanda frere Jan. Par la mort beuf[3], je l'assommeray de coups. » Pensant qu'ilz se guementassent[F] de quelque larron, meurtrier, ou sacrilege.

A. bénie. B. amarré nos gros câbles. C. appât. D. petit panier. E. navire F. s'informaient.

4. Exode, III, 14 : *« Ego sum qui sum. »*

5. J'en ay veu troys : Rabelais avait pu voir Clément VII en février-avril 1534, Paul III en 1535-1536, mais il aurait quitté Jean du Bellay en 1549, lorsque celui-ci se rendit au conclave pour élire Jules III.

6. Decretal. Greg. IX, I, VI, 6.

— Comment (dirent ilz) gens peregrins[A] ne congnoissez vous L'unicque ?

— Seigneurs (dist Epistemon) nous ne entendons telz termes. Mais exposez nous (s'il vous plaist) de qui entendez, et nous vous en dirons la verité sans dissimulation.

— C'est (dirent ilz) celluy qui est. L'avez vous jamais veu ?

— Celluy qui est, respondit Pantagruel, par nostre Theologique doctrine est Dieu. Et en tel mot se declaira à Moses[B][4]. Oncques[C] certes ne le veismes, et n'est visible à œilz corporelz.

— Nous ne parlons mie (dirent ilz) de celluy hault Dieu qui domine par les Cieulx. Nous parlons du Dieu en terre. L'avez vous onques veu ?

— Ilz entendent (dist Carpalim) du Pape sus mon honneur.

— Ouy, ouy, respondit Panurge, ouy dea[D], messieurs, j'en ay veu troys[5]. À la veue des quelz je n'ay gueres profité.

— Comment ? dirent ilz, nos sacres[E] decretales chantent qu'il n'y en a jamais qu'un vivent[6].

— J'entends, respondit Panurge, les uns successivement aprés les aultres. Aultrement n'en ay je veu qu'un à une foys.

— O gens, dirent ilz, troys et quatre foys heureux, vous soyez les bien et plus que tresbien venuz. »

Adoncques[F] se agenoillerent davant nous, et nous vouloient baiser les pieds. Ce que ne leurs volusmes permettre, leurs remonstrans que au Pape si là de fortune en propre persone venoit, ilz ne sçauroient faire

A. étrangers. B. Moïse. C. Jamais. D. vraiment. E. sacrées. F. alors.

7. On baisait la mule du pape en signe de respect.
8. Couilles : allusion à l'examen spécial qui serait censé empêcher que ne se reproduise l'aventure de la papesse Jeanne.
9. Les Papimanes vont toujours invoquer les Décrétales ou les Extravagantes à l'appui de leur dire.

d'adventaige. « Si ferions si, respondirent ilz. Cela est entre nous jà resolu. Nous luy baiserions le cul sans feuille[7] et les couilles[8] pareillement. Car il a couilles le pere sainct, nous le trouvons par nos belles Decretales[9], aultrement ne seroit il Pape. De sorte qu'en subtile philosophie Decretaline ceste consequence est necessaire. Il est Pape, il a doncques couilles. Et quand couilles fauldroient[A] on monde, le monde plus Pape n'auroit. »

Pantagruel demandoit ce pendent à un mousse de leur esquif qui estoient ces personaiges. Il luy feist response, que c'estoient les quatre estatz de l'isle : adjousta d'adventaige que serions bien recuilliz[B] et bien traictez, puys qu'avions veu le Pape. Ce que il remonstra à Panurge, lequel luy dist secretement. « Je foys veu[C] à Dieu, c'est cela. Tout vient à poinct qui peult attendre. À la veue du Pape jamais n'avions proficté : à ceste heure de par tous les Diables nous profitera comme je voy. » Allors descendismez en terre et venoient au davant de nous comme en procession tout le peuple du pays, homes, femmes, petitz enfans. Nos quatre estatz leurs dirent à haulte voix. « Ilz le ont veu. Ilz le ont veu. Ilz le ont veu. » À ceste proclamation tout le peuple se agenoilloit davant nous, levans les mains joinctes au ciel et cryans. « O, gens heureux. O bien heureux. »

Et dura ce crys plus d'un quart d'heure. Puys y accourut le maistre d'escholle avecques tous ses pedaguogues, grimaulx[D], et escholiers, et les fouettoit magistralement, comme on souloit[E] fouetter les petitz enfans en nos pays quand on pendoit quelque malfaicteur. Affin qu'il leurs en soubvint. Pantagruel en feut fasché, et leurs dist. « Messieurs, si ne desistez[F] fouetter ces enfans, je m'en

A. manqueraient. B. accueillis. C. je fais vœu. D. petits écoliers. E. avait l'habitude de. F. vous ne cessez de.

10. Le narrateur parle ici à la première personne (tournure stéréotypée *[je] veiz*) selon les procédés de Lucien.

11. Homenaz : du languedocien *omenaz* « homme, grand, fort et bête » ; caricature de Jules III, caractérisé par son penchant pour les plaisirs de la table et son émotivité.

12. Appous : de *appositus*, « placé à côté », par opposition à *suppositus*, « placé en dessous » ; *appost et suppost*, termes de grammaire, désignent le verbe et le sujet (voir Ramus, *Grammaire*, 1572, II, v).

13. Christian Valfinier : personnage inconnu.

14. Satire de l'assimilation du pape à Dieu.

retourne. » Le peuple s'estonna entendent sa voix Stentorée* et veiz[10] un petit bossu à longs doigtz demandant au maistre d'eschole.

« Vertus de Extravaguantes, ceulx qui voyent le Pape deviennent ilz ainsi grands comme cestuy cy qui nous menasse ? O qu'il me tarde merveilleusement que je ne le voy, affin de croistre et grand comme luy devenir. » Tant grandes feurent leurs exclamations, que Homenaz[11] y accourut (ainsi appellent ilz leur Evesque) sus une mule desbridée, caparassonnée de verd, acompaigné de ses appous[12] (comme ilz disoient) de ses suppos aussi, portans croix, banieres, confalons[A], baldachins, torches, benoistiers[B]. Et nous vouloit pareillement les pieds baiser à toutes forces (comme feist au pape Clement le bon Christian Valfinier[13]) disant qu'un de leurs hypophetes* degresseur et glossateur de leurs sainctes Decretales avoit par escript laissé que ainsi comme le Messyas tant et si long temps des Juifz attendu, en fin leurs estoit advenu, aussi en icelle isle quelque jour le pape viendroit[14]. Attendens ceste heureuse journée, si là arrivoit personne qui l'eust veu à Rome ou aultre part, qu'ilz eussent à bien le festoyer, et reverentement traicter. Toutesfoys nous en excusasmez honestement.

A. bannières. B. bénitiers.

1. Rabelais fait ici la satire de l'origine prétendument sacrée des Décrétales uranopètes (descendues du ciel, du grec οὐρανοπετής), dénonçant l'idolâtrie dont elles sont l'objet. Il critique aussi la confession et le jeûne.

2. Bon Christian : voir M. A. Screech, « Sagesse de Rabelais. Rabelais et les "bons christians" », p. 13 ; l'expression (voir aussi LIV) se lit dans le traité de Luther, *Wider das Bapstum zu Rom vom Teuffel gestifft*, paru en 1545 et immédiatement traduit en latin ; il s'agit d'une expression italienne par laquelle les courtisans du Vatican désignent un homme simple, et qu'ils appliquent particulièrement aux Allemands.

3. Suétone, *Vies des douze Césars*, « Auguste », XXX, 4.

4. Rappel de la taille de géant du héros.

Comment Homenaz evesque des Papimanes nous monstra les uranopetes Decretales*[1]

CHAPITRE XLIX

Puys nous dist Homenaz. « Par nos sainctes Decretales nous est enjoinct et commendé visiter premier les Ecclises que les cabaretz. Pourtant[A] ne declinans de ceste belle institution allons à l'Ecclise, aprés irons bancqueter.

— Home de bien (dist frere Jan) allez davant, nous vous suivrons. Vous en avez parlé en bons termes et en bon Christian[2]. Jà long temps a que n'en avions veu. Je m'en trouve fort resjouy en mon esprit, et croy que je n'en repaistray que mieulx. C'est belle chose rencontrer gens de bien. » Approchans de la porte du temple, apperceusmez un gros livre d'oré, tout couvert de fines et precieuses pierres, Balais[B], Esmerauldes, Diamans, et Unions[C], plus ou autant pour le moins excellentes, que celles que Octavian consacra à Juppiter Capitolin[3]. Et pendoit en l'air ataché à deux grosses chaines d'or au Zoophore* du portal[D]. Nous le reguardions en admiration. Pantagruel le manyoit et tournoyt à plaisir : car il y povoit aizement toucher[4]. Et nous affermoit que au touchement d'icelles il sentoit un doulx prurit des ongles et desgourdissement des bras : ensemble temptation vehe-

A. aussi. B. rubis. C. perles. D. portail.

5. Sous peine d'excommunication (Décrétales, V, XXXIX), les clercs ne pouvaient être soumis qu'à une juridiction ecclésiastique.

6. Exode, XXXI, 18.

7. Delphes : voir *Tiers livre*, XXV, Érasme, *Adages*, I, VI, 95, *Nosce teipsum*, adage qui condamne la philautie, et *Gargantua*, XX (un autre des trois adages de Chilon gravés sur le temple grec).

8. Pline, VII, XXXII ; Macrobe, *Saturnales*, I, VI ; Plutarque, *Sur le EI du Temple de Delphes*. Ici commence une liste d'objets tombés du ciel, ayant valeur de talisman.

9. Tite-Live, *Histoire romaine*, XXIX, X.

10. Pessinonte, ville de Galatie (Asie Mineure).

11. Euripide, *Iphigénie en Tauride*, v. 85-88.

12. Infideles : allusion aux croisades pour lesquelles le pape voulait mettre à contribution le royaume de France.

13. Ovide, *Fastes*, III, v. 371-378.

14. Pausanias, *La Description de la Grèce*, I *(Attica)*, XXVI, 6.

15. Ciel des Cieulx : expression biblique (voir Deutéronome, X, 14).

16. *Odyssée*, IV, v. 477.

17. Evangeliste désigne normalement l'auteur de l'un des quatre évangiles.

mente en son esprit de battre un sergent ou deux, pourveu qu'ilz n'eussent tonsure[5]. Adoncques[A] nous dist Homenaz. « Jadis feut aux Juifz la loy par Moses[B] baillée[C] escripte des doigts propres de Dieu[6]. En Delphes[7] davant la face du temple de Apollo feut trouvée ceste sentence divinement escripte ΓΝΩΘΙ ΣΕΑΥΤΟΝ*[D]. Et par certain laps de temps aprés feut veue EI* aussi divinement escripte et transmise des Cieulx[8]. Le simulachre[E] de Cybele feut des Cieulx en Phrygie[9] transmis on champ nommé Pesinunt[10]. Aussi feut en Tauris le simulachre de Diane, si croyez Euripides[11]. L'oriflambe[F] feut des Cieulx transmise aux nobles et treschristians Roys de France pour combatre les Infideles[12]. Regnant Numa Pompilius Roy second des Romains en Rome feut du Ciel veu descendre le tranchant bouclier dict Ancile[13]. En Acropolis de Athenes jadis tomba du Ciel empiré[G] la statue de Minerve[14]. Icy semblablement voyez les sacres[H] Decretales escriptes de la main d'un ange Cherubin. Vous aultres gens Transpontins[I] ne le croirez pas

(— Assez mal, respondit Panurge)

— et à nous icy miraculeusement du Ciel des Cieulx[15] transmises, en façon pareille que par Homere pere de toute Philosophie (exceptez tous jours les dives Decretales) le fleuve du Nile est appellé Diipetes*[16]. Et parce qu'avez veu le Pape evangeliste[17] d'icelles et protecteur sempiternel, vous sera de par nous permis les veoir et baiser au dedans si bon vous semble. Mais il vous conviendra par avant trois jours jeuner, et regulierement confesser, curieusement[J] espluchans et invento-

A. alors. B. Moïse. C. donnée. D. connais-toi toi-même. E. statue. F. oriflamme. G. empyrée. H. sacrées. I. d'au-delà des mers. J. soigneusement.

18. Circonstance : selon les manuels de confession, le prêtre avant de remettre les péchés devait pousser le plus loin possible l'interrogatoire sur les circonstances de l'acte, récapitulées dans ce distique : *« Quid, quis, ubi, per quos, quoties, cur, quomodo, quando / Quilibet obseruet animae medicamina dando. »*

19. Decretal. Greg. IX, V, XXXVIII, 8.

20. Vraybis : juron où *Dieu* est déformé en *bis*.

21. De Dieu : hébraïsme pour marquer l'excellence ; forme répétée trois fois dans ce chapitre et vraisemblablement ironiquement rapprochée du « Dieu en terre ».

22. Suite d'équivoques sur *con*.

23. L'heure des messes est fixée au Décret de Gratien, IIIe partie, distinction I, canons 48 et 51 et non dans Decretal. Greg. IX, III, XLV, « De celebratione missarum ».

rizans vos pechez tant dru, qu'en terre ne tombast une seule circonstance[18], comme divinement nous chantent les dives Decretales[19] que voyez. À cela fault du temps.

— Home de bien (respondit Panurge) Decrotoueres[A], voyre diz je Decretales, avons prou[B] veu en papier, en parchemin lanterné[C], en velin, escriptes à la main, et imprimées en moulle[D]. Jà n'est besoing que vous penez à cestes cy nous monstrer. Nous contentons du bon vouloir, et vous remercions autant.

— Vraybis[20] (dist Homenaz) vous n'avez mie veu cestes cy angelicquement escriptes. Celles de vostre pays ne sont que transsumpts[E] des nostres, comme trouvons escript par un de nos antiques Scholiastes* Decretalins. Au reste vous pry n'y espargner ma peine. Seulement advisez si voulez confesser et jeuner les troys beaulx petitz jours de Dieu[21].

— De cons fesser (respondit Panurge) tresbien nous consentons[22]. Le jeune seulement ne nous vient à propous. Car nous avons tant et trestant par la marine[F] jeuné, que les araignes[G] ont faict leurs toilles sus nos dens. Voyez icy ce bon frere Jan des Entommeures[H] (à ce mot Homenaz courtoisement luy bailla la petite accollade) la mousse luy est creue on gouzier par faulte de remuer et exercer les badiguoinces et mandibules.

— Il dict vray (respondit frere Jan). J'ay tant et trestant jeuné, que j'en suys devenu tout bossu.

— Entrons (dist Homenaz) doncques en l'Ecclise, et nous pardonnez si præsentement ne vous chantons la belle messe de Dieu. L'heure de myjour est passée, aprés laquelle nous defendent[23] nos sacres Decretales messe

A. brosses à chaussures. B. beaucoup. C. transparent. D. en caractères d'imprimerie. E. copies. F. mer. G. araignées. H. entamures.

24. Messe seiche : sans offertoire, consécration et communion ; ce type de messes non eucharistiques, fréquent au temps de Rabelais, est limité après le concile de Trente.

25. Bas et roidde : exhortation adressée aux joueurs de paume et équivoque obscène.

26. Calembour sur *traits* de vin *passés* par le gosier et *trépassés*, l'usage étant d'apporter aux messes d'enterrement une bouteille de vin et un pain, d'après Tobie, IV, 17.

27. Plaisanterie traditionnelle ; allusion au manteau relevé pour ne pas traîner dans la boue.

chanter, messe diz je haulte et legitime. Mais je vous en diray une basse et seiche[24].

— J'en aymerois mieulx (dist Panurge) une mouillée de quelque bon vin d'Anjou. Boutez, doncq, boutez, bas et roidde[25].

— Verd et bleu[A] (dist frere Jan) il me desplaist grandement qu'encores est mon estomach jeun. Car ayant tresbien desjeuné, et repeu à usaige monachal, si d'adventure il nous chante de *Requiem*, je y eusse porté pain et vin par les traictz passez[26]. Patience. Sacquez, chocquez, boutez, mais troussez la court, de paour[B] que ne se crotte[27], et pour aultre cause aussi, je vous en prye. »

A. Vertu Dieu. B. peur.

1. L'archetype d'un Pape : selon R. Marichal, « *Quart livre.* Commentaires », 1964, p. 114-118, Rabelais évoque vraisemblablement le portrait du Christ du Sancta sanctorum, image achéropoète (c'est-à-dire image non faite de main d'homme, mais par des anges) ébauchée par saint Luc, achevée par un ange ; on l'exposait la veille de l'Assomption et elle était, le reste de l'année, voilée de somptueuses draperies. Le Sancta sanctorum, chapelle privée des papes dans le palais du Latran, contenait de nombreuses reliques, comme le prépuce du Christ, ses sandales, des fragments de la Croix, du sycomore sur lequel était monté Zachée (dénoncées par Calvin dans le *Traité des reliques* [1543]).

2. Sous l'achéropoète du Sancta sanctorum se trouve une grille aux multiples serrures et cadenas.

3. Se couvrir d'un sac mouillé : se dit de gens qui ne veulent pas confesser leur faute et allèguent des excuses fallacieuses.

4. Attributs traditionnels du pape.

5. Dieu en terre : voir XLVIII, p. 429, n. 1.

Comment par Homenaz nous feut monstré l'archetype d'un Pape*[1]

CHAPITRE L

La messe parachevée Homenaz tira d'un coffre prés le grand aultel un gros faratz[A] de clefz, des quelles il ouvrit à trente et deux claveures[B] et quatorze cathenatz[C] une fenestre de fer bien barrée au dessus dudict autel[2], puys par grand mystere se couvrit d'un sac mouillé[3], et tirant un rideau de satin cramoisy nous monstra une imaige paincte assez mal, scelon mon advis, y toucha un baston longuet, et nous feist à tous baiser la touche[D]. Puys nous demanda. « Que vous semble de ceste imaige ?

— C'est (respondit Pantagruel) la ressemblance d'un Pape. Je le congnois à la thiare, à l'aumusse, au rochet[E], à la pantophle[4].

— Vous dictez bien (dist Homenaz.) C'est l'idée de celluy Dieu de bien en terre, la venue duquel nous attendons devotement, et lequel esperons une foys veoir en ce pays. O l'heureuse et desirée et tant attendue journée. Et vous heureux et bien heureux qui tant avez eu les astres favorables, que avez vivement en face veu et realement celluy bon Dieu en terre[5], duquel voyant seulement le portraict, pleine remission guaingnons de tous nos pechez memorables : ensemble la tierce partie

A. tas. B. serrures. C. cadenas. D. endroit touché. E. surplis.

6. Critique des indulgences et des pardons.

7. Dædalus : inventeur légendaire de la sculpture et de l'architecture ; voir Érasme, *Adages*, II, III, 62, *Daedali opera.*

8. Seuillé : voir *Gargantua*, XXVI (abbaye défendue par frère Jean).

9. Monnaies d'argent ; le blanc vaut cinq deniers, le carolus dix deniers, le teston, dix sous.

10. Jambe de Dieu : jambe artificiellement malade, pour exciter la pitié, et facilement guérissable.

11. Érasme, *Adages*, III, I, 88, *Date mihi peluim.*

12. Érasme, *ibid.*, I, VIII, 88, *Deorum cibus* ; Suétone, *Vies des douze Césars*, « Néron », XXXIII.

13. Critique des papes, qui n'hésitaient pas à diriger les opérations militaires.

avecques dixhuict quarantaines des pechez oubliez. Aussi ne la voyons nous que aux grandes festes annueles[6]. »

Là disoit Pantagruel, que c'estoit ouvraige tel que les faisoit Dædalus[7]. Encores qu'elle feust contrefaicte[A], et mal traicte[B], y estoit toutesfoys latente et occulte quelque divine energie en matiere de pardons. « Comme, dist frere Jan, à Seuillé[8] les coquins[C] souppans un jour de bonne feste à l'hospital, et se vantans l'un avoir celluy jour guaingué six blancs, l'aultre deux soulz, l'autre sept carolus, un gros gueux se ventoit avoir guaingné troys bons testons[9]. "Aussi (luy respondirent ses compaignons) tu as une jambe de Dieu[10]." Comme si quelque divinité feust absconse[D] en une jambe toute sphacelée* et pourrye.

— Quand (dist Pantagruel) telz contes vous nous ferez, soyez records[E] d'apporter un bassin[11]. Peu s'en fault que ne rende ma guorge[F]. User ainsi du sacré nom de Dieu en choses tant hordes[G] et abhominables ? fy, j'en diz fy. Si dedans vostre moynerie est tel abus de parolles en usaige, laissez le là : ne le transportez hors les cloistres.

— Ainsi (respondit Epistemon) disent les medicins estre en quelques maladies certaine participation de divinité. Pareillement Neron louoit les champeignons, et en proverbe Grec les appelloit viande[H] des Dieux : pource que en iceulx il avoit empoisonné son prædecesseur Claudius empereur Romain[12].

— Il me semble (dist Panurge) que ce portraict fault[I] en nos derniers Papes. Car je les ay veu non aumusse, ains[J] armet[K] en teste porter[13], thymbré d'une thiare Per-

A. déformée. B. représentée. C. mendiants. D. cachée. E. souvenez-vous. F. vomisse. G. sales. H. mets. I. manque. J. mais. K. casque.

14. Thymbré d'une thiare Persicque : cette précision peut être tirée de l'ouvrage de J. Lemaire, *Différence des schismes*, réédité en 1549, qui indique que cet ornement a pour origine la tiare des rois de Perse.

15. L'allusion à Jules II (1511) se rapporte aussi à l'attitude de Jules III dans l'affaire du duché de Parme.

16. Protestans : valeur religieuse récente en français (1546), sous l'influence de l'allemand ; allusion aux partisans de Luther qui, en 1529, à l'issue de la diète de Spire, protestèrent publiquement d'appeler du décret de l'empereur à un concile général.

17. Voir *Tiers livre*, XXII, les implications religieuses de l'épisode de Raminagrobis (de *grobis*, « gros chat »), le vieux poète français.

18. Almaignes, et Angleterre : allusion aux princes luthériens et à Henri VIII.

sicque[14]. Et tout l'empire Christian estant en paix et silence, eulx seulz guerre faire felonne et trescruelle[15].

— C'estoit (dist Homenaz) doncques contre les rebelles, Hæreticques, protestans[16] desesperez[A], non obeissans à la saincteté de ce bon Dieu en terre. Cela luy est non seulement permis et licite, mais commendé par les sacres[B] Decretales : et doibt à feu incontinent Empereurs, Roys, Ducz, Princes, Republicques et à sang mettre, qu'ilz transgresseront un iota de ses mandemens : les spolier de leurs biens, les deposseder de leurs Royaulmes, les proscrire, les anathematizer, et non seulement leurs corps, et de leurs enfans et parens aultres occire, mais aussi leurs ames damner au parfond[C] de la plus ardente chauldiere qui soit en Enfer.

— Icy (dist Panurge) de par tous les Diables, ne sont ilz hæreticques comme feut Raminagrobis[17], et comme ilz sont parmy les Almaignes, et Angleterre[18]. Vous estez Christians triez sus le volet.

— Ouy vraybis, dist Hommenaz, aussi serons nous tous saulvez. Allons prendre de l'eaue beniste, puys dipnerons[D]. »

A. impénitents. B. sacrées. C. profond. D. nous déjeunerons.

1. Rabelais utilise ici une forme litanique avec récurrences phoniques à la louange des Décrétales. Il suggère l'atmosphère sensuelle de la cour papale, atmosphère profane et festive qu'il décrit en des termes semblables à ceux qui lui ont servi à évoquer le banquet de la *Sciomachie*, récit d'une fête donnée à Rome par le cardinal du Bellay en 1549 en l'honneur de la naissance du duc d'Orléans.

2. Taillon : impôt additionnel à la taille.

3. Guillot : célèbre restaurateur dont parle encore Montaigne dans son *Journal de voyage* (1580-1581).

4. Allusion au goût de Jules III pour la viande de porc.

Menuz devis durant le dipner[A], *à la louange des Decretales*[1]

CHAPITRE LI

Or notez Beuveurs, que durant la messe seche de Hommenaz, trois manilliers de l'Eccliseᴮ chascun tenant un grand bassin en main, se pourmenoient par my le peuple disans à haulte voix. « N'oubliez les gens heureux, qui le ont veu en face. » Sortans du temple ilz apporterent à Homenaz leurs bassins tous pleins de monnoye Papimanicque. Homenaz nous dist, que c'estoit pour faire bonne chere. Et que de ceste contribution et taillon[2] l'une partie seroit employée à bien boyre, l'aultre à bien manger, suyvant une mirificque[C] glosse cachée en un certain coingnet[D] de leurs sainctes Decretales. Ce que feut faict, et en beau cabaret assez retirant[E] à celluy de Guillot[3] en Amiens. Croyez que la repaille[F] feut copieuse, et les beuvettes[G] numereuses[H].

En cestuy dipner je notay deux choses memorables. L'une, que viande[I] ne feut apportée, quelle que feust, feussent chevreaulx, feussent chappons, feussent cochons, (des quelz y a foizon en Papimanie[4]) feussent pigeons, connilz[J], levraulx, cocqs de Inde, ou aultres, en laquelle

A. déjeuner. B. marguilliers de l'église. C. admirable. D. petit coin. E. ressemblant. F. repas. G. actions de boire. H. nombreuses. I. mets. J. lapins.

5. Les viandes à la chardonnerette, farce à base de cardon d'Espagne, étaient réputées à Rome selon Henri Estienne.

6. On notera la mise en scène païenne.

7. Instrophiez : formé à partir d'*instrofiare*, vocable créé par Francesco Colonna dans le *Songe de Poliphile* (1499) à partir du grec στρόφιον, « bandeau » (de στρέφω, « enrouler »). De même, le costume des pucelles évoque celui des nymphes du *Songe*. Voir, dans la *Sciomachie*, « deux fontaines artificielles sus la table toutes instrophiées de fleurs odorantes ».

8. Plumail : bout d'aile d'une oie.

9. Clerice : jeu de mots sur le vocatif de *clericus*, « clerc », et *esclaire icy*; la suite laisse supposer une ambiguïté avec une prononciation en [e] du prénom féminin *Clarice*.

10. Jeu de mots sur les Extravagantes (voir XLVIII, n. 1, p. 429); d'après *extravagant* (emprunté au latin ecclésiastique), « qui n'est pas inséré dans les recueils canoniques », a été formé au XVIe siècle le verbe *extravaguer*, « aller dans tous sens » (première attestation en 1538).

11. Les épithètes renvoient à la hiérarchie des anges; les séraphins sont les anges de la première hiérarchie, les chérubins ceux du second chœur de la première hiérarchie, et les anges ceux du dernier chœur.

12. Sixiesme, voir XLVIII, n. 1, p. 429, pour l'ensemble des textes de droit canonique cités dans ce paragraphe.

n'y eust abondance de farce magistrale[5]. L'aultre, que tout le sert[A] et dessert[B] feut porté par les filles pucelles mariables du lieu, belles, je vous affie[C], saffrettes[D], blondelettes, doulcettes, et de bonne grace[6]. Les quelles vestues de longues, blanches, et deliées aubes à doubles ceinctures, le chef ouvert[E], les cheveulx instrophiez[7] de petites bandelettes et rubans de saye[F] violette, semez de roses, œilletz, marjolaine, aneth, aurande[G], et aultres fleurs odorantes, à chascune cadence nous invitoient à boire, avecques doctes et mignonnes reverences. Et estoient voluntiers veues de toute l'assistence. Frere Jan les reguardoit de cousté, comme un chien qui emporte un plumail[8]. Au dessert du premier metz feut par elles melodieusement chanté un Epode*, à la louange des sacrosainctes Decretales.

Sus l'apport du second service, Homenaz tout joyeulx et esbaudy adressa sa parolle à un des maistres Sommeliers, disant. « *Clerice*[9], esclaire icy. » À ces motz une des filles promptement luy præsenta un grand hanat[H] plein de vin Extravaguant[10]. Il le tint en main, et souspirant profondement dist à Pantagruel. « Mon Seigneur, et vous beaulx amis, je boy à vous tous de bien bon cœur. Vous soyez les tresbien venuz. » Beu qu'il eut et rendu le hanat à la bachelette[I] gentile, feist une lourde exclamation, disant. « O dives Decretales, tant par vous est le vin bon bon trouvé.

— Ce n'est, dist Panurge, pas le pis du panier.

— Mieulx seroit, dist Pantagruel, si par elles le mauvais vin devenoit bon.

— O Seraphicque[11] Sixiesme[12] (dist Homenaz continuant) tant vous estez necessaire au saulvement des

A. service. B. desserte. C. assure. D. appétissantes. E. tête découverte. F. soie. G. citronnelle. H. hanap. I. jeune fille.

13. Vallée de misère : métaphore empruntée au *Salve regina.*
14. Voir l'éloge des dettes, où Panurge dit que la vie consiste en sang et que « Sang est le siege de l'ame » (*Tiers livre*, IV), avec des tournures identiques.
15. Farce est employé au double sens culinaire et théâtral.

paouvres humains. O Cherubicques Clementines, comment en vous est proprement contenue et descripte la perfaicte institution du vray Christian. O Extravaguantes Angelicques, comment sans vous periroient les paouvres ames, les quelles çà bas errent par les corps mortelz en ceste vallée de misere[13]. Helas quand sera ce don de grace particuliere faict es humains, qu'ilz desistent de[A] toutes aultres estudes et neguoces pour vous lire, vous entendre, vous sçavoir, vous user, practicquer, incorporer, sanguifier[B], et incentricquer[C] es profonds ventricules de leurs cerveaulx, es internes mouelles de leurs os, es perples[D] labyrintes de leurs arteres[14] ? O lors, et non plus toust, ne aultrement, heureux le monde. »

À ces motz se leva Epistemon, et dist tout bellement à Panurge. « Faulte de selle persée me constrainct d'icy partir. Ceste farce[15] me a desbondé le boyau cullier. Je ne arresteray gueres.

— O lors (dist Homenaz continuant) nullité de gresle, gelée, frimatz, vimeres[E]. O lors abondance de tous biens en terre. O lors paix obstinée infringible[F] en l'Univers : cessation de guerres, pilleries, anguaries[G], briguanderies, assassinemens : exceptez contre les Hereticques, et rebelles mauldictz. O lors joyeuseté, alaigresse, liesse, soulas[H], deduictz[H], plaisirs, delices en toute nature humaine. Mais O, grande doctrine, inestimable erudition, preceptions[I] deificques emmortaisées[J] par les divins chapitres de ces eternes[K] Decretales. O comment lisant seulement un demy canon, un petit paragraphe*, un seul notable[L] de ces sacrosainctes Decretales, vous

A. renoncent à. B. convertir en sang. C. faire entrer au centre. D. entrelacés confusément. E. ouragans. F. infrangible. G. vexations. H. plaisir(s). I. préceptes. J. enchâssées dans une mortaise. K. éternelles. L. sentence.

16. Choses fortuites : voir la définition du pantagruélisme, « mespris des choses fortuites » (prologue p. 47).

17. Paul, II Corinthiens, XII, 2 ; le troisième ciel y désigne le plus haut des cieux.

sentez en vos cœurs enflammée la fournaise d'amour divin : de charité envers vostre prochain, pourveu qu'il ne soit Hereticque : contemnement asceuré[A] de toutes choses fortuites[16] et terrestres : ecstatique* elevation de vos espritz, voire jusques au troizieme ciel[17] : contentement certain en toutes vos affections[B].

A. mépris assuré. B. désirs.

1. L'éloge des Décrétales se poursuit selon des tournures répétitives et de manière paradoxale.

2. Allusion au chant harmonieux des orgues.

3. L'Ecossoys : Robert Irland, professeur à l'université de Poitiers de 1502 à 1561.

4. Decretalipotens : « puissant en Décrétales », formé sur *omnipotens.*

5. Traduction de Catulle, *Poèmes*, XXIII, v. 20-23.

6. Erres : mot qui usuellement a le sens non d'« excrément », mais de « traces d'un gibier » en vénerie.

7. Injan : abréviation de *Par saint Jean !* fréquente dans les vieilles farces.

8. Unes : le pluriel de l'article indéfini *un* est encore utilisé au XVIe siècle avec des noms à sens collectif.

9. Jean Guymard : un personnage de ce nom remplissait des fonctions analogues auprès des La Tremoille.

Continuation des miracles advenuz par les Decretales[1]

CHAPITRE LII

« Voicy (dist Panurge) qui dict d'orgues[2]. Mais j'en croy le moins que je peuz. Car il me advint un jour à Poictiers chés l'Ecossoys[3] docteur Decretalipotens[4] d'en lire un chapitre, le Diable m'emport, si à la lecture d'icelluy je ne feuz tant constipé du ventre, que par plus de quatre, voyre cinq jours je ne fiantay qu'une petite crotte. Sçavez vous quelle ? Telle, je vous jure, que Catulle dict estre celles de Furius son voisin[5].

« En tout un an tu ne chie dix crottes.
Et si des mains tu les brises et frottes,
Jà n'en pourras ton doigt fouiller de erres[6].
Car dures sont plus que febves et pierres.

— Ha, ha (dist Homenaz) Injan[7] mon amy vous, par adventure, estiez en estat de peché mortel.

— Cestuy là (dist Panurge) est d'un aultre tonneau.

— Un jour (dist frere Jan) je m'estois à Seuillé torché le cul d'un feueillet d'unes[8] meschantes Clementines, les quelles Jan Guymard[9] nostre recepveur[A] avoit jecté on preau du cloistre : je me donne à tous les Diables, si les

A. intendant.

10. Clous bruneau : nom d'une partie du Quartier latin à Paris ; expression désignant l'anus.

11. En théologie, le culte de latrie, adoration qu'on rend à Dieu seul, s'oppose au culte de dulie, rendu aux anges et aux saints ; hyperdulie est le culte rendu à la Vierge.

12. « Le Palermitain » : Nicolas Tedesco, né à Catane en 1386, professeur de droit canonique, auteur de *Commentaires.*

13. Jean Chouart : terme qui désigne le mâle de la chouette et en argot le membre viril.

14. Sainct Olary : abbaye de Montpellier.

15. Lamballe, ville des Côtes-d'Armor, célèbre pour ses parchemins.

16. Les velins étaient utilisés par les batteurs d'or pour amortir les coups du marteau.

17. François Cornu : personnage inconnu ; Eudémon, dans *Gargantua*, XV, était un jeune page dont le pédagogue Ponocrates deviendra celui de Gargantua.

18. Senogues : sorte de médicament.

19. Groignet : personnage inconnu.

rhagadies[A] et hæmorrutes[B] ne m'en advindrent si trés horribles, que le paouvre trou de mon clous bruneau[10] en feut tout dehinguandé[C].

— Injan, dist Homenaz, ce feut evidente punition de Dieu, vengeant le peché qu'aviez faict incaguant[D] ces sacres[E] livres, les quelz doibviez baiser et adorer, je diz d'adoration de latrie[11], ou de hyperdulie, pour le moins. Le Panormitan[12] n'en mentit jamais.

— Jan Chouart[13] (dist Ponocrates) à Monspellier avoit achapté des moines de sainct Olary[14] unes belles Decretales escriptes en beau et grand parchemin de Lamballe[15], pour en faire des Velins[16] pour batre l'or. Le malheur y feut si estrange, que oncques[F] piece n'y feut frappée, qui vint à profict. Toutes feurent dilacerées et estrippées[G].

— Punition, dist Homenaz, et vengeance divine.

— Au Mans (dist Eudemon) François Cornu[17] apothecaire avoit en cornetz emploicté[H] unes Extravaguantes frippées, je desadvoue le Diable, si tout ce qui dedans feut empacqueté, ne feut sus l'instant empoisonné, pourry et guasté : encent, poyvre, gyrofle, cinnamome, saphran, cire, espices, casse, reubarbe, tamarins : generalement tout, drogues, guogues[I], et senogues[18].

— Vangeance (dist Homenaz) et divine punition. Abuser en choses prophanes de ces tant sacres escriptures.

— À Paris (dist Carpalim) Groignet[19] cousturier avoit emploicté unes vieilles Clementines en patrons et mesures. O cas estrange. Tous habillemens taillez sus telz patrons, et protraictz[J] sus telles mesures, feurent

A. fistules. B. hémorroïdes. C. disloqué. D. souillant d'excréments. E. sacrés. F. jamais. G. déchirées. H. employé. I. purgatifs. J. dessinés.

20. Jeu de mots sur les homonymes *paele*, « poêle » et « dais ».

21. Saphran : allusion à la coutume de peindre la maison de ceux qui avaient fait banqueroute en jaune.

22. Cahusac : seigneurie du Lot-et-Garonne appartenant en 1531 à Louis d'Estissac, neveu de l'abbé de Maillezais, protecteur de Rabelais.

23. Vicomte de Lausun : Charles de Caumont ou son fils.

24. Perotou : personnage inconnu.

25. Sansornin : probablement Garniarnaut de Buade, seigneur de Saint-Sernin, familier de la famille d'Estissac.

26. Figues dioures : serment gascon (« figues d'or »).

27. Pasadouz : mot toulousain désignant la flèche au fer triangulaire et plat.

28. Grolle : point noir au centre de la cible.

guastez et perduz : robbes, cappes, manteaulx, sayons[A], juppes, cazaquins, colletz, pourpoinctz, cottes, gonnelles[B], verduguallés[C]. Groignet cuydant[D] tailler une cappe, tailloit la forme d'une braguette. En lieu d'un sayon tailloit un chappeau à prunes succées[E]. Sus la forme d'un cazaquin tailloit une aumusse. Sus le patron d'un pourpoinct tailloit la guise d'une paele[F]. Ses varletz l'avoir[G] cousue, la deschiquetoient par le fond. Et sembloit d'une paele[20] à fricasser chastaignes. Pour un collet faisoit un brodequin. Sur le patron d'une verduguallé tailloit une barbutte[H]. Pensant faire un manteau faisoit un tabourin[I] de Souisse. Tellement que le paouvre home par justice feut condemné à payer les estoffes de tous ses challans[J] : et de præsent en est au saphran[21].

— Punition (dist Homenaz) et vengeance divine.

— A Cahusac[22] (dist Gymnaste) feut pour tirer à la butte[K] partie faicte entre les seigneurs d'Estissac, et vicomte de Lausun[23]. Perotou[24] avoit depecé unes demies Decretales du bon canonge[L]. La carte, et des feueilletz avoit taillé le blanc pour la butte. Je me donne, je me vends, je me donne à travers tous les Diables, si jamais harbalestier du pays (les quelz sont suppellatifz[M] en toute Guyenne) tira traict dedans. Tous feurent coustiers[N]. Rien du blanc sacrosainct barbouillé ne feut, depucellé, ne entommé[O]. Encores Sansornin[25] l'aisné qui guardoit les guaiges, nous juroit Figues dioures[26] (son grand serment) qu'il avoit veu apertement[P], visiblement, manifestement le pasadouz[27] de Carquelin droict entrant dedans la grolle[28] on mylieu du blanc, sus le

A. casaques. B. manteaux de chevauchée à capuchon. C. vertugadins. D. croyant. E. en forme de noyau. F. forme d'un dais. G. après l'avoir. H. capuchon. I. tambourin. J. clients. K. cible. L. chanoine. M. superlatifs. N. sur le côté. O. entamé. P. visiblement.

29. Roussiner, baudouiner : termes, signifiant « saillir », faits à partir de *roussin* et *baudet.*

30. Herbault : au Moyen Âge, personnage symbolisant la misère et la pauvreté ; allusion vraisemblable à Gabriel de Puy-Herbault : voir XXXII, p. 325 et n. 29.

31. Sur les picques noires, voir XXXIII, p. 329 et n. 14.

32. Érasme, *Adages,* II, VI, 78, *Nec propius ferire,* d'après Diogène Laërce, VI, II, 67.

33. Trabut : mesure agraire équivalant à une perche, soit le cinquième d'un arpent.

34. Chamouillac : page inconnu.

poinct de toucher et enfoncer s'estre escarté loing d'une toise coustier[A] vers le fournil.

— Miracle (s'escria Homenaz) miracle, miracle. *Clerice*, esclaire icy. Je boy à tous. Vous me semblez vrays Christians. » À ces motz les filles commencerent ricasser[B] entre elles. Frere Jan hannissoit du bout du nez comme prest à roussiner, ou baudouiner[29] pour le moins, et monter dessus, comme Herbault[30] sus paouvres gens. « Me semble (dist Pantagruel) que en telz blancs l'on eust contre le dangier du traict plus sceurement esté, que ne feut jadis Diogenes.

— Quoy ? demanda Homenaz. Comment ? Estoit il Decretaliste ?

— C'est (dist Epistemon retournant de ses affaires) bien rentré de picques noires[31].

— Diogenes[32], respondit Pantagruel, un jour s'esbatre voulent visita les archiers qui tiroient à la butte. Entre iceulx un estoit tant faultier[C], imperit[C], et mal à droict, que lors qu'il estoit en ranc de tirer, tout le peuple spectateur s'escartoit de paour[D] d'estre par luy feruz. Diogenes l'avoir un coup veu si perversement tirer que sa fleche tomba plus d'un trabut[33] loing de la butte, au second coup le peuple loing d'un cousté et d'aultre s'escartant, accourut et se tint en pieds jouxte le blanc : affermant[E] cestuy lieu estre le plus sceur[F] : et que l'archier plus toust feriroit tout aultre lieu, que le blanc : le blanc seul estre en sceureté du traict.

— Un paige (dist Gymnaste) du seigneur d'Estissac, nommé Chamouillac[34], aperceut le charme. Par son advis Perotou changea de blanc, et y employa les papiers

A. à côté. B. rire. C. maladroit. D. peur. E. affirmant. F. sûr.

35. Pouillac : village de Charente-Maritime.
36. Pour Landerousse, voir prologue, p. 65 et n. 98.
37. Jan Delif : personnage inconnu.
38. Danses mauresques.
39. Énumération de plantes à larges feuilles ; la colocasie et la personate sont des plantes aquatiques (Pline, XXI, XV).
40. Sur la passion de Doué, voir XIII, p. 185 et n. 20.
41. Allusion aux reliures faites de planchettes de bois *(aisses)* avec de gros clous comme ceux des souliers ferrés pour la glace *(glaz)*.

du procés de Pouillac[35]. Adoncques[A] tirerent tresbien et les uns et les aultres.

— À Landerousse[36] (dist Rhizotome) es nopces de Jan Delif[37] feut le festin nuptial notable et sumptueux, comme lors estoit la coustume du pays. Aprés soupper feurent jouées plusieurs farces, comedies, sornettes plaisantes : feurent dansées plusieurs Moresques[38] aux sonnettes et timbous[B] : feurent introduictes diverses sortes de masques et mommeries[C]. Mes compaignons d'eschole et moy pour la feste honorer à nostre povoir (car au matin nous tous avions eu de belles livrées blanc et violet) sus la fin feismes un barboire[D] joyeulx avecques force coquilles de sainct Michel, et belles caquerolles[E] de limassons. En faulte de Colocasie, Bardane, Personate[39] et de papier : des feueilletz d'un vieil Sixieme, qui là estoit abandonné, nous feismes nos faulx visaiges, les descouppans un peu à l'endroict des œilx, du nez, et de la bouche. Cas merveilleux. Nos petites caroles[F] et pueriles esbatemens achevez, houstans[G] nos faulx visaiges appareumes plus hideux et villains que les Diableteaux de la passion de Doué[40] : tant avions les faces guastées aux lieux touchez par les dictz feueilletz. L'un y avoit la picote[H], l'aultre le tac[I], l'aultre la verolle, l'aultre la rougeolle, l'aultre gros froncles[J]. Somme celluy de nous tous estoit le moins blessé, à qui les dens estoient tombées.

— Miracle (s'escria Homenaz) miracle.

— Il n'est, dist Rhizotome, encores temps de rire. Mes deux sœurs, Catharine, et Renée avoient mis dedans ce beau Sixiesme, comme en presses (car il estoit couvert de grosses aisses, et ferré à glaz[41]) leurs guimples[K], man-

A. alors. B. tambours. C. mascarades. D. mascarades avec de fausses barbes. E. carapaces. F. danses. G. ôtant. H. variole. I. coqueluche. J. furoncles. K. guimpes.

42. Voir XLVIII, p. 429, n. 1 pour le « Dieu en terre ».
43. Arry avant : cri de l'ânier pour faire avancer le bourricot.
44. Dicton populaire connu avant Rabelais.

chons, et collerettes savonnées de frays, bien blanches, et empesées. Par la vertus dieu.

— Attendez, dist Homenaz, du quel Dieu entendez vous ?

— Il n'en est qu'un, respondit Rhizotome.

— Ouy bien, dist Homenaz, es cieulx. En terre n'en avons nous un aultre[42] ?

— Arry avant[43], dist Rhizotome, je n'y pensois par mon ame plus. Par la vertus doncques du Dieu Pape terre, leurs guimples, collerettes, baverettes[A], couvrechefz, et tout aultre linge, y devint plus noir qu'un sac de charbonnier.

— Miracle (s'escria Homenaz) *Clerice*, esclaire icy : et note ces belles histoires.

— Comment (demanda frere Jan) dict on doncques.

> « *Depuys que Decretz eurent ales*[B],
> *Et gensdarmes porterent males*[C],
> *Moines allerent à cheval,*
> *En ce monde abonda tout mal*[44].

— Je vous entens, dist Homenaz. Ce sont petitz Quolibetz des Hereticques nouveaulx. »

A. bavettes. B. ailes. C. malles.

1. L'éloge paradoxal des Décrétales se poursuit ici dans une perspective de politique gallicane.

2. Embourser : « mettre en bourse », d'où « avaler ».

3. Les trois premières constitutions citées (Extravagantes communes, III, II, 4, Decretal. Greg. IX, III, V, 28 ; Clementines, III, II, 3) interdisent le cumul des bénéfices. Le titre « De annatis » se trouve dans la Pragmatique, les annates désignant « les revenus de la première année d'un bénéfice réservé à la chambre apostolique à la suite d'une nouvelle collation ». La cinquième décrétale citée (III, V, 21) concerne la concurrence de deux clercs au même bénéfice entraînant le paiement d'une pension ; la sixième (III, XXXV, 6) régit les détails de la vie monastique ; la septième (IV, XIV, 3) s'occupe des dispenses pour mariage entre parents, et la huitième (I, III, 38) de la faculté qu'avait le pape, une fois au cours de son pontificat, d'octroyer de nouveaux mandats. Toutes ces opérations étaient assorties de taxes diverses qui remplissaient les caisses de la papauté (voir R. Marichal, « *Quart livre.* Commentaires », 1964, p. 136-140).

4. Nargues : « non », du toulousain *nargo.*

5. Auriflue, latinisme : « qui roule de l'or dans ses flots ».

Comment par la vertus des Decretales
est l'or subtilement tiré de France en Rome[1]

CHAPITRE LIII

« Je vouldroys, dist Epistemon, avoir payé chopine de trippes à embourser[2], et que eussions à l'original collationné les terrificques[A] chapitres *Execrabilis. De multa. Si plures. De Annatis per totum. Nisi essent. Cum ad monasterium. Quod dilectio. Mandatum*[3] : et certains aultres, les quelz tirent par chascun an de France en Rome quatre cens mille ducatz, et d'adventaige.

— Est ce rien cela ? dist Homenaz. Me semble toutesfoys estre peu, veu que France la Treschristiane est unicque nourrisse de la court Romaine. Mais trouvez moy livres on monde, soient de Philosophie, de Medicine, des Loigs, des Mathematicques, des letres humaines, voyre (par le mien Dieu) de la saincte escripture, qui en puissent autant tirer ? Poinct. Nargues[4], nargues. Vous n'en trouverez poinct de ceste auriflue[5] energie* : je vous en asceure. Encores ces diables Hæreticques ne les voulent aprendre et sçavoir. Bruslez, tenaillez, cizaillez, noyez, pendez, empallez, espaultrez[B], demembrez, exenterez[C], decouppez, fricassez, grislez, transonnez[D], crucifiez, bouillez, escarbouillez[E], escartelez, debezillez[D],

A. terribles. B. brisez. C. étripez. D. mettez en pièces. E. écrabouillez.

6. Decretalictones : Rabelais s'amuse à la composition de mots ; après des termes fondés sur deux éléments latins : *decretalifuge, decretalicide*, la « diction monstrueuse » gréco-latine (voir « Briefve declaration », p. 611).

7. Prelations : droit par lequel les enfants sont maintenus par préférence dans les charges que leurs pères ont possédées.

8. Thème de la prédestination récurrent ; voir prologue (histoire du chien et du renard).

9. Le décrétiste est le juriste spécialiste du Décret de Gratien, respecté par les gallicans ; le décrétaliste, le spécialiste des Décrétales.

dehinguandez[A], carbonnadez[B] ces meschans Hæreticques Decretalifuges, Decretalicides, pires que homicides, pires que parricides, Decretalictones*[6] du Diable. Vous aultres gens de bien si voulez estre dictz et reputez vrays Christians[C], je vous supplie à joinctes mains ne croire aultre chose, aultre chose ne penser, ne dire, ne entreprendre, ne faire, fors seulement ce que contiennent nos sacres[D] Decretales, et leurs corollaires* : ce beau Sixiesme, ces belles Clementines, ces belles Extravaguantes. O livres deificques. Ainsi serez en gloire, honneur, exaltation, richesses, dignitez, prelations[7] en ce monde : de tous reverez, d'un chascun redoubtez, à tous preferez, sus tous esleuz[E] et choisiz. Car il n'est soubs la chappe du ciel estat, du quel trouviez gens plus idoines à tout faire et manier, que ceulx qui par divine prescience et eterne[F] predestination[8], adonnez se sont à l'estude des sainctes Decretales. Voulez vous choisir un preux Empereur, un bon capitaine, un digne chef et conducteur d'une armée en temps de guerre, qui bien sçaiche tous inconveniens prevoir, tous dangiers eviter, bien mener ses gens à l'assault et au combat en alaigresse, rien ne hazarder, tous jours vaincre sans perte de ses soubdars[G], et bien user de la victoire ? Prenez moy un Decretiste. Non, non. Je diz un Decretaliste[9].

— (O le gros Rat[H] dist Epistemon.)

— Voulez vous en temps de paix trouver home apte et suffisant à bien gouverner l'estat d'une Republicque, d'un royaulme, d'un empire, d'une monarchie : entretenir l'Ecclise[I], la noblesse, le senat et le peuple en richesses, amitié, concorde, obeissance, vertus, honesteté ? Prenez moy un Decretaliste. Voulez vous trouver

A. disloquez. B. grillez. C. chrétiens. D. sacrées. E. élus. F. éternelle. G. soldats. H. lapsus. I. église.

10. Critique renouvelée des croisades.
11. Sarrabovites : moines égyptiens débauchés.
12. Boucquer : « baiser », d'où « s'humilier » ; du provençal *bouca.*

home, qui par vie exemplaire, beau parler, sainctes admonitions, en peu de temps, sans effusion de sang humain, conqueste la terre saincte[10], et à la saincte foy convertisse les mescreans Turcs, Juifz, Tartes[A], Moscovites, Mammeluz[B] et Sarrabovites[11] ? Prenez moy un Decretaliste. Qui faict en plusieurs pays le peuple rebelle et detravé[C], les paiges frians[D] et mauvais, les escholiers badaulx[E] et asniers ? Leurs gouverneurs, leurs escuiers, leurs precepteurs n'estoient Decretalistes.

« Mais qui est ce (en conscience) qui a estably, confirmé, authorisé ces belles religions[F], des quelles en tous endroictz voyez la Christianté ornée, decorée, illustrée, comme est le firmament de ses claires estoilles ? Dives[G] Decretales. Qui a fondé, pillotizé[H], talué[I], qui maintient, qui substante, qui nourist les devots religieux par les convens[J], monasteres, et abbayes : sans les prieres diurnes, nocturnes, continuelles des quelz seroit le monde en dangier evident de retourner en son antique Cahos ? Sacres Decretales. Qui faict et journellement augmente en abondance de tous biens temporelz, corporelz, et spirituelz le fameux et celebre patrimoine de S. Pierre ? Sainctes Decretales. Qui faict le sainct siege apostolicque en Rome de tous temps et au jourdhuy tant redoubtable en l'Univers, qu'il fault ribon ribaine[K], que tous Roys, empereurs, potentatz, et seigneurs pendent[L] de luy, tieignent de luy, par luy soient couronnez, confirmez, authorisez, vieignent là boucquer[12] et se prosterner à la mirificque[M] pantophle, de la quelle avez veu le protraict[N] ? Belles Decretales de Dieu.

A. tartares. B. mameluks. C. déréglé. D. coquins. E. sots. F. ordres monastiques. G. divines. H. affermi à l'aide de pilotis. I. fortifié par des talus. J. couvents. K. bon gré, mal gré. L. dépendent. M. admirable. N. portrait.

13. Bonnet noir des ecclésiastiques, à quatre cornes.

14. *Bibat*, prononciation espagnole du latin ; *fifat* et *pipat*, prononciation allemande.

15. Decretaliarche : qui gouverne par des Décrétales.

16. Critique de la puissance temporelle du pape.

17. Œuvres de supererogation : pénitence supplémentaire pour acquérir des mérites.

« Je vous veulx declairer un grand secret. Les Universitez de vostre monde, en leurs armoiries et divises ordinairement portent un livre, aulcunes[A] ouvert, aultres fermé. Quel livre pensez vous que soit ?

— Je ne sçay certes, respondit Pantagruel. Je ne leuz oncques[B] dedans.

— Ce sont, dist Homenaz, les Decretales, sans les quelles periroient les privileges de toutes Universitez. Vous me doibvez ceste là. Ha, ha, ha, ha, ha. » Icy commença Homenaz rocter, peter, rire, baver, et suer : et bailla[C] son gros, gras bonnet à quatre braguettes[13] à une des filles : laquelle le posa sus son beau chef[D] en grande alaigresse, aprés l'avoir amoureusement baisé, comme guaige, et asceurance qu'elle seroit premiere mariée.

« *Vivat* (s'escria Epistemon) *vivat, fifat, pipat, bibat*[14]. O secret Apocalypticque.

« *Clerice* (dist Homenaz) *clerice*, esclaire icy, à doubles lanternes. Au fruict pucelles. Je disois doncques que ainsi vous adonnans à l'estude unicque des sacres Decretales, vous serez riches et honorez en ce monde. Je diz consequemment qu'en l'aultre vous serez infalliblement saulvez on benoist[E] royaulme des Cieulx, du quel sont les clefz baillées à nostre bon Dieu Decretaliarche[15]. O mon bon Dieu, lequel je adore, et ne veids oncques, de grace speciale ouvre nous en l'article de la mort, pour le moins, ce tressacre thesaur de nostre mere saincte Ecclise, du quel tu es protecteur, conservateur, prome conde*, administrateur, dispensateur[16]. Et donne ordre que ces precieux œuvres de supererogation[17], ces beaulx pardons au besoing ne nous faillent[F]. À ce que les Diables ne trouvent que mordre sus nos paouvres ames,

A. certaines. B. jamais. C. donna. D. tête. E. béni. F. manquent.

que la gueule horrificque[A] d'Enfer ne nous engloutisse. Si passer nous fault par Purgatoire, patience. En ton pouvoir est et arbitre nous en delivrer, quand vouldras. » Icy commença Homenaz jecter grosses et chauldes larmes, batre sa poictrine, et baiser ses poulces en croix.

A. effrayante.

1. Il s'agit d'une variété de poires bien connue, dont l'introduction en Touraine est attribuée à saint Martin ou à saint François de Paule. Mais il y a jeu de mots sur l'expression *bon christian* (voir n. 2, p. 437).

2. Virgile, *Géorgiques*, II, v. 109 et 116-117.

3. Pline, XXXV, VI.

Comment Homenaz donna à Pantagruel des poires de bon Christian[A][1]

CHAPITRE LIIII

Epistemon, frere Jan, et Panurge voyans ceste fascheuse catastrophe[B], commencerent au couvert de leurs serviettes crier, « Myault, myault, myault, » faignans ce pendent s'essuer les œilz, comme s'ilz eussent ploré. Les filles feurent bien aprises, et à tous præsenterent pleins hanatz[C] de vin Clementin, avecques abondance de confictures. Ainsi feut de nouveau le bancquet resjouy. En fin de table Homenaz nous donna grand nombre de grosses et belles poyres, disant. « Tenez, amis. Poires sont singulieres : les quelles ailleurs ne trouverez. Non toute terre porte tout. Indie seule porte le noir Ebene. En Sabée provient le bon encent[2]. En l'isle de Lemnos la terre Sphragitide*[3]. En ceste isle seule naissent ces belles poires. Faictez en, si bon vous semble, pepinieres en vos pays.

— Comment, demanda Pantagruel, les nommez vous ? Elles me semblent tresbonnes, et de bonne eau. Si on les cuisoit en Casserons[D] par quartiers avecques un peu de vin et de sucre, je pense que seroit viande[E] tressalubre, tant es malades, comme es sains.

— Non aultrement, respondit Homenaz. Nous

A. chrétien. B. fin. C. hanaps. D. casseroles. E. mets.

4. Érasme, *Adages*, II, III, 5, *Ficus ficus, ligonem ligonem uocat.*
5. Vraybis : juron où Dieu est déformé en *bis.*
6. La follie au guarsons : sens libre.
7. Frère Jean est « bien advantagé en nez » (*Gargantua*, XXVII), signe de hardiesse selon le *Secret des secretz* d'Aristote.
8. De Chrystallin : nouvelle équivoque à propos des Décrétales, à partir de *cristallin*, « cristal ».
9. Le bourlet est la garniture du bonnet des docteurs ; à triple bourlet désigne donc la qualité supérieure.

sommes simples gens, puys qu'il plaist à Dieu. Et appellons les figues, figues[4] : les prunes, prunes : et les poires, poires.

— Vrayement, dist Pantagruel, quand je seray en mon mesnaige (ce sera, si Dieu plaist, bien toust) j'en affieray[A] et hanteray[B] en mon jardin de Touraine sus la rive de Loyre, et seront dictes poires de bon Christian. Car oncques ne veiz Christians meilleurs que sont ces bons Papimanes.

— Je trouveroys (dist frere Jan) aussi bon qu'il nous donnast deux ou troys chartées de ses filles.

— Pour quoy faire ? demandoit Homenaz.

— Pour les saigner, respondit frere Jan, droict entre les deux gros horteilz avecques certains pistolandiers[C] de bonne touche. En ce faisant sus elles nous hanterions des enfans de bon Christian, et la race en nos pays multiplieroit : es quelz ne sont mie trop bons.

— Vraybis[D5] (respondit Homenaz) non ferons, car vous leurs feriez la follie au guarsons[6] : je vous congnoys à vostre nez[7], et si[E] ne vous avoys oncques veu. Halas, halas, que vous estes bon filz. Vouldriez vous bien damner vostre ame ? Nos Decretales le defendent. Je vouldroys que les sceussiez bien.

— Patience, dist frere Jan. Mais, *si tu non uis dare, præsta quesumus*[F]. C'est matiere de breviaire. Je n'en crains home portant barbe, feust il docteur de Chrystallin[8] (je diz Decretalin) à triple bourlet[9]. »

Le dipner[G] parachevé, nous prinsmes congié de Homenaz, et de tout le bon populaire, humblement les remercyans, et pour retribution de tant de biens, leurs

A. planterai. B. grefferai. C. poignards. D. vrai Dieu. E. pourtant. F. si tu ne veux les donner, prête-les, nous t'en prions. G. déjeuner.

10. Frize : étoffe de laine grossière à poil frisé.

11. Escuz au sabot : création plaisante sur le modèle d'*écu au Soleil.*

12. Allusion à la distribution de quarante écus par le pape aux jeunes filles de la confrérie de l'Annonciade, le jour de l'Annonciation.

13. Salutz d'or : monnaies représentant la Vierge recevant la salutation angélique.

promettans que venuz à Rome ferions avecques le Pere sainct tant qu'en diligence il les iroyt veoir en persone. Puys retournasmes en nostre nauf[A]. Pantagruel par liberalité et recongnoissance du sacre[B] protraict[C] Papal, donna à Homenaz neuf pieces de drap d'or frizé sus frize[10], pour estre appousées au davant de la fenestre ferrée : feist emplir le tronc de la reparation et fabricque[D] tout de doubles escuz au sabot[11] : et feist delivrer à chascune des filles[12], les quelles avoient servy à table durant le dipner, neuf cent quatorze salutz[13] d'or, pour les marier en temps oportun.

A. navire. B. sacré. C. portrait. D. construction.

1. Pour cet épisode, qui se passe aux confins de la mer glaciale, Rabelais semble avoir emprunté à des sources diverses. Plutarque, *De profectibus in virtule*, VII, rapporte une plaisanterie d'Antiphanes, un familier de Platon, auteur d'un recueil d'anecdotes : il existerait une ville où les paroles gèlent lorsqu'elles sont prononcées et fondent en été ; de même les discours de Platon qu'entendent les jeunes ne sont compris que dans la vieillesse. Voir aussi Guillaume Postel, *De orbis terrae concordia* (1543), f° 69 r° : « *Ad septentrionalem insulae partem est glaciei genus, unde miserandi gemitus audiuntur, cuius si quamuis particulam inde asportare coneris operam ludas. Eludit sensus ubi attigeris* » ; dans le recueil de Caelius Calcagninus, les anecdotes « Voces frigoris ui congelatae » et « Voces frigore concretae » (en Hyperborie, le froid gèle les paroles qui, l'été venu, pénètrent dans les oreilles des auditeurs) ; dans le *Courtisan* de Castiglione, une histoire moscovite où, lors de transactions entre les deux rives d'un fleuve, les paroles gèlent en route ; l'île des Démons où les navigateurs contemporains disaient entendre des bourdonnements de voix.

Rabelais a pu transférer dans les régions septentrionales un phénomène advenu à Rome en janvier 1517 selon le *Journal d'un bourgeois de Paris sous le règne de François premier*, éd. Lalanne, p. 62 : « [...] à Rome et par delà, tant en l'air que en terre, en un boys, furent oys plusieurs gens d'armes se combattre, et sembloient estre environ VI ou VIII mille hommes : et y oyoit-on comme coullevrines, bombardes et armes sonner, les uns contre les autres, laquelle bataille dura bien une heure ou plus, sans toutesfoys rien voyr. A pres on oyoit plusieurs pourceaux, en pareille nombre, se combattre, dont le populaire espouventé estimoit que ces pourceaux signifioient les infidelles mahometistes. »

L'épisode est en relation avec celui des Macræons, pour l'utilisation de l'île des Démons et pour la correspondance vestiges écrits / vestiges de la parole ; et avec celui des Andouilles, pour la signification des noms (influence du commentaire d'Ammonius qui fait la synthèse des théories contradictoires du *De interpretatione* d'Aristote et du *Cratyle* de Platon et précise la distinction essentielle pour la compréhension de cet épisode entre *uoces* et *soni*).

Tout au long de l'épisode, il faut relever l'importance accordée à l'interprétation. Le dernier paragraphe de ce chapitre réunit, par-delà la diversité des hypothèses, pythagorisme et platonisme, et mentionne la toison de Gédéon ainsi qu'Orphée.

2. *Parler en l'air*, expression paulinienne (I Corinthiens, XIV, 9), pour désigner ceux qui n'émettent pas de parole intelligible.

3. Aurelius Antoninus, plus connu sous son surnom de Caracalla, qui, selon Dion Cassius, *Histoire romaine*, LXXVII, XVII, I, entretenait une importante police secrète.

4. Gratien du Pont, *Art et science de rhetoricque metriffiee*, 1539,

Comment en haulte mer
Pantagruel ouyt diverses parolles degelées[1]

CHAPITRE LV

En pleine mer nous banquetans, gringnotans[A], divisans[B], et faisans beaulx et cours discours, Pantagruel se leva et tint en pieds pour descouvrir à l'environ. Puys nous dist. « Compaignons, oyez vous rien ? Me semble que je oy quelques gens parlans en l'air[2], je n'y voy toutesfoys personne. Escoutez. » À son commandement nous feusmes attentifz, et à pleines aureilles humions l'air comme belles huytres en escalle[C], pour entendre si voix ou son aulcun[D] y seroit espart : et pour rien n'en perdre à l'exemple de Antonin l'Empereur[3], aulcuns[E] oppousions nos mains en paulme darriere les aureilles. Ce neantmoins protestions voix queconques n'entendre. Pantagruel continuoit affermant ouyr voix diverses[4] en l'air tant de homes comme de femmes, quand nous feut advis, ou que nous les oyons pareillement ou que les aureilles nous cornoient. Plus perseverions escoutans, plus discernions les voix, jusques à entendre motz entiers. Ce que nous effraya grandement, et non sans cause, personne ne voyans, et entendens voix et sons tant divers, d'homes, de femmes, d'enfans, de chevaulx : si bien que

A. chantant. B. conversant. C. coquille. D. quelconque. E. certains d'entre nous.

fº 6 rº, donne pour exemples de « voix incongneue par sens confus » la voix du petit enfant, la foule dans les palais, foires et marchés, le cri de l'éternuement, mais récuse l'exemple du cri des grenouilles allégué par certains, la voix ne pouvant selon lui s'appliquer aux bêtes et aux créatures irraisonnables.

5. Voir Érasme, *Apophtegmes*, V, « Brutus », II ; Plutarque, *Vies des hommes illustres*, « Brutus », LII ; allégation fautive dans la bouche de Panurge : à la bataille de Philippes (et non de Pharsale), Brutus invitait à fuir non avec les pieds, mais avec les mains, c'est-à-dire à se suicider.

6. Fran archier de Baignolet : monologue comique du XVe siècle qui avait été imprimé avec les œuvres de Villon en 1532 et qui met en scène un soldat fanfaron et peureux.

7. Quinquenoys : hameau près de Chinon.

8. Érasme, *Adages*, I, X, 40, *Vir fugiens et denuo pugnabit* ; Aulu-Gelle, XVII, XXI ; Démosthène cite un vers de Ménandre.

9. « À babord, à tribord, aux voiles de misaine, aux petites voiles » ; voir le vocabulaire maritime de la tempête, XVIII, p. 223.

10. Passage inspiré de Plutarque, *De la cessation des oracles*, XXII ; Rabelais traduit par « parole » le mot λόγος et interprète librement le texte original (une fois en dix mille ans, il est donné aux âmes vertueuses de contempler ces « paroles » passées et futures).

11. Petron : philosophe pythagoricien (VIe siècle av. J.-C.) pour qui l'univers est composé de 183 mondes.

Panurge s'escria. « Ventre bieu est ce mocque[A] ? nous sommes perdus. Fuyons. Il y a embusche au tour. Frere Jan es tu là mon amy ? Tien toy prés de moy je te supply. As tu ton bragmart ? Advise qu'il ne tienne au fourreau. Tu ne le desrouille poinct à demy. Nous sommes perduz. Escoutez : ce sont par Dieu coups de canon. Fuyons. Je ne diz de piedz et de mains, comme disoit Brutus en la bataille Pharsalicque[5], je diz à voiles et à rames. Fuyons. Je n'ay poinct de couraige sus mer. En cave et ailleurs j'en ay tant et plus. Fuyons. Saulvons nous. Je ne le diz pour paour[B] que je aye. Car je ne crains rien fors les dangiers. Je le diz tousjours. Aussi disoit le Fran archier de Baignolet[6]. Pourtant[C] n'hazardons rien, à ce que ne soyons nazardez[D]. Fuyons. Tourne visaige. Vire la peautre[E] filz de putain. Pleust à Dieu que præsentement je feusse en Quinquenoys[7] à peine de jamais ne me marier. Fuyons, nous ne sommes pas pour eulx. Ilz sont dix contre un, je vous en asceure. D'adventaige ilz sont sus leurs fumiers[F], nous ne congnoissons le pays. Ilz nous tueront. Fuyons, ce ne nous sera deshonneur. Demosthenes dist que l'home fuyant combatra de rechief[8]. Retirons nous pour le moins. Orche, poge, au trinquet, au boulingues[G9]. Nous sommes mors. Fuyons, de par tous les Diables, fuyons. » Pantagruel entendent l'esclandre que faisoit Panurge, dist. « Qui est ce fuyart là bas ? Voyons premierement quelz gens sont. Par adventure[H] sont ilz nostres. Encores ne voy je persone. Et si[I] voy cent mille à l'entour. Mais entendons. J'ay leu[10] qu'un Philosophe nommé Petron[11]

A. plaisanterie. B. peur. C. aussi. D. frappés d'une chiquenaude sur le nez. E. gouvernail. F. sur leur terrain. G. À bâbord, à tribord, aux voiles de misaine, aux petites voiles. H. peut-être. I. pourtant.

12. Expression empruntée à la traduction latine de l'évangile de Matthieu, XXVIII, 20, et qui montre le souci de donner une interprétation chrétienne au mythe de Pétron.

13. Juges, VI, 37. Sur la Toison de Gédéon, voir XXIV, p. 265 et n. 1.

14. Aristote, fragment 151 a, ou *Rhetorique*, III, XI, 2 : Homère donne vie aux choses par la métaphore.

15. Plaisanterie d'Antiphanes utilisée par Balthazar Castiglione, *Le Courtisan*, II, et par Caelius Calcagninus.

16. Sur Orphée, voir Virgile, *Géorgiques*, IV, v. 523-524 ; Ovide, *Métamorphoses*, XI, v. 50-51.

17. Fleuve Hebrus : rivière de Thrace qui se jette dans la mer Égée.

estoyt en ceste opinion que feussent plusieurs mondes soy touchans les uns les aultres en figure triangulaire æquilaterale, en la pate[A] et centre des quelz disoit estre le manoir de Verité, et là habiter les Parolles, les Idées, les Exemplaires et protraictz[B] de toutes choses passées, et futures : au tour d'icelles estre le Siecle[C][12]. Et en certaines années par longs intervalles, part d'icelles tomber sus les humains comme catarrhes, et comme tomba la rousée sus la toizon de Gedeon[13] : part là rester reservée pour l'advenir, jusques à la consommation du Siecle. Me souvient aussi que Aristoteles[14] maintient les parolles de Homere estre voltigeantes, volantes, moventes, et par consequent animées. D'adventaige Antiphanes disoit la doctrine de Platon es parolles estre semblable lesquelles en quelque contrée on temps du fort hyver lors que sont proferées, gelent et glassent à la froydeur de l'air, et ne sont ouyes. Semblablement ce que Platon enseignoyt es jeunes enfans, à peine estre d'iceulx entendu, lors que estoient vieulx devenuz[15]. Ores seroit à philosopher et rechercher si forte fortune[D] icy seroit l'endroict, on quel telles parolles degelent. Nous serions bien esbahiz si c'estoient les teste et lyre de Orpheus[16]. Car aprés que les femmes Threisses[E] eurent Orpheus mis en pieces, elles jecterent sa teste et sa lyre dedans le fleuve Hebrus[17]. Icelles par ce fleuve descendirent en la mer Pontiq[F] jusques en l'isle de Lesbos, tous jours ensemble sus mer naigeantes. Et de la teste continuellement sortoyt un chant lugubre, comme lamentant la mort de Orpheus : la lyre à l'impulsion des vents mouvens les chordes accordoit harmonnieusement avecques le chant. Reguardons si les voirons cy autour. »

A. base. B. portraits. C. monde. D. par hasard. E. thraces. F. le Pont-Euxin.

1. Le chapitre joue de l'équivoque sur *gueule*, « bouche », et *gueules* en héraldique pour désigner la couleur rouge, figurée dans le dessin par des hachures verticales. *Les motz de gueule* désignent « les mots trop libres, paroles deshonnêtes qui se disent parfois dans les repas abondants et joyeux ». Il s'agit généralement de reparties spirituelles.

Inspiré du Digeste, XLV, « De uerborum obligationibus », ce chapitre offre une plaisanterie légale autant que linguistique.

2. Évocation de la bataille des Arimaspiens et des Griffons; voir Hérodote, IV, XIV, qui s'inspire des *Arimaspées* d'Aristéas de Proconnèse, et IV, XXVII, qui rappelle comment, dans les régions les plus septentrionales, les Arimaspes (de mots scythes, *arima*, « un », et *spu*, « œil »), qui n'ont qu'un œil, soustraient l'or aux Griffons. Voir aussi Pline, VII, II. Ce mythe est familier aux compilateurs de la Renaissance. Rabelais fait une mauvaise transcription du terme grec.

Voir V.-L. Saulnier, « Le Silence de Rabelais et le Mythe des paroles gelées », p. 236-240 : les Arismapiens pourraient représenter les princes protestants d'Allemagne, « les novateurs en matière de foi » ; les Nephelibates, les sujets de l'empereur, « les conservateurs », avec référence aux préparatifs de guerre de 1551.

3. Nephelibates : « qui chemine sur les nuages », mot forgé sur le grec νεφέλη, « nuage », et βατήρ, « marcheur ». Dans l'*Utopia* de Thomas More, combat entre les Alaopolitae et les Nephelogetae.

4. Exode, XX, 18 : *« Cunctus autem populus uidebat uoces [...] »*; la première phrase est fréquemment citée par les juristes du droit romain et du droit canon dans leurs gloses.

5. À replacer dans le contexte de l'humour juridique; voir M. A. Screech, *Rabelais*, p. 559, qui cite, entre autres références, Albericus, *Lexicon*, art. *Verbum (« Verbum uideri non potest sed audiri »)*, et Guillaume Durand, *Speculator*, I, IV, 7, *« De teste »* (une *uox* ne peut être vue en dépit d'Aristote selon qui certains mots sont blancs et d'autres noirs).

6. Couleurs, en termes de blason : sinople, « vert », sable, « noir ».

7. Équivoque sur les *Motz dorez de Caton* ou *Distiques moraux*, célèbre recueil de sentences, œuvre de Dionysius Cato (IIIe siècle) dont le Moyen Âge fit de multiples adaptations et traductions.

Comment entre les parolles gelées
Pantagruel trouva des motz de gueule[1]

CHAPITRE LVI

Le pillot[A] feist responce : « Seigneur, de rien ne vous effrayez. Icy est le confin de la mer glaciale, sus laquelle feut au commencement de l'hyver dernier passé grosse et felonne bataille, entre les Arismapiens[2], et les Nephelibates[3]. Lors gelerent en l'air les parolles et crys des homes et femmes, les chaplis[B] des masses, les hurtys[C] des harnoys, des bardes[D], les hannissemens des chevaulx, et tout aultre effroy[E] de combat. À ceste heure la rigueur de l'hyver passée, advenente la serenité et temperie[F] du bon temps, elles fondent et sont ouyes.

— Par Dieu, dist Panurge, je l'en croy. Mais en pourrions nous veoir quelqu'une ? Me soubvient avoir leu que l'orée de la montaigne en laquelle Moses[G] receut la loy des Juifz le peuple voyoit les voix sensiblement[4].

— Tenez tenez (dist Pantagruel) voyez[5] en cy qui encores ne sont degelées. » Lors nous jecta sus le tillac plenes mains de parolles gelées, et sembloient dragée perlée de diverses couleurs. Nous y veismes des motz de gueule, des motz de sinople, des motz de azur, des motz de sable[6], des motz d'orez[7]. Les quelz estre quelque peu

A. pilote. B. chocs. C. heurts. D. armures des chevaux. E. vacarme. F. douceur. G. Moïse.

8. Érasme, *Adages*, I, v, 49, *Dare uerba.*
9. Érasme, *Adages*, I, VII, 19, *Argentanginam patitur.*
10. Onomatopées de la *Bataille de Marignan*, de Janequin (1515).
11. Ezechiel, XXXVIII ; Gog, roi de Magog, est le type du conquérant barbare qui s'oppose à Israël dans un dernier combat.

eschauffez entre nos mains fondoient, comme neiges, et les oyons realement. Mais ne les entendions[A]. Car c'estoit languaige Barbare. Exceptez un assez grosset, lequel ayant frere Jan eschauffé entre ses mains feist un son tel que font les chastaignes jectées en la braze sans estre entonmées[B] lors que s'esclattent, et nous feist tous de paour[C] tressaillir. « C'estoit (dist frere Jan) un coup de faulcon[D] en son temps. » Panurge requist Pantagruel luy en donner encores. Pantagruel luy respondit que donner parolles estoit acte des amoureux[8]. « Vendez m'en doncques, disoit Panurge.

— C'est acte de advocatz, respondit Pantagruel, vendre parolles. Je vous vendroys plustost silence et plus cherement, ainsi que quelques foys la vendit Demosthenes[9] moyennant son argentangine*. » Ce nonobstant il en jecta sus le tillac troys ou quatre poignées.

Et y veids des parolles bien picquantes, des parolles sanglantes, les quelles le pillot nous disoit quelques foys retourner on lieu duquel estoient proferées, mais c'estoit la guorge couppée, des parolles horrificques[E], et aultres assez mal plaisantes à veoir. Les quelles ensemblement fondues ouysmes, hin, hin, hin, hin, his, ticque, torche, lorgne[10], brededin, brededac, frr, frrr, frrr, bou, bou, bou, bou, bou, bou, bou, bou, traccc, trac, trr, trr, trr, trrr, trrrrrr. On, on, on, on, ououououon : goth, magoth[11], et ne sçay quelz aultres motz barbares, et disoyt que c'estoient vocables du hourt[F] et hannissement des chevaulx à l'heure qu'on chocque, puys en ouysmes d'aultres grosses et rendoient son en degelent, les unes comme de tabours[G], et fifres, les aultres comme de clerons et trompettes. Croyez que nous y eusmez du passe-

A. comprenions. B. entamées. C. peur. D. pièce d'artillerie. E. effrayantes. F. heurt. G. tambours.

12. Faut-il voir dans l'attitude du narrateur et dans celle de Pantagruel une opposition entre transmission écrite et transmission orale du savoir ?

13. *La Farce de Maistre Pathelin*, v. 236.

14. Allusion au brocard de droit « *Verba ligant homines, taurorum cornua funes* ».

15. Sur la dive Bouteille, voir I, p. 81, n. 1.

temps beaucoup. Je vouloys quelques motz de gueule mettre en reserve dedans de l'huille comme l'on guarde la neige et la glace, et entre du feurre[A] bien nect. Mais Pantagruel ne le voulut : disant estre follie faire reserve de ce dont jamais l'on n'a faulte[12], et que tous jours on a en main, comme sont motz de gueule entre tous bons et joyeulx Pantagruelistes. Là Panurge fascha quelque peu frere Jan, et le feist entrer en resverie[B], car il le vous print au mot, sus l'instant qu'il ne s'en doubtoit mie, et frere Jan menassa de l'en faire repentir en pareille mode que se repentit G. Jousseaulme vendent à son mot le drap au noble Patelin[13], et advenent qu'il feust marié le prendre aux cornes, comme un veau : puys qu'il l'avoit prins au mot comme un home[14]. Panurge luy feist la babou[C], en signe de derision. Puys s'escria disant. « Pleust à Dieu que icy, sans plus avant proceder[D], j'eusse le mot de la dive[E] Bouteille[15]. »

A. paille. B. se mettre en colère. C. moue. D. avancer. E. divine.

1. Messere : emploi ironique de cette appellation empruntée à l'italien.

2. *Gaster* provient du grec γαστήρ, qui désigne le ventre, et par extension l'appétit, la faim. Sur cet épisode, éloge satirique, voir R. Marichal, « *Quart livre.* Commentaires », 1956. La description du manoir d'Arété s'inspire du temple de la Vertu dans la *Concorde des deux langaiges* de J. Lemaire de Belges (1511). Gaster est une parodie d'Honneur, gardien du temple, peut-être aussi de l'Amour ficinien. Le titre de *maistre es ars* renvoie au titre du chapitre III, *oratio* III du commentaire de Ficin sur le *Banquet* de Platon : *« Quod sit Amor magister Artium »* — l'amour étant aussi chez Ficin *gubernator.* Ce dernier titre est donné par Érasme à la Folie, et Nicolaus Charton, partisan des théories de Ramus, tient, en 1551, la dialectique comme *« omnium artium domina et gubernatrix »* (voir M. A. Screech, *Rabelais,* p. 567-568). Pour Diodore de Sicile (I, 8, 9), le besoin est le grand précepteur du genre humain et, pour Origène, *Contra Celsum,* IV, 76, c'est le dénuement et la nécessité de satisfaire les besoins vitaux qui ont entraîné l'invention des techniques. Selon R. Marichal, Gaster est à considérer comme un démon au sens platonicien, médiateur entre le monde d'ici-bas et le monde supérieur, tantôt bon et tantôt mauvais selon l'usage qu'on en fait. Il y a une opposition fondamentale entre l'être et le culte que lui rendent ses adorateurs, la véritable adoration n'étant due qu'à Dieu et non à ses créatures. Dans cet épisode, Rabelais multiplie ses dettes aux *Adages* d'Érasme.

3. Le Mont-Aiguille, dans le massif du Vercors.

4. Ascension réalisée non par Doyac, mais par Antoine de Ville qui trouva, au sommet, des chamois.

5. Pour paradis, voir XXXVIII, p. 363 et n. 7.

6. Selon certains théologiens, le paradis était situé en Orient. Voir aussi G. Postel, *Des merveilles du monde, et principallement des admirables choses des Indes et du nouveau monde : et y est monstré le lieu du Paradis terrestre,* 1553.

Comment Pantagruel descendit on manoir[A] de messere[1] Gaster[*2] *premier maistre es ars du monde*

CHAPITRE LVII

En icelluy jour Pantagruel descendit en une isle admirable, entre toutes aultres, tant à cause de l'assiete, que du gouverneur d'icelle. Elle de tous coustez pour le commencement estoit scabreuse[B], pierreuse, montueuse, infertile, mal plaisante à l'œil, tresdifficile aux pieds, et peu moins inaccessible que le mons du Daulphiné[3] ainsi dict, pource qu'il est en forme d'un potiron, et de toute memoire persone surmonter ne l'a peu, fors Doyac[4] conducteur de l'artillerie du Roy Charles huyctieme : lequel avecques engins mirificques[C] y monta, et au dessus trouva un vieil belier. C'estoit à diviner qui là transporté l'avoit. Aulcuns[D] le dirent estant jeune Aignelet par quelque Aigle, ou duc Chaüant[E] là ravy s'estre entre les buissons saulvé. Surmontant la difficulté de l'entrée à peine bien grande, et non sans suer, trouvasmes le dessus du mons tant plaisant, tant fertile, tant salubre, et delicieux, que je pensoys estre le vray Jardin et Paradis[5] terrestre : de la situation duquel tant disputent et labourent les bons Theologiens[6]. Mais Pantagruel nous affermoit là estre le manoir de Areté (c'est

A. demeure. B. escarpée. C. admirables. D. certains. E. chathuant.

7. Hésiode, *Les Travaux et les Jours*, v. 289-292.

8. Cicéron, *De natura deorum*, III, XIV (en fait, opinion d'Héraclite).

9. César, *De bello gallico*, VI, XVII.

10. Perse, *Choliambes*, v. 10-11.

11. *Pénie* est le nom de la disette dans *Plutus* d'Aristophane, et *Souffrete* est l'appellation médiévale.

12. Voir Érasme, *Adages*, I, V, 22, *Paupertas sapientiam sortita est.*

13. Platon, *Le Banquet*, 203 b ; Porus est Πόρος, dont le nom signifie « expédient ».

14. Érasme, *Adages*, IV, I, 52, *Reddidit Harpocratem*, selon Plutarque, *Isis et Osiris*, LXVIII.

15. Plutarque, *Isis et Osiris*, LXXV.

Vertus) par Hesiode[7] descript, sans toutesfoys prejudice de plus saine opinion.

Le gouverneur d'icelle estoit messere Gaster, premier maistre es ars de ce monde. Si croyez que le feu soit le grand maistre des ars, comme escript Ciceron[8], vous errez[A], et vous faictez tord. Car Ciceron ne le creut oncques. Si croyez que Mercure soit premier inventeur des ars[9], comme jadis croyoient nos antiques Druides*, vous fourvoyez grandement. La sentence du Satyricque[10] est vraye, qui dict messere Gaster estre de tous ars le maistre. Avecques icelluy pacificquement residoit la bonne dame Penie, aultrement dicte Souffreté[11], mere des neuf Muses[12] : de laquelle jadis en compaignie de Porus seigneur de Abondance, nous nasquit Amour le noble enfant mediateur du Ciel et de la Terre, comme atteste Platon *in Symposio*[13]. À ce chevalereuz Roy force nous feut faire reverence, jurer obeissance et honneur porter. Car il est imperieux, rigoureux, rond, dur, difficile, inflectible. À luy on ne peult rien faire croyre, rien remonstrer, rien persuader. Il ne oyt poinct. Et comme les Ægyptiens disoient Harpocras Dieu de silence, en Grec nommé Sigalion, estre *astomé*, c'est à dire, sans bouche[14], ainsi Gaster sans oreilles feut creé : comme en Candie le simulachre[B] de Juppiter estoit sans aureilles[15]. Il ne parle que par signes. Mais à ses signes tout le monde obeist plus soubdain que aux edictz des Præteurs et mandemens des Roys. En ses sommations, delay aulcun et demeure aulcune il ne admect. Vous dictez que au rugissement du Lyon toutes bestes loing à l'entour fremissent, tant (sçavoir est) que estre peult sa voix ouye. Il est escript. Il est vray. Je l'ay veu. Je vous certifie que au mandement de messere Gaster tout le Ciel

A. vous vous trompez. B. statue.

16. Ésope, *Fables*, CXCVII.

17. Concile convoqué par le pape Eugène IV à Bâle (25 sessions de 1431 à 1437), transféré à Ferrare en 1437, à Florence en 1439 ; pour les gallicans, il symbolise la résistance aux prétentions de Rome, puisqu'un pape y fut même déposé.

18. Poëtrides : transcription du latin *poetridas*, « les prêtresses », mot employé par Perse dans un texte dont s'inspire Rabelais (*Choliambes*, v. 13).

tremble, toute la Terre bransle. Son mandement est nommé[A] faire le fault, sans delay, ou mourir.

Le pilot[B] nous racontoit comment un jour à l'exemple des membres conspirans contre le Ventre, ainsi que descript Æsope[16], tout le Royaulme des Somates* contre luy conspira et conjura soy soubstraire de son obeissance. Mais bien toust s'en sentit[C], s'en repentit, et retourna en son service en toute humilité. Aultrement tous de male famine perissoient. En quelques compaignies qu'il soit, discepter[D] ne fault de superiorité et præference, tousjours va davant : y feussent Roys, Empereurs, voire certes le Pape. Et au concile de Basle[17], le premier alla, quoy qu'on vous die que ledict concile feut sedicieux[E], à cause des contentions[F] et ambitions[G] des lieux premiers[H]. Pour le servir tout le monde est empesché[I], tout le monde labeure. Aussi pour recompense il faict ce bien au monde, qu'il luy invente toutes ars, toutes machines, tous mestiers, tous engins, et subtilitez. Mesmes es animans brutaulx[J] il apprent ars desniées de Nature. Les Corbeaulx, les Gays[K], les Papeguays[L], les Estourneaux, il rend poëtes. Les Pies il faict poëtrides[18] : et leurs aprent languaige humain proferer, parler, chanter. Et tout pour la trippe.

Les Aigles, Gerfaulx, Faulcons, Sacres, Laniers, Austours, Esparviers, Emerillons, oizeaux aguars[M], peregrins[N], essors[O], rapineux, saulvaiges il domesticque et apprivoise, de telle façon que les abandonnant en plene liberté du Ciel quand bon luy semble, tant hault qu'il voudra, tant que luy plaist, les tient suspens, errans,

A. fixé. B. pilote. C. ressentit. D. disputer. E. marqué par des débats. F. querelles. G. intrigues. H. préséances. I. occupé. J. animaux. K. geais. L. perroquets. M. faucons sauvages. N. migrateurs. O. qui n'ont pas mué.

19. Proverbe ancien.

20. Allusions aux sièges de Calagurris (Valère Maxime, VII, VI), de Sagonte (Tite-Live, XXI, XI et suiv.; Érasme, *Adages*, I, IX, 67, *Saguntina fames*), de Jérusalem (Josèphe, *De bello iudaico*, VI, III).

21. Érasme, *Adages*, II, III, 55, *Perque enfes, perque ignem oportet irrupere*; d'après Horace, *Épîtres*, I, I, v. 46 : *« Per mare pauperiem fugiens per saxa per ignes. »*

volans, planans, le muguetans[A], luy faisans la court au dessus des nues : puys soubdain les faict du Ciel en Terre fondre. Et tout pour la trippe.

Les Elephans, les Lions, les Rhinocerotes, les Ours, les Chevaulx, les Chiens, il faict danser, baller[B], voltiger, combatre, nager, soy cacher, aporter ce qu'il veult, prendre ce qu'il veult. Et tout pour la trippe. Les poissons tant de mer comme d'eaue doulce, balaines et monstres marins, sortir il faict du bas abisme, les Loups jecte hors des boys[19], les Ours hors les rochiers, les Renards hors les tesnieres, les Serpens lance hors la Terre. Et tout pour la trippe. Brief est tant enorme, que en sa rage il mange tous bestes et gens, comme feut veu entre les Vascons, lors que Q. Metellus les assiegeoit par les guerres Sertorianes : entre les Saguntins assiegez par Hannibal : entre les Juifz assiegez par les Romains[20] : six cens aultres. Et tout pour la trippe.

Quand Penie sa regente se mect en voye, la part qu'elle[C] va, tous parlemens sont clous, tous edictz mutz[D], toutes ordonnances vaines. À loy aulcune n'est subjecte, de toutes est exempte. Chascun la refuyt en tous endroictz plus toust se exposans es naufrages de mer, plus toust eslisans par feu, par mons, par goulphres passer[21], que d'icelle estre apprehendez.

A. courtisant. B. danser. C. au lieu où elle. D. muets.

1. Engastrimythes : mot emprunté au grec.

2. Gastrolatres est un composé inconnu du grec ; Paul, Romains, XVI, 17-18, s'en prend à ceux qui ne servent pas le Christ mais leur ventre et, par leurs paroles et leurs bénédictions, séduisent le cœur des simples. E. M. Duval, « La Messe, la Cène [...] », p. 131-141, met en relation ce passage de Paul avec le présent texte : Paul condamne les formalistes judaïsants et tout l'épisode de Gaster pourrait se lire comme une charge contre « l'ensemble des "ennemis de la croix" qui opposent des cérémonies "judaïques" à la parole du Christ ».

3. La fin du paragraphe et le suivant sont empruntés au compilateur Caelius Rhodiginus, *Antiquae lectiones*, Paris, 1517, VIII, X.

4. Eurycles : célèbre devin ventriloque athénien ; voir Aristophane, *Les Guêpes*, v. 1017-1020 ; Platon, *Le Sophiste*, 252 c ; Plutarque, *Moralia*, 414 e.

5. Il s'agit du décret de Gratien où il est traité de la divination ; voir XLVIII, p. 429, n. 1.

6. Hippocrate, *Épidémies*, V, LXIII. Addition de Rabelais au texte de Rhodiginus.

7. Sternomantes : nommés ainsi à partir d'une scholie du *Sophiste*, 252 c, citant un fragment perdu de Sophocle.

8. Pour Servateur, voir prologue, p. 51 et n. 20.

9. Anecdote déjà citée dans *Tiers livre*, XXV.

Comment en la court du maistre ingenieux[A] *Pantagruel detesta les Engastrimythes**[1] *et les Gastrolatres**[2]

CHAPITRE LVIII

En la court de ce grand maistre Ingenieux Pantagruel apperceut deux manieres de gens appariteurs[B] importuns et par trop officieux[C], les quelz il eut en grande abhomination. Les uns estoient nommez Engastrimythes, les aultres Gastrolatres. Les Engastrimythes[3] soy disoient estre descenduz de l'antique race de Eurycles[4], et sur ce alleguoient le tesmoinnaige de Aristophanes en la comedie intitulée *les Tahons, ou mousches guespes.* Dont anciennement estoient dictz Eurycliens, comme escript Plato, et Plutarche on livre *de la cessation des Oracles.* Es sainctz Decretz[5] *26. quest. 3* sont appellez Ventriloques : et ainsi les nomme en langue Ionicque Hippocrates[6] *lib. 5. Epid.* comme parlans de ventre. Sophocles les appelle *Sternomantes**[7]. C'estoient divinateurs, enchanteurs, et abuseurs du simple peuple, semblans non de la bouche, mais du ventre parler et respondre à ceulx qui les interrogeoient.

Telle estoit environ l'an de nostre benoist[D] Servateur[8] 1513. Jacobe Rodogine[9] Italiane femme de basse maison. Du ventre de laquelle nous avons souvent ouy, aussi ont aultres infiniz en Ferrare et ailleurs la voix de

A. inventeur. B. serviteurs. C. obligeants. D. béni.

10. *Cincinnatule* selon Rhodiginus, et *Crespelu,* « frisé », selon Rabelais.

11. Reproche d'oisiveté fait aux moines.

12. Non Hésiode, mais, en fait, Homère, *Iliade,* XVIII, v. 104.

13. Pline, IX, LII ; Érasme, *Adages,* V, II, 20, *Conchas legere.*

14. Valorisation de la variété de la création.

l'esprit immonde, certainement basse, foible, et petite : toutesfoys bien articulée, distincte, et intelligible, lors que par la curiosité des riches seigneurs et princes de la Guaulle Cisalpine* elle estoit appellée et mandée. Les quelz pour houster[A] tout doubte de fiction[B] et fraude occulte, la faisoient despouiller toute nue, et luy faisoient clourre la bouche et le nez. Cestuy maling esprit se faisoit nommer Crespelu, ou Cincinnatule[10] : et sembloit prendre plaisir ainsi estant appellé. Quand ainsi on l'appelloit, soubdain aux propous respondoit. Si on l'interrogeoit des cas præsens ou passez, il en respondoit pertinemment, jusques à tirer les auditeurs en admiration. Si des choses futures : tousjours mentoit, jamais n'en disoit la verité. Et souvent sembloit confesser son ignorance, en lieu de y respondre faisant un gros pet : ou marmonnant quelques motz non intelligibles, et de barbare termination.

Les Gastrolatres d'un aultre cousté se tenoient serrez par trouppes et par bandes, joyeulx, mignars[C], douilletz aulcuns[D] : aultres tristes, graves, severes, rechignez : tous ocieux[E], rien ne faisans, poinct ne travaillans[11], poys et charge inutile de la Terre, comme dict Hesiode[12] : craignans (scelon qu'on povoit juger) le Ventre offenser, et emmaigrir. Au reste masquez, desguisez, et vestuz tant estrangement, que c'estoit belle chose. Vous dictez, et est escript par plusieurs saiges et antiques Philosophes[13], que l'industrie de Nature appert[F] merveilleuse en l'esbatement qu'elle semble avoir prins formant les Coquilles de mer : tant y veoyd on de varieté[14], tant de figures, tant de couleurs, tant de traictz et formes non imitables par art. Je vous asceure qu'en la vesture de ces Gastro-

A. ôter. B. feinte. C. gracieux. D. certains. E. oisifs. F. apparaît.

15. Coquillon désigne le chaperon du docteur en Sorbonne, puis le docteur lui-même.

16. Paul, Philippiens, III, 18, que Rabelais traduit. Passage central pour la compréhension de l'épisode : E. M. Duval, « La Messe, la Cène [...] », p. 133, souligne que Paul vise les prédicateurs « judaïsants » attachés aux usages de l'Ancienne Loi.

17. Euripide, *Le Cyclope*, v. 335.

latres Coquillons[15] ne veismes moins de diversité et desguisement. Ilz tous tenoient Gaster pour leur grand Dieu : le adoroient comme Dieu : luy sacrifioient comme à leur Dieu omnipotens : ne recongnoissoient aultre Dieu que luy : le servoient, aymoient sus toutes choses, honoroient comme leur Dieu. Vous eussiez dict que proprement d'eulx avoit le sainct Envoyé[16] escript. *Philippens. 3.* « Plusieurs sont des quelz souvent je vous ay parlé (encores præsentement je le vous diz les larmes à l'œil) ennemis de la croix du Christ : des quelz Mort sera la consommation : des quelz Ventre est le Dieu. » Pantagruel les comparoit au Cyclope Polyphemus : lequel Euripides faict parler comme s'ensuyt. « Je ne sacrifie que à moy (aux Dieux poinct) et à cestuy mon Ventre le plus grand de tous les Dieux[17]. »

1. Manduce : terme d'origine latine (de *manducus*, « glouton »).

2. Pour E. M. Duval, « La Messe, la Cène [...] », p. 131, l'épisode est une satire de la messe et de l'Eucharistie, particulièrement d'actualité ; la treizième session du concile de Trente (octobre et novembre 1551) portait sur l'Eucharistie. Ce texte offre la première attestation du mot *ventripotent* en français, calque du *Pater omnipotens* du *Credo*.

Le menu des Gastrolatres n'est guère différent de celui dont nous fait relation la *Depense du festin donné à la Royne Catherine de Medicis le 19 juin 1549 à l'évêché de Paris*, demeure du cardinal du Bellay.

3. Poltron est alors considéré comme un italianisme à la mode.

4. Magnigoules : terme d'origine dialectale ; vraisemblablement languedocien.

5. Parodie de procession sacramentelle.

6. Plaute, *Rudens*, 535 ; Juvénal, *Satires*, III, v. 175 ; Pompeius Festus, *De significatione uerborum*, XI, d'après Caelius Rhodiginus.

7. Le *Graulli*, dragon promené dans les rues de Metz pour la fête de saint Marc, le 25 avril, en souvenir d'un dragon que saint Clément fit noyer dans la Seille.

De la ridicule statue appellée Manduce[1] : et comment, et quelles choses sacrifient les Gastrolatres à leur Dieu Ventripotent[2]

CHAPITRE LIX

Nous consyderans le minoys[A] et les gestes[B] de ces poiltrons[C][3] magnigoules[D][4] Gastrolatres, comme tous estonnez, ouysmes un son de campane[E] notable, auquel tous se rangerent comme en bataille, chascun par son office[F], degré[G], et antiquité[H]. Ainsi vindrent devers messere Gaster, suyvans un gras, jeune, puissant Ventru, lequel sus un long baston bien doré[5] portoit une statue de boys mal taillée et lourdement paincte, telle que la descrivent Plaute, Juvenal, et Pomp. Festus[6]. À Lion au carneval on l'appelle Maschecroutte : ilz la nommoient Manduce. C'estoit une effigie monstrueuse, ridicule, hydeuse, et terrible aux petitz enfans : ayant les œilz plus grands que le ventre, et la teste plus grosse que tout le reste du corps, avecques amples, larges, et horrificques[I] maschoueres bien endentelées tant au dessus comme au dessoubs : les quelles avecques l'engin[J] d'une petite chorde cachée dedans le baston doré l'on faisoit l'une contre l'aultre terrificquement clicquetter, comme à Metz l'on faict du Dragon de sainct Clemens[7].

A. mine. B. attitudes. C. paresseux. D. à la grande gueule. E. cloche. F. charge. G. grade. H. ancienneté. I. effrayantes. J. moyen.

8. Avec ces chants d'ivresse en l'honneur de Bacchus, atmosphère païenne comparable à celle de l'épisode des Papimanes.

9. Hippocras : vin aromatisé à la cannelle ; blanc, il se buvait en apéritif, rouge, en dessert.

10. Peut-être parodie du vin et du pain sans levain de l'Eucharistie.

11. Souppes de prime : tranches de pain trempées dans une sauce, servies à l'heure de l'office de prime (6 h du matin).

12. Hoschepotz : nom d'un cuisinier dans *Gargantua*, XXXVII, et ci-dessus, chap. XL.

13. Pâtés servis au commencement du repas.

14. La soupe de lévrier était une sorte de soupe de pain bis.

Approchans les Gastrolatres je veids qu'ilz estoient suyviz d'un grand nombre de gros varletz chargez de corbeilles, de paniers, de balles, de potz, poches[A] et marmites. Adoncques[B] soubs la conduicte de Manduce, chantans ne sçay quelz Dithyrambes, Cræpalocomes, Epænons*[8], offrirent à leur Dieu ouvrans leurs corbeilles et marmites Hippocras[9] blanc avecques la tendre roustie[C] seiche[10].

Pain blanc.
Choine[D].
Carbonnades[E] de six sortes.
Coscotons[F].
Fressures.
Fricassées, neuf especes.
Grasses souppes de prime[11].
Souppes Lionnoises.
Hoschepotz[G][12].
Pain mollet.
Pain bourgeoys.
Cabirotades[H].
Longes de veau rousty froides sinapisées de pouldre Zinziberine[I].
Pastez d'assiette[13].
Souppes de Levrier[14].
Chous cabutz[J] à la mouelle de bœuf.
Salmiguondins[G].

Brevaige eternel parmy, precedent le bon et friant[K] vin blanc, suyvant vin clairet et vermeil frays, je vous diz froyd comme la glace : servy et offert en grandes tasses d'argent. Puys offroient.

Andouilles capparassonnées de moustarde fine.
Saulsisses.
Langues de bœuf fumées.
Saumates[L].
Eschinées[M] aux poys.

A. sacs. B. alors. C. pain grillé. D. pain de première qualité. E. grillades. F. couscous. G. ragoûts. H. grillades de chevreau. I. de gingembre. J. pommés. K. agréable. L. salaisons. M. échines de porc.

15. Dodine : sauce au blanc avec des oignons.
16. Foulques : poules d'eau de couleur noire.

Fricandeaux.
Boudins.
Cervelatz.
Saulcissons.
Jambons.
Hures de Sangliers.
Venaison sallée aux naveaulx[A].
Hastereaux[B].
Olives colymbades*.

Le tout associé de brevaige sempiternel. Puys luy enfournoient en gueule.

Esclanches[C] à l'aillade.
Pastez à la saulse chaulde.
Coustelettes de porc à l'oignonnade.
Chappons roustiz avecques leur degout[D].
Hutaudeaux[E].
Becars[F]. Cabirotz[G].
Bischars[H]. Dains.
Lievres, Levraux.
Perdris, Perdriaux.
Faisans, Faisandeaux.
Pans, Panneaux.
Ciguoines, Ciguoineaux.
Becasses, Becassins.
Hortolans.
Cocqs, poulles, et poulletz d'Inde.
Ramiers, Ramerotz[I].
Cochons au moust.
Canars à la dodine[15].
Merles. Rasles.
Poulles d'eaue.
Tadournes[J].
Aigrettes.
Cercelles[K].
Plongeons.
Butors. Palles[L].
Courlis.
Gelinotes de boys.
Foulques[16] aux pourreaux.
Risses[M]. Chevreaulx.
Espaulles de moutton aux cappres.
Pieces de bœuf royalles.
Poictrines de veau.
Poulles boullies et gras chappons au blanc manger.
Gelinottes.

A. navets. B. tranches de foie de porc grillées. C. gigots. D. jus. E. jeunes chapons. F. bièvres. G. chevreaux. H. faons. I. petits ramiers. J. canards. K. sarcelles. L. sorte d'échassiers. M. rouges-gorges.

17. Brides à veaux : pâtisserie recherchée.

Poulletz.
Lappins, Lappereaux.
Cailles, Cailleteaux.
Pigeons, Pigeonneaux.
Herons, Heronneaux.
Otardes, Otardeaux.
Becquefigues.
Guynettes[A].
Pluviers.
Oyes, Oyzons.
Bizetz[B].
Hallebrans[C].
Maulvyz.
Flamans. Cignes.
Pochecuillieres[D].
Courtes[E]. Grues.
Tyransons[F].
Corbigeaux[G].
Francourlis[H].
Tourterelles.
Connilz[I].
Porcespicz.
Girardines[J].

Ranffort de vinaige[K] parmy. Puys grands

Pastez de Venaison.
D'Allouettes.
De Lirons[L].
De Stamboucqs[M].
De Chevreuilz.
De Pigeons.
De Chamoys.
De Chappons.
Pastez de lardons.
Pieds de porc au sou[N].
Croustes de pastez fricassées.
Corbeaux de Chappons.
Fromaiges.
Pesches de Corbeil.
Artichaulx.
Guasteaux feueilletez.
Cardes.
Brides à veaux[17].
Beuignetz.
Tourtes de seize façons.
Guauffres. Crespes.
Patez de Coings.
Caillebotes[O].
Neige de Creme[P].
Myrobalans[Q] confictz.
Gelée.
Hippocras rouge et vermeil.
Poupelins[R]. Macarons.
Tartres[S] vingt sortes.

A. pintades. B. pigeons. C. jeunes canards sauvages. D. spatules. E. petites bécassines. F. bécasses. G. courlis. H. francolins. I. lapins. J. râles d'eau. K. vin. L. loirs. M. bouquetins des Alpes. N. saindoux. O. lait caillé et cuit. P. œufs à la neige. Q. fruits des Indes. R. pâtisseries. S. tartes.

Creme.
Confictures seiches et liquides soixante et dixhuyt especes.
Dragée, cent couleurs.
Jonchées[A].
Mestier[B] au sucre fin.

Vinaige suyvoit à la queue de paour[C] des Esquinanches[D]. *Item* rousties.

A. lait caillé dans un panier de jonc. B. oublie. C. peur. D. maux de gorge.

1. Les jours maigres entrelardés sont des jours d'abstinence en dehors du carême (« mêlés aux jours gras »). La critique de Rabelais porte sur les nourritures de carême et sur l'Eucharistie : selon Rondelet, *Methodus curandorum omnium morborum* (1573), p. 641-642, les nourritures de carême sont à l'origine de plus de maux que les banquets de carnaval. En parlant de « villenaille de sacrificateurs », pour E. M. Duval, « La Messe, la Cène [...] », p. 134, Rabelais s'inscrit dans les polémiques anti-liturgiques qui, depuis la fameuse affaire des Placards de 1534, faisaient de la messe un « blasphème » et des prêtres de misérables « sacrificateurs ».

2. Farce, au double sens culinaire et théâtral comme au chap. LI, p. 455.

3. Boutargues : œufs de mulet salés et confits dans du vinaigre.

4. Hareng bouffi, qui n'a pas été desséché comme le hareng en caque.

5. Saulgrenée : assaisonnement mêlant beurre, herbes fines, eau et sel.

Comment es jours maigres entrelardez[1] à leur Dieu sacrifioient les Gastrolatres

CHAPITRE LX

Voyant Pantagruel ceste villenaille[A] de sacrificateurs, et multiplicité de leurs sacrifices, se fascha, et feust descendu si Epistemon ne l'eust prié veoir l'issue de ceste farce[2]. « Et que sacrifient, dist il, ces Maraulx à leur Dieu Ventripotent es jours maigres entrelardez ?

— Je le vous diray, respondit le pilot[B]. D'entrée de table ilz luy offrent.

Caviat[C].
Boutargues[3].
Beurre frays.
Purées de poys.
Espinars.
Arans blancs bouffiz[4].
Arans sors.
Sardaines.
Anchoys.
Tonnine[D].
Caules emb'olif[E].
Saulgrenées[5] de febves.
Sallades cent diversitez, de cresson, de Obelon[F], de la couille à l'evesque[G], de responses[H], d'aureilles de Judas (c'est une forme de funges[I] issans des vieulx Suzeaulx[J]) de Aspergez,

A. ramassis de vilains. B. pilote. C. caviar. D. thon mariné. E. choux à l'huile. F. houblon. G. cresson sauvage. H. raiponces. I. champignons. J. sureaux.

6. Lavaret : poisson des lacs de Suisse et de Savoie.
7. Palamide : poisson de la Méditerranée.
8. Ange de mer : squale à nageoires en forme d'ailes.

de Chevrefeuel[A] : tant d'aultres.
Saulmons sallez.
Anguillettes sallées.
Huytres en escalles[B].

« Là fault boyre, ou le Diable l'emporteroit. Ilz y donnent bon ordre, et n'y a faulte. Puys luy offrent

Lamproyes à saulse d'Hippocras[C].
Barbeaulx.
Barbillons.
Meuilles[D].
Meuilletz[D].
Rayes.
Casserons[E].
Esturgeons.
Balaines.
Macquereaulx.
Pucelles[F].
Plyes.
Huytres frittes.
Pectoncles.
Languoustes.
Espelans[G].
Guourneaulx[H].
Truites.
Lavaretz[6].
Guodepies[I].
Poulpres[J].
Limandes.
Carreletz.
Maigres.
Pageaux.
Gougeons.
Barbues.
Cradotz[G].
Carpes.
Brochetz.
Palamides[7].
Roussettes.
Oursins.
Vielles[K].
Ortigues[L].
Crespions[M].
Gracieuxseigneurs[N].
Empereurs[O].
Anges de mer[8].
Lampreons[P].
Lancerons[Q].
Brochetons.
Carpions.

A. cerfeuil. B. coquilles. C. vin aromatisé. D. muges. E. seiches. F. aloses. G. éperlans. H. grondins. I. morues. J. poulpes. K. tanches. L. orties de mer. M. crepidules. N. lompes. O. espadons. P. lamproies. Q. brochets.

9. Les poullardes sont ici des poissons.

Carpeaux.
Saulmons.
Saulmonneaux.
Daulphins.
Porcilles[A].
Turbotz.
Pocheteau[B].
Soles.
Poles[C].
Moules.
Homars.
Chevrettes[D].
Dards[E].
Ablettes.
Tanches.
Umbres[F].
Merluz frays.
Seiches.
Rippes[G].
Tons.
Guoyons[H].
Meusniers.
Escrevisses.

Palourdes.
Liguombeaulx[I].
Chatouilles[J].
Congres.
Oyes[K].
Lubines[L].
Aloses.
Murenes.
Umbrettes.
Darceaux[M].
Anguilles.
Anguillettes.
Tortues.
Serpens, *id est*, Anguilles de boys.
Dorades.
Poullardes[9].
Perches.
Realz[N].
Loches.
Cancres[O].
Escargotz.
Grenoilles.

« Ces viandes[P] devorées s'il ne beuvoit, la Mort l'attendoit à deux pas prés. L'on y pourvoyoit tresbien. Puys luy estoient sacrifiez

Merluz sallez.
Stocficz[Q].

Œufz fritz, perduz, suffocquez, estuvez, train-

A. marsouins. B. raie blanche. C. limandes-soles. D. crevettes. E. chevaines vandoises. F. ombres. G. épinoches. H. goujons. I. homards. J. lamproies. K. dauphins. L. bars. M. petits dards. N. esturgeons. O. crabes. P. mets. Q. morues séchées.

10. Heliogaballus : empereur romain (218-222) ; prêtre du Soleil à Émèse, il avait introduit à Rome le culte de son dieu syrien ; il contraint le Sénat à des sacrifices dispendieux (Hérodien, *Histoire de l'Empire depuis la mort de Marc Aurèle*, V, et Dion Cassius, *Histoire romaine*, LXXXVII).

11. Daniel, XIV, 3-22 ; sous le roi Cyrus (et non Balthasar), Daniel démasqua les soixante-dix prêtres qui dévoraient les offrandes apportées journellement à Bel : douze artabes de fleur de farine, quarante brebis et six mesures de vin.

12. Plutarque, *Isis et Osiris*, XXIV, et Érasme, *Apophtegmes*, « Antigonus », VII.

13. Lasanophore : officier chargé du lasanon (du grec λάσανον).

nez par les cendres, jectez par la cheminée, barbouillez, gouildronnez, *et cet.*

Moulues[A].
Papillons.
Adotz[B].
Lancerons[C] marinez.

« Pour les quelz cuyre et digerer facillement, vinaige[D] estoit multiplié. Sus la fin offroient

Ris.
Mil.
Gruau.
Beurre d'Amendes.
Neige de beurre.
Pistaces.
Fisticques[E].
Figues.
Raisins.

Escherviz[F].
Millorque[G].
Fromentée[H].
Pruneaulx.
Dactyles[I].
Noix.
Noizilles[J].
Pasquenades[F].
Artichaulx.

Perennité d'abrevement parmy.

« Croyez que par eulx ne tenoit que cestuy Gaster leur Dieu ne feust aptement, precieusement, et en abondance servy en ses sacrifices, plus certes que l'Idole de Heliogaballus[10], voyre plus que l'Idole Bel en Babilone soubs le roy Balthasar[11]. Ce non obstant Gaster confessoit estre non Dieu, mais paouvre, vile, chetifve creature. Et comme le roy Antigonus premier de ce nom respondit à un nommé Hermodotus (lequel en ses poesies l'appelloit Dieu, et filz du Soleil[12]) disant. "Mon Lasanophore[13] le nie." Lasanon* estoit une terrine et vaisseau[K] approprié à recepvoir les excremens du ventre :

A. morues. B. haddocks. C. jeunes brochets. D. vin. E. pistaches. F. panais. G. farine de maïs. H. bouillie de froment. I. dattes. J. noisettes. K. pot.

14. Le matagot, sorte de singe apprivoisé, désigne au figuré un hypocrite.

ainsi Gaster renvoyoit ces Matagotz[14] à sa scelle persée veoir, considerer, philosopher, et contempler quelle divinité ilz trouvoient en sa matiere fecale. »

1. Il faut rappeler la passion du XVIe siècle pour la recherche des inventeurs, dont témoigne le succès du *De inuentoribus rerum* de Polydore Virgile. Gaster est ici le symbole même de la *mètis*, la « ruse » (un des thèmes majeurs de *Pantagruel*). Cette notion fondamentale devient ici un attribut de l'homme en ce qu'il a de plus terrestre.

Comment Gaster inventa les moyens d'avoir et conserver Grain[1]

CHAPITRE LXI

Ces Diables Gastrolatres retirez, Pantagruel feut attentif à l'estude de Gaster le noble maistre des ars. Vous sçavez que par institution de Nature Pain avecques ses apennaiges, luy a esté pour provision et aliment adjugé, adjoincte ceste benediction du ciel que pour Pain trouver et guarder rien ne luy defauldroit[A]. Dés le commencement il inventa l'art fabrile[B], et agriculture pour cultiver la terre, tendent à fin qu'elle luy produisist Grain. Il inventa l'art militaire et armes pour Grain defendre, Medicine et Astrologie avecques les Mathematicques necessaires pour Grain en saulveté par plusieurs siecles guarder : et mectre hors les calamités de l'air : deguast[C] des bestes brutes[D] : larrecin des briguans. Il inventa les moulins à eau, à vent, à bras, à aultres mille engins, pour Grain mouldre et reduire en farine. Le levain pour fermenter la paste, le sel pour luy donner saveur, (car il eut ceste congnoissance, que chose on monde plus les humains ne rendoit à maladies subjectz, que de Pain non fermenté, non salé user) le feu pour le cuyre, les horologes et quadrans pour entendre le temps de la cuycte de Pain creature de Grain.

A. manquerait. B. du forgeron. C. pillage. D. sauvages.

2. Pour cette anecdote et la suivante, voir Pausanias, VIII, XXXVIII, et II, XXXIV ; Nicolas Leonicenus, *De uaria historia libri tres*, I, LXVII, et II, XXXVIII (la source y est appelée *Agrie*, alors que Pausanias la nomme *Agnô*).

3. Methanensiens : de Méthana, en Argolide.

4. En enterrant un coq blanc au cours d'une procession.

Est advenu que Grain en un pays defailloit, il inventa art et moyen de le tirer d'une contrée en aultre. Il par invention grande mesla deux especes de animans[A], Asnes et Jumens pour production d'une tierce, la quelle nous appellons muletz, bestes plus puissantes, moins delicates, plus durables au labeur que les aultres. Il inventa chariotz et charettes pour plus commodement le tirer. Si la mer ou rivieres ont empesché la traicte[B], il inventa basteaulx, gualeres, et navires (chose de la quelle se sont les Elemens esbahiz) pour oultre mer, oultre fleuves, et rivieres naviger, et de nations barbares, incongneues, et loing separées, Grain porter et transporter.

Est advenu depuys certaines années que la terre cultivant il n'a eu pluye à propous et en saison, par default de laquelle Grain restoit en terre mort et perdu. Certaines années la pluye a esté excessive, et nayoit[C] le Grain. Certaines aultres années la gresle le guastoit, les vens l'esgrenoient, la tempeste le renversoit. Il jà davant nostre venue avoit inventé art et moyen de evocquer[D] la pluye des Cieulx seulement une herbe decouppant commune par les praeries, mais à peu de gens congneue, laquelle il nous monstra. Et estimoys que feust celle de laquelle une seule branche jadis mectent[E] le pontife Jovial[F] dedans la fontaine Agrie[2] sus le mons Lycien en Arcadie on temps de seicheresse, excitoit les vapeurs, des vapeurs estoient formées grosses nuées : les quelles dissolues en pluye toute la region estoit à plaisir arrousée. Inventoit art et moyen de suspendre et arrester la pluye en l'air, et sus mer la faire tomber. Inventoit art et moyen de aneantir la gresle, supprimer les vens, destourner la tempeste, en la maniere usitée entre les Methanensiens[3] de Trezenie[G4].

A. animaux. B. transport. C. noyait. D. faire venir. E. mettant. F. de Jupiter. G. pays de Trézène.

5. Philibert Delorme, né à Lyon entre 1505 et 1510, séjourne à Rome de 1533 à 1536, travaille à la fortification des places du Piémont sous les ordres de Guillaume du Bellay avant 1541, puis à la construction du château de Saint-Maur-des-Fossés pour Jean du Bellay de 1541 à 1544. Il est en 1545 conducteur général des ouvrages et fortifications de Bretagne et en 1547 surintendant de tous les bâtiments royaux à l'exception du Louvre ; on lui doit le château d'Anet (1545-1555). Rabelais découvrit Rome en sa compagnie, d'où vraisemblablement l'appellation plaisante de *Messere* (italianisme).

6. L'identification de Megiste avec Henri II est ici manifeste. Au chap. II, François Ier.

7. Engins d'artillerie.

8. Souvenir un peu inexact d'un texte de Philostrate, *Vie d'Apollonius de Tyane*, II, XXXIII : ce ne sont pas les Oxydraques, peuple indien habile à la guerre, mais leurs voisins, un peuple de sages, qui écartent les ennemis par des prodiges comme la foudre, au lieu des armes traditionnelles.

Aultre infortune est advenu. Les pillars et briguans desroboient Grain et Pain par les champs. Il inventa art de bastir villes, forteresses, et chasteaulx pour le reserrer[A] et en sceureté conserver. Est advenu que par les champs ne trouvant Pain entendit qu'il estoit dedans les villes, forteresses, et chasteaulx reserré, et plus curieusement[B] par les habitans defendu et guardé, que ne feurent les pommes d'or des Hesperides par les dracons[C]. Il inventa art et moyen de bastre et desmolir forteresses et chasteaulx par machines et tormens bellicques[D], beliers, balistes, catapultes, des quelles il nous monstra la figure, assez mal entendue des ingenieux[E] Architectes disciples de Victruve : comme nous a confessé Messere Philebert de l'Orme[5] grand architecte du roy Megiste[6]. Les quelles quand plus n'ont proficté, obstant[F] la maligne subtilité, et subtile malignité des fortificateurs, il avoit inventé recentement Canons, Serpentines, Coulevrines, Bombardes, Basilics[7], jectans boulletz de fer, de plomb, de bronze, pezans plus que grosses enclumes, moyennant une composition de pouldre horrificque[G], de la quelle Nature mesmes s'est esbahie, et s'est confessée vaincue par art : ayant en mespris l'usaige des Oxydraces[8], qui à force de fouldres, tonnoires, gresles, esclaires, tempestes, vaincoient, et à mort soubdaine mettoient leurs ennemis en plain camp de bataille. Car plus est horrible, plus espouvantable, plus diabolique, et plus de gens meurtrist, casse, rompt, et tue : plus estonne les sens des humains : plus de muraille demolist un coup de Basilic, que ne feroient cent coups de fouldre.

A. enfermer. B. soigneusement. C. dragons. D. machines de guerre. E. ingénieurs. F. faisant obstacle. G. effrayante.

1. L'aimant et l'echeneis en alchimie désignent la matière fixe qui fixe celle qui est volatile. Ce chapitre, qui semble avoir une signification alchimique, se termine par une évocation de la lecture allégorique telle que la pratiquent les pythagoriciens.

2. Triscaciste : emprunt au grec τρισκάκιστος, « trois fois très mauvais ».

3. Fronton : Rabelais semble confondre ce personnage, confident de l'empereur Marc Aurèle, avec Frontin, auteur notamment d'un manuel de stratégie, les *Stratagemata*, qui ne contient pas le remède décrit ici.

4. Voir *Gargantua*, LVII. Il faut noter le goût des Thélémites pour ces expériences étranges, parallèle à l'engouement de la noblesse pour l'alchimie.

5. Plutarque, *Des délais de la justice divine*, XIV.

6. Faulconneau : petite pièce d'artillerie.

Comment Gaster inventoit art et moyen de non estre blessé ne touché par coups de Canon[1]

CHAPITRE LXII

Est advenu que Gaster retirant Grain es forteresses s'est veu assailly des ennemis, ses forteresses demolies par ceste triscaciste*[2] et infernale machine : son Grain et Pain tollu[A] et saccaigé par force Titanique*, il inventoit lors art et moyen non de conserver ses rempars, bastions, murailles, et defenses de telles canonneries, et que les boulletz ou ne les touchassent, et restassent coy et court en l'air, ou touchans ne portassent nuisance ne es defenses ne aux citoyens defendens. À cestuy inconvenient jà avoit ordre tresbon donné et nous en monstra l'essay : duquel a depuys usé Fronton[3], et est de præsent en usaige commun entre les passetemps et exercitations honestes des Telemites[4]. L'essay estoit tel. Et dorenavant soiez plus faciles à croire ce que asceure[B] Plutarche[5] avoir experimenté. Si un trouppeau de Chevres s'en fuyoit courant en toute force, mettez un brin de Erynge[C] en la gueule d'une derniere cheminante, soubdain toutes s'arresteront.

Dedans un faulconneau[6] de bronze il mettoit sus la pouldre de canon curieusement[D] composée, degressée de son soulfre, et proportionnée avecques Camphre fin, en

A. enlevé. B. assure. C. chardon. D. soigneusement.

7. Pline, XXXVI, xv.
8. Axiome de physique.

quantité competente, une ballote[A] de fer bien qualibrée, et vingt et quatre grains de dragée de fer, uns ronds et sphericques, aultres en forme lachrymale. Puys ayant prins sa mire contre un sien jeune paige, comme s'il le voulust ferir parmy l'estomach, en distance de soixante pas, on mylieu du chemin entre le paige et le Faulconneau en ligne droicte suspendoit sus une potence de bois à une chorde en l'air une bien grosse pierre Siderite[B], c'est à dire Ferriere[C], aultrement appellée Herculiane, jadis trouvée en Ide[D] on pays de Phrygie par un nommé Magnes comme atteste Nicander[7]. Nous vulgairement l'appellons Aymant. Puys mettoit le feu on Faulconneau par la bouche du pulverin[E]. La pouldre consommée advenoit que pour eviter vacuité (laquelle n'est tolerée en Nature[8], plus toust seroit la machine de l'Univers, Ciel, Air, Terre, Mer, reduicte en l'antique Chaos, qu'il advint vacuité en lieu du monde) la ballote et dragées estoient impetueusement hors jectez par la gueule du Faulconneau, afin que l'air penetrast en la chambre d'icelluy, laquelle aultrement restoit en vacuité estant la pouldre par le feu tant soubdain consommée. Les ballote et dragées ainsi violentement lancées sembloient bien debvoir ferir le paige : mais sus le poinct qu'elles approchoient de la susdicte pierre, se perdoit leur impetuosité, et toutes restoient en l'air flottantes et tournoyantes à tour de la pierre, et n'en passoit oultre une tant violente feust elle, jusques au paige. Mais[F] il inventoit l'art et maniere de faire les boulletz arriere retourner contre les ennemis, en pareille furie et dangier qu'ilz seroient tirez, et en propre parallele.

Le cas ne trouvoit difficile, attendu que l'herbe nom-

A. cartouche. B. aimant. C. aimant. D. mont Ida. E. place où on met la poudre. F. De plus.

9. Æthiopis : herbe non identifiée.
10. Pline, XXI, IX.
11. *Ibid.*, IX, XLI.
12. *Ibid.*, XXV, II, qui cite Démocrite et Théophraste.
13. Ce type de rectification d'un terme vulgaire par sa forme savante est particulièrement fréquent dans la « Briefve declaration ». Le terme de Picz Mars utilisé par Rabelais se réfère à la croyance romaine selon laquelle cet oiseau était consacré au dieu Mars.
14. Pline, X, XVIII.
15. Dictame : première attestation en français.
16. Pline, XXV, LIII.
17. Virgile, *Énéide*, XII, v. 411-419.
18. Pline, II, LVI, et XV, XVIII ; Plutarque, *Propos de table*, V, IX.
19. Caprifice : terme latin désignant le figuier sauvage.
20. Pline, XXIII, LXIV ; Plutarque, *Propos de table*, II, VII.

mée Æthiopis[9] ouvre toutes les serrures qu'on luy præsente[10] : et que Echineis[A] poisson tant imbecille[B] arreste contre tous les vens et retient en plein fortunal[C] les plus fortes navires qui soient sus mer[11] : et que la chair de icelluy poisson conservée en sel attire l'or hors les puyz tant profonds soyent ilz, qu'on pourroit sonder.

Attendu que Democritus escript, Theophraste[12] l'a creu et esprouvé, estre une herbe, par le seul atouchement de laquelle un coin de fer profondement et par grande violence enfoncé dedans quelque gros et dur boys, subitement sort dehors. De laquelle usent les Picz Mars (vous les nommez Pivars[D 13]) quand de quelque puissant coin de fer l'on estouppe[E] le trou de leurs nidz[14] : les quelz ilz ont acoustumé industrieusement faire et caver[F] dedans le tronc des fortes arbres.

Attendu que les Cerfz et Bisches navrez[G] profondement par traictz de dards, fleches, ou guarrotz[H], s'ilz rencontrent l'herbe nommée Dictame[15] frequente en Candie, et en mangent quelque peu, soubdain les fleches sortent hors, et ne leurs en reste mal aulcun[16]. De laquelle Venus guarit son bien aymé filz Æneas blessé en la cuisse dextre d'une fleche tirée par la sœur de Turnus Juturna[17].

Attendu qu'au seul flair issant des Lauriers, Figuiers, et veaulx marins[I 18], est la fouldre detournée, et jamais ne les ferit. Attendu que au seul aspect d'un Belier les Elephans enraigez retournent à leur bon sens : les Taureaux furieux et forcenez approchans des figuiers saulvaiges dictz Caprifices[19] se apprivoisent, et restent comme grampes[J] et immobiles : la furie des Viperes expire par l'attouchement d'un rameau de Fouteau[K 20]. Attendu

A. rémora. B. faible. C. tempête. D. piverts. E. bouche. F. creuser. G. blessés. H. traits d'arbalète. I. phoques. J. paralysés. K. hêtre.

21. Élien, *Historia animalium*, XVII, XXVIII.
22. Pline, XVI, LXXI.
23. *Ibid.*, VIII, XIX.
24. Calcagninus, *Opera*, 1544, p. 29 ; comme lui, Rabelais laisse au lecteur le choix de l'hypothèse.
25. Voir *Gargantua*, prologue.
26. Pour les variations sur la lecture allégorique, voir Érasme, *Adages*, I, I, 2, *Pythagorae symbolae.*
27. Érasme, *Adages*, II, V, 47, *Non è quouis ligno Mercurius fiat*, donne l'équivalence *« non omnium ingenia sunt accomodata disciplinis »*.
28. Apulée, *De magia*, I, XLIII ; Athénée, *Le Banquet des sophistes*, V, XV.

aussi qu'en l'isle de Samos avant que le temple de Juno y feust basty, Euphorion[21] escript avoir veu bestes nommées Neades, à la seule voix des quelles la Terre fondoit en chasmates[A] et en abysme. Attendu pareillement que le Suzeau[B] croist plus canore[C] et plus apte au jeu des flustes en pays on quel le chant des Coqs ne seroit ouy : ainsi qu'ont escript les anciens sages, scelon le rapport de Theophraste, comme si le chant des Coqs hebetast[D], amolist et estonnast[E] la matiere et le boys du Suzeau[22] : au quel chant pareillement ouy le Lion animant de si grande force et constance devient tout estonné, et consterné[23]. Je sçay que aultres ont ceste sentence entendu du Suzeau saulvaige, provenent en lieux tant esloignez de villes et villages, que le chant des Coqs n'y pourroit estre ouy[24]. Icelluy sans doubte doibt pour flustes et aultres instrumens de Musicque estre esleu, et preferé au domesticque, lequel provient au tour des chesaulx[F] et masures. Aultres l'ont entendu plus haultement non scelon la letre, mais allegoricquement[25] scelon l'usaige des Pithagoriens[26]. Comme quand il a esté dict que la statue de Mercure ne doibt estre faicte de tous boys indiferentement[27], ilz l'exposent que Dieu ne doibt estre adoré en façon vulgaire, mais en façon esleue et religieuse[28] : pareillement en ceste sentence nous enseignent que les gens saiges et studieux ne se doibvent adonner à la Musique triviale et vulgaire, mais à la celeste, divine, angelique, plus absconse et de plus loing apportée : sçavoir est d'une region en laquelle n'est ouy des Coqs le chant. Car voulans denoter quelque lieu à l'escart et peu frequenté ainsi disons nous, en icelluy n'avoir oncques esté ouy Coq chantant.

A. fossés. B. sureau. C. sonore. D. affaiblit. E. paralyse. F. cabanes.

1. Ce chapitre pourrait être un souvenir d'Érasme, *Colloquia*, « Problema ». *Chaneph* signifie « hypocrite » dans certains contextes (Isaïe, XXXII, 6, forme *Choneph*).

2. Valentiennes : variante de valancines, sorte de cordage.

3. Matagraboliser : verbe forgé par Rabelais avec le grec μάταιος, « vain », et *graboliser*, de *grabeler*, « passer au crible ».

4. Sesolfiez : abrutis (à cause de la fatigue engendrée par le système des muances, ou mutations de l'hexacorde ; voir n. 7, p. 229).

5. La première édition des *Éthiopiques* ou *Théagène et Chariclée*, parut à Bâle en 1534. La traduction française d'Amyot, en 1547, avait mis cet auteur à la mode.

6. Par cœur a le sens de « à la légère » ; *cœur* désigne le siège de la mémoire.

7. Voir *Tiers livre*, XLIX, et suiv. pour l'éloge du pantagruelion.

*Comment prés l'isle de Chaneph**
Pantagruel sommeilloit,
et les problemes propousez à son reveil[1]

CHAPITRE LXIII

Au jour subsequent en menuz devis suyvans nostre routte, arrivasmes prés l'isle de Chaneph. En laquelle abourder ne peut la nauf[A] de Pantagruel : par ce que le vent nous faillit, et feut calme en mer. Nous ne voguions que par les Valentiennes[2] changeans de tribort en babort, et de babort en tribort : quoy qu'on eust es voiles adjoinct les bonnettes[B] trainneresses[C]. Et restions tous pensifz, matagrabolisez[3], sesolfiez[4], et faschez : sans mot dire les uns aux aultres. Pantagruel tenent un Heliodore Grec[5] en main sus un transpontin[D] au bout des Escoutilles sommeilloit. Telle estoit sa coustume, que trop mieulx par livre dormoit, que par cœur[6]. Epistemon reguardoit par son Astrolabe en quelle elevation nous estoit le Pole. Frere Jan s'estoit en la cuisine transporté : et en l'ascendent[E] des broches et horoscope des fricassées consyderoit quelle heure lors povoit estre.

Panurge avecques la langue parmy un tuyau de Pantagruelion[7] faisoit des bulles et guargoulles[F]. Gymnaste apoinctoit des curedens de Lentisce[G]. Ponocrates resvant[H], resvoit, se chatouilloit pour se faire rire, et

A. nef. B. petites voiles. C. qui traînent. D. hamac. E. ascendance d'un astre. F. gargouillis. G. lentisque. H. radotant.

8. Noix grosliere : d'une telle dureté qu'elle ne peut être cassée que par le bec des grolles (corbeaux).

9. Jectz : lanières par lesquelles on tenait les oiseaux de chasse.

10. Cabane : « petite chambre à bord d'un bastiment » selon Palsgrave, *Lesclarcissement de la langue francoyse*, 1530, p. 202.

11. Haulser le temps : métaphore du langage des marins signifiant « boire ferme en attendant que le temps s'éclaircisse ».

12. Secouer l'oreille signifie au figuré « être insouciant ». Voir prologue, p. 78, n. 128.

13. Voir Aristote, *Topiques*, I, V.

avecques un doigt la teste se grattoit. Carpalim d'une coquille de noix grosliere[8] faisoit un beau, petit, joyeulx, et harmonieux moulinet à aesle de quatre belles petites aisses[A] d'un tranchouoir[B] de Vergne. Eusthenes sus une longue Coulevrine[C] jouoit des doigtz, comme si feust un Monochordion[D]. Rhizotome de la coque d'une Tortue de Guarrigues[E] compousoit une escarcelle veloutée. Xenomanes avecques des jectz[9] d'Esmerillon repetassoit une vieille lanterne. Nostre pilot[F] tiroit les vers du nez à ses matelotz. Quand frere Jan retournant de la cabane[10] apperceut que Pantagruel estoit resveiglé.

Adoncques[G] rompant cestuy tant obstiné silence à haulte voix : en grande alaigresse d'esprit demanda. « Maniere de haulser le temps[H11] en calme ? » Panurge seconda[I] soubdain demandant pareillement. « Remede contre fascherie ? » Epistemon tierça[J] en guayeté de cœur demandant. « Maniere de uriner la personne n'en estant entalentée[K] ? » Gymnaste soy levant en pieds demanda. « Remede contre l'esblouyssement des yeulx ? » Ponocrates s'estant un peu frotté le front, et sescoué les aureilles[12] demanda. « Maniere de ne dormir poinct en Chien ?

— Attendez, dist Pantagruel. Par le decret des subtilz philosophes Peripateticques nous est enseigné, que tous problemes, toutes questions, tous doubtes propousez doibvent estre certains, clairs, et intelligibles[13]. Comment entendez vous, dormir en chien ?

— C'est (respondit Ponocrates) dormir à jeun en hault Soleil, comme font les Chiens. »

Rhizotome estoit acropy sus le coursouoir[L]. Adoncques

A. planchettes. B. tronçon. C. canon. D. monocorde. E. terrestre. F. pilote. G. alors. H. boire beaucoup. I. suivit. J. parla en troisième. K. n'en ayant envie. L. coursive.

14. Sur cette sympathie, voir LXV, p. 567-569 ; *Gargantua*, LVI.

15. Lanterné : « occupé à une chose insignifiante » ; jeu de mots sur *lanterne*.

16. Cornemuse : dans l'anatomie de Quaresmeprenant (XXX), l'estomac est comparé à un baudrier et la glande pinéale à une *veze* (cornemuse).

17. Voir Aristote, *Histoire des animaux*, VIII, XXIX, et Pline, XXVIII, VII ; questions fréquemment traitées dans les compilations.

18. Symptomates : mot emprunté au grec συμπτώματα.

19. Érasme, *Adages*, II, VIII, 84, *Venter auribus caret* (voir LVII, p. 501) ; passage à mettre en rapport avec la description de Gaster.

20. Tite-Live, I, LIV.

levant la teste et profondement baislant[A], si bien qu'il par naturelle sympathie*[14] excita tous ses compaignons à pareillement baisler, demanda. « Remede contre les oscitations[B] et baislemens ? » Xenomanes comme tout lanterné[15] à l'accoustrement[C] de sa lanterne, demanda. « Maniere de æquilibrer et balancer la cornemuse[16] de l'estomach, de mode qu'elle ne panche poinct plus d'un cousté que d'aultre ? » Carpalim jouant de son moulinet demanda. « Quants[D] mouvemens sont præcedens en Nature avant que la persone soit dicte avoir faim ? » Eusthenes oyant le bruyt acourut sus le tillac, et dés le capestan[E] s'escria, demandant. « Pourquoy en plus grand dangier de mort est l'home mords[F], à jeun d'un Serpent jeun, que aprés avoir repeu[G] tant l'home que le Serpent ? Pourquoy est la sallive de l'home jeun veneneuse[17] à tous Serpens et Animaulx veneneux ?

— Amis, respondit Pantagruel, à tous les doubtes et quæstions par vous propousées compete[H] une seule solution : et à tous telz symptomates*[18] et accidens une seule medicine. La response vous sera promptement expousée, non par longs ambages et discours de parolles, l'estomach affamé n'a poinct d'aureilles[19], il n'oyt guoutte. Par signes, gestes, et effectz[I] serez satisfaicts, et aurez resolution à vostre contentement. Comme jadis[20] en Rome Tarquin l'orgueilleux Roy dernier des Romains (ce disant Pantagruel toucha la chorde de la campanelle frere Jan soubdain courut à la cuisine) par signes respondit à son filz Sex. Tarquin estant en la ville des Gabins. Lequel luy avoit envoyé home exprés pour entendre, comment il pourroit les Gabins du tout subjuguer, et à perfaicte obeissance reduyre. Le Roy susdict soy defiant

A. bâillant. B. bâillements. C. rapetassage. D. combien de. E. cabestan. F. mordu. G. s'être rassasié. H. convient. I. actions.

de la fidelité du messaigier, ne luy respondit rien. Seulement le mena en son jardin secret[A] : et en sa veue et præsence avecques son bracquemart couppa les haultes testes des Pavotz là estans. Le messaigier retournant sans response, et au filz racontant ce qu'il avoit veu faire à son pere : feut facile par telz signes entendre, qu'il luy conseilloit trancher les testes aux principaulx de la ville, pour mieulx en office et obeissance totale contenir le demourant du menu populaire. »

A. privé.

1. Pour V.-L. Saulnier, « Le Festin devant Chaneph ou la Confiance dernière de Rabelais », *Mercure de France*, 1er avril 1954, p. 649-666, cette île est l'anti-Thélème, et le festin dressé par les voyageurs l'est par allusion à la Cène. L'épisode des problèmes posés à Pantagruel évoquerait la prédication du Christ, la « seule medicine » de la fin du chapitre précédent, le thème de l'Universel médecin pour désigner Dieu, présent dans les pièces évangéliques.

2. Isle de Chien : expression de mépris.

3. L'hermite de Lormont : personnage inconnu.

4. Blaye : dans la Gironde.

5. La charge contre l'hypocrisie et contre les aumônes semble porter sur le clergé.

6. Pour les Concilipetes de Chesil, voir XVIII, p. 221 et n. 6.

7. Astarotz : diable souvent présent dans les Mystères. Proserpine y est la mère des diables.

8. Jeu de mots sur *concile*.

9. Mon petit bedon : terme d'amitié.

10. Caporal : chef d'une escouade d'infanterie.

11. Hypocriticque : la « Briefve declaration » (p. 607) définit l'emploi du chapitre XXXVI (p. 351) ; ici, sens obscur (selon Huguet, peut-être « dissimulé, furtif »).

Comment par Pantagruel ne feut respondu aux problemes propousez[1]

CHAPITRE LXIIII

Puys demanda Pantagruel. « Quelz gens habitent en ceste belle isle de Chien[2] ?

— Tous sont, respondit Xenomanes, Hypocrites, Hydropicques, Patenostriers[A], Chattemittes, Santorons[B], Cagotz, Hermites. Tous paouvres gens, vivans (comme l'hermite de Lormont[3] entre Blaye[4] et Bourdeaux) des aulmonsnes que les voyagiers[C] leurs donnent[5].

— Je n'y voys[D] pas, dist Panurge, je vous affie[E]. Si je y voys, que le diable me soufle au cul. Hermittes, Santorons, Chattemittes, Cagotz, Hypocrites, de par tous les Diables ? Oustez vous de là. Il me souvient encores de nos gras Concilipetes de Chesil[6] : que Belzebuz et Astarotz[7] les eussent concilié[8] avecques Proserpine : tant patismes à leur veue de tempestes et Diableries. Escoute mon petit bedon[9], mon caporal[10] Xenomanes, de grace. Ces Hypocrites, Hermites, Marmiteux[F] icy sont ilz vierges ou mariez ? Y a il du feminin genre ? En tireroyt on hypocriticquement le petit traict Hypocriticque[11] ?

— Vrayement, dist Pantagruel, voylà une belle et joyeuse demande.

A. diseurs de patenôtres. B. qui affectent la dévotion. C. pèlerins. D. vais. E. assure. F. hypocrites.

12. Escuz à la lanterne : expression créée sur *escuz au Soleil.*

13. Mot emprunté au latin (*decempedalis*, « long de dix pieds »). Pour la source, voir Érasme, *Adages*, III, IV, 70, *Decempes umbra* qui cite Aristophane, *Les Predicantes (Assemblée des femmes)*, v. 652.

14. Érasme, *Apophtegmes*, III, « Diogenes », LX, d'après Diogène Laërce, VI, II, 40.

15. « [...] fait vivre d'ans nonante neuf », selon un dicton populaire.

— Ouy dea[A], respondit Xenomanes. Là sont belles et joyeuses hypocritesses, chattemitesses, hermitesses, femmes de grande religion. Et y a copie de petitz hypocritillons, chattemitillons, hermitillons.

(— Oustez[B] cela, dist frere Jan interrompant. De jeune Hermite vieil Diable. Notez ce proverbe autenticque.)

— Aultrement sans multiplication de lignée, feust long temps y a l'isle de Chaneph deserte et desolée. » Pantagruel leurs envoya par Gymnaste dedans l'esquif son aulmosne, soixante et dixhuict mille, beaulx, petitz demys escuz à la lanterne[12]. Puys demanda. « Quantes heures sont[C] ?

— Neuf, et d'adventaige, respondit Epistemon.

— C'est (dist Pantagruel) juste heure de dipner[D]. Car la sacre[E] ligne tant celebrée par Aristophanes en sa comœdie intitulée *les Predicantes*, approche : laquelle lors eschoit quand l'umbre est decempedale*[13]. Jadis entre les Perses l'heure de prendre refection estoit es Roys seulement præscripte : à un chascun aultre estoit l'appetit et le ventre pour horologe. De faict en Plaute certain Parasite* soy complainct et deteste furieusement les inventeurs d'horologes et quadrans, estant chose notoire qu'il n'est horologe plus juste que le ventre. Diogenes[14] interrogé à quelle heure doibt l'home repaistre ? respondit. "Le Riche, quand il aura faim : le Paouvre, quand il aura dequoy." Plus proprement disent les medicins l'heure Canonicque[F] estre

> « *Lever à cinq, dipner à neuf.*
> *Soupper à cinq, coucher à neuf*[15].

A. vraiment. B. ôtez. C. Quelle heure est-il ? D. déjeuner. E. sacrée. F. régulière.

16. Petosiris : prêtre égyptien cité par Pline, II, XXI, 4, et VII, L, I ; il prétendait, en se fondant sur le Zodiaque, que la longévité pouvait atteindre cent vingt-quatre ans en Italie.

17. Credentiers : serviteurs chargés de faire l'essai des aliments et boissons.

18. Travaux de fortification exécutés à Turin par Guillaume du Bellay.

19. Tout comme le garbin (p. 155), ce vent ouest-nord-ouest suggère la navigation vers l'est.

20. Contraste entre le cérémonial des Gastrolatres et celui des compagnons.

« La Magie du celebre Roy Petosiris[16] estoit aultre. » Ce mot n'estoit achevé, quand les officiers de gueule dresserent les tables, et buffetz : les couvrirent de nappes odorantes, assiettes, serviettes, salieres : apporterent tanquars[A], frizons[B], flaccons, tasses, hanatz[C], bassins, hydries[D]. Frere Jan associé des maistres d'hostel, escarques[E], panetiers, eschansons, escuyers tranchans, couppiers[F], credentiers[17], apporta quatre horrificques[G] pastez de jambons si grands, qu'il me soubvint des quatre bastions de Turin[18]. Vray Dieu comment il y feut beu et guallé[H]. Ilz n'avoient encores le dessert, quand le vent Ouest Norouest[19] commença enfler les voiles, papefilz[I], morisques[J], et trinquetz. Dont tous chanterent divers Cantiques à la louange du treshault Dieu des Cielz[20]. Sus le fruict Pantagruel demanda. « Advisez, amis, si vos doubtes sont à plein resoluz.

— Je ne baisle[K] plus Dieu mercy, dist Rhizotome.

— Je ne dors plus en Chien, dist Ponocrates.

— Je n'ay plus les yeulx esblouiz, respondit Gymnaste.

— Je ne suys plus à jeun, dist Eusthenes. Pour tout ce jourd'huy seront en sceureté de ma sallive[21].

Aspicz.	Alhatrabans.
Amphisbenes.	Aractes.
Anerudutes.	Asterions.
Abedissimons.	Alcharates.
Alhartafz.	Arges.
Ammobates.	Araines.
Apimaos.	Ascalabes.

A. vases. B. pots. C. hanaps. D. cruches. E. maîtres d'hôtel. F. échansons. G. très grands. H. festoyé. I. grandes voiles. J. voiles mauresques. K. bâille.

21. Cette liste d'animaux venimeux d'espèces variées — mammifères, poissons, insectes, ophidiens, sauriens, etc. — adopte l'ordre alphabétique des Bestiaires médiévaux. À côté de sources antiques ou médiévales, Rabelais a utilisé un manuel à l'usage des étudiants en médecine, le *Canon* d'Avicenne traduit en latin par G. de Crémone; voir P. Delaunay, « Les Animaux venimeux dans Rabelais », p. 197-218, à qui sont empruntées toutes les références qui suivent.

Amphisbene : serpent à deux têtes, qui marche dans les deux sens. *Anerudute :* serpent, altération du grec ἀμμοδύτης par l'intermédiaire de l'arabe. *Abedissimon :* serpent, traduction d'Avicenne (vestige d'un mot grec). *Alhartafz :* dragon marin (Albert le Grand). *Ammobate :* ἀμμοβάτης, littéralement « qui marche sur le sable » (Élien). *Apimaos :* épithète ἀπήμαντοι, « inoffensifs », que Nicandre donne aux typhlopes, pris ici pour substantif. *Alhatraban :* gros serpent (arabe). *Aracte :* serpent taché de blanc et noir (arabe). *Asterion :* phalange à rayures blanches (Pline, XXIX, XXVII). *Alcharate :* vipère (arabe). *Arge :* serpent blanc, ἀργῆς (Hippocrate). *Araine :* vive (nom marseillais). *Ascalabe :* lézard moucheté, ἀσκάλαβος (Nicandre). *Attelabe :* grillon ou charançon, ἀττέλαβος (Aristote, *Histoire des animaux*, V, XXIII). *Ascalabote :* ἀσκαλαβωτης (*ibid.*, IV, XI et VIII, XVII; Pline, XXIX, XXVIII). *Æemorrhoide :* serpent (Élien, XV, XIII; Pline, XX, LXXXI). *Belette ictide :* furet, terme gréco-latin, ἴκτις (Aristote, IX, LXVII). *Boie :* boa (Albert le Grand). *Bupreste :* méloë, βούπρηστις (Élien). *Cantharide :* coléoptère vésicant (Pline, XXIX, XXX). *Catoblepe :* antilope d'Asie australe dont le regard passait pour mortel (Pline, VIII, XXXII) ; voir *Cinquiesme livre*, XXIX. *Ceraste :* vipère à cornes, κεράστης (Pline, VIII, XXXV). *Cauquemare :* animal fantastique (mot picard). *Colote :* κωλώτης (Aristote, *ibid.*, IX, II, assimilé par Pline, XXIX, XXVIII, au stellion, à l'ascalabote et au galéote). *Cafezate :* serpent (arabe). *Cauhare :* serpent couleur de sable (Albert le Grand). *Cuharsce :* variante de *cauhare*. *Chelhydre :* serpent amphibie dont le souffle fait fumer le sol (Nicandre), χέλυδρος. *Chroniocolapte :* tarentule? χρονιοκολάπτης. *Chersydre :* serpent amphibie, χέρσυδρος (Nicandre). *Cenchryne :* serpent tacheté, κεγχρίας. *Coquatris :* déformation de *coquadrille*, serpent né d'un œuf de coq couvé par un crapaud. *Dipsade :* vipère noire? διψάς (Nicandre). *Dryinade :* serpent arboricole, δρυίνας (Nicandre). *Elope :* serpent, ἔλοψ (Nicandre). *Enhydride :* couleuvre d'eau (Pline, XXXII, XXVI). *Fanuise :* serpent (arabe). *Galeote :* lézard moucheté, γαλεώτης (Pline, XXIX, XXVII). *Harmene :* dragon? (arabe). *Handron :* dragon marin (lecture fautive du texte d'Avicenne par Crémone). *Icle :* serpent (*iaculus* chez Pline, VIII, XXIII, 35, traduit généralement par *jicle*). *Jarrarie :* serpent (mot brésilien). *Ilicine :* serpent qui se couche au milieu des yeuses (Avicenne, Albert le Grand). *Ichneumone :* mouche-guêpe (Aristote, *ibid.*, V, XVII; Pline, X, XCV, et XI, XXIV). *Kesudure :* doublet gréco-arabe,

Attelabes.
Ascalabotes.
Æmorrhoides.
Basilicz.
Belettes ictides.
Boies.
Buprestes.
Cantharides.
Chenilles.
Crocodiles.
Crapaulx.
Catoblepes.
Cerastes.
Cauquemares.
Chiens enraigez.
Colotes.
Cychriodes.
Cafezates.
Cauhares.
Couleffres.
Cuharsces.
Chelhydres.
Croniocolaptes.
Chersydres.
Cenchrynes.
Coquatris.
Dipsades.
Domeses.
Dryinades.
Dracons.
Elopes.
Enhydrides.
Fanuises.
Galeotes.
Harmenes.
Handons.
Icles.
Ilicines.
Ichneumones.
Jarraries.
Kesudures.
Lievres marins.
Lizars Chalcidiques.
Myopes.
Manticores.
Molures.
Myagres.
Musaraines.
Miliares.
Megalaunes.
Ptyades.
Porphyres.
Pareades.
Phalanges.
Penphredones.
Pityocampes.
Ruteles.
Rimoires.
Rhagions.
Rhaganes.
Salamandres.
Scytales.
Stellions.
Scorpenes.
Scorpions.
Selsirs.

altération du grec χέρσυδρος. *Lièvre marin :* mollusque (Pline, IX, LXXII, et XXXII, III). *Lizar chalcidique :* lézard avec des marques couleur de cuivre sur le dos (Pline, XXIX, XXXII). *Myope :* serpent, μύωψ (Nicandre). *Manticore :* serpent à corps de lion, visage d'homme et queue de scorpion inventé par Ctésias (Pline, VIII, XXX) ; voir *Cinquiesme livre,* XXIX. *Molure :* serpent, μόλουρος (Nicandre). *Myagre :* serpent chasseur de rats, μυάγρος (Nicandre). *Miliare : miliaris* (Avicenne, Albert le Grand). *Megalaune :* peut-être le μελάνουρος d'Élien. *Musaraine :* musaraigne (Pline, VIII, LXXXIII). *Ptyade :* serpent cracheur, *ptyas* (Galien ; Pline, XXVIII, XVIII). *Porphyre :* serpent pourpre de l'Inde, πορφυροῦς (Élien). *Pareade :* couleuvre d'Esculape, παρείας (Élien). *Phalange :* arachnide, φάλαγξ (Aristote, *ibid.*, IX, 26). *Penphredone :* guêpe, πεμφρηδών (Nicandre). *Pityocampe :* chenille à poils urticants du bombyx processionnaire du pin. *Rutele :* araignée (Avicenne, Albert le Grand). *Rimoire :* serpent, attesté seulement chez Albert le Grand. *Rhagion :* arachnide ? ῥώξ (Nicandre ; Pline, XXIX, XXVII). *Rhagane :* corruption de *rhagion* ? *Scytale :* serpent cylindrique (Pline, XXXII, XIX). *Stellion :* lézard à taches dorsales étoilées (Aristote, *ibid.*, IX, I ; Pline, XXIX, XXVIII, et XXXI, VI). *Scorpene :* rascasse. *Selsir :* serpent rayé (Avicenne). *Scalavotin :* variante d'*ascalabe. Solofuidar :* synonyme de *solfuge. Sourd :* salamandre (mot manceau). *Salfuge :* fourmi ou araignée (Pline, XXIX, XXIX). *Solifuge :* synonyme de *salfuge. Sepe :* lézard chalcidique, σήψ (Pline, XXIII, XXIX, et XXXII, XVII). *Stince :* saurien d'Égypte (Pline, VIII, XXXVIII). *Sabtin :* serpent, *haemorrhoïs. Sangle :* serpent qui étreint ; nom de la couleuvre d'Esculape en Loire-Inférieure. *Sepedon :* serpent dont la morsure produit la putréfaction, σηπεδών (Aristote, *ibid.*, VIII, XXVIII). *Scolopendre :* monstre marin mentionné par Élien et décrit par Rondelet, ou scolopendre terrestre (Aristote, *ibid.*, I, V, et IV, I et VII). *Tarantole :* tarentule. *Typholope :* serpent aveugle, τύφλωψ (Élien, Nicandre). *Tetragnatie :* araignée venimeuse, τετράγναθα (Élien ; Pline, XXIX, XXVII). *Teristale :* doublet gréco-arabe altéré de *ceraste. Vipere :* nom générique.

Selon V.-L. Saulnier, *Rabelais dans son enquête*, t. II, p. 137, cette liste pourrait symboliser les cagots, puisque, dans l'Évangile, les scribes et pharisiens hypocrites sont « serpents, engeance de vipères » (Matthieu, XXIII, 13-36).

Scalavotins.
Solofuidars.
Sourds.
Sangsues.
Salfuges.
Solifuges.
Sepes.
Stinces.
Stuphes.
Sabtins.
Sangles.
Sepedons.
Scolopendres.
Tarantoles.
Typholopes.
Tetragnaties.
Teristales.
Viperes.

1. Pour haulser le temps, voir LXIII, p. 549 et n. 11.

2. Le festin devant Chaneph retrouve l'atmosphère du banquet du chapitre I, p. 81 et suiv. V.-L. Saulnier, *Rabelais dans son enquête*, t. II, p. 140, est conduit à interpréter Pantagruel comme une figure du Christ. P. Smith, *Voyage et écriture*, p. 196, relève l'allégresse eucharistique, particulièrement liée à la Pentecôte, dont le festin semble suivre le récit (*Actes des apôtres*, II, 1-13), avec le vent qui se lève, les langues qui se délient : « On reconnaîtra le concept platonicien et paulinien cher aux humanistes de la *sobria ebrietas* que Pantagruel personnifie en renouvelant l'image antique du Bacchus ailé. »

On relèvera dans cet épisode une véritable Pentecôte linguistique. Il est rendu grâces à Dieu par la plus terrestre et pécheresse des créatures de la nef dans un langage qui appartient usuellement à Pantagruel.

3. Voir contre les femmes le chap. XXXII du *Tiers livre*.

4. Euripide, *Andromaque*, v. 269-273 et Érasme, *Adages*, II, II, 48, *Ignis, mare, mulier, tria mala*.

5. Aristophane : non l'auteur comique, mais le grammairien byzantin, auteur d'une vie d'Euripide ; la référence provient d'Érasme, *Adages*, I, VII, 47, *Canis uindictam*.

6. Expression empruntée aux joueurs de cartes.

Comment Pantagruel haulse le temps[A1] *avecques ses domesticques*[B2]

CHAPITRE LXV

« En quelle Hierarchie (demanda frere Jan) de telz animaulx veneneux mettez vous la femme future de Panurge ?

— Diz tu mal des femmes[3] (respondit Panurge) Ho guodelureau moine culpelé ?

— Par la guogue Cenomanique[C], dist Epistemon, Euripides escript, et le prononce[D] Andromache[4], que contre toutes bestes veneneuses a esté par l'invention des Humains, et instruction des Dieux remede profitable trouvé. Remede jusques à præsent n'a esté trouvé contre la male femme.

— Ce guorgias[E] Euripides, dist Panurge, tous jours a mesdict des femmes. Aussi feut il par vengeance divine mangé des Chiens : comme luy reproche Aristophanes[5]. Suivons. Qui ha si parle[6].

— Je urineray præsentement, dist Epistemon, tant qu'on vouldra.

— J'ay maintenant, dist Xenomanes, mon estomach sabourré[F] à profict de mesnaige[G]. Jà ne panchera d'un cousté plus que d'aultre.

A. boit beaucoup. B. familiers. C. par le boudin du Mans. D. déclare. E. élégant. F. lesté. G. avantageusement.

7. Euripide, *Le Cyclope*, v. 168.

8. Voir *Gargantua*, prologue, pour l'importance de la figure du Silène.

9. Dans le colloque d'Érasme « Le Banquet religieux », où le repas du chrétien évoque l'Eucharistie, les personnages posent des questions, voient en Dieu le « seul dispensateur de la vraie Joie » (V.-L. Saulnier, *Rabelais dans son enquête*, t. II, p. 140) et se répandent en actions de grâces.

10. Jean, XVI, 12-25 : « J'ai encore beaucoup à vous dire, mais vous ne pouvez pas le porter à présent [...]. Tout cela, je vous l'ai dit en figures. L'heure vient où je ne vous parlerai plus en figures. »

— Il ne me fault, dist Carpalim, ne vin ne pain. Trefves de soif, trefves de faim.

— Je ne suys plus fasché, dist Panurge, Dieu mercy et vous.

> « *Je suys guay comme un Papeguay,*
> *joyeulx comme un Esmerillon,*
> *alaigre comme un Papillon.*

Veritablement il est escript par vostre beau Euripides[7], et le dict Silenus[8] beuveur memorable.

> « *Furieux est, de bon sens ne jouist,*
> *Quiconques boyt, et ne s'en resjouist.*

« Sans poinct de faulte nous doibvons bien louer le bon Dieu nostre createur, servateur, conservateur, qui par ce bon pain, par ce bon vin et frays, par ces bonnes viandes[A] nous guerist de telles perturbations tant du corps comme de l'ame : oultre le plaisir et volupté que nous avons beuvans et mangeans[9]. Mais vous ne respondez poinct à la question de ce benoist[B] venerable frere Jan, quand il a demandé. "Maniere de haulser le temps ?"

— Puys (dist Pantagruel) que de ceste legiere solution des doubtes propousez, vous contentez, aussi foys[C] je. Ailleurs, et en aultre temps nous en dirons d'adventaige, si bon vous semble[10]. Reste doncques à vuider ce que a frere Jan propousé. Maniere de haulser le temps ? Ne l'avons nous à soubhayt haulsé ? Voyez le guabet[D] de la hune. Voyez les siflemens des voiles. Voyez la roiddeur des estailz[E], des utacques[F], et des escoutes[G]. Nous

A. mets. B. béni. C. fais. D. girouette. E. étais. F. cordages. G. gros cordages.

11. Lucien, *Charon*, IV ; Hercule, qui avait traversé le désert de Libye, aida Atlas à soutenir le monde.

12. Voir la « Briefve declaration » : « *Mythologies*. Fabuleuses narrations » (p. 589).

13. Tirelupin : altération de turlupin, membre d'une secte hérétique.

14. Titubation : « mouvement de mutation de l'axe terrestre » (Littré).

15. Selon certains, le ciel des étoiles fixes était soumis à un mouvement de trépidation qui s'accomplissait en sept mille ans. Agrippa, *De incertitudine*, XXX, s'est gaussé des astronomes qui débattent du sujet.

16. Dans la *Vie d'Ésope* attribuée à Planude, il est raconté comment, en voyage avec son maître, Ésope s'était chargé du panier de provisions dont le poids diminuait avec les repas.

haulsans et vuidans les tasses s'est pareillement le temps haulsé par occulte sympathie de Nature. Ainsi le haulserent Athlas et Hercules[11], si croyez les saiges Mythologiens[A][12]. Mais ilz le haulserent trop d'un demy degré : Athlas, pour plus alaigrement festoyer Hercules son hoste : Hercules, pour les alterations precedentes par les desers de Libye.

(— Vray bis, dist frere Jan interrompant le propous, j'ay ouy de plusieurs venerables docteurs, que Tirelupin[13] sommelier de vostre bon pere espargne par chascun an plus de dixhuyct cens pippes de vin, par faire les survenens[B] et domesticques boyre avant qu'ilz ayent soif.)

— Car, dist Pantagruel continuant, comme les Chameaulx et Dromodaires en la Caravane boyvent pour la soif passée, pour la soif præsente, et pour la soif future, ainsi feist Hercules. De mode que par cestuy excessif haulsement de temps advint au Ciel nouveau movement de titubation[14] et trepidation[15] tant controvers et debatu entre les folz Astrologues.

— C'est, dist Panurge, ce que l'on dict en proverbe commun.

« Le mal temps passe, et retourne le bon,
Pendent qu'on trinque au tour de gras jambon.

— Et non seulement, dist Pantagruel, repaissans et beuvans avons le temps haulsé, mais aussi grandement deschargé la navire : non en la façon seulement, que feut deschargée la corbeille de Æsope[16], sçavoir est vuidans les victuailles, mais aussi nous emancipans de jeusne. Car comme le corps plus est poisant[C] mort que vif[D],

A. mythologues. B. visiteurs. C. pesant. D. vivant.

17. Érasme, *Colloquia*, « Problema ».
18. Amycleens : habitants d'Amyclae, ville de Laconie.
19. Convenante denomination : en rapport avec les théories d'Ammonius selon lesquelles certains mots pourraient être révélateurs de la vérité (voir XXXVII, n. 1, p. 353).
20. Pausanias, *Description de la Grèce*, III, « Laconica », XIX, 6.

aussi est l'home jeun plus terrestre et poisant, que quand il a beu et repeu[17]. Et ne parlent improprement ceulx qui par long voyage au matin beuvent et desjeunent, puys disent. "Nos chevaulx n'en iront que mieulx." Ne sçavez vous que jadis les Amycleens[18] sus tous Dieux reveroient et adoroient le noble pere Bacchus, et le nommoient *Psila* en propre et convenente denomination[19] ? *Psila* en langue Doricque signifie aesles. Car comme les oyseaulx par ayde de leurs aesles volent hault en l'air legierement : ainsi par l'ayde de Bacchus, c'est le bon vin friant[A] et delicieux, sont hault eslevez les espritz des humains : leurs corps evidentement alaigriz[B] : et assouply ce que en eulx estoit terrestre[20]. »

A. agréable. B. rendus agiles.

1. Pour M. Tetel, « La Fin du *Quart Livre* », les deux derniers chapitres posent la question de la création littéraire et le problème de l'imitation — les voleurs de Ganabin représentant les écrivains qui pillent les œuvres d'autrui —, et la scatologie dominante résume « métaphoriquement l'art poétique » de l'auteur. Ce chapitre doit être rapproché de *Gargantua*, XIII. O. Pot, « Ronsard et Panurge à Ganabin », voit dans l'épisode de Ganabin une parodie du langage poétique des *Odes pindariques* de Ronsard : réduction de la parole à son effet sonore, fracas de la lyre pindarique, rivalisant avec le canon, effet effrayant sur le lecteur. Rodilardus pourrait même évoquer Ronsardus.

2. Pour la critique, soit la Conciergerie et le Châtelet, soit les deux sommets du Capitole.

3. Cerq et Herm : îles anglo-normandes, près de Guernesey, repaires de pilleurs d'épaves.

4. Érasme, *Adages*, II, IX, 22. *Seruorum ciuitas.*

5. Philippe, roi de Macédoine.

Comment prés l'isle de Ganabin au commendement de Pantagruel feurent les Muses salüées*[1]

CHAPITRE LXVI

Continuant le bon vent, et ces joyeulx propous, Pantagruel descouvrit au loing, et apperceut quelque terre montueuse : laquelle il monstra à Xenomanes, et luy demanda. « Voyez vous cy davant à Orche[A] ce hault rochier à deux crouppes bien ressemblant au mons Parnasse en Phocide[2] ?

— Tresbien, respondit Xenomanes. C'est l'isle de Ganabim. Y voulez vous descendre ?

— Non, dist Pantagruel.

— Vous faictez bien, dist Xenomanes. Là n'est chose aulcune digne d'estre veue. Le peuple sont tous voleurs, et larrons. Y est toutesfoys vers ceste crouppe dextre la plus belle fontaine du monde, et au tour une bien grande forest. Vos chormes[B] y pourront faire aiguade et lignade[C].

— C'est, dist Panurge, bien et doctement parlé. Ha, da, da. Ne descendons jamais en terre des voleurs et larrons. Je vous asceure que telle est ceste terre icy, quelles[D] aultres foys j'ay veu les isles de Cerq et Herm[3] entre Bretaigne et Angleterre : telle que la Ponerople*[4] de Philippe[5] en Thrace, isles des forfans[E], des larrons, des

A. gauche. B. chiourmes. C. provision d'eau et de bois. D. que. E. pendards.

6. Conciergerie du Palais à Paris, prison célèbre où fut enfermé Marot, qui l'a immortalisée dans son *Enfer*.

7. Mort bœuf de boys : euphémisme pour « par la mort Dieu ».

8. Averne : lac de Campanie, l'une des entrées des Enfers selon les Romains.

9. Voir prologue, p. 57 et n. 57.

10. Plus oustre : devise de Charles Quint.

11. Ladre verd : lépreux gravement atteint, par opposition au ladre blanc.

12. Voir XVIII, p. 225-227, XIX, p. 229-231, LXVII, p. 579.

13. Cotte hardie : robe serrée à la taille, et à jupe flottante.

14. Proserpine : mère de tous les diables dans les Mystères.

briguans, des meurtriers, et assassineurs : tous extraictz du propre original des basses fosses de la Conciergie[6]. Ne y descendons poinct je vous en prie. Croyez, si non moy, au moins le conseil de ce bon et saige Xenomanes. Ilz sont par la mort bœuf de boys[7], pires que les Caniballes. Ilz nous mangeroient tous vifs[A]. Ne y descendez pas de grace. Mieulx vous seroit en Averne[8] descendre. Escoutez. Je y oy par Dieu le tocqueceinct horrificque[B], tel que jadis souloient[C] les Guascons en Bourdeloys faire contre les guabelleurs et commissaires[9]. Ou bien les aureilles me cornent. Tirons vie[D] de long. Hau. Plus oustre[10].

— Descendez y, dist frere Jan, descendez y. Allons, allons, allons, tous jours. Ainsi ne poyrons[E] nous jamais de giste. Allons. Nous les sacmenterons[F] trestous. Descendons.

— Le Diable y ayt part, dist Panurge. Ce Diable de moine icy, ce moine de Diable enraigé ne crainct rien. Il est hazardeux[G] comme tous les Diables, et poinct des aultres ne se soucie. Il luy est advis, que tout le monde est moine comme luy.

— Va ladre verd[11], respondit frere Jan, à tous les millions de Diables, qui te puissent anatomizer la cervelle, et en faire des entommeures[H]. Ce Diable de fol est si lasche et meschant, qu'il se conchie à toutes heurtes[I] de male raige de paour[J][12]. Si tant tu es de vaine paour consterné, ne y descens pas, reste icy avecques le baguaige. Ou bien te va cacher soubs la cotte hardie[13] de Proserpine[14] à travers tous les millions de Diables. » À ces motz Panurge esvanouyt[K] de la compaignie : et se mussa[L] au

A. vivants. B. effrayant. C. avaient l'habitude. D. passons notre chemin. E. payerons. F. massacrerons. G. téméraire. H. hachis. I. à tous coups. J. peur violente. K. disparut. L. cacha.

15. Platon, *Apologie de Socrate*, 40 a, et Plutarque, *De genio Socratis*, 575-598 ; Socrate disait en entendre la voix.

16. Loup en paille : loup qui, caché dans la paille, attend que le danger soit passé.

bas dedans la Soutte, entre les croustes, miettes, et chaplys[A] du pain.

« Je sens, dist Pantagruel, en mon ame retraction[B] urgente, comme si feust une voix de loing ouye : laquelle me dict, que ne y doibvons descendre. Toutes et quantes foys[C] qu'en mon esprit j'ay tel movement senty, je me suys trouvé en heur[D] refusant et laissant la part[E] dont il me retiroit : au contraire en heur pareil me suys trouvé suyvant la part qu'il me poulsoit : et jamais ne m'en repenty.

— C'est, dist Epistemon, comme le Dæmon de Socrates tant celebré entre les Academicques[15].

— Escouttez doncques, dist frere Jan, ce pendent que les chormes y font aiguade. Panurge là bas contrefaict[F] le Loup en paille[16]. Voulez vous bien rire ? Faictez mettre le feu en ce Basilic[G] que voyez prés le chasteau guaillard. Ce sera pour salüer les Muses de cestuy mons Antiparnasse. Aussi bien se guaste la pouldre dedans.

— C'est bien dict, respondit Pantagruel. Faictez moy icy le maistre Bombardier venir. » Le Bombardier promptement comparut. Pantagruel luy commenda mettre feu on Basilic, et de fraisches pouldres en tout evenement le recharger. Ce que feut sus l'instant faict. Les Bombardiers des aultres naufz[H], Ramberges, Guallions, et Gualleaces[I] du convoy au premier deschargement du Basilic qui estoit en la nauf de Pantagruel, mirent pareillement feu chascun en une de leurs grosses pieces chargées. Croyez qu'il y eut beau tintamarre.

A. débris. B. traction en arrière. C. toutes les fois que. D. bonheur. E. lieu. F. imite. G. canon. H. nefs. I. grandes galères vénitiennes.

1. Rodilard : ronge-lard, nom du rat dans la traduction française du *De bello ranarum et murium* (1511), poème héroï-comique de Calentius (d'après la *Batrachomyomachie*), intitulée *Les fantastiques batailles des grans roys Rodilardus et Croacus, translaté de Latin en François* (1534).

2. Selon P. Smith, *Voyage et écriture*, p. 59, Panurge subit dans le *Tiers livre* et le *Quart livre* les trois phases traditionnelles d'une évolution initiatique : préparation, voyage dans l'au-delà, nouvelle naissance. Dans le *Tiers livre*, VII, il a rompu avec le monde en revêtant sa robe de bureau ; le voyage du *Quart livre* symboliserait le voyage dans l'au-delà, et le dernier chapitre, la descente dans les ténèbres, véritable mort initiatique marquée par la lutte avec le chat, symbole traditionnel du diable, alors que la nouvelle naissance est marquée par l'habit blanc. Ce chapitre serait donc à lire comme le baptême de Panurge. Par ailleurs, les synonymes de la fin illustreraient « la glossolalie inspirée des apôtres lors de la Pentecôte » (*ibid.*, p. 197).

3. Agua, men emy : « regarde, mon ami », en parler parisien.

Comment Panurge par male paour[A] *se conchia, et du grand chat Rodilardus*[1] *pensoit que feust un Diableteau*[2]

CHAPITRE LXVII

Panurge comme un boucq estourdy sort de la Soutte en chemise, ayant seulement un demy bas de chausses en jambe : sa barbe toute mouschetée de miettes de pain tenent en main un grand chat Soubelin[B] attaché à l'aultre demy bas de ces chausses. Et remuant les babines, comme un Cinge qui cherche poulz en teste, tremblant, et clacquetant des dens se tira[C] vers frere Jan, lequel estoit assis sus le portehaubant de tribort : et devotement[D] le pria avoir de luy compassion : et le tenir en saulveguarde de son bragmart. Affermant et jurant par sa part de Papimanie, qu'il avoit à heure præsente veu tous les Diables deschainez.

— Agua[E], men emy[3] (disoit il) men frere, men pere spirituel, tous les Diables sont au jourdhuy de nopces. Tu ne veids oncques tel apprest de bancquet infernal. Voy tu la fumée des cuisines d'Enfer ? (Ce disoit monstrant la fumée des pouldres à canon dessus toutes les naufz[F].) Tu ne veids oncques tant d'ames damnées. Et sçaiz tu quoy ? Agua men emy, elles sont tant douillettes, tant blondelettes, tant delicates, que tu diroys propre-

A. peur violente. B. au poil soyeux comme de la zibeline. C. dirigea. D. instamment. E. regarde. F. navires.

4. Ambrosie Stygiale : la « Briefve declaration » (p. 613) souligne la spécificité du langage poétique.

5. En juillet 1548, l'île d'Inchkeith ou île des Chevaux, située en face d'Édimbourg, fut enlevée aux Anglais par André de Montalembert, seigneur d'Essé, envoyé par Henri II au secours des Écossais ; Paule de La Barthe, seigneur de Thermes, lui succéda comme commandant des forces françaises en Écosse, avant de prendre la tête des troupes françaises à Parme.

6. Serrail : jeu sur les sens d'« appartement » et de « bonde ».

7. Pantolfe de la cassine : personnage inconnu ; équivoque possible sur *cas*.

8. Vinet : personnage inconnu ; équivoque possible sur *vit*.

9. Feste Dieu Bayart : juron de Bayard.

ment que ce feust Ambrosie* Stygiale*[4]. J'ay cuydé[A] (Dieu me le pardoient[B]) que feussent ames Angloyses. Et pense que à ce matin ayt esté l'isle des chevaulx prés Escosse par les seigneurs de Termes et Dessay saccagée et sacmentée[C] avecques tous les Angloys qui l'avoient surprinse[5]. »

Frere Jan à l'approcher sentoit je ne sçay quel odeur aultre que de la pouldre à canon. Dont il tira Panurge en place, et apperceut que sa chemise estoit toute foyreuse et embrenée[D] de frays. La vertus retentrice du nerf qui restrainct le muscle nommé Sphincter (c'est le trou du cul) estoit dissolue par la vehemence de paour qu'il avoit eu en ses phantasticques[E] visions. Adjoinct le tonnoirre de telles canonnades : lequel plus est horrificque[F] par les chambres basses que n'est sus le tillac. Car un des symptomes et accidens de paour est, que par luy ordinairement se ouvre le guischet du serrail[6] on quel est à temps la matiere fecale retenue.

Exemple en messere Pantolfe de la cassine[7] Senoys[G]. Lequel en poste passant par Chambery, et chés le saige mesnagier[H] Vinet[8] descendent print une fourche de l'estable : puys luy dist. *Da Roma in qua io non son andato del corpo. Di gratia piglia in mano questa forcha, et fa mi paura**. Vinet avecques la fourche faisoit plusieurs tours d'escrime, comme faignant le vouloir à bon essyant frapper. Le Senoys luy dist. *Se tu non fai altramente, tu non fai nulla. Pero sforzati di adeperarli piu guagliardamente**. Adoncques Vinet de la fourche luy donna un si grand coup entre col et collet, qu'il le jecta par terre à jambes rebidaines[I]. Puys bavant et riant à pleine gueule luy dist. « Feste Dieu Bayart[9], cela s'appelle, *Datum Cambe-*

A. pensé. B. pardonne. C. mise à sac. D. couverte de bren. E. insensées. F. effrayant. G. siennois. H. habitant. I. en l'air.

10. *Datum Camberiaci* : formule finale des actes officiels.

11. Cette anecdote, déjà connue au XIIIe siècle, avec pour héros le jongleur Hugues Le Noir, est ici appliquée à Villon sans souci de la chronologie : Villon fut banni en 1463, et Édouard V n'accéda au trône qu'en 1483, à l'âge de douze ans et fut assassiné la même année.

12. Thomas Linacer : médecin et humaniste anglais mort en 1524.

*riaci**[10].» À bonne heure avoit le Senoys ses chausses destachées. Car soubdain il fianta plus copieusement, que n'eussent faict neuf Beufles[A] et quatorze Archiprebstres de Hostie[B]. En fin le Senoys gracieusement remercia Vinet, et luy dist. *Io ti ringratio, bel messere. Cosi facendo tu m'hai esparmiata la speza d'vn servitiale**.

Exemple aultre on roy d'Angleterre Edouart le quint[C]. Maistre François Villon[11] banny de France s'estoit vers luy retiré : il l'avoit en si grande privaulté[D] repceu, que rien ne luy celoit des menuz negoces[E] de sa maison. Un jour le Roy susdict estant à ses affaires monstra à Villon les armes de France en paincture, et luy dist. «Voyds tu quelle reverence je porte à tes roys Françoys? Ailleurs n'ay je leurs armoyries que en ce retraict[F] icy prés ma scelle persée.

— Sacre[G] Dieu (respondit Villon) tant vous estez saige, prudent, entendu, et curieux[H] de vostre santé. Et tant bien estez servy de vostre docte medicin Thomas Linacer[12]. Il voyant que naturellement sus vos vieulx jours estiez constippé du ventre : et que journellement vous failloit au cul fourrer un apothecaire, je diz un clystere, aultrement ne povyez vous esmeutir[I], vous a faict icy aptement[J], non ailleurs, paindre les armes de France, par singuliaire et vertueuse providence[K]. Car seulement les voyant vous avez telle vezarde[L], et paour si horrificque[M], que soubdain vous fiantez comme dixhuyct Bonases* de Pæonie. Si painctes estoient en aultre lieu de vostre maison : en vostre chambre, en vostre salle, en vostre chapelle, en vos gualleries ou ailleurs, sacre Dieu, vous chiriez par tout sus l'instant que les auriez veues. Et

A. buffles. B. Ostie. C. Édouard V. D. familiarité. E. affaires. F. lieu d'aisances. G. sacré. H. soucieux. I. fienter. J. parfaitement. K. prévoyance. L. peur. M. extrême.

13. Pour l'oriflamme de France, voir XLIX, p. 439.
14. Vers composés par Villon lors de sa condamnation à mort ; Rabelais doit transcrire de mémoire.
15. Jeu de mots sur retraict, le retraict lignagier désignant « l'action par laquelle un parent du côté et ligne d'où était venu à un vendeur l'héritage par lui vendu, pouvait, dans un délai fixé, rentrer en possession de cet héritage, en remboursant le prix de l'achat » (Littré).

croy que si d'abondant vous aviez icy en paincture la grande Oriflambe[A] de France[13], à la veue d'icelle vous rendriez les boyaulx du ventre par le fondement. Mais hen, hen, *atque iterum*[B] hen.

« Ne suys je Badault[C] *de Paris ?*
De Paris diz je, auprés Pontoise :
Et d'une chorde d'une toise,
Sçaura mon coul, que mon cul poise[D14].

« Badault diz je, mal advisé, mal entendu, mal entendent, quand venent icy avecques vous m'esbahissoys de ce qu'en vostre chambre vous estez faict vos chausses destacher. Veritablement je pensoys qu'en icelle darriere la tapisserie, ou en la venelle du lict feust vostre scelle persée. Aultrement me sembloit le cas grandement incongru, soy ainsi destacher en chambre pour si loing aller au retraict lignagier[15]. N'est ce un vray pensement de Badault ? Le cas est faict par bien aultre mystere, de par Dieu. Ainsi faisant, vous faictez bien. Je diz si bien, que mieulx ne sçauriez. Faictez vous à bonne heure, bien loing, bien à poinct destacher. Car à vous entrant icy, n'estant destaché, voyant cestes armoyries : notez bien tout : sacre Dieu le fond de vos chausses feroit office de Lazanon*, pital*, bassin fecal, et de scelle persée. »

Frere Jan estouppant[E] son nez avecques la main gausche, avecques le doigt indice[F] de la dextre monstroit à Pantagruel la chemise de Panurge. Pantagruel le voyant ainsi esmeu, transif[G], tremblant, hors de propous, conchié, et esgratigné des gryphes du celebre chat

A. oriflamme. B. de nouveau. C. sot. D. pèse. E. bouchant. F. index. G. transi.

16. Pour Tapinois, voir XXIX, p. 297 et n. 1.

17. Barbe d'Escrevisse : engrêlures sur le bord des crevés des escarpins.

18. Scybale, spyrathe : deux dénominations empruntées au grec ; suite de synonymes appartenant à des niveaux de style différents.

19. Le safran est célébré comme une véritable panacée, voir Pline, XXI, LXXXI, où il est aussi présenté comme soporifique, aphrodisiaque et permettant de résister à l'ivresse. Appelé « or végétal » par les alchimistes ; ayant pour vertu singulière de produire le rire (voir l'article *safran* de l'*Encyclopédie*, 1765, t. XIV).

20. Sur l'importance de l'Irlande dans l'imaginaire du XVIe siècle et dans l'œuvre de Rabelais, voir la préface, p. 18.

21. Sela : dernier mot (hébreu) de certains psaumes signifiant « certes » ; il correspond à une pause. La fin du *Quart livre* unit français et hébreu. L'invitation finale à boire se retrouve dans la *Pantagrueline prognostication*, dans l'*Éloge de la folie* d'Érasme, dans le *Disciple de Pantagruel*.

Rodilardus, ne se peut contenir de rire, et luy dist. « Que voulez vous faire de ce chat ?

— De ce chat, respondit Panurge. Je me donne au Diable, si je ne pensoys que feust un Diableteau à poil follet, lequel nagueres j'avoys capiettement[A] happé en Tapinois[16] à belles mouffles d'un bas de chausses, dedans la grande husche d'Enfer. Au Diable soyt le Diable. Il m'a icy deschicqueté la peau en barbe d'Escrevisse[17]. » Ce disant jecta bas son chat.

« Allez, dist Pantagruel, allez de par Dieu, vous estuver[B], vous nettoyer, vous asceurer[C], prendre chemise blanche, et vous revestir.

— Dictez vous, respondit Panurge, que j'ay paour ? Pas maille. Je suys par la vertus Dieu*, plus couraigeux, que si j'eusse autant de mousches avallé, qu'il en est mis en paste dedans Paris, depuys la feste sainct Jan jusques à la Toussains. Ha, ha, ha ? Houay ? Que Diable est cecy ? Appellez vous cecy foyre, bren, crottes, merde, fiant, dejection, matiere fecale, excrement, repaire[D], laisse[E], esmeut[F], fumée, estront, scybale*, ou spyrathe*[18] ? C'est (croy je) sapphran[19] d'Hibernie[G20]. Ho, ho, hie. C'est sapphran d'Hibernie.

« Sela*[21], Beuvons. »

Fin du quatrieme livre
des faicts et dicts Heroïcques
du noble Pantagruel

A. vivement. B. baigner. C. rassurer. D. fiente du loup, du lièvre et du lapin. E. fiente du sanglier. F. fiente de l'oiseau de proie. G. Irlande.

1. Pour les termes du débat sur l'authenticité de ce texte, voir M. Huchon, *Rabelais grammairien*, p. 406-411 et éd. Pléiade, n. 1, p. 703.

En fait, ce glossaire est en parfaite harmonie avec les préoccupations linguistiques de l'auteur : souci étymologique avec une prépondérance de termes grecs, remarques sur les langues et les dialectes (telle la glose consacrée aux hiéroglyphes, p. 603, qui correspond avec toutes ses références alléguées au texte du chapitre IX de *Gargantua*), rapprochement avec le grec (*« Ma dia »*, p. 599), place occupée par l'hébreu, dénonciation de manières de parler vicieuses comme dans le corps même du texte (ainsi, « *Unicornes.* Vous les nommez Licornes », p. 597, alors que, dans le *Quart livre*, XL, p. 375, on peut lire « Ainsi dictez vous Idolatre pour Idololatre »), remarques sur la corruption phonétique.

2. Le sens de *mythologies*, « explication des fables », ne date que du XVIIe siècle, et celui d'« étude scientifique des mythes » du XIXe siècle. De μυθολογία, le XVIe siècle n'a donc que le sens de « récit fabuleux » (attesté depuis le XVe siècle).

3. Voir M. de La Porte, *Les Epithetes* (1571), f° 68 v° : « Caton. Censorin, sage, constant, rigoureux. »

4. Dans *Pantagruel*, XXXIV, les Cannibales semblent situés dans une île vers les Antilles conformément aux caractéristiques données par le *De orbe novo* de Pierre Martyr. Dans cette définition, Rabelais fournit le rapprochement traditionnel avec *canis* et place ses cannibales en Afrique, vraisemblablement en raison de localisations contemporaines d'anthropophages en Guinée et au Congo (voir la *Cosmographie* de Jean Alfonse, écrite en 1544).

5. Misanthrope : Rabelais a introduit ce mot dans le prologue du *Quart livre* de 1548 (p. 629 et n. 54), où il cite Timon l'Athénien. Voir aussi l'alliance du misanthrope et de Timon Athenien dans le *Cinquiesme livre*, XXIV, où il est aussi fait référence à Caton et à Crassus.

DE

HER

DE PANTAG

En l'epistre liminaire

Mythologies. Fabuleuses narrations[2]. C'est une diction Grecque. 27

Prosopopée. Desguisement. Fiction de persone. 31

Tetricque. Rebours[B]. Rude. Maussade. Aspre. 31

Catonian. Severe. Comme feut Caton le Censorin[3]. 31

Catastrophe. Fin. Issue. 31

Canibales[4]. Peuple monstrueux en Africque ayant la face comme Chiens, et abbayant en lieu de rire. 33

Misantropes[5]. Haïssans les homes. Fuyans la compaignie des homes. Ainsi feut surnommé Timon Athenien. Cic. 4. *Tuscul.* 33

Agelastes. Poinct ne rians. Tristes. Fascheux. Ainsi feut surnommé Crassus oncle de celluy Crassus, qui feut occis des Parthes : le quel en sa vie ne feut veu rire q'une foys. Comme escripvent Lucillius, Cicero 5. *de finibus.* Pline *lib. 7.* 33

Iota. Un poinct. C'est la plus petite letre des Grecs. Cic. 3. *de Orat.* Martial. *lib. 2.* 92. En l'evangile Matth. 5. 33

A. certaines. B. revêche.

le mot de *satyre*.

Theme. Position. Argument. Ce que l'on propouse à discuter, prouver, et deduire. 35
Anagnoste. Lecteur. 35
Evangile. Bonne nouvelle. 37
Hercules Gaulloys, qui par son eloquence tira à soy les nobles François : comme descript Lucian[6]. *Alexicacos,* defenseur, aydant en adversité, destournant le mal. C'est un des surnoms de Hercules. Pausanias *in Attica.* En mesmes effect est dict Apopompæus, et Apotropæus. 37

On prologue

Sarcasme. Mocquerie poignante, et amere. 49
Satyricque[7] mocquerie. Comme est des antiques Satyrographes Lucillius, Horatius, Persius, Juvenalis. C'est une maniere de mesdire d'un chascun à plaisir, et blasonner les vices : Ainsi qu'on faict es jeux de la Bazoche par personnaiges desguisez en Satyres. 49
Ephemeres fiebvres. Les quelles ne durent plus d'un jour naturel : sçavoir est .24 heures. 49
Dyscrasié. Mal temperé. De mauvaise complexion. Communement on dict biscarié en languaige corrompu. 49
Ἄβιος βίος, etc. Vie non vie. Vie non vivable. 51
Musaphiz. En langue Turque et Sclavonicque, docteurs, et prophetes. 53
Cahu caha. Motz vulgaires en Touraine. Tellement quellement[A]. Que bien que mal. 55
Vertus de Styx. C'est un paluz[B] en Enfer, scelon les

A. tant bien que mal. B. marais.

8. Le problème des jurons était d'actualité. Diverses ordonnances avaient été prises contre les blasphémateurs.

9. Rabelais cite ici une de ses sources favorites, le commentaire de Servius.

10. Nicolas Bischof, dit Episcopius, humaniste, ami d'Érasme.

11. Remarque mettant en valeur la spécificité du langage poétique.

12. Basse court : cour des dépendances dans un palais ou château.

13. Le Tubilustrinum, purification rituelle des trompettes de guerre — et non des trompettes de sacrifice — faisait partie d'un ensemble de plusieurs jours de fête consacrés à Minerve, les Quinquatries ; une autre de ces cérémonies était une fête des artisans, dont Minerve était la patronne ; elles se déroulaient dans l'atelier des teinturiers et non des tailleurs.

Poëtes. Par lequel jurent les Dieux, comme escript Virgile 6. *Aeneid.* et ne se perjurent[8]. La cause est, pource que Victoire fille de Styx feut à Juppiter favorable en la bataille des Geants : pour laquelle recompenser Juppiter oltroya que les dieux jurans par sa mere, jamais ne fauldroient *etc.* Lisez ce qu'en escript Servius on lieu dessus allegué[9]. 57

Categoricque. Plene, aperte[A], et resolüe. 61

Solœcisme. Vicieuse maniere de parler. 53-67

Periode. Revolution. Clausule. Fin de sentence. 57

Aber Keids. En Allemant, vilifiez. Bisso[10]. 57

Nectar. Vin des dieux, celebre entre les Poëtes[11]. 61

Metamorphose. Transformation. 61

Figure trigone æquilaterale. Ayant troys angles en eguale distance un de l'aultre. 61

Cyclopes. Forgerons de Vulcan. 63

Tubilustre. On quel jour estoient en Rome benistes les tromppettes dediées aux sacrifices, en la basse court[12] des tailleurs[13]. 65

Olympiades. Maniere de compter les ans entre les Grecs. Qui estoit de cinq en cinq ans. 67

An intercalare. On quel escheoit le Bissexte comme est en ceste presente année .1552. Plinius *lib. 2. cap. 47.* 67

Philautie. Amour de soy. 61

Olympe. Le Ciel, ainsi dict entre les Poëtes. 61

Mer Tyrrhene. Prés de Rome. 63

Appennin. Les Alpes de Boloigne. 63

Tragœdies. Tumultes et vacarmes excitez pour chose de petite valeur. 63

Pastophores. Pontifes, entre les Ægiptiens. 63

A. manifeste.

14. Cette définition de Bacbuc, selon M. Bastiaensen, « L'Hébreu chez Rabelais », p. 735, pourrait être empruntée au *Sefer ha-shoras-him* de David Kimhi de Narbonne (XIIe siècle) : « Elle est appelée Bakbuc parce que quand on boit elle fait bikbuk. » Selon M.-L. Demonet, « Le Nom de Bacbuc », *Réforme Humanisme Renaissance*, XXXIV, 1992, p. 45, il faudrait plutôt mettre en avant le *Thesaurus* de Pagnino paru chez R. Estienne en 1548 ou 1549 : *« Baqaq, unde baqbuq, uas testaceum, uel uitreum, aut ligneum, cuius os est angustum : sic appellatum quod bibante, sed propinante, aut fundante homine, facit bacbuc »*; et la définition du Dictionnaire de R. Estienne de 1549 : « Les Hebrieux appellent une bouteille Bacbuc, et semble que Bacbuc et bouteille soient *nomina ficta a sono quem edit lagena quando depletur inuersa.* »

15. Définition de parallèle proche de celle du pilote Jacques Devaulx (1583) et qui correspond à une figuration plane. Tente d'expliciter le passage du sens mathématique au sens géographique.

16. Aiguesmortes : Rabelais a assisté en 1538 dans cette ville à l'entretien entre François Ier et Charles Quint.

Dodrental. Long d'une demie coubtée. Ou de neuf poulsées Romaines. 65
Microcosme. Petit monde. 69
Marmes. Merdigues. Juremens des gens villageoys en Touraine. 71
Ides de May. Es quelles nasquit Mercure. 71
Massorethz. Interpretes et glossateurs, entre les Hebrieux. 71
St. St. St. Une voix et sifflement par lequel on impose silence. Terence en use *in Phorm.* et Ciceron *de Oratore.* 79

Fueillet premier du livre

Bacbouc. Bouteille. En Hebrieu ainsi dicte du son qu'elle faict quand on la vuide[14]. 81
Vestales. Festes en l'honneur de la deesse Vesta en Rome. C'est le septiesme jour de Juin. 81
Thalasse. Mer. 81
Hydrographie. Charte marine. 81
Pierre sphengitide. Transparente comme verre. 83
Ceincture ardente. Zone torride. 87
L'aisseuil Septentrional. Pole Arctique. 87
Parallele. Line droicte imaginée on ciel egualement distante de ses voisines[15]. 87
Medamothi. Nul lieu en Grec. 91
Phares. Haultes tours sus le rivaige de la mer, es quelles on allume une lanterne on temps qu'est tempeste sus mer, pour addroisser[A] les mariniers. Comme vous povez veoir à la Rochelle, et Aiguesmortes[16]. 91

A. diriger.

Philophanes. Couvoiteux de veoir et estre veu. 91
Philotheamon. Couvoiteux de veoir. 91
Engys. Auprés. 91
Megiste. Tresgrand. 93
Idées. Especes et formes invisibles, imaginées par Platon. 93
Atomes. Corps petitz et indivisibles, par la concurrence[A] des quelz Epicurus disoit toutes choses estre faictes et formées. 93
Unicornes. Vous les nommez Licornes. 95
Celoces. Vaisseaulx legiers sus mer. 99
Gozal. En Hebrieu, pigeon, colombe. 101
Posterieur ventricule du cerveau. C'est la memoire. 109
Deu Colas, faillon. Sont motz Lorrains. De par sainct Nicolas, compaignon. 123
Si Dieu y eust pissé. C'est une maniere de parler vulgaire en Paris et par toute France entre les simples gens, qui estiment tous les lieux avoir eu particuliere benediction, es quelz nostre seigneur avoit faict excretion de urine, ou aultre excrement naturel, comme de la salive est escript Joannis 9. *Lutum fecit ex sputo.* 129
Le mal sainct Eutrope. Maniere de parler vulguaire : comme le mal sainct Jehan, le mal sainct Main : le mal sainct Fiacre. Non que iceulx benoists[B] saincts ayent eu telles maladies : mais pource qu'ilz[C] en guerissent. 131
Cenotaphe. Tombeau vuide : on quel n'est le corps de celluy pour l'honneur et memoire du quel il est erigé. Ailleurs est dict Sepulchre honoraire. Et ainsi le nomme Suetone. 139
Ame moutonniere. Mouton vivant et animé. 139

A. rencontre. B. bénis. C. parce qu'ils.

17. Étymologie grecque proposée par Lascaris et vulgarisée par Budé. Voir l'article *Pantoufle* du dictionnaire de R. Estienne (1549).

18. Pour Tragicque Comœdie, voir XII, n. 2, p. 169.

19. Voir XL, p. 375.

Pantophle. Ce mot est extraict du Grec παντόφελλος. Tout de liege[17]. 147

Rane Gyrine. Grenoille informe. Les Grenoilles en leur premiere generation sont dictes Gyrins, et ne sont q'une chair petite, noire avecques deux grands œilz et une queue. Dont[A] estoient dictz les sotz Gyrins. Plato *in Theæteto.* Aristoph. Plin. *lib. 9. cap. 51.* Aratus. 171

Tragicque Comœdie. Farce plaisante au commencement, triste en la fin[18]. 175

Croix Osanniere. En Poictevin, est la croix ailleurs dicte Boysseliere : prés la quelle au dimanche des rameaux l'on chante. *Osanna filio Dauid, etc.* 183

Ma dia. Est une maniere de parler vulguaire en Touraine : est toutesfois Grecque. Μὰ Δία. Non par Juppiter : comme *Ne dea.* Νὴ Δία. Ouy par Juppiter. 201

L'or de Tholose. Duquel parle Cic. *lib. 3. de nat. deorum.* A. Gellius *lib. 3.* Justi. *lib. 22.* Strabo *lib. 4.* porta malheur à ceulx qui l'emporterent : sçavoir est Q. Cepio consul Romain, et toute son armée, qui tous comme sacrileges perirent malheureusement. 203

Le cheval Sejan. De Cn. Seius. Lequel porta malheur à tous ceulx qui le possederent. Lisez A. Gellius *lib. 3. cap. 9.* 203

Comme sainct Jan de la Palisse. Maniere de parler vulguaire par syncope : en lieu de l'Apocalypse : comme Idolatre pour Idololatre[19]. 211

Les ferremens de la messe. Disent les Poictevins villageoys ce que nous disons ornemens : et le

A. d'où.

20. Brantôme témoigne que c'était le juron favori du seigneur de La Roche du Maine

manche de la parœce, ce que nous disons le clochier, par metaphore assez lourde. 211

Thohu et Bohu. Hebrieu : deserte et non cultivée. 213

Sycophage. Maschefigue. 217

Nargues et Zargues. Noms faicts à plaisir. 219

Teleniabin et Geleniabin. Dictions Arabicques. Manne, et Miel rosat. 219

Enig et Evig. Motz Allemans. Sans. Avecques. En la composition[A] et appoinctement[B] du Langrauff d'Esse avecques l'empereur Charles cinquiesme, on lieu de *Enig* : sans detention de sa persone, feut mis *Evig*, avecques detention. 219

Scatophages. Maschemerdes : vivens de excremens. Ainsi est de Aristophanes *in Pluto* nommé Aesculapius en mocquerie commune à tous medicins. 223

Concilipetes. Comme Romipetes : allans au concile. 231

Teste Dieu pleine de reliques. C'est un des sermens du seigneur de la Roche du Maine[20]. 239

Trois rases d'angonnages. Tuscan. Trois demies aulnes de bosses chancreuses. 247

Celeusme. Chant pour exhorter les mariniers, et leurs donner couraige. 253

Ucalegon. Non aydant. C'est le nom d'un viel Troian, celebré par Homere 3. *Iliad.* 255

Vague Decumane. Grande, forte, violente. Car la dixiesme vague est ordinairement plus grande en la mer Oceane, que les aultres. Ainsi sont par cy aprés dictes Escrevisses Decumanes, grandes : comme Columella dict Poyres Decumanes : et Fest. Pomp. œufz decumans. Car le dixiesme

A. les dispositions. B. accord.

21. Monseigneur l'Admiral : voir *Gargantua*, IX (autre mention) ; il s'agit vraisemblablement de Philippe Chabot.

22. Grande vogue des *Hieroglyphica* d'Orus Apollon (ou Horapollon) ; traduction française en 1543 par Jean Martin.

23. Rabelais fait une confusion sur le prénom, qui est en fait Francesco. Contrairement à *Gargantua*, il donne le titre original de l'ouvrage ; la mention dans *Gargantua*, IX, de « Polyphile au *songe d'amours* en a davantaige exposé », pourrait laisser supposer que l'auteur dans un premier temps avait confondu le nom de l'auteur et du héros.

24. Rabelais avait écrit une topographie de Rome, avant de publier celle de Marliani.

est tous jours le plus grand. Et en un camp, porte Decumane. 259

Passato, etc. Le dangier passé, est le sainct mocqué. 269

Macræons. Gens qui vivent longuement. 271

Macrobe. Home de longue vie. 271

Hieroglyphicques. Sacres[A] sculptures. Ainsi estoient dictes les letres des antiques saiges Ægyptiens : et estoient faictes des images diverses de arbres, herbes, animaulx, poissons, oiseaulx, instrumens : par la nature et office des quelz estoit representé ce qu'ilz vouloient designer. De icelles avez veu la divise de mon seigneur l'Admiral[21] en une ancre, instrument trespoisant[B] : et un Daulphin poisson legier sus tous animaulx du monde : laquelle aussy avoit porté Octavian Auguste, voulant designer : haste toy lentement : fays diligence paresseuse : c'est à dire expedie, rien ne laissant du necessaire. D'icelles entre les Grecs a escript Orus Apollon[22]. Pierre Colonne[23] en a plusieurs exposé en son livre Tuscan intitulé, *Hypnerotomachia Polyphili.* 273

Obelisces. Grandes et longues aiguilles de pierre : larges par le bas, et peu à peu finissantes en poincte par le hault. Vous en avez à Rome prés le temple de sainct Pierre une entiere[24], et ailleurs plusieurs aultres. Sus icelles prés le rivage de la mer l'on allumoit du feu pour luyre aux mariniers on temps de tempeste : et estoient dictes Obeliscolychnies, comme cy dessus [p. 253] est escript. 273

Pyramides. Grands bastimens de pierre, ou de

A. sacrées. B. très pesant.

25. Caramith : ville d'Arménie.

bricque quarrez, larges par le bas, et aiguz par le hault, comme est la forme d'une flambe de feu, πῦρ. Vous en pourrez veoir plusieurs sus le Nil prés le Caire. 273

Prototype. Premiere forme. Patron. Model. 273

Parasanges. Entre les Perses estoit une mesure des chemins contenente trente stades. Herodotus *lib. 2.* 277

Aguyon. Entre les Bretons et Normans mariniers est vent doulx, serain, et plaisant, comme en terre est Zephyre. 297

Confallonnier. Porte enseigne. Tuscan. 297

Ichthyophages. Gens vivens de poisson. En Æthiopie interieure prés l'Ocean occidental. Ptoleme *libro 4. capite 9.* Strabo *lib. 15.* 297

Corybantier. Dormir les œilz ouvers. 319

Escrevisses decumanes. Grandes. Cy dessus a esté exposé. 321

Atropos. La Mort. 329

Symbole. Conference, collation. 329

Catadupes du Nil. Lieu en Ætiophie, on quel le Nil tombe de haultes montaignes, en si horrible bruyt que les voisins du lieu sont pres que tous sours, comme escript Claud. Galen. L'evesque de Caramith[25], celluy qui en Rome feut mon præcepteur en langue Arabicque, m'a dict que l'on oyt ce bruyt à plus de troys journées loing. Qui est autant que de Paris à Tours. Voyez Ptol. Ciceron *in som. Scipionis.* Pline *libr. 5. cap. 9.* et Strabo. 333

Line perpendiculaire. Les architectes disent tombante à plomb. Droictement pendente. 337

Montigenes. Engendrez es montaignes. 345

26. C'est la glose apparemment la plus contestable de la « Briefve declaration ». A. Tournon, « La "Briefve declaration" n'est pas de Rabelais », *Études rabelainiennes*, XIII, 1976, p. 136, constate : « Pour boiter du pied gauche, Vulcain doit avoir un nom comprenant un nombre pair de syllabes : Rabelais lit donc ''Ηφαιστος en quatre syllabes, en pratiquant (à tort, du reste) une diérèse de la diphtongue αι ; ou bien il s'en tient au mot francisé "Vulcan". En citant "Hyphaistos" *[sic]* comme trissyllabe, le glossateur rend le texte inintelligible ; à moins qu'il n'ait prétendu critiquer l'auteur [...]. » Cette glose est en rapport avec la restitution des diphtongues dans la prononciation grecque au XVIe siècle. Les « doctes » ont pu affirmer que Vulcan boitait du pied gauche en un temps où l'on pratiquait la diérèse, prononciation qui n'est plus de mise chez les humanistes. Aussi le grammairien ne peut-il que dénoncer une prononciation fautive, et tel est le sens de la glose. Elle affaiblit, certes, les déclarations des « doctes », mais, dans le texte même du chapitre (XXXVII, p. 357), la mention « Icy est à noter que les anciens se agenoilloient du pied dextre » n'avait-elle pas une même valeur critique ? Il semble que Rabelais, tout comme Agrippa, dont il s'inspire, ait porté un jugement critique sur le témoignage des doctes (voir n. 7, p. 355).

27. Columelle (Ier siècle apr. J.-C.), auteur d'un traité d'agronomie.

Hypocriticque. Faincte. Desguisée. 351

Venus en Grec a quatre syllabes Ἀφϱοδίτη, Vulcan, en a trois Ἥφαιστος[26]. 357

Ischies. Vous les appellez Sciaticques. Hernies, ruptures du boyau devallant en la bourse, ou par aiguosité[A], ou carnosité[B], ou varices, etc. 357

Hemicraines. Vous les appellez Migraines, c'est une douleur comprenente la moytié de la teste. 357

Niphleseth. Membre viril. Hebr. 389

Ruach. Vent, ou esprit. Hebr. 395

Herbes carminatives. Les quelles ou consomment ou vuident les ventositez du corps humain. 395

Jambe Oedipodicque. Enflée, grosse, comme les avoit Oedipus le divinateur, qui en Grec signifie Piedemflé. 397

Æolus. Dieu des vents. Scelon les Poëtes. 399

Sanctimoniales. À præsent sont dictes Nonnains. 399

Hypenemien. Venteux. Ainsi sont dictz les œufz des Poulles et aultres animaulx, faictz sans copulation du masle. Des quelz jamais ne sont esclous poulletz, *etc.* Arist. Pline. Columella[27]. 401

Æolipyle. Porte d'Æolus. C'est un instrument de bronze clous, on quel est un petit pertuys[C], par lequel si mettez eaue, et l'approchez du feu, vous voirez sortir vent continuellement. Ainsi sont engendrez les vents en l'aïr, et les ventositez es corps humains par eschauffemens ou concoction commencée non perfaicte, comme expose Cl. Galen. Voyez ce que en a escript nostre grand amy et seigneur monsieur Philander sus le premier livre de Victruve. 401

A. humidité. B. chair. C. trou.

28. Frize : ce terme, emprunté à l'italien, comme de nombreux termes d'architecture, n'apparaît qu'au début du XVIe siècle.

Bringuenarilles. Nom faict à plaisir, comme grand nombre d'aultres en cestuy livre. 403

Lipothymie. Defaillance de cœur. 403

Paroxysme. Accés. 405

Tachor. Un fyc au fondement. Hebr. 409

Brouet. C'est la grande halle de Millan. 409

Ecco lo fico. Voylà la figue. 409

Camp restile. Portant fruict tous les ans. 411

Voix Stentorée. Forte et haulte comme avoit Stentor. Du quel escript Homere 5. *Iliad.* Juvenal, *lib. 13.* 435

Hypophetes. Qui parlent des choses passées : comme Prophetes parlent des choses futures. 435

Uranopetes. Descendues du ciel. 437

Zoophore. Portant animaulx. C'est en un portal[A], et aultres lieux, ce que les architectes appellent frize[28] : entre l'architrave et la Coronice, on quel lieu l'on mettoit les manequins, sculptures, escriptures, et autres divises à plaisir. 437

ΓΝΩΘΙ ΣΕΑΥΤΟΝ. Congnoys toy mesmes. 439

EI. Tu es. Plutarche a faict un livre singulier de l'exposition de ces deux lettres. 439

Diipetes. Descendens de Juppiter. 439

Scholiastes. Expositeurs. 441

Archetype. Original, protraict[B]. 445

Sphacelée. Corrompue, pourrie, vermoulüe, diction frequente en Hippocrates. 447

Epode. Une espece de vers. Comme en a escript Horace. 453

Paragraphe. Vous dictez parrafe, corrompans la diction, laquelle signifie un signe ou note posée prés l'escripture. 455

A. portail. B. portrait.

29. Celerier : personne à qui l'on confie la garde des provisions.

30. Guillaume du Bellay avait été gouverneur d'une partie de la Gaule cisalpine.

Ecstase. Ravissement d'esprit. 457

Auriflue energie. Vertus[A] faisante couller l'or. 471

Decretalictonez. Meurtriers des Decretales. C'est une diction monstrueuse composée d'un mot Latin, et d'un aultre Grec. 473

Corollaires. Surcroistz. Le parsus. Ce que est adjoinct. 473

Prome conde. Despensier, celerier[29], guardian : qui serre[B] et distribue le bien du seigneur. 477

Terre sphragitide. Terra sigillata est nommée des Apothecaires. 481

Argentangine. Esquinance[C] d'argent. Ainsi feut dict Demosthenes l'avoir, quand pour ne contredire à la requeste des ambassadeurs Milesiens, des quelz il avoit repceu grande somme d'argent, il se enveloppa le coul avecques gros drappeaulx[D] et de laine, pour se excuser d'opiner, comme s'il eust eu l'esquinance. Plutarche et A. Gelli. 495

Gaster. Ventre. 499

Druydes. Estoient les pontifes et docteurs des anciens Françoys. Des quelz escript Cæsar *lib. 6. de bello Gallico.* Cicer. *lib. 1. de diuinat.* Pline *lib. 16. etc.* 501

Somates. Corps. Membres. 503

Engastrimythes. Parlans du ventre. 507

Gastrolatres. Adorateurs du ventre. 507

Sternomantes. Divinans par la poictrine. 507

Gaulle Cisalpine. Partie ancienne de Gaule entre le mons Cenis et le fleuve Rubicon prés Rimano, comprenente Piedmont, Montferrat, Astisane, Vercelloys, Millan, Mantoue, Ferrare, *etc.*[30] 509

A. énergie. B. garde. C. angine. D. morceaux d'étoffe.

Dithyrambes. Cræpalocomes. Epænons. Chansons de yvroignes, en l'honneur de Bachus. 515

Olives colymbades. Confictes. 517

Lasanon. Ceste diction est là exposée. 529

Triscasciste. Troys foys tresmaulvaise. 539

Force Titanicque. Des Geants. 539

Chaneph. Hypocrisie. Hebr. 547

Sympathie. Compassion, consentement, semblable affection[A]. 551

Symptomates. Accidens survenens aux maladies : comme mal de cousté, toux, difficulté de respirer, à Pleuresie. 551

Umbre decempedale. Tombante sus le dizieme poinct en un quadrant. 557

Parasite. Bouffon, causeur, jangleur[B], cherchant ses repües franches[C]. 557

Ganabim. Larrons. Hebrieu. 573

Ponerople. Ville des meschants. 573

Ambrosie. Viande[D] des Dieux. 581

Stygiale. D'enfer. Dict du fleuve Styx. Entre les Poëtes. 581

Da Roma, etc. Depuys Rome jusques icy je n'ay esté à mes affaires. De grace prens en main ceste fourche, et me fays paour[E]. 581

Si tu non fay, etc. Si tu ne fays aultrement, tu ne fays rien. Pourtant efforce toy de besoigner plus guaillardement. 581

Datum Camberiaci. Donné à Chambery. 583

Io ti ringratio, etc. Je te remercie beau seigneur. Ainsi faisant tu me as espargné le coust d'un clystere. 583

Bonases. Animal de Pæonie de la grandeur d'un

A. désir. B. hâbleur. C. repas gratuit. D. mets. E. peur.

31. Frere Quambouis : personnage vraisemblablement inventé.

Taureau : mais plus trappe[A]. Lequel chassé et pressé fiante loing de quatre pas et plus. Par tel moyen se saulve bruslant de son fiant le poil des Chiens qui le prochassent[B]. 583

Lazanon. Ceste Diction est exposée [p. 529]. 585

Pital. Terrine de scelle persée. Tuscan. Dont sont dicts *Pitalieri* certains officiers à Rome, qui escurent les scelles persées des reverendissimes cardinaux estans on conclave resserrez[C] pour election d'un nouveau Pape. 585

Par la Vertus Dieu. Ce n'est jurement : c'est assertion : moyenante la vertus de Dieu. Ainsi est il en plusieurs lieux de ce livre. Comme à Tholose preschoit frere Quambouis[31]. Par le sang Dieu nous feusmes rachetez. Par la vertus Dieu nous serons saulvez. 587

Scybale. Estront endurcy. 587

Spyrathe. Crotte de Chevre, ou de Brebis. 587

Sela. Certainement. Hebr. 587

A. trapu. B. pourchassent. C. enfermés.

1. La version de 1552 donne un nouveau prologue, tout en conservant de celui-ci des éléments qui trouvent place dans l'épître liminaire. Le présent prologue, où Rabelais s'amuse à prendre au sens propre et au sens figuré des expressions comme *croquer la pie* ou *cracher au bassin* ou à jouer sur les deux sens de *breviaire*, introduit les thèmes de l'insistance du public auprès de l'auteur pour la continuation de son œuvre, ainsi que celui du médecin qui soigne ses malades en leur livrant le passe-temps joyeux de son livre, opposé à tous les calomniateurs.

2. Mêmes apostrophes que dans le prologue du *Tiers livre* de 1546 ; mais *goutteur*, « celui qui boit la goutte », n'offre pas la polysémie de *goutteux*, qui pouvait avoir aussi le sens médical.

3. La paternité désigne la personne d'un père, d'un moine. L'auteur, sur la page de titre du *Quart livre* de 1548 comme sur celle du *Tiers livre* de 1546, se prétend *Calloier des Isles Hieres.*

4. Le préteur, les jours fastes, après l'audition des parties et des témoins, prononçait, en cas de demande justifiée, les trois mots suivants : *do* (*do iudicem* « je désigne un juge »), *dico* (*dico ius*, « je dis l'acte juridique en cause »), *addico* (*addico litem*, « j'assigne l'objet en litige »). Avec cette formule, les parties se retrouvaient devant le juge.

5. Plaisanterie chère à Rabelais (voir p. 47 et n. 4).

6. Breviaire : désigne aussi une sorte de bouteille, de cuir le plus souvent, en forme de livre.

7. Vraybis : euphémisme pour *Vray Dieu.*

8. Rose : sorte d'ornement d'un livre.

Appendice

PROLOGUE[1]
DU QUART LIVRE
PANTAGRUEL
[1548]

Beuveurs tresillustres, et vous goutteurs[2] tres precieux, j'ay veu, receu, ouy, et entendu l'Ambassadeur que la seigneurie de voz seigneuries ha transmis par devers ma paternité[3], et m'a semblé bien bon et facond[A] orateur. Le sommaire de sa proposition, je reduis en trois motz, lesquelz sont de tant grande importance, que jadis entre les Romains par ces trois motz le Preteur respondoit à toutes requestes exposées en jugement : par ces trois motz, decidoit toutes controversies, tous complainctz[B], procés, et differents, et estoient les jours dictz malheureux et nefastes, esquelz le Preteur n'usoit de ces trois motz, fastes et heureux, esquelz d'iceulx user souloit[C] : « Vous donnez, vous dictes, vous adjugez[4]. » O gens de bien, je ne vous peulx voir[5] ! La digne vertu de Dieu vous soit, et non moins à moy, eternellement en aide. Or çà de par Dieu. Jamais rien ne faisons, que son tressacré nom ne soit premierement loué.

Vous me donnez. Quoy ? Un beau et ample breviaire[6]. Vraybis[7] je vous en remercie : ce sera le moins de mon plus[D]. Quel breviaire fust, certes ne pensoys, voyant les reigletz[E], la rose[8], les fermailz[F], la relieure, et la couverture : en laquelle je

A. éloquent. B. plaintes en justice. C. avait l'habitude. D. le moins que je puisse faire. E. signets. F. fermoirs.

9. Sur les hiéroglyphes : voir « Briefve declaration », p. 603.

10. Crocquer la pie signifie « boire », avec équivoque sur *pie*, l'oiseau, et *pie*, « boisson ».

11. On notera la fréquence des rubriques lexicologiques dans les derniers ouvrages de Rabelais.

Sur la remotivation étymologique de cette expression qui se laisse lire comme un rébus, voir P. Smith, « Croquer pie », *Colloque Rabelais et Dionysos*, Montpellier, 1994. Ce critique met en évidence les renversements symboliques des caractéristiques traditionnelles de la pie et du geai, et souligne la double implication de ce début de prologue. D'une part, l'épisode fait référence à deux événements de l'année 1484 (le début de la guerre avec la Bretagne et un combat prodigieux entre les geais et les pies) mis explicitement en relation dans l'édition de 1512 de l'ouvrage d'Eusèbe de Césarée, *Chronicon.* D'autre part, le nom de Behuart pourrait se lire par anagramme Herbaut, l'ennemi de Rabelais et la pie privée faire référence à l'ami de Puy-Herbault, François le Picart. Rabelais aurait aussi joué sur la double valeur du geai dans les rébus : l'oiseau, mais aussi *j'ay*, renvoyant ainsi au *je* du narrateur.

12. Sainct Aubin du Cormier : en 1488, La Tremoille y défit le duc de Bretagne, François II.

13. Quarte : mesure de liquide correspondant au 144ᵉ d'un muid, soit moins de deux litres, le muid à Paris valant 268 litres.

14. Aiguillette (cordon servant à attacher les chausses) ferrée à un seul bout.

15. Les vols d'oiseau sur la gauche étaient pour les Romains d'heureux présage.

16. Oncle peut être utilisé au XVIᵉ siècle en l'absence de lien de parenté. Mais il peut s'agir ici d'un oncle de Rabelais, la grand-mère paternelle de l'auteur ayant épousé en secondes noces un dénommé Frappin (voir XV, p. 199 et n. 14).

17. Goitrou : dérivé de *goitre*; surnom donné au geai en raison de la proéminence de son jabot.

18. Dans les *Baliverneries et Contes d'Eutrapel* de Noël du Fail, allusion à la journée de Marhara où s'affrontèrent pies et geais.

19. Les batailles d'oiseaux ont été fréquemment évoquées. Voir la 240ᵉ *Facétie* du Pogge.

n'ay omis à considerer les Crocs et les Pies, peintes au dessus, et semées en moult belle ordonnance. Par lesquelles (comme si fussent lettres hieroglyphicques[9]) vous dictes facilement, qu'il n'est ouvraige que de maistres, et couraige que de crocqueurs de pies. Crocquer pie[10] signifie[11] certaine joyeuseté par metaphore extraicte du prodige qui advint en Bretaigne peu de temps avant la bataille donnée prés sainct Aubin du Cormier[12]. Noz peres le nous ont exposé c'est raison que noz successeurs ne l'ignorent. Ce fut l'an de la bonne vinée[A] : on donnoit là quarte[13] de bon vin et friand[B] pour une aiguillette borgne[14].

Des contrées de levant advola[C] grand nombre de Gays[D] d'un cousté, grand nombre de Pies de l'autre : tirans[E] tous vers le Ponant. Et se coustoyoient en tel ordre, que sus le soir les Gays faisoyent leur retraicte à gauche (entendez icy l'heur[F15] de l'augure) et les pies à dextre : assez prés les uns des autres. Par quelque region qu'ils passassent, ne demouroit Pie, qui ne se raliast aux Pies : ne Gay, qui ne se joingnist au camp des Gays. Tant allerent, tant volerent, qu'ilz passerent sus Angiers ville de france, limitrophe de Bretaigne, en nombre tant multiplié, que par leur vol, ilz tollissoient[G] la clarté du Soleil aux terres subjacentes. En Angiers estoit pour lors un vieux oncle, Seigneur de Sainct George, nommé Frapin[16] : c'est celuy qui a faict et composé les beaux et joyeux Noelz, en langaige Poictevin. Il avoit un Gay en delices à cause de son babil par lequel tous les survenans invitoit à boire : jamais ne chantoit que de boire : et le nommoit son Goitrou[17]. Le Gay en furie Martiale rompit sa caige, et se joignit aux Gays passans : un barbier voysin nommé Behuart, avoit une Pie privée[H] bien gallante. Elle de sa personne augmenta le nombre des Pies, et les suyvit au combat. Voicy choses grandes et paradoxes : vrayes toutesfois, veues, et averées. Notez bien tout. Qu'en advint il ? Quelle fut la fin ? Qu'il[I] en advint bonnes gens ! cas merveilleux ! Prés la croix de Malchara[18] fut la bataille[19] tant furieuse, que c'est hor-

A. vendange. B. agréable au goût. C. arriva en volant. D. geais. E. se dirigeant. F. chance favorable. G. enlevaient. H. apprivoisée. I. ce qu'il.

20. Formule biblique, fréquemment utilisée par Rabelais.

21. Piaux : équivoque avec *piot*, « vin ».

22. Phrase proverbiale laissant entendre que, malgré les apparences, les Bretons sont des hommes et non des bêtes.

23. Hermines : allusion aux armoiries de Bretagne et ensuite allusion à celles de France, les taches blanches et bleues aux ailes étant les marques distinctives du geai.

24. Jeu de mots sur invitatoire, nom d'une antienne qui se chante à matines.

25. Tinel : salle basse où l'on servait à manger pour les officiers d'une grande maison.

26. Prime : début de l'énumération des heures canoniques.

reur seulement y penser : la fin fut que les Pies perdirent la bataille, et sus le camp furent felonnement[A] occises, jusques au nombre de 2 589 362 109 sans les femmes et petis enfans[20] : c'est à dire, sans les femelles et petitz piaux[B][21], vous entendez cela : les Gays resterent victorieux : non toutesfois sans perte de plusieurs de leurs bons Souldards[C]. Dont fut dommaige bien grand en tout le pays. Les Bretons sont gens[22], vous le sçavez. Mais s'ilz eussent entendu le prodige, facilement eussent congnu que le malheur seroit de leur cousté. Car les queues des Pies sont en forme de leurs hermines[23], les Gays ont en leurs pennaiges[D] quelques pourtraictz[E] des armes de France. À propos, le Goitrou trois jours aprés retourna tout hallebrené[F], et fasché de ces guerres, ayant un œil poché. Toutesfois peu d'heures aprés qu'il eut repeu[G] en son ordinaire, il se remist en bon sens. Les Gorgias[H], Peuple, et Escolliers d'Angiers, par tourbes[I] accouroient voir Goitrou le borgne ainsi accoustré[J]. Goitrou les invitoit à boire comme de coustume, adjoustant à la fin d'un chascun invitatoire[K][24], « Crocquez pie. » Je presuppose que tel estoit le mot du guet au jour de la bataille, tous en faisoyent leur debvoir. La pie de Behuart ne retournoit point, elle avoit esté crocquée : de ce fut dict en proverbe commun, Boire d'autant[L] et à grands traictz, estre pour vray crocquer la pie. De telles figures à memoire perpetuelle feist Frapin peindre son Tinel[25] et salle basse. Vous la pourrez voir en Angiers sus le tartre[M] sainct Laurent. Ceste figure sus vostre breviaire posée me feist penser qu'il y avoit je ne sçay quoy plus que breviare. Aussi bien à quel propos me feriez vous present d'un breviaire ? J'en ay (Dieu mercy et vous) des vieulx jusques au nouveaux. Sus ce doubte ouvrant ledict breviaire, j'apperceu que c'estoit un breviare, faict par invention mirificque, et les reigletz touts à propos, avec inscriptions opportunes. Doncques vous voulez qu'à prime[26] je boive vin blanc : à tierce, sexte, et nonne, pareillement : à vespres et complies,

A. cruellement. B. petits de la pie. C. soldats. D. plumages. E. représentations. F. éreinté. G. mangé. H. élégants. I. par groupes. J. arrangé. K. invitation. L. en faisant raison. M. tertre.

27. Horace, *Épîtres*, I, XVII, v. 35.
28. Evispande Verron : personnage inconnu.
29. Voir p. 61, n. 75 pour la symbolique de ce nombre.
30. Fragment du *Départ d'Hector* de Naevius, auteur tragique latin, cité par Cicéron, *Tusculanes*, IV, XXXI, 17, et *Lettres familières*, V, XII.
31. Au feu exclusivement : plaisanterie chère à Rabelais.
32. Pour cause : formule juridique.
33. Foy de pieton : parodie de juron du type *foi de chevalier.*
34. George de la basse Egypte : personnage inconnu.
35. Cauquemarre : animal fantastique ; voir LXIV, p. 561.

vin clairet. Cela vous appellez crocquer pie : vrayement vous ne fustes oncques[A] de mauvaise pie couvez. Je y donneray requeste[B].

Vous dictes. Quoy? Qu'en rien ne vous ay fasché par tous mes livres cy devant imprimez. Si à ce propos je vous allegue la sentence d'un ancien Pantagrueliste, encores moins vous fascheray.

Ce n'est (dict il) louange populaire,
Aux princes avoir peu complaire[27].

Plus dictes que le vin du tiers livre ha esté à vostre goust, et qu'il est bon. Vray est, qu'il y en avoit peu, et ne vous plaist ce, que l'on dict communement, « Un peu et du bon » : plus vous plaist ce, que disoit le bon Evispande Verron[28], « Beaucoup et du bon. » D'abondant[C] m'invitez à la continuation de l'histoire Pantagrueline, allegans les utilitez et fruictz parceuz[D] en la lecture d'icelle, entre tous gens de bien. Vous excusans de ce, que n'avez obtemperé à ma priere, contenant qu'eussiez vous reserver à rire au septante huictiesme livre[29]. Je le vous pardonne de bien bon cueur. Je ne suis tant farouche ne implacable que vous penseriez. Mais ce que vous en disoys, n'estoit pour vostre mal. Et vous dy pour response, comme est la sentence d'Hector proferée par Nevius[30], que c'est belle chose estre loué de gens louables. Par reciprocque declaration, je dy et maintiens jusques au feu exclusivement[31] (entendez et pour cause[32]) que vous estes grandz gens de bien, tous extraictz de bons Peres et bonnes meres, vous promettant foy de Pieton[E][33], que si jamais vous rencontre en Mesopotamie, je feray tant avecques le petit conte George de la basse Egypte[34], qu'à chascun de vous il fera present d'un beau Crocodille du Nil, et d'un Cauquemarre[35] d'Euphrates.

Vous adjugez. Quoy? À qui? Tous les vieux quartiers de lune aux Caphards, Cagotz, Matagotz, Botineurs, Papelards,

A. jamais. B. J'accorderai ce qui est demandé. C. En outre. D. recueillis. E. fantassin.

36. Rabelais est coutumier de ces listes d'hypocrites. Tous les mots ici présents, à l'exception de *burgotz* (nom poitevin du hanneton ou du frelon, cité une seule autre fois, voir *Tiers livre*, XXIII, pour désigner des moines), ont déjà figuré dans les listes. Voir *Pantagruel*, XXXIV ; *Pantagrueline prognostication*, V et IX ; ici, XXXII, p. 325 et LXIV, p. 555.

37. Allemand ancien ou allemand du haut pays par rapport aux parlers de Hollande ou de Suisse.

38. Époque ancienne, par allusion aux hautes coiffures qui ont cessé d'être portées à la fin du XVe siècle.

39. Idée fréquemment exprimée.

40. Diabole, voir *Gargantua*, I ; Rabelais reprend la correspondance entre Διάβολος et l'*esprit calumniateur* dans l'épître liminaire de 1552, p. 35 et n. 30.

41. Cracher au bassin : expression signifiant « donner de l'argent » et prise au sens propre de *bassin à aumône*, récipient servant à recueillir les offrandes.

42. Anecdote empruntée aux *Moralia*, 1128 a, de Plutarque, « De latenter uiuendo » ; voir *Cinquiesme livre*, où Rabelais évoque « Philoxenus et Gnato Siciliens anciens architecques de leur monachale et ventrale volupté [...] ».

Burgotz, Patespelues, Porteurs de Rogatons[A], Chattemittes[36]. Ce sont noms horrificques[B] seulement oyant leur son. À la prononciation desquelz j'ay veu les cheveulx dresser en teste de vostre noble ambassadeur. Je n'y ay entendu que le hault Allemant[37], et ne sçay quelle sorte de bestes comprenez en ces denominations. Ayant faict diligente recherche par diverses contrées, n'ay trouvé homme qui les advouast[C], qui ainsi tolerast estre nommé ou designé. Je presuppose que c'estoit quelque espece monstrueuse de animaulx Barbares ou temps des haultz bonnetz[38] : maintenant est deperie en nature, comme toutes choses sublunaires ont leur fin et periode[D][39], et ne sçavons quelle en soit la diffinition : comme vous sçavez que subject pery, facilement perit sa denomination.

Si par ces termes entendez les calumniateurs de mes escripts, plus aptement[E] les pourrez vous nommer Diables. Car en Grec calumnie est dicte diabole[40]. Voyez combien detestable est devant Dieu et les Anges, ce vice dict, Calumnie (c'est quand on impugne[F] le bien faict, quand on mesdict des choses bonnes) que[G] par iceluy non par autre, quoy que plusieurs sembleroient plus enormes, sont les Diables d'enfer nommez et appellez. Ceulx cy ne sont (proprement parlant) diables d'enfer. Ilz en sont appariteurs[H] et ministres. Je les nomme diables noirs, blancs, diables privez, Diables domesticques[I]. Et ce que ont faict envers mes livres ilz feront (si on les laisse faire) envers tous autres. Mais ce n'est de leur invention. Je le dy, à fin que tant desormais ne se glorifient au surnom du vieux Caton le Censorin[J].

Avez vous jamais entendu que signifie, cracher au bassin[41] ? Jadis les predecesseurs de ces diables privez architectes de volupté[42], everseurs[K] d'honnesteté, comme un Philoxenus, un Gnatho, et autres de pareille farine, quand par les cabaretz et tavernes, esquelz lieux tenoient ordinairement leurs escolles, voyans les hostes estre de quelques bonnes viandes[L] et mor-

A. reliques et indulgences. B. effrayants. C. accepte. D. terme. E. convenablement. F. attaque. G. de sorte que. H. serviteurs. I. familiers. J. Caton le Censeur. K. renverseurs. L. mets.

43. Le medicin d'eau doulce, c'est celui qui n'a pour remède que de l'eau douce, c'est-à-dire pure, par opposition à l'eau ardente, par exemple, qui était un véritable médicament.

44. Feu Amer : personnage inconnu ; jeu de mots entre *doulce* et *amer*? Dans le prologue du *Cinquiesme livre*, où l'anecdote est présente, il s'agit du « medecin d'eaue douce feu Amer, nepveu de l'advocat [...] ».

45. Engipponnez : « portant un *gippon*, sorte de casaque ou de robe », vêtement ecclésiastique.

46. Poiltronitez : Rabelais a fait sur *poiltron*, « coquin », un dérivé plaisant calquant *leurs Paternités.*

47. Voir l'épître liminaire, p. 28-29, où Rabelais utilise ce passage.

ceaux friands serviz, ilz crachoient villainement dedans les platz, à fin que les hostes abhorrens leurs infames crachatz, et morveaux[A], desistassent[B] manger des viandes apposées[C] : et tout demourast à ces villains cracheurs et morveux. Pres que pareille, non toutesfois tant abominable histoire nous conte l'on du medicin d'eau doulce[43], nepveu de l'advocat de feu Amer[44], lequel disoit l'æle du chapon gras estre mauvaise, et le croppion redoutable, le col assez bon, pourveu que la peau en fust ostée : à fin que les malades n'en mangeassent, tout fust reservé pour sa bouche. Ainsi ont faict ces nouveaux Diables engipponnez[45], voyant tout ce monde en fervent appetit de voir et lire mes escriptz par les livres precedens, ont craché dedans le bassin : c'est à dire les ont tous par leur maniment conchiez, decriez, et calumniez : en ceste intention que personne ne les eust, personne ne les leust, fors leurs Poiltronitez[46]. Ce que j'ay veu de mes propres yeulx, ce n'estoit pas des aureilles : voyre jusque à les conserver religieusement entre leurs besongnes[D] de nuict, et en user comme de breviares à usage quotidian. Ilz les ont tolluz[E] es malades, es goutteux, es infortunez, pour lesquelz en leur mal esjouyr, les avois faictz et composez. Si je prenoie en cure[F] tous ceux qui tombent en meshaing[G] et maladie, jà besoing ne seroit mettre telz livres en lumiere et impression.

Hippocrates[47] ha faict un livre exprés, lequel il ha intitulé, *de l'estat du parfaict medecin* (Galien l'a illustré de doctes commentaires) auquel il commande rien n'estre au medecin (voyre jusques à particulariser[H] les ongles) qui puisse offenser le patient : tout ce qu'est au medecin, gestes, visaige, vestemens, parolles, regardz, touchement, complaire et delecter le malade. Ainsi faire en mon endroict[I], et à mon lourdoys[J] je me peine et efforce envers ceulx, que je prens en cure. Ainsi font mes compaignons de leur cousté : dont par adventure[K] sommes dictz Parabolains[L], au long faucile[M], et au grand code[N], par l'opinion

A. morves. B. renoncent à. C. servies. D. affaires. E. enlevés. F. soin. G. maladie. H. parler spécialement. I. en ce qui me concerne. J. à ma façon grossière. K. peut-être. L. charlatans. M. os de l'avant-bras. N. coude.

48. Gringuenaudiers : type d'innovation condamnée par G. Tory, *Champ Fleury*, 1529 : « Pensez qu'ilz ont une grande grace quant ilz disent, apres boyre, quiz ont le cerveau tout encornimatibulé et emburelucoqué [...] dung tas de guinguenauldes » (aux lecteurs).

49. Toute cette fin de paragraphe est reprise dans l'épître liminaire, p. 31.

50. À sçavoir mon : expression qui s'emploie pour annoncer une question à résoudre.

51. Allusion à l'influence de la lune sur la physiologie.

52. Voir *Pantagruel*, XXXIV, (« [...] sçavoir si à la verité la Lune n'estoit entiere : mais que les femmes en avoient troys quartiers en la teste »).

53. L'énumération qui suit mentionne les phases de la lune. Amphicyrce, du grec ἀμφίκυρτος, « à deux cornes », désigne la lune au premier quartier ; brisans, au quatrième jour de la croissance et desinens au vingt-sixième de la décroissance.

54. C'est ici la première attestation du mot *misanthrope* en français. Repris dans l'épître liminaire, p. 33 et la « Briefve declaration », p. 589.

55. Plutarque, *Vies des hommes illustres*, « Marc Antoine », LXX.

de deux Gringuenaudiers[A][48] aussi folement interpretée, comme fadement[B] inventée. Plus[49] y a sur un passaige du sixiesme des *Epidemies* dudict pere Hyppocrates, nous suons disputans, à sçavoir mon[50], si la face du medecin chagrin, tetricque[C], reubarbatif, mal plaisant, mal content, contriste le malade ? et au medecin la face joyeuse, sereine, plaisante, riante, ouverte, esjouyst le malade ? (Cela est tout esprouvé et certain) mais que telles contristations[D] et esjouyssemens proviennent par apprehension[E] du malade contemplant ces qualitez, ou par transfusion des espritz sereins ou tenebreux, joyeux ou tristes du medecin, ou malade : comme est l'advis des Platonicques, et Averroistes.

Puis doncques que possible n'est que de tous malades soys appellé, que tous malades je prenne en cure : quelle envie est ce, tollir es langoreux[F] et malades, le plaisir et passetemps joyeux sans offense de Dieu, du Roy, ne d'autre, qu'ilz prennent, oyans en mon absence la lecture de ces livres joyeux ? Or puis que par vostre adjudication et decret ces mesdisans et calumniateurs sont saisiz et emparez des vieux quartiers de lune[51], je leur pardonne : il n'y aura pas à rire pour tous desormais, quand voyrons ces folz lunatiques, aucuns[G] ladres[H], autres bougres[I], autres ladres et bougres ensemble, courir les champs, rompre les bancz, grinsser les dens, fendre carreaux, battre pavez, soy pendre, soy noyer, soy precipiter, et à bride avallée courir à tous les diables selon l'energie, faculté et vertu des quartiers qu'ilz auront en leurs caboches[52], croissans[53], initians, amphicyrces, brisans, et desinens. Seulement envers leurs malignitez et impostures useray de l'offre, que fist Timon le Misanthrope[54] à ses ingratz Atheniens[55]. Timon fasché de l'ingratitude du peuple Athenien, en son endroict, un jour entra au conseil public de la ville, requerant luy estre donnée audience, pour certain negoce concernant le bien public. À sa requeste fut silence faict en expectation d'entendre choses d'importance, veu qu'il estoit au conseil venu, qui tant d'an-

A. orduriers. B. sottement. C. sévère. D. tristesses. E. compréhension. F. malades. G. certains. H. lépreux. I. sodomites.

56. Faveroles : vraisemblablement nom de lieu en liaison plaisante avec une indication temporelle.

57. Voir Cicéron, *De natura deorum*, III, XCIII, et Pline, *Histoire naturelle*, préface (il y est seulement dit que Leontium avait écrit contre Théophraste et qu'elle cherchait un arbre où se pendre, expression qui était devenue proverbiale) ; Érasme, *Adages*, I, X, 21, *Suspendio deligenda arbor*.

nées au paravant s'estoit absenté de toutes compagnies, et vivoit en son privé[A]. Adonc[B] leur dist : « Hors mon Jardin secret[C] dessoubz le mur est un ample, beau, et insigne figuier, auquel vous autres messieurs les Atheniens desesperez hommes, femmes, jouvenceaux et pucelles, avez de coustume à l'escart vous pendre et estrangler. Je vous adverty, que pour accommoder[D] ma maison, je delibere dedans huictaine demolir iceluy figuier : pourtant[E] quiconques de vous autres et de toute la ville aura à se pendre, s'en depesche[F] promptement : le terme susdict expiré n'auront lieu tant apte, ne arbre tant commode. » À son exemple je denonce[G] à ces calumniateurs diaboliques, que tous ayent à se pendre dedans le dernier chanteau[H] de ceste lune. Je les fourniray de licolz[I]. Lieu pour se pendre je leur assigne entre midy et faveroles[56]. La Lune renouvellée, ilz n'y seront receuz à si bon marché, et seront contrainctz eulx mesmes à leurs despens achapter cordeaux[I], et choisir arbre pour pendaige : comme feist la seignore Leontium, calumniatrice du tant docte et eloquent Theophraste[57].

A. chez soi. B. alors. C. privé. D. rendre commode. E. c'est pourquoi. F. il s'en acquitte. G. annonce. H. quartier. I. cordes.

DOSSIER

CHRONOLOGIE

1483. Date la plus communément admise pour la naissance de Rabelais ; selon un épitaphier de l'église Saint-Paul à Paris (manuscrit du XVIIIe siècle), Rabelais serait mort en 1553 à l'âge de 70 ans. Le fait que Rabelais se traite en 1521 d'*adolescens* dans une lettre à Guillaume Budé et que Tiraqueau, en 1524, célèbre un homme savant au-delà de ce que l'on attendrait de son âge invite à la circonspection, d'autant que la date de décès fournie par l'épitaphier est erronée. D'après une tradition recueillie au XVIIe siècle, naissance à la Devinière, métairie du père de Rabelais, Antoine Rabelais, avocat au siège de Chinon, sénéchal de Lerné.

1494. Date controuvée pour la naissance de Rabelais, proposée au début du XXe siècle par Abel Lefranc à partir des circonstances de la naissance de Gargantua et largement reprise par la critique.

1511. Selon une tradition recueillie au XVIIe siècle, Rabelais aurait été novice au couvent des franciscains de la Baumette, près d'Angers.

1520. *Octobre :* Rabelais est moine au couvent des cordeliers du Puy-Saint-Martin, à Fontenay-le-Comte. Il fréquente, en compagnie de Pierre Lamy, le cercle du légiste Tiraqueau.

1524. *27 janvier :* dans une lettre adressée à Rabelais, Budé se réjouit que lui aient été rendus ainsi qu'à Pierre Lamy (qui change de communauté et passe dans celle des bénédictins de Saint-Mesmin) les livres grecs confisqués par leurs supérieurs.
Rabelais, moine de l'abbaye bénédictine de Maillezais en Poitou, protégé par Geoffroy d'Estissac, se lie avec le poète et chroniqueur Jean Bouchet ; à l'abbaye de Fontaine-le-Comte, il fréquente un cercle d'humanistes.
En tête du *De legibus connubialibus* de Tiraqueau, éloge en grec de

Tiraqueau par Rabelais. Tiraqueau y loue la traduction faite par Rabelais du livre II d'Hérodote (traduction qui ne nous est pas parvenue) et le célèbre comme un homme d'une habileté consommée *(vir supra ætatatem)* en latin et en grec et dans toutes les sciences. Vers 1524, supplique (aujourd'hui perdue) de Rabelais à Clément VII et indult du pape pour son transfert des franciscains aux bénédictins ; avant 1527, deuxième supplique pour l'autorisation de posséder des bénéfices.

1526. *6 septembre :* épître en vers écrite par Rabelais à Jean Bouchet (publiée en 1545 dans les *Epistres morales et familieres* de Bouchet). Rabelais a une réputation de poète au XVIe siècle : son nom est fréquemment cité dans les listes de poètes.

1529. Pierre de Lille, *Tria calendaria*, évoque une traduction de Lucien par Rabelais, moine de Maillezais.
Entre 1528 et 1530, hypothèse probable d'un séjour de Rabelais à Paris où il aurait commencé des études de médecine et eut une liaison (enfants légitimés en 1540).

1530. *17 septembre :* immatriculation de Rabelais sur le registre des étudiants de la faculté de médecine de Montpellier.
18 octobre : Rabelais assiste à Montpellier à la leçon d'anatomie organisée par Rondelet et présidée par Schyron.
1er novembre : Rabelais reçu bachelier en médecine.

1531. *17 avril-24 juin :* Rabelais fait un cours à Montpellier comme stagiaire ; il explique les *Aphorismes* d'Hippocrate et *l'Ars parua* de Galien.

1532. *Juin :* publication par Rabelais, chez Sébastien Gryphe, du second tome des *Epistolarum medicinalium* de Manardi avec une lettre-dédicace à Tiraqueau.
Août : traduction par Rabelais en latin de quatre traités d'Hippocrate (les *Aphorismes*, les *Pronostics*, la *Nature de l'homme*, le *Régime dans les maladies aiguës*), et du *Petit art médical* de Galien (à partir d'un manuscrit grec inédit) avec une lettre-dédicace à Geoffroy d'Estissac.
1er novembre : Rabelais est nommé médecin de l'Hôtel-Dieu de Lyon, avec un salaire annuel de 40 livres.
Publication par Rabelais chez Sébastien Gryphe, du *Cuspidii Testamentum* (qui est un faux) avec une lettre-dédicace à Amaury Bouchard en date du *4 septembre*.
Publication des *Grandes et inestimables cronicques* ; Rabelais est l'auteur de la table des matières et peut-être de l'ensemble.

Publication chez Claude Nourry, à Lyon, de *Pantagruel* sous le pseudonyme d'Alcofrybas Nasier.

Mise en vente de la *Pantagrueline prognostication* pour 1533 (ultérieurement éditions pour 1535, 1537, 1538, puis pour l'an perpétuel) et de *l'Almanach pour l'an 1533* signé de Rabelais « docteur en medecine et professeur en astrologie ».

1533. *Octobre :* une lettre de Calvin fait état des propos d'un membre de la Sorbonne, Nicolas Le Clerc, curé de Saint-André-des-Arts, qui dit avoir porté sur une liste de livres pernicieux *Pantagruel*, coupable à ses yeux d'obscénité.

1534. *17 janvier :* Rabelais touche des gages de médecin et part pour l'Italie avec l'évêque Jean du Bellay.

Février-avril : Rabelais séjourne à Rome avec Jean du Bellay et parcourt la ville en compagnie de Nicolas Leroi et Claude Chappuys pour en préparer une topographie.

Août : Rabelais, qui a repris son service à l'Hôtel-Dieu de Lyon, publie chez Sébastien Gryphe la *Topographia antiquæ Romæ* de Marliani avec une lettre-dédicace à Jean du Bellay.

Nuit du 17 au 18 octobre : affaire des Placards contre la messe affichés à Paris, Orléans, Blois et à Amboise jusque sur la porte de la chambre du roi ; suit une période de répression religieuse.

1535. *Premier trimestre :* publication de *Gargantua* (pour d'autres en 1534) à Lyon chez François Juste.

13 février : brusque départ de Lyon de Rabelais qui touche 15 livres de salaire ; les conseillers de l'hôpital n'ont pas été avertis de ce départ en relation vraisemblablement avec les mesures de répression. Le bruit court qu'il est à Grenoble.

15 juillet : Rabelais part à Rome avec Jean du Bellay (qui a été nommé cardinal le 22 mai).

Août 1535-mai 1536 : second séjour de Rabelais à Rome : il demande au pape Paul III (supplique du *10 décembre*) l'absolution de son apostasie (abandon de l'habit de moine pour celui de prêtre séculier) et sollicite l'autorisation de passer dans un autre monastère bénédictin. Trois lettres à Geoffroy d'Estissac écrites de Rome ont été conservées.

1536. *17 janvier :* supplique de Rabelais (qui demande l'autorisation de posséder des bénéfices et d'exercer la médecine) et bref de Paul III l'autorisant à exercer la médecine (avec interdiction d'employer le fer et le feu et obligation de gratuité) et à passer dans l'abbaye bénédictine de Saint-Maur-des-Fossés.

Fin février : départ secret de Rome du cardinal Jean du Bellay.

11 avril : départ de Rome des serviteurs du cardinal du Bellay, dont vraisemblablement Rabelais.

21 juillet : le cardinal du Bellay, gouverneur de Paris, fait fortifier la ville.

17 août : installation du chapitre de Saint-Maur : Rabelais est l'un des neuf chanoines prébendés.

Date présumée de naissance de Théodule, fils naturel de Rabelais, mort à l'âge de deux ans.

1537. *Février :* Rabelais assiste à Paris au banquet offert à Étienne Dolet en compagnie de Budé, Bérauld, Danès, Toussain, Macrin, Bourbon, Visagier et Marot.

22 mai : Rabelais est reçu docteur en médecine à Montpellier.

10 août : Rabelais est inquiété pour avoir envoyé à Rome une lettre offrant des indiscrétions dangereuses.

Du 18 octobre au 14 avril 1538 : Rabelais fait à Montpellier un cours sur les *Pronostics* d'Hippocrate.

17 novembre : Rabelais reçoit un écu d'or pour une démonstration d'anatomie.

1538. Installation de Guillaume du Bellay (frère du cardinal), seigneur de Langey, comme gouverneur du Piémont.

16 juillet : Rabelais assiste à l'entrevue d'Aigues-Mortes entre François Ier et Charles Quint.

Publication du *Disciple de Pantagruel* dont Rabelais s'est inspiré dans le *Quart livre* et le *Cinquiesme livre.*

1539. Publication des *Stratagemata* chez Sébastien Gryphe (consacré par Rabelais à la politique de Guillaume du Bellay en Italie, en Allemagne et en Suisse), ouvrage aujourd'hui perdu.

Fin de l'année : départ probable de Rabelais pour Turin. Mais aucun document sûr entre août 1538 et juillet 1540.

1540. *9 janvier :* François et Junie, enfants naturels de Rabelais, sont légitimés par Paul III.

Selon la correspondance de Jean de Boyssoné en date du *10 décembre*, après l'interception d'une lettre imprudente, Rabelais serait passé du Piémont à Chambéry pour rentrer en France.

Publication de *l'Almanach pour l'an M. D. XLI* signé de Rabelais, de la *Prognostication* pour 1541 signée du pseudonyme Seraphino Calbarsy.

1541. *20 mai :* Rabelais est à Turin, selon une lettre que lui envoie Guillaume Pellicier

Novembre : retour en France de Rabelais avec Guillaume du Bellay.

1542. *1er mars :* lettre de Rabelais à Antoine Hullot, avocat d'Orléans, écrite au château de Saint-Ayl près d'Orléans où Rabelais est l'hôte d'Étienne Lorens.

Mai : retour en Piémont de Guillaume du Bellay accompagné de Rabelais.

13 novembre : Rabelais est mentionné dans le testament de Guillaume du Bellay qui invite ses héritiers à doter Rabelais de bénéfices jusqu'à 300 livres tournois par an.

Décembre : départ de Guillaume du Bellay et de sa suite pour la France.

Publication chez Juste des éditions remaniées de *Gargantua* et de *Pantagruel*; de l'édition non expurgée chez Dolet. Les deux premiers livres sont réunis sous le titre *Grandes annales* par Pierre de Tours, successeur de François Juste.

Publication chez Sébastien Gryphe des *Stratagèmes*, traduction par Claude Massuau des *Stratagemata* publiés en 1539 (aujourd'hui perdue).

1543. *9 janvier :* mort de Guillaume du Bellay (né en 1491) près de Tarare, en présence de Rabelais, mentionnée dans le *Tiers livre* (XXI) et le *Quart livre* (XXVI et XXVII).

Mars : Les grandes annales... des gestes merveilleux du grand Gargantua et Pantagruel cité dans le catalogue des livres censurés par la Sorbonne.

5 mars : funérailles de Guillaume du Bellay au Mans.

30 mai : mort de Geoffroy d'Estissac.

Vers juillet : Rabelais est nommé maître des requêtes selon Claude Chappuys. Absence d'autres documents sur la vie de Rabelais jusqu'en 1546.

Publication de la *Prognostication* pour 1544, sous le pseudonyme de Seraphino Calbarsy.

1544. *Août : Les grandes annales, Pantagruel* et *Gargantua* figurent au catalogue des livres censurés par la Sorbonne.

1545. *19 septembre :* privilège royal de six ans pour l'impression du *Tiers livre* et la révision des premiers livres.

1546. Publication du *Tiers livre* à Paris chez Chrétien Wechel sous le nom de Rabelais.

Mars : retraite de Rabelais à Metz où il est nommé médecin de la ville en *avril* avec un salaire annuel de 120 livres.

31 décembre : le *Tiers livre* est inscrit sur la liste des livres censurés par la Sorbonne.
Dans la nouvelle édition du *De legibus connubialibus,* Tiraqueau a supprimé les passages concernant Rabelais.

1547. *6 février :* lettre envoyée de Metz au cardinal Jean du Bellay pour faire appel à sa générosité.
31 mars : mort de François Ier ; avènement d'Henri II ; Jean du Bellay est maintenu dans le conseil privé du nouveau roi.
10 avril : Rabelais perçoit ses gages à Metz de 1546 à 1547.
Juillet-août : probable départ de Rabelais pour Rome en qualité de médecin de Jean du Bellay qui, chef du parti français à la curie romaine, est chargé de la surintendance générale des affaires royales en Italie. Toutefois absence de documents entre mai 1547 et juin 1548.
Publication de la *Pronostication* pour 1548 sous le pseudonyme de Seraphino Calbasy.

1548. Publication de la première rédaction du *Quart livre* à Lyon.
18 juin : signature par Rabelais « medecin de Monseigneur Du Bellay » d'une quittance à Rome.

1549. Publication chez Sébastien Gryphe de *La Sciomachie* qui décrit la fête donnée *le 14 mars* à Rome à l'occasion de la naissance de Louis d'Orléans *(le 3 février).*
Juillet : grave maladie du cardinal du Bellay.
22 septembre : départ de Rome du cardinal du Bellay.
Novembre : retour à Rome du cardinal du Bellay pour le conclave après la mort de Paul III.
Attaque de Gabriel de Puy-Herbault, moine de Fontevrault, contre Rabelais dans le *Theotimus.*
Publication du *Cinquiesme livre des faictz et dictz du noble Pantagruel. Auquelz sont comprins les grans Abus et desordonnée vie de plusieurs Estatz de ce monde,* pamphlet anonyme.

1550. *15 mars :* le cardinal du Bellay résigne de Rome son évêché de Paris.
19 juillet : le cardinal du Bellay quitte Rome pour Saint-Maur.
6 août : privilège royal de dix ans accordé à Rabelais pour l'ensemble de son œuvre (dont des ouvrages en toscan).
Attaque de Calvin contre Rabelais dans le traité *Des scandales.*

1551. *18 janvier :* la cure de Saint-Martin de Meudon est concédée à Rabelais qui, quelques jours plus tard, l'afferme à Pierre Richard moyennant 140 livres de loyer : l'année suivante, il la loue à deux autres prêtres moyennant 130 livres par an. La cure de Saint-Christophe-du-Jambet avait peut-être été concédée à Rabelais dès 1545. Publication du catalogue des livres censurés par la Sorbonne en exécution de l'article XX de l'édit de Châteaubriant, qui stipulait qu'une copie du catalogue des livres condamnés par la faculté de théologie devait être affichée dans chaque librairie : les trois premiers livres de Rabelais y figurent.

1552. *28 janvier :* achevé d'imprimer de la seconde rédaction du *Quart livre* à Paris chez Michel Fezandat qui publie la même année une édition du *Tiers livre* « Reveu, et corrigé par l'Autheur, sus la censure antique ».

1er mars : le Parlement, à la requête de la faculté de théologie, suspend pour quinze jours la vente du *Quart livre.*

Octobre : bruit d'une incarcération de Rabelais.

1553. *9 janvier :* Rabelais résigne les cures de Meudon et de Saint-Christophe-du-Jambet.

Mars : Rabelais meurt probablement au début du mois ; d'après une pièce notariale en date du 14 et portant sur la succession de Rabelais, son frère Jamet Rabelais, marchand de Chinon, est son légataire universel. L'épitaphier de l'église Saint-Paul à Paris qui donnait le 9 avril pour date de décès, indiquait que Rabelais était mort rue des Jardins et avait été enterré dans le cimetière Saint-Paul.

1562. Publication de *L'Isle sonante.*

1564. Publication du *Cinquiesme livre.*

Publication des *Songes drolatiques de Pantagruel où sont contenues plusieurs figures de l'invention de maistre François Rabelais*, œuvre de François Desprez.

ACTUALITÉ POLITIQUE ET RELIGIEUSE

Le lecteur trouvera ici les faits marquants nécessaires à l'intelligence du *Quart livre* comme les rivalités, guerres et luttes d'influences entre le roi de France et celui d'Angleterre, entre le roi de France et Charles Quint, entre le roi de France et le pape. L'affaire du duché de Parme, la tenue du concile de Trente divisent la Chrétienté. En politique intérieure, la répression de l'hérésie ou des mouvements sociaux est particulièrement sévère ; les entrées royales qui mettent en scène les figures allégoriques et mythologiques magnifient l'image de la royauté.

1542. *22 mai :* convocation du concile de Trente pour novembre. Il ne commencera qu'en décembre 1545.
Juillet : condamnation par le Parlement de *l'Institution de la religion chrétienne* de Calvin.
Reprise de la guerre entre François Ier et Charles Quint.
14 décembre : mort de Jacques V d'Écosse, allié de la France ; avènement de Marie Stuart née le *8 décembre.*

1543. *12 février :* Henri VIII dénonce son alliance avec la France.
22 juin : entrée en guerre d'Henri VIII ; incursions sur les côtes françaises.
12 juillet : mariage d'Henri VIII et de Catherine Parr.
Août : siège de Nice par une flotte franco-turque.

1544. *14 avril :* victoire du duc d'Enghien à Cérisoles (Piémont) sur les Impériaux.
Juillet : campagne d'Henri VIII en France.
24 juillet : Charles Quint s'empare de Vitry-en-Perthois.
17 août : capitulation de Saint-Dizier ; affolement à Paris, mais

l'empereur, confronté à des problèmes de troupes, ne poursuit pas son offensive.

13 septembre : capitulation de Boulogne face à l'artillerie anglaise.

18 septembre : paix de Crépy ; le roi de France renonce à la Savoie et au Piémont, l'empereur à ses prétentions sur la Bourgogne ; les deux souverains s'allient pour combattre le Turc ; le roi se propose d'aider l'empereur à rétablir l'unité de la foi par la tenue d'un concile.

1545. *Avril :* massacre de trois mille Vaudois en Provence, qui marque le triomphe de la politique intransigeante du cardinal de Tournon sur la politique de conciliation de Jean du Bellay.

31 mai : une armée française débarque en Écosse pour envahir le nord de l'Angleterre.

21 juillet : les Français débarquent dans l'île de Wight, puis à Douvres.

25 août : Parme et Plaisance sont érigés en duchés par le pape Paul III en faveur de son fils Pier Luigi Farnèse, alors que pour Charles Quint ces villes font partie du duché de Milan.

13 décembre : ouverture du concile à Trente, en Italie, terre d'empire, tandis que la France avait proposé Turin. La première session est consacrée à un débat sur la prédication.

1546. *18 février :* mort de Luther.

7 juin : paix d'Ardres avec l'Angleterre : Boulogne est rendue à François Ier.

Guerre de Charles Quint contre la ligue de Smalkalde.

3 août : exécution d'Étienne Dolet pour hérésie.

Les sessions du concile sont consacrées à la profession de la foi catholique, aux livres saints, à la Vulgate, au péché originel, à l'enseignement de l'Écriture.

1547. *28 janvier :* mort d'Henri VIII et avènement d'Édouard VI.

Mars : transfert du concile de Trente à Bologne. Les sessions précédentes du concile avaient été consacrées à la résidence des évêques, aux sacrements du baptême et de la confirmation. L'obligation du jeûne quadragésimal avait été réaffirmée.

31 mars : mort de François Ier et avènement d'Henri II.

24 avril : bataille de Mühlberg, victoire de Charles Quint sur les princes protestants ; dissolution de la ligue de Smalkalde.

10 septembre : Charles Quint fait assassiner Pier Luigi Farnèse. Le conclave prend l'engagement de maintenir son fils, Ottavio Farnèse, à la tête du duché.

8 octobre : établissement au Parlement de Paris d'une chambre destinée à poursuivre l'hérésie, la Chambre ardente ; elle enverra au bûcher de nombreux hérétiques.

20 octobre : Henri II défend d'aller naviguer sur les territoires revendiqués par les Portugais.

1548. Interdiction de la représentation des mystères.

15 février : décision de suspension du concile par Paul III, désavoué par Charles Quint ; elle devient effective en septembre 1549.

12 mars : Interim d'Augsbourg, concernant les affaires religieuses d'Allemagne.

Mai : révolte de la gabelle en Aquitaine.

Juin : Henri II envoie une armée de six mille homme en Écosse pour s'opposer aux Anglais ; guerre d'escarmouche entre Français et Anglais.

Juillet : prise de l'île des Chevaux en face d'Édimbourg, par les troupes françaises.

23 septembre : entrée royale d'Henri II à Lyon, préparée par Maurice Scève et Barthélemy Aneau.

Octobre : punition des révoltés d'Aquitaine.

22 décembre : Interim de Leipzig promulgué dans les territoires germaniques du Saint-Empire.

1549. *16 juin :* entrée royale d'Henri II à Paris, préparée par Philibert Delorme, Jean Martin, Thomas Sébillet. François Ier est représenté en Hercule gaulois ; Henri II en pilote des Argonautes.

27 juillet : débarquement des Français dans l'îlot de Sercq en vue de reconquérir Boulogne.

Août : blocus de Boulogne.

Septembre : suppression de la gabelle dans les provinces qui s'étaient révoltées en 1548.

17 septembre : suspension du concile de Trente.

9 novembre : mort de Paul III.

1550. *7 février :* élection de Jules III.

Mars : reddition de Boulogne.

Avril : Jules III opte pour le retour du concile à Trente, au grand mécontentement d'Henri II.

Juin : Henri II fait rédiger *l'Édit des petites dates*, « sur la réformation des abus qui se commettent es interpretations des benefices en cour de Rome ».

26 juillet : diète d'Augsbourg.

1er octobre : entrée d'Henri II à Rouen.

13 novembre : bulles de convocation du concile de Trente pour le 1er mai 1551, date reportée au 1er septembre.

1551. Jules III veut enlever le duché de Parme à Ottavio Farnèse pour le donner en fief à Charles Quint; Henri II menace de déclarer la guerre au pape.

Avril : Jules III menace d'excommunier Henri II, de le priver de son royaume et d'en confier l'investiture à Philippe, prince d'Espagne.

27 mai : Henri II signe avec Ottavio un traité d'alliance.

Jules III déclare la guerre à Ottavio et le gouverneur du Milanais envahit le Parmesan.

27 juin : édit de Châteaubriant enregistré par le Parlement le *3 septembre*; poursuite contre les réformés.

Juillet : le sultan Soliman le Magnifique à qui Henri II a fait appel propose de débarquer des troupes sur la côte génoise, ce que ne permettent pas les Génois. Le pape jette l'anathème sur Ottavio Farnèse et sur Henri II et appelle l'empereur à la rescousse. Les relations diplomatiques entre le roi et le pape sont rompues; le roi défend au clergé de verser ses redevances à Rome.

Août : envoi de troupes françaises en Italie et capitulation de Tripoli, tenue par les chevaliers de Malte, devant la flotte turque.

1er septembre : à l'ouverture du concile, refus de lecture publique de la lettre où le roi explique pourquoi il n'envoie pas de prélats à Trente.

3 septembre : l'édit de Fontainebleau coupe les vivres à la curie.

8 septembre : le pape nomme des légats auprès du roi et de l'empereur pour tenter une conciliation.

Octobre : début du siège de Metz par Charles Quint.

5 octobre : début des négociations avec le pape.

28 novembre : un légat pontifical est reçu à Fontainebleau.

Les sessions d'octobre et de novembre du concile sont consacrées à l'Eucharistie, à la pénitence et à l'extrême-onction.

1552. *Janvier :* le cardinal de Tournon est envoyé à Rome pour régler le conflit avec le pape.

15 janvier : signature du traité de Chambord (rédigé en octobre 1551), traité secret d'alliance entre la France et les princes protestants. Henri II, qui empêcherait les princes protestants de tomber sous le joug espagnol, prendrait possession des trois évêchés : une fois la coalition victorieuse, il serait procédé à l'élection d'un nouvel empereur.

Février : acquittement des inculpés dans les massacres des Vaudois.

12 février : déclaration de guerre à l'empereur.
Avril : occupation des trois évêchés (Metz, Toul, Verdun) par les Français.
Avril : décret de suspension du concile pour deux ans.

LA PREMIÈRE RÉDACTION DU *QUART LIVRE* (1548)

En 1548, paraît un *Quart livre* en onze chapitres (correspondant aux chap. I, V à XII et XVI à XXV de l'édition définitive) avec un prologue particulier. Cette version s'achève à l'arrivée dans l'île des Macréons par les mots *Vray est que quia plus n'en dict,* deux formules de conclusions empruntées au langage scolastique et juridique et qui proviennent peut-être de l'imprimeur.

La critique s'est interrogée sur les raisons de ce qui semble être une publication improvisée. On a évoqué un vol de manuscrit, mais le texte contient un prologue et le privilège royal de 1550, très explicite, ne mentionne aucun incident de cette nature. On a invoqué le désir de se disculper par un ouvrage plaisant, mais c'est faire fi des chants bibliques du début et des parodies religieuses. Des raisons économiques ne seraient pas étrangères à cette publication : la lettre au cardinal du Bellay de février 1547 montre Rabelais à la recherche de subsides.

Toutefois, dans l'hypothèse ici développée[1] d'une influence du voyage de retour des Argonautes selon le récit attribué à Orphée et, dans la mesure où les Macréons s'inspirent des Macrobies orphiques qui sont aux confins des terres septentrionales connues, Rabelais a pu vouloir y arrêter sa navigation, n'ayant pas encore songé à utiliser l'au-delà des terres connues pour y transférer le monde méditerranéen de la Rome papale.

Par ailleurs, il n'est pas impossible que l'actualité politique la plus immédiate ait dicté la publication de la première rédaction. L'épisode des moutons de Panurge est lié à l'ordre de la Toison d'or de Charles Quint que n'a pas reçu le nouveau roi de France et l'épisode suivant se

1. Voir la préface, p. 13.

passe dans l'île d'Ennasin, l'île des « mal plaisans allianciers » dont la topographie évoque l'Angleterre qui, en 1543, avait dénoncé son alliance avec la France.

La forme même du texte atteste cependant la précipitation dans la publication. Au chapitre I, la nef qui portera en 1552 le nom de *Thalamège* s'appelle *Thelamane*, puis *Telamonie*. Par ailleurs, d'un point de vue stylistique, ce texte est à rapprocher du style naturel de la *Sciomachie* de 1549 ; ainsi l'ordre des mots, comme l'a relevé J. Plattard[1], n'a pas le caractère artificiel des autres livres et Rabelais apportera d'importantes modifications stylistiques en 1552.

Pour le vocabulaire maritime, il a été démontré[2] qu'en 1548, Rabelais utilise la langue du Levant apprise vraisemblablement d'un marin provençal, mais qu'en 1552, pour parler des vents et quand il ajoute la mise en cape du navire et la reprise de la route, il recourt à la langue du Ponant.

Si Rabelais a l'habitude de remettre sur le chantier ses ouvrages, il n'est aucun exemple de remaniement d'une telle ampleur, portant sur la forme, mais aussi sur la portée du texte. Dans la partie commune aux deux rédactions, des épisodes nouveaux en 1552 mettent en scène des éléments du monde contemporain : école artistique de Fontainebleau dans l'épisode de Medamothi, anecdotes concernant le seigneur de Guyercharois ou le seigneur de Basché. Pour les textes déjà présents en 1548, un certain nombre de modifications en infléchissent la signification. Les références gréco-latines fautives dans la bouche de Dindenault condamnent encore plus l'outrecuidance du marchand[3]. La tempête des dieux de 1548 devient la tempête de Dieu en 1552[4].

1. J. Plattard, *Le Quart Livre de Pantagruel (Édition dite partielle, Lyon, 1548)*.
2. R. Marichal, « Le nom des vents chez Rabelais », 1956, p. 7-28.
3. R. Marichal, « *Quart livre*. Commentaires », 1956, p. 151.
4. M.A. Screech, *Rabelais*, p. 445.

LES ÉDITIONS DU *QUART LIVRE*[1]

Première rédaction

De la première rédaction, qui a son prologue propre et qui correspond aux chapitres I et II (début), V à XII et XVI à XXV de l'édition définitive, trois éditions ont été conservées : deux éditions[2] parues à Lyon en 1548, sans nom d'éditeur, mais sorties vraisemblablement de l'atelier de Pierre de Tours, sous le titre *Le quart livre des faictz et dictz Heroiques du noble Pantagruel. Composé par M. François Rabelais Docteur en medicine, et Calloier des Isles Hieres*; une édition sans date, et avec le nom de l'éditeur Pierre de Tours et sous le titre *Quart livre des faictz et dictz Heroïques du noble Pantagruel.* Ces trois éditions n'offrent entre elles que des variantes graphiques.

Deuxième rédaction

La première édition de la deuxième rédaction (en 67 chapitres et avec un nouveau prologue) paraît à Paris chez Michel Fezandat avec un privilège du roi, sous le titre *Le quart livre des faicts et dicts Heroiques du bon Pantagruel. Composé par M. François Rabelais docteur en Medicine.* L'achevé d'imprimer est daté du 28 janvier 1552. Cer-

1. Pour le détail de l'histoire de ces éditions et de leur filiation, voir P.-P. Plan, *Bibliographie rabelaisienne*; M. Huchon, *Rabelais grammairien*; S. Rawles et M.A. Screech, *A New Rabelais Bibliography.*

2. La seconde de ces éditions est reproduite en fac-similé par R. Marichal, « Le Quart livre de 1548 », *Études rabelaisiennes,* IX, 1971, p. 131-174. Elle a servi de base à J. Plattard, *Le Quart livre de Pantagruel (Édition dite partielle, Lyon, 1548)*, Paris, Champion, 1910.

tains exemplaires offrent une « Briefve declaration d'aulcunes dictions plus obscures contenües on quatriesme livre des faicts et dicts heroicques de Pantagruel ».

Fezandat publie ensuite une autre édition semblable à la précédente (ce qui prouve le succès du livre auquel la suspension de vente décrétée par le Parlement pour quinze jours avait dû faire une publicité particulière). Certains exemplaires comportent un carton qui sert à introduire des épithètes laudatives à l'égard du « grand, victorieux et triumphant roy » et qui fait vraisemblablement référence à l'entrée victorieuse de Henri II à Metz le 18 avril 1552. L'exemplaire conservé à la Bibliothèque nationale (BN, Res Y^2 2164) offre un intérêt exceptionnel puisqu'il est corrigé de la main de Rabelais[1]. La quasi-totalité de ces corrections se retrouve dans l'édition de 1552, sans nom de lieu et d'imprimeur, qui porte la mention « Reveu et corrigé pour la seconde édition ».

Les six autres éditions connues parues en 1552 et 1553 se fondent aussi sur des exemplaires de la seconde édition de Fezandat, mais, sauf pour l'une d'entre elles, sans carton. Elles n'offrent pas toujours la « Briefve declaration ». Il n'existe pas de variantes de texte, mis à part, dans l'édition publiée en 1552 à Lyon par Baltasar Aleman à la fin du chapitre XXXII la suppression des mots « Calvins imposteurs de Geneve ».

1. Voir M. Huchon, *op. cit.*, p. 373-389, pour l'examen de ces corrections qui correspondent aux particularités du système graphique élaboré par Rabelais.

LE TEXTE DE LA PRÉSENTE ÉDITION

Le texte ici suivi est celui de l'exemplaire de la seconde édition Fezandat avec corrections autographes (BN Rés. Y^2 2164) ; mais comme cet exemplaire n'offre pas la « Briefve declaration », cet appendice est donné à partir d'un exemplaire de la première édition (BN fonds Rothschild 1514, VI. 4. 50).

Le lecteur trouvera en note les variantes de la première édition de la première rédaction (exemplaire BN Rés. Y^2 2160 bis).

Nous reproduisons le texte de la Pléiade où sont respectées la graphie et la ponctuation originales, sauf sur quelques détails de transcription mineurs (tels l'unification des accents, de l'apostrophe, l'introduction de guillemets, de tirets de dialogue).

Afin d'éviter le recours constant à un glossaire, au bas des pages de texte sont traduits ou glosés tous les termes faisant difficulté : termes disparus ou termes dont les acceptions ont changé. Chaque terme n'est expliqué qu'une fois par chapitre. Ces notes infrapaginales sont appelées dans le corps du texte par une lettre majuscule romaine placée en exposant. L'appel de variantes se fait, lui, par une lettre minuscule italique en exposant et celui de notes par un chiffre en exposant.

Les mots figurant dans la « Briefve declaration » (p. 589-615) sont signalés par un astérisque.

Dans les notes, lorsque nous reprenons les conclusions de certains de nos devanciers (à propos de sources ou d'interprétations), il arrive que nous ne mentionnions pas leur étude : on en trouvera les références dans la Pléiade.

Dans l'appareil critique, les renvois à l'antiquité ont été contrôlés par Annie Dubourdieu.

LA LANGUE DE RABELAIS

I. PARTICULARITÉS PHONÉTIQUES POUR LA LECTURE DU TEXTE[1]

1. Voyelles

— Pour les *voyelles suivies de nasales*, il existe une double articulation nasale : voyelle nasalisée + consonne nasale.

Le français moderne oppose la prononciation *bon* (voyelle nasalisée et consonne non prononcée) et *bonne* (consonne nasale mais voyelle non nasalisée). Au XVIe siècle, l'on prononce respectivement [bɔ̃n] et [bɔ̃nə].

Ainsi, le *comment* [kɔ̃mɑ̃n] *a nom?* permet une équivoque sur la première syllabe, prononcée comme *con.*

— *oi* se prononce [wɛ] (comme *ouè*). La prononciation [wa] *(oua)*, populaire, triomphera à la Révolution. La prononciation [wɛ] se réduit toutefois à [ɛ] dans un certain nombre de cas. Ainsi pour les imparfaits (toujours graphiés *-oi-*) et quelques mots comme *foible* (devenu *faible*) ou *françois (français).*

— Les *voyelles en hiatus* ont disparu de la prononciation au XIVe siècle. Ainsi *ve-u* ou *fe-is* ne sont plus prononcés en deux syllabes, mais la graphie conforme à l'ancienne prononciation survit, d'où des ambiguïtés de lecture : *peu* correspond à l'adverbe *peu* ou au participe passé *pu*, *veu* à *vœu* ou *vu.*

1. Pour une présentation plus systématique de la prononciation au XVIe siècle, voir M. Huchon, *Le Français de la Renaissance*, P.U.F., 1986, p. 83-95. La prononciation actuelle du français au Canada ou du cajun est celle qui se rapproche le plus de la prononciation du français au XVIe siècle.

— Le *o* initial s'était fermé en [u] *(cousté, souleil)*; un phénomène identique avait eu lieu pour *grous, chouse, toust,* mais la restauration de la prononciation latine tendant à faire restituer le [o], il y a hésitation. La prononciation [u], donnée comme régionale par certains grammairiens, est bien représentée aussi à la Cour : la querelle des « ouistes » et des « non-ouistes » se poursuivra au XVIIe siècle.

— Le *e* initial (lorsqu'il était en fin de syllabe) se prononçait [ə] comme par exemple dans l'actuel *devoir.* Sous l'influence de la réforme de la prononciation latine est rétablie une prononciation en [e], comme dans l'actuel *péril.* Il y a donc souvent difficulté à déterminer la prononciation, l'absence d'accent, usuelle à l'initiale au XVIe siècle, ne permettant pas de définir la prononciation adoptée.

— Le *e* final est encore prononcé dans la langue courante après consonne; il ne disparaîtra qu'au début du XVIIe siècle.

— L'influence ouvrante du [r] faisait prononcer plutôt *ar* que *er.* Ainsi, selon les grammairiens, le peuple de Paris utilisait *guarre* pour *guerre* ou *Piarre* pour *Pierre.* Par fausse régression, certains affectent une prononciation en [ɛ] *(è).* Tory, dans le *Champ Fleury* (1529), précise que « les Dames de Paris, en lieu de A pronuncent E, bien souvent, quand elles disent. Mon mery est à la porte de Peris ». On trouve ainsi, dans le *Quart livre, darriere, pervis.*

2. Consonnes

— Le *l* mouillé n'est pas encore passé à [j] : *famille* se prononce comme l'espagnol *calle.*

— Le *r* est roulé.

— Les *consonnes implosives* (c'est-à-dire en fin de syllabe devant une autre syllabe, ex. *ar-bre*) avaient disparu au XIIe siècle; *obtenir* se prononçait *otenir.* Mais la multiplication dans la graphie des consonnes appelées à marquer l'étymologie et la tendance à les prononcer en latin font restituer dans la prononciation ces consonnes. L'usage est donc panaché; ainsi pour les uns, le *d* de *admonester* est à faire entendre, pour les autres il est muet.

Le texte de Rabelais offre de très nombreuses consonnes implosives pour lesquelles il est difficile de déterminer s'il s'agit de simples graphies étymologiques ou si elles étaient articulées.

— Les consonnes finales s'étaient effacées dans la langue populaire (prononciation *papie, plaisi, resveu*). Dans la langue savante, elles sont prononcées devant une voyelle et à la pause (comme dans la prononciation actuelle de *cinq* et de *huit*).

II. L'ORTHOGRAPHE : LE SYSTÈME DE LA « CENSURE ANTIQUE » ÉLABORÉ PAR RABELAIS

L'œuvre de Rabelais est contemporaine de ce que l'on peut considérer comme la décennie la plus faste de l'histoire du français : ordonnance de Villers-Cotterêts (1539) imposant le français dans toutes les pièces juridiques, publication de la première grammaire du français (Palsgrave, 1530), du premier dictionnaire du français (Robert Estienne, 1539), instauration des signes auxiliaires (apostrophe, accents, tréma, cédille, 1530-1531).

Les grandes innovations dans l'histoire de l'orthographe du français datent du XVIe siècle : à côté de l'adoption des signes auxiliaires, il faut signaler celle de deux lettres nouvelles dans la seconde moitié du siècle : le *j* et le *v* (qui permettent de lever l'ambiguïté du *i* correspondant au *i* et au *j* et du *u* correspondant au *u* et au *v*[1]).

En 1550, avec Louis Meigret et Jacques Peletier du Mans, s'instaure un grand débat sur la réforme de l'orthographe. Même s'ils se séparent sur les modalités de cette réforme, tous deux tiennent pour une orthographe qui serait le miroir de la parole débarrassée de ses lettres superflues et de ses graphies ambivalentes. Les tenants de l'usage, tel Guillaume des Autels, opposent à ces tentatives la nécessité de marquer l'origine, de distinguer les homonymes, de souligner les familles de mots et les marques morphologiques. Si les discussions sont alors particulièrement vives, en 1531 déjà, Sylvius, dans son *In linguam gallicam Isagωge*, avait tenté l'impossible conciliation d'une écriture qui marque l'origine et d'une écriture phonétique, avec un double système de graphie, écrivant par exemple *ligons* d'après le latin *legamus*

Rabelais prend parti pour une orthographe qui marque l'origine, et il met au point un système complexe propre à souligner les corruptions phonétiques[2]. Dans l'édition Fezandat du *Tiers livre* de 1552, « Reveu, et corrigé par l'Autheur, sus la censure antique » et dans l'édition

1. Sur l'orthographe du XVIe siècle, voir N. Catach, *L'orthographe française à l'époque de la Renaissance*, Genève, Droz, 1968.

2. Sur les composantes de ce système, voir M. Huchon, *Rabelais grammairien*, Genève, Droz, 1981, p. 131-317.

Fezandat du *Quart livre* de 1552 (ici suivie), ce système, très cohérent dès le *Pantagruel* de 1534, est particulièrement bien représenté.

Dans la chaîne des éditions (l'usage étant, pour donner une nouvelle édition, de partir d'un texte déjà imprimé), ces particularités étrangères à l'usage commun disparaissent massivement dans les éditions où interviennent des correcteurs en l'absence de Rabelais, et elles sont peu à peu éliminées de celles qui ne sont que de simples copies.

Les éditions connues de la version du *Quart livre* de 1548 ne présentent pas les particularités orthographiques de Rabelais ; elles sont parallèles à des éditions du *Tiers livre* pour lesquelles l'auteur n'avait pas surveillé l'impression. Il est par ailleurs possible que l'édition princeps de ce *Quart livre* de 1548 ne nous soit pas parvenue.

Pour Rabelais, l'orthographe doit manifester l'origine. Dans son œuvre française, il n'hésite pas à prendre parti dans des discussions sur la forme même du latin. L'adoption de *letre*, dès le début de son œuvre, est ainsi une prise de position en faveur du latin *litera* qu'il utilise dans sa lettre à Guillaume Budé, au détriment de *littera*.

Les graphies étymologisantes sont particulièrement nombreuses. Ainsi écrit-il toujours *medicin* ; à partir de 1534, *poine* de ποινή, *ecclise* de *ecclesia* ou *scelon* de *secundum* ; à partir de 1546, *dipner* de δεῖπνον. C'est alors qu'il introduit massivement des graphies *æ* et *œ* pour les mots qui les possédaient en latin, comme *sphære* ou *præsent*, graphies vivement condamnées par les partisans d'une graphie phonétique. Peletier du Mans dénonce ceux qui observent les « lęttrés originallés » par crainte d'être tenus pour ignorants et qui écrivent *cœleste, fœminin, æstimer, æthiopien, sphære*. Il s'en prend aussi à ceux qui prôneraient des prononciations inusitées comme *medicin, orologe, idololatre* ou *dors*. En 1552, Rabelais introduit *idololatre*, qu'il glose dans la « Briefve declaration », et, peut-être en réponse ironique à Peletier, la forme *dours*, que Ménage, dans les *Origines de la langue françoise* de 1650, reconnaît comme spécifiquement rabelaisienne. C'est aussi la date où il généralise la forme *home* (du latin *homo*). Il fait de même pour les formes *oeilz* à la place de *yeux* et *genoilx* à la place de *genoulx*, illustrant ainsi une autre caractéristique de son système : la régularité morphologique. C'est elle qui déjà lui avait fait adopter dès 1534 *nayer* (à rapprocher de la famille de *nauf*), *davant* ou *darriere*. C'est elle également qui l'a incité à systématiser l'emploi du *z* comme marque de seconde personne du pluriel (*estez, faictez* ou *dictez* par exemple).

Par ailleurs, à côté de la filiation étymologique et de la régularité morphologique, Rabelais a mis au point un système de concurrence de graphies apte à souligner la corruption phonétique, qu'il se plaît à dénoncer dans la « Briefve declaration » :

« *Hemicraines.* Vous les appelez Migraines [...] »

« *Paragraphe.* Vous dictez parrafe, corrompans la diction [...] »

Par exemple, pour les participes présents, il ne conserve une finale en *-ent* que pour les participes latins en *-ens, -entis* qui n'ont pratiquement subi aucune modification, tel *pendent,* et il dote les autres de la finale *-ant.* Pour les mots en *g,* il utilise *gu* dans les mots d'origine inconnue ou offrant une altération phonétique : le chapitre des cuisiniers dans le *Quart livre* (XL) en est une véritable illustration, puisque le seul mot en *g* est *Gabaonite,* de bonne origine antique comparé aux *Guaillardon* ou autres *Guallepot* et *Guorgesallée.* Le suffixe *-ouoir* (dans *crachouoir, mirouoir* par exemple) s'oppose aux autres mots en *-oir,* mais sans suffixe comme *soir.* Il s'agit de plus d'une création de l'auteur à partir des formes courantes *-oir* et *-ouer.* Rabelais est ainsi familier de formes constituées de deux graphies existantes comme *houster* (de *ouster* et *hoster*), *feueille* (de *feuille* et *fueille*), ou *dours* (de *dors* et *dous*).

Rabelais a donc pris une part active dans la mise en forme du français que G. Tory en 1529, dans le *Champ Fleury,* appelait de tous ses vœux : « [...] donon nous tous courage les ungz aux aultres, et nous esveillon a la purifier. Toutes choses ont eu commencement. Quant lung traictera des Lettres, et laultre des Vocales, ung Tiers viendra / qui declarera les Dictions [...]. »

Les signes auxiliaires, les majuscules, la ponctuation sont l'objet d'une attention toute particulière des grammairiens et de Rabelais. En 1553, la *Briefve doctrine pour deuëment escripre selon la propriété du langaige Françoys* (œuvre peut-être de Geoffroy Tory et de Marot) systématise les emplois des signes auxiliaires, donnant, sauf pour la cédille, la caution de l'Antiquité.

En 1534, Rabelais introduit dans son œuvre les signes auxiliaires que l'imitation de l'Antiquité l'invitait à utiliser et en 1552 se résout à employer la cédille. Les majuscules, cofidiées par référence aux Grecs et Latins selon Jean Salomon à la fin d'un manuscrit de la *Briefve doctrine,* sont largement présentes dans l'œuvre de Rabelais pour « toutes sortes de choses portans denomination ».

Dolet publie en 1540 un petit recueil d'opuscules, partie d'un *Orateur françois* inachevé, *La maniere de bien traduire d'une langue en aultre. D'advantage, De la punctuation de la langue Francoyse. Plus. Des accents d'icelle.* Il y systématise l'emploi du « point à queue » (la virgule) et cet opuscule eut une grande influence dans les ateliers. La ponctuation, tout comme l'orthographe, peut obéir à des systèmes individuels qui peuvent parfois se superposer. Dans les éditions revues par Rabelais, elle est particulièrement stable et, dans l'ensemble des éditions publiées de son vivant, les variations touchent principalement les emplois de la virgule, les limites de la phrase n'étant que rarement modifiées, même par les correcteurs les plus entreprenants. Le parti a été pris ici de conserver la ponctuation originelle.

Rabelais s'est illustré dans des débats plus proprement grammaticaux, ainsi celui qui touche les valeurs et emplois des renforcements de la négation. Les principes de Rabelais à partir de 1534, où il élimine de nombreux emplois de *pas* et *point*, ne se démentent pas. Il alloue à tous les renforcements une valeur positive, à l'exception de *nul* — ce qui lui permet d'introduire dans le *Quart livre* de 1552 son fameux *ulle* : « Reste il icy [...] ulle ame moutonniere ? » Il a distingué les renforcements directement hérités dans cette fonction du latin (comme *jà* ou *onques*) de ceux que s'est créés le français *(pas, point, mie, goutte)*; ces derniers, le plus souvent placés après le verbe, se doivent d'être reliés sémantiquement à celui-ci, ce qui entraîne une diminution drastique des emplois de *pas* et *point*, et l'on peut penser que Meigret, en 1550, s'en prend à Rabelais en invectivant celui qui voudrait « casser pas et point » au nom de l'étymologie, alors qu'ils sont devenus les compléments indispensables de la négation.

Cet exemple des renforcements de la négation montre un usage artificiel de certaines particularités grammaticales de Rabelais ; cette « seconde manière » de l'auteur se caractérise aussi par des modifications syntaxiques affectant l'ordre des mots. Dans les textes de rédaction plus hâtive, comme le *Quart livre* de 1548 ou *La Sciomachie*, apparaît un style beaucoup plus naturel et proche de la langue courante[1].

III. LES IDÉES LINGUISTIQUES DU XVIe SIÈCLE

Les recherches de Rabelais sur le français s'inscrivent dans les débats contemporains sur l'origine du langage, sur la hiérarchie des langues et sur la validité de l'imposition du nom aux choses[2].

1. Voir J. Plattard, *Le Quart livre de Pantagruel*, Champion, 1910, p. 8-23.
2. Pour une mise en perspective des théories linguistiques et sur la richesse de la réflexion sur le signe linguistique, voir C.-G. Dubois, *Mythe et langage au XVIe siècle*, Bordeaux, Ducros, 1970 ; M.-L. Demonet, *Les Voix du signe. Nature et origine du langage à la Renaissance (1480-1580)*, Champion, 1992.

La thèse théologique de la monogenèse du langage est alors communément admise, même si les théoriciens du XVIe siècle évoquent aussi les théories antiques. Selon la Genèse, Dieu créa les éléments en les nommant, et Adam donna leur nom aux êtres animés que Dieu lui présenta. Adam aurait donc reçu le libre arbitre de nommer les substances du monde, et il en aurait usé de façon non arbitraire car il avait alors la connaissance des choses. Cette langue adamique s'est trouvée divisée lors de Babel. Pour certains, la confusion aurait été totale, la langue adamique se trouvant répartie entre toutes les langues du monde ; pour d'autres, la tribu d'Heber aurait échappé au châtiment divin et l'hébreu serait donc la langue mère.

L'hébreu chez Rabelais occupe une place privilégiée, particulièrement dans le *Quart livre*, avec les noms des îles ou de Bacbuc et avec ce roi Ohabé (« mon ami ») qui, dans le royaume de Gebarim (« les forts »), parle le « languaige François Tourangeau ».

Les hommes du XVIe siècle se passionnent pour le problème de l'acquisition du langage. Est-il inné ou acquis ? Comme ses contemporains, Rabelais développe à l'envi (*Tiers livre*, XIX) la fameuse fable d'Hérodote (*Histoires*, II, II) rappelant l'expérience du roi Psammetic pour déterminer si la langue la plus ancienne était le phrygien ou l'égyptien. Il avait fait élever hors de tout commerce humain deux enfants dont le premier mot fut *becus*, « du pain » en phrygien. Pantagruel, en réfutant la fable, récuse l'idée d'une langue innée, ce qu'avait déjà fait Rabelais de façon parodique dans la naissance de Gargantua qui ne crie pas *mies, mies* (correspondant plaisant de *becus*), mais *à boire, à boire, à boire!*

Le XVIe siècle s'intéresse aussi à la convenance du mot et de la chose, reprenant les débats de l'Antiquité entre partisans de l'analogie (origine conventionnelle) et de l'anomalie (origine naturelle). Selon Rabelais, les « languaiges sont par institutions arbitraires et convenences des peuples : les voix (comme disent les Dialecticiens) ne signifient naturellement, mais à plaisir. » Rabelais, en donnant des justifications variées aux dénominations, montre qu'il tient toutefois à une justesse conventionnelle du nom. Son syncrétisme linguistique proviendrait de synthèses comme celles d'Ammonius[1] entre les idées d'Aristote sur la convention et celles de Platon, pour qui les noms sont les images des choses ; les noms, naturels au regard de leur étymologie, peuvent être les véhicules de la vérité révélée et même, en cas d'imposition arbitraire, il est possible de trouver des rapports naturels, l'instaurateur des

1. Voir M. A. Screech, *Rabelais*, Gallimard, 1992, p. 489 et suiv.

noms pouvant les avoir choisis de façon avisée, attitude que l'on retrouve dans l'imposition du nom propre. Le *Cratyle* du « divin Platon » est au cœur des discussions sur la convention et Rabelais consacre un chapitre du *Quart livre* à « un notable discours sur les noms propres des lieux et des personnes ».

Le goût des cryptogrammes et des jeux de lettres et de mots doit être replacé dans les discussions sur l'adéquation du signe et de son référent. L'anagramme est particulièrement prisée — Françoys Rabelais est Alcofrybas Nasier, mais aussi Seraphino Calbarsy, les *Sorbonisans, niborcisans* ou *saniborsans* —, ainsi que tous les jeux d'équivoques, et derrière le *flacon* de Rabelais il y a peut-être l'ivresse, mais aussi le *flac con*.

L'ambiguïté est tout à la fois objet de fascination et de condamnation. « Ces amphibologies sont estimees si frequentes entre les Grecs et Latins que les philosophes ont dit et jugé tous les mots du monde estre sujets à diverses interpretations[1]. » Personne plus que Rabelais n'a joué de l'équivoque, équivoque qui derrière *aspre aux potz* fait lire *à propos*, derrière *Baccus, baz culz*, derrière les *planettes, les plats netz*.

Mais ces analogies fortuites sont aussi « l'expression de causalités réelles », et c'est par quelque « secrète affinité » que *sage* et *présage* peuvent équivoquer, ou que le nom de Sorbonne est aussi celui d'un marais fétide, la paronymie étant aussi pour les Anciens une manière de retrouver une cause occulte[2]. Le rébus dit « de Picardie[3] » ne peut qu'être condamné, avec ses coïncidences purement arbitraires.

La hiérarchie et la filiation des langues sont objets de discussion. La découverte du gotique[4] et l'hypothèse d'une parenté des langues européennes et de certains parlers de l'Inde se feront dans la seconde partie du XVIe siècle. Pour Fabri, dans *Le grant et vray art de pleine rhetorique* (1521), le français est composé de termes dépendant du latin, de mots imposés par nos premiers pères et d'emprunts à d'autres langues. Certains grammairiens, se fondant sur le mythe de l'origine troyenne des Français développé par les historiographes de la fin du XVe siècle, et accordant foi au témoignage de César sur le parler grec des druides,

1. E. Tabourot, *Les Bigarrures*, J. Richer, 1583, f° 56 r°.
2. Voir G. Demerson, « Rabelais et l'analogie », *Études rabelaisiennes*, XIV, p. 38.
3. Voir J. Céard et J.-C. Margolin, *Rébus de la Renaissance*, Maisonneuve et Larose, 1986.
4. Voir D. Droixhe, *La Linguistique et l'Appel de l'histoire (1600-1800)*, Genève, Droz, 1978, p. 52.

privilégient le celthellénisme[1], réponse politique à la filiation latino-italienne, attisée par les ressemblances formelles que l'on se plaît à relever entre français et grec — Budé fournit des étymologies grecques, dans son livre *De asse* à certaines mesures parisiennes, et, dans ses *Commentarii linguae graecae* (1529), à des termes comme *dipner, pantoufle, parler.* Rabelais parle (ironiquement?) d'« Æsope le François. J'entens Phrygien et Troian ».

IV. LE LEXIQUE : LA CORNE D'ABONDANCE

Par rapport aux théories alors en vigueur, il semble que le système rabelaisien de la « censure antique », où le signe est doté d'une double valeur — reconnaissance de l'origine antique et manifestation des corruptions — ait pour ambition de retrouver le moule primitif des mots, de les restituer dans leur intégrité, les corruptions retrouvées et matérialisées par des signes ayant pour but d'en prévenir de nouvelles, afin que le langage ne s'éloigne pas encore un peu plus de la langue originelle.

Comme Érasme qui, dans les prononciations contemporaines, recherche les vestiges de la prononciation antique, Rabelais a mis à contribution toutes les langues et tous les dialectes, abondamment représentés dans son œuvre[2]. Il a accordé une place de choix aux formes médiévales, peut-être comme état de langue plus proche de l'origine et de nombreux mots sont attestés pour la première fois dans l'œuvre de Rabelais.

1. Langues vernaculaires

Dans la réflexion linguistique du XVIe siècle, l'italien est souvent apprécié en termes conflictuels. Du Bellay, dans *La Deffence, et illustration de la Langue Francoyse*, et son contradicteur Barthélemy Aneau, dans le *Quintil horatian*, s'accordent à dénoncer les « corruptions italiques » et, ultérieurement, les ouvrages d'Henri Estienne seront autant de charges contre la Cour italianisée sous l'influence de l'entourage de Catherine de Médicis. L'attitude de Rabelais, qui aurait écrit en toscan des ouvrages qui ne nous sont pas parvenus, est beaucoup plus proche

1. Voir C.-G. Dubois, *Celtes et Gaulois au XVIe siècle*, Vrin, 1972.
2. Pour la richesse des emprunts rabelaisiens, voir L. Sainéan, *La Langue de Rabelais*, E. de Boccard, 1922 ; K. Baldinger, *Études autour de Rabelais, Études rabelaisiennes*, XXIII, 1990.

de celle de Lemaire de Belges qui, dans *La Concorde des deux langaiges* (1513), avance les termes d'une conciliation sur la question de la prééminence du français ou du toscan, précisant que les Français en Italie se délectent de ce dernier langage à cause de sa « magnificence, elegance et douceur ». Alors que la vague d'emprunts à l'italien est comparable à celle de l'anglo-américain actuel, Rabelais ne condamne pas ces apports massifs qu'il a contribué à divulguer.

Le XVIe siècle emprunte à l'italien de nombreux termes du vocabulaire militaire, principalement dans la seconde moitié du règne de François Ier, où celui-ci réorganise son armée sur le modèle italien, l'occupation française du Piémont jouant sur ce plan un rôle stratégique. Les termes militaires d'origine transalpine sont nombreux chez Rabelais : *bastion, caporal, embuscade.* Le vocabulaire de la navigation est également renouvelé par l'apport italien : *bourrasque, cole, transpontin* se trouvent dans la tempête du *Quart livre*; Rabelais utilise *fougon, fortunal, boussole, gabie, garbin, phanal.*

Le commerce et l'industrie sont aussi représentés. Rabelais parle de *denare, faciende.* L'équitation n'est pas oubliée avec *voltiger*, non plus que les jeux : *à la mourre.* Rabelais introduit dans la langue française, en 1552, *cervelat*, ainsi que *macaron.*

Dans la « Briefve declaration », Rabelais individualise certains termes toscans : *trois rases d'angonnages, confalonnier, pital.* Dans ses lettres, il recourt souvent aux emprunts italiens, et, dans son œuvre, quelque 80 emprunts demeurés en français sont attestés pour la première fois. *La Sciomachie* fourmille d'italianismes : *ballon, cadre, gondole, soutane.*

Les autres langues vernaculaires ne sont pas aussi bien représentées. Les langues germaniques sont surtout à mentionner pour les termes utilisés par les mercenaires, Suisses et lansquenets, essentiellement termes de beuverie ou jurons *(brinde).* Dans la « Briefve declaration », Rabelais évoque son précepteur en « langue arabicque » et la lettre de Gargantua (*Pantagruel*, VIII) invitait Pantagruel à apprendre l'arabe. Des termes de médecine ou de pharmacie arabes sont employés : *alkatin, mirach, siphac, nucque, rasette.* Mais de toutes les langues contemporaines utilisées par Rabelais, c'est l'italien qui reste le principal pourvoyeur.

2. *Langues anciennes*

Rabelais, « homme de grans lettres Grecques et Latines », a adapté massivement ces deux langues au français. Les hellénismes sont particulièrement nombreux dans son œuvre. La « Briefve declaration » en explique un grand nombre, quelque 80 sur les 178 articles. *Mythologie, prosopopée, misanthrope, anagnoste* y sont ainsi commentés. Rabelais fournit dans le corps même de ses romans l'équivalence ou la définition d'un certain nombre d'entre eux, tel « l'hippodrome (qui estoit le lieu où l'on pourmenoit et voultigeoit les chevaulx) ».

L'œuvre de Rabelais offre de très nombreux termes grecs attestés là pour la première fois. Ainsi, dans le *Quart livre* : *daphné, hypogée, mystagogue, plevre, scatophage.*

La langue grecque a aussi été mise à contribution dans les anthroponymes. Les Gargantuistes sont tous dotés de noms grecs. Ainsi les capitaines se nomment-ils *Acamas,* « infatigable », *Ithybole,* « lancé en ligne droite », *Phrontiste,* « prudent ». Les pages et écuyers sont *Eudemon,* « fortuné », *Anagnoste,* « lecteur », *Rhizotome,* « coupeur de racines ».

Dans tous les cas, Rabelais valorise la langue grecque, alors qu'il parodie certains travers de l'usage du latin : latinisme outranciers de l'écolier limousin, latin de cuisine et langue de la prédication de Janotus de Bragmardo. Certains des termes mêmes employés par l'écolier limousin sont cependant devenus tout à fait courants et l'œuvre de Rabelais est une mine pour les premières attestations des latinismes. Dans le *Quart livre* apparaissent pour la première fois : *ejaculation, eolipyle, exotique, sublunaire, supputer, ventriloque.*

Toutes ces premières attestations de mots aujourd'hui parfaitement acclimatés montrent que la langue de Rabelais, paradoxalement, était beaucoup moins familière pour le lecteur du XVIe siècle que pour celui du XXe, qui a assimilé maints hellénismes et maints latinismes et s'est familiarisé avec les vocabulaires techniques qui devaient décontenancer les contemporains de Rabelais.

Celui-ci s'amuse tout particulièrement de formations à partir de suffixes latins, comme les *decretalicides, decretalifuges, concilipetes* ou *romipetes.*

Rabelais aime aussi les chimères linguistiques qui allient latin et grec comme les *decretaliarches* ou les *decretalictones,* grec et français comme *matagraboliser* (de ματαίος, « frivole », et *grabeler,* « examiner attentivement »).

3. *Langue médiévale et dialectes*

La distinction n'est pas aisée à faire entre mots devenus archaïques après le XVIe siècle et mots qui avaient disparu et que Rabelais réintroduit, mots qu'il a pu trouver dans de vieux manuscrits, mais aussi mots qui pouvaient subsister dans l'usage oral. L'archaïsme devait plaire au public : Marot, dans le prologue de l'édition de 1537 des *Œuvres de Françoys Villon* revue par ses soins, dit n'avoir pas touché à l'antique façon de parler du poète, et Ronsard évoque le « bon Bourgeois ou Citoyen » qui fait « un lexicon des vieils mots d'Artus, Lancelot et Gauvain ». L'archaïsme est chez Rabelais lexical ou syntaxique ; ainsi l'absence de pronom personnel sujet renvoie à une habitude médiévale.

L'une des grandes originalités de Rabelais est l'utilisation de mots régionaux ; sont valorisés les dialectes à l'instar du grec. La Pléiade préconisera ultérieurement l'enrichissement par les dialectes. Peletier du Mans, dans son *Art poetique* (1555), invite le poète à apporter des « mots Picards, Normands et autres qui sont sous la couronne : Tout est Francois puisqu'ils sont du pays du Roi. C'est un des plus insignes moyens d'accroistre nostre Langue : et c'est celui par lequel les Grecs se sont faits si plantureux. »

Même si la question des régionalismes est à reprendre dans le détail depuis les travaux de L. Sainéan, ce dernier trace les grandes lignes de la cartographie dialectale de Rabelais.

Bretagne et Normandie ont fourni des termes nautiques *(aguyon, grain, raz).* Les patois de l'Ouest sont particulièrement bien représentés : finales en *-ous* — *brenous, procultous* — ou mots comme *boussin, deniger, picote, holos, nauf. Chiquanous* et *chiquanoure* sont des formes poitevines, tout comme *feriau.* Sont angevins des termes comme *breusse, cobbir, vrillonner.* Du Berry proviennent *debeziller, freusser.* Du Lyonnais, Rabelais a emprunté *creziou, maschecroutte* ; du Dauphiné, *manillier.* Du Languedoc (le *Languegoth*, comme le dit Rabelais) viennent *canonge, coudignac, farfadet, farfouiller, fat, guarrigue, magnigoule* ; de Provence, *badaud, badin, guedoufle.* Le gascon est représenté par des termes comme *bandouillier, guavache, tocqueceint, vietdaze.* Dans la « Briefve declaration », Rabelais souligne les termes propres à la Touraine : *cahin caha, marmes, merdigues, ma dia,* notant que, dans ce dernier cas, grec et parler de Touraine se retrouvent.

4. *Mots factices*

Les lecteurs du XVIe siècle, tout comme ceux d'aujourd'hui, devaient avoir quelque peine à distinguer ces emprunts à des dialectes qu'ils ne connaissaient pas, ou à une langue ancienne qu'ils ne pratiquaient pas, des créations de l'auteur.

L. Sainéan a mis en valeur certains termes qui n'appartiendraient qu'à Rabelais : *buscheteur, conciergie, legumage.* Mais comment reconnaître, lorsque la création emprunte les voies autorisées de la dérivation ou de la composition, ce qui lui est propre ?

Dans d'autres cas, le doute n'est pas permis, qu'il s'agisse de ces langues imaginaires de Panurge que l'édition de 1542 qualifie de « langaige des Antipodes », « langaige lanternois » ou « langaige du pays d'Utopie », ou de créations comme *gimbretilletolletée.* Déjà, dans *Pantagruel,* Rabelais fournit de ces mots à rallonge comme *Antipericatametanaparbeugedamphicribrationes,* qu'il développe tout particulièrement dans le *Quart livre,* où Loyre se trouve par exemple tout *esperruquancluzelubelòuzerilelu* du talon.

Tory, dans son *Champ Fleury,* après s'en être pris aux écumeurs de latin, aux plaisanteurs, vilipende une troisième race de corrupteurs du langage, « les innovateurs et forgeurs de mots nouveaux » : « Pencez quilz ont une grande grace, quand ilz disent apres boyre quilz ont le cerveau tout encornimatibulé et emburelicoqué dung tas de mirilificques et triquedondaines, dung tas de guinguenauldes et guylleroches qui les fatrouillent incessamment. » Toutes ces manières de se jouer du langage sont bien présentes dans le texte de Rabelais.

L'exceptionnelle richesse du lexique rabelaisien, l'abondance et la diversité d'origines devaient décontenancer le lecteur contemporain plus encore qu'elles n'arrêtent le lecteur moderne. Les premiers lecteurs de *Pantagruel* ou de *Gargantua* se trouvaient devant une langue originale, artificielle, volontairement compliquée, déconcertante à souhait.

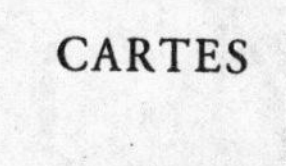

CARTES

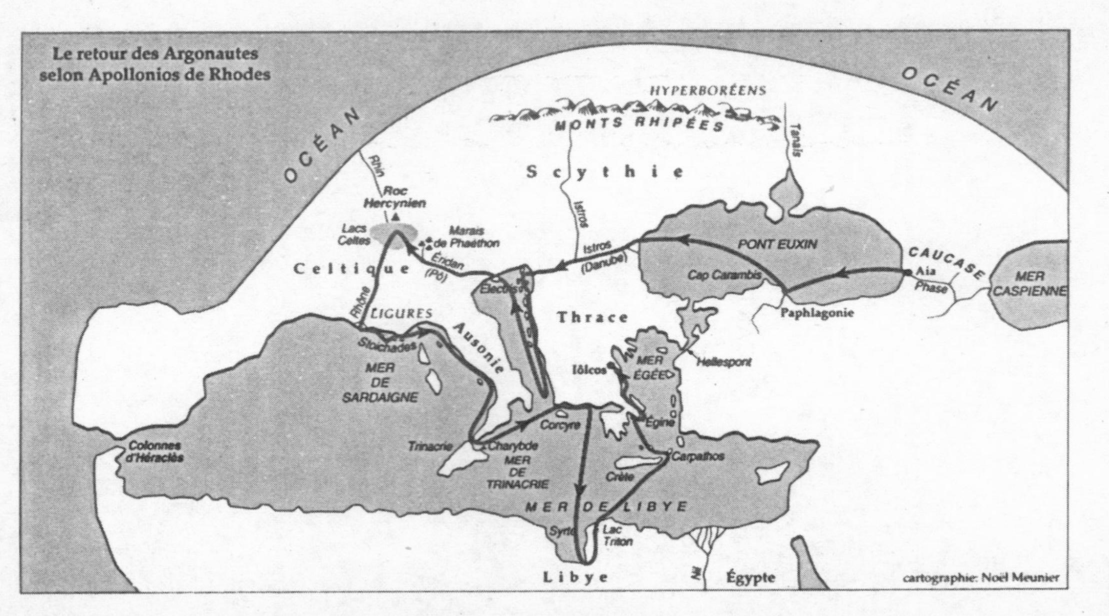

Le retour des Argonautes selon Apollonios de Rhodes

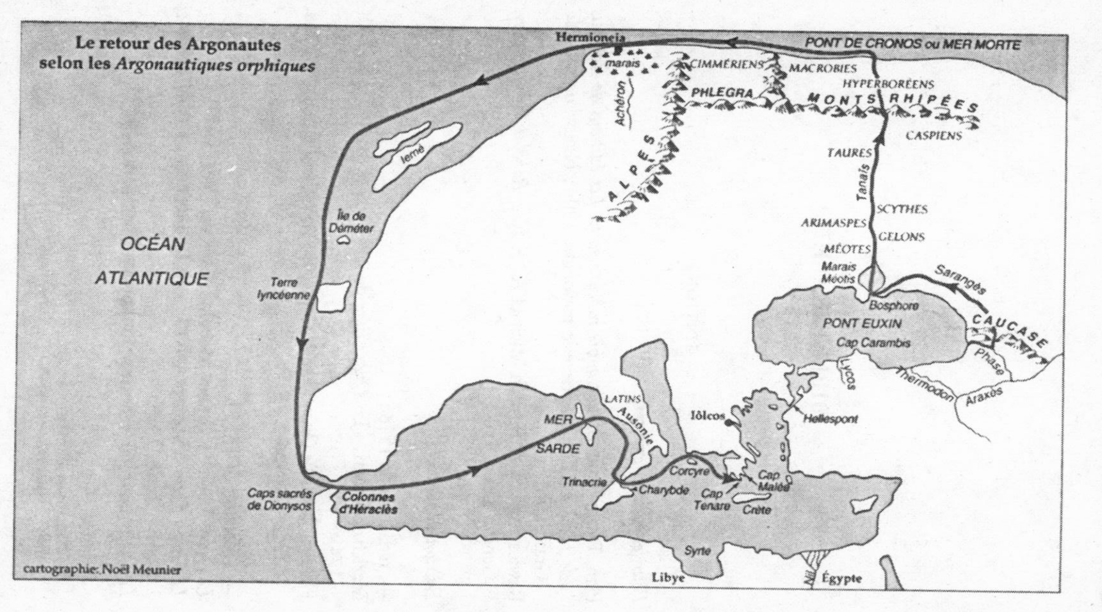
Le retour des Argonautes
selon les *Argonautiques orphiques*
Hermioneia
PONT DE CRONOS ou MER MORTE
marais
CIMMÉRIENS
MACROBIES
HYPERBORÉENS
PHLEGRA
MONTS RHIPÉES
Achéron
ALPES
CASPIENS
TAURES
Tanaïs
SCYTHES
ARIMASPES
GELONS
MÉOTES
Marais Méotis
Sarangès
Bosphore
PONT EUXIN
CAUCASE
Cap Carambis
Phase
Lycos
Thermodon
Araxès
Iernè
Île de Déméter
OCÉAN
ATLANTIQUE
Terre lyncéenne
LATINS
Ausonie
Iôlcos
Hellespont
MER
SARDE
Corcyre
Cap Maléa
Trinacrie
Charybde
Cap Ténare
Crète
Caps sacrés de Dionysos
Colonnes d'Héraclès
Syrte
Nil
cartographie: Noël Meunier
Libye
Égypte

BIBLIOGRAPHIE[1]

ÉDITIONS

Pour les éditions anciennes :

Plan, Pierre-Paul, *Bibliographie rabelaisienne. Les éditions de Rabelais de 1532 à 1711*, Imprimerie nationale, 1904 ; Nieuwkoop, B. de Graaf, 1965.

Rawles Stephen et Screech Michael A., *A New Rabelais Bibliography*, Genève, Droz, 1987.

Éditions modernes :

— rédaction de 1548 :

Marichal, Robert, « Le *Quart livre* de 1548 », *ER*, IX, 1971, p. 131-174.

Plattard, Jean, *Le Quart livre de Pantagruel (Édition dite partielle, Lyon, 1548)*, Champion, 1910.

— rédaction de 1552 :

Le Quart Livre, éd. Robert Marichal, Genève, Droz, 1947.

Le Quart Livre (chapitres I-XVII), sous la direction de Abel Lefranc, Genève, Droz, 1955.

Le Quart Livre, éd. Françoise Joukovsky, Flammarion, 1993.

1. Principales abréviations :
ER : *Études rabelaisiennes.*
BHR : *Bibliothèque d'humanisme et Renaissance.*

Le Quart Livre, éd. Gérard Defaux, Le Livre de poche, 1994.
Œuvres complètes, éd. Mireille Huchon, François Moreau, Bibliothèque de La Pléiade, Gallimard, 1994.

OUVRAGES GÉNÉRAUX

Revue des études rabelaisiennes, de 1903 à 1911 (11 volumes ; réimpression Slatkine Reprints, 1974).
Études rabelaisiennes, Genève, Droz, depuis 1953 (tome XXXIV en 1997).

*

Antonioli, Roland, *Rabelais et la médecine*, Genève, Droz, 1976.
Aronson, Nicole, *Les Idées politiques de Rabelais*, Nizet, 1973.
Bakthine, Mikhail, *L'Œuvre de François Rabelais et la culture populaire au Moyen Âge et sous la Renaissance*, traduit du russe par A. Robel, Gallimard, 1970.
Baldinger, Kurt, *Études autour de Rabelais*, Genève, Droz, 1990.
Baraz, Michaël, *Rabelais et la joie de la liberté*, Corti, 1983.
Beaujour, Michel, *Le Jeu de Rabelais*, L'Herne, 1969.
Bowen, Barbara, *The Age of Bluff : Paradox and Ambiguity in Rabelais and Montaigne*, Illinois University Press, 1972.
Cave, Terence, *The Cornucopian Text*, Oxford University Press, 1979.
Céard, Jean, *La Nature et les Prodiges*, Genève, Droz, 1977.
Chaker, Jamil, *Sémiotique narrative de l'œuvre de Rabelais*, Publications de l'Université de Tunis, 1984.
Coleman, Dorothy, *Rabelais. A critical study in Prose Fiction*, Cambridge University Press, 1971.
Cooper, Richard, *Rabelais et l'Italie*, Genève, Droz, 1991.
—, *Litterae in tempore belli*, Genève, Droz, 1997.
Cusset, Monique-Denise, *Le Pouvoir et la Transgression dans l'œuvre de Rabelais : mythe et histoire*, La Maisnie/Guy Trédaniel, 1992.
Defaux, Gérard, *Pantagruel et les sophistes*, La Haye, M. Nijhoff, 1973.
—, *Le Curieux, le Glorieux et la Sagesse du monde*, Lexington, French Forum, 1982.
—, *Marot, Rabelais, Montaigne, l'écriture comme présence*, Champion-Slatkine, 1987.
—, *Rabelais agonistes : du rieur au prophète*, Genève, Droz, 1997.

Demerson, Guy, *Rabelais* (1986), Fayard, 1991.
—, *Humanisme et facétie. Quinze études sur Rabelais*, Caen, Paradigme, 1994.
—, *L'Esthétique de Rabelais*, S.E.D.E.S., 1996.
Desrosiers-Bonin, Diane, *Rabelais et l'humanisme civil*, Genève, Droz, 1992.
Dieguez, Manuel de, *Rabelais par lui-même*, Le Seuil, 1960.
Dixon, J.E.G. et Dawson, J.L., *Concordance des œuvres de François Rabelais*, Genève, Droz, 1992.
Febvre, Lucien, *Le Problème de l'incroyance au* XVIe *siècle. La religion de Rabelais*, Albin Michel, 1942 ; 1968.
Gaignebet, Claude, *A plus hault sens. L'ésotérisme spirituel et charnel de Rabelais*, Maisonneuve et Larose, 1986, 2 vol.
Gauna, Max, *The Rabelaisian Mythologies*, Londres, Associated University Press, 1996.
Gilson, Étienne, *Rabelais franciscain*, Picard, 1924.
Glauser, Alfred, *Rabelais créateur*, Nizet, 1966.
—, *Fonctions du nombre chez Rabelais*, Nizet, Paris, 1982.
Gray, Floyd, *Rabelais et l'écriture*, Nizet, 1974.
Grève, Marcel de, *L'Interprétation de Rabelais au* XVIe *siècle*, Genève, Droz, 1961.
Heulhard, Arthur, *Rabelais, ses voyages en Italie, son exil à Metz*, Librairie de l'Art, 1891.
Huchon, Mireille, *Rabelais grammairien*, Genève, Droz, 1981.
Huguet, Edmond, *Étude sur la syntaxe de Rabelais comparée avec celle des autres prosateurs de 1450 à 1550*, Hachette, 1894 ; Genève, Slatkine Reprints, 1967.
Jeanneret, Michel, *Des mets et des mots*, Corti, 1987.
—, *Le Défi des signes. Rabelais et la crise de l'interprétation à la Renaissance*, Caen, Paradigme, 1994.
Kinser, Samuel, *Rabelais's Carnival*, Berkeley, 1984.
Krailsheimer, Alban, *Rabelais and the Franciscans*, Oxford, Clarendon Press, 1963.
Larmat, Jean, *Rabelais*, Hatier, 1991.
Lazard, Madeleine, *Rabelais l'humaniste*, Hachette, 1993.
Le Double, A., *Rabelais anatomiste et physiologiste*, Tours, 1899.
Lote, Georges, *La Vie et l'Œuvre de François Rabelais*, Droz, 1938 ; Slatkine Reprints, 1972.
Mallary Masters, G., *Rabelaisian Dialectic and the Platonic-Hermetic Tradition*, Albany, State University of New York Press, 1969.

Ménager, Daniel, *Rabelais en toutes lettres*, Bordas, 1989.
Milhe Poutingon, Gérard, *François Rabelais. Bilan critique*, Nathan, 1996.
Moreau, François, *Les Images dans l'œuvre de Rabelais. Inventaire, commentaire critique et index*, S.E.D.E.S., 1982.
—, *Un aspect de l'imagination créatrice de Rabelais. L'emploi des images*, S.E.D.E.S., 1982.
Paris, Jean, *Rabelais au futur*, Le Seuil, 1970.
Plattard, Jean, *L'Œuvre de Rabelais*, Champion, 1910 ; 1967.
Pouilloux, Jean-Yves, *Rabelais : le rire est le propre de l'homme*, Gallimard, Découvertes, 1993.
Rigolot, François, *Les Langages de Rabelais*, Genève, Droz, 1972.
Sainéan, Lazare, *La Langue de Rabelais*, E. de Boccard, 1922-1923, 2 vol.
—, *L'influence et la Réputation de Rabelais : interprètes, lecteurs et imitateurs*, Gamber, 1930.
Saulnier, Verdun-Louis, *Le Dessein de Rabelais*, S.E.D.E.S., 1957.
Schrader, Ludwig, *Panurge und Hermes*, Bonn, Romanisches Seminar der Universität, 1958.
Schwartz, Jerome, *Irony and Ideology in Rabelais*, Cambridge, 1990.
Screech, Michael A., *L'Évangélisme de Rabelais*, Genève, Droz, 1959.
—, *Rabelais*, Londres, G. Duckworth, 1979 ; traduit de l'anglais par M.-A. de Kisch, Gallimard, 1992.
Stephens, Walter, *Giants in Those Days*, Lincoln, University of Nebraska Press, 1989.
Tetel, Marcel, *Études sur le comique de Rabelais*, Florence, Olschki, 1964.
Villey, Pierre, *Marot et Rabelais*, Champion, 1923 ; 1967.
Weinberg, Florence, *The Wine and the Will; Rabelais's Bacchic Christianity*, Detroit, Wayne State University Press, 1972.

ÉTUDES SUR LE *QUART LIVRE*

Lefranc, Abel, *Les Navigations de Pantagruel. Études sur la géographie rabelaisienne*, Paris, 1905 ; Genève, Slatkine Reprints, 1967.
Saulnier, Verdun-Louis, *Rabelais dans son enquête, t. II, Étude sur le « Quart » et le « Cinquième livre »*, S.E.D.E.S., 1982.
Smith, Paul, *Voyage et écriture. Étude sur le « Quart livre » de Rabelais*, Genève, Droz, 1987.

*

Arveiller, Raymond, « La *Briefve Declaration* est-elle de Rabelais ? », *ER*, v, 1964, p. 9-10.

Berry, Alice Fiola, « "Les Mithologies Pantagruelicques". Introduction to a Study of Rabelais's *Quart Livre* », *PMLA* 92, 1977, p. 471-480.

—, « The Mix, the Mask and the Medical Farce », *Romanic review*, nº 71, 1980, p. 10-27.

Bowen, Barbara, « L'épisode des Andouilles : esquisse d'une méthode de lecture », *Cahiers de Varsovie*, VIII, 1981, p. 111-121.

—, « Lenten Eels and Carnival Sausages », *L'Esprit créateur*, XXI, 1981, p. 12-25.

Busson, Henri, « Les Églises contre Rabelais », *ER*, VII, 1967, p. 1-81.

Cave, Terence, « Transformation d'un *topos* utopique ; Gaster et le Rocher de Vertu », *ER*, XXI, 1988, p. 319-325.

—, « The Death of Guillaume du Bellay : Rabelais's Biographical Representations », *Writing the Renaissance*, French Forum, 1992, p. 43-55.

Charpentier, Françoise, « La guerre des Andouilles », *Études seiziémistes offertes à V.L. Saulnier*, Genève, Droz, 1980, p. 119-135.

Coleman, Dorothy, « Rabelais : Two Versions of the "Storm at Sea" Episode », *French Studies*, 23, 1969, p. 113-130.

Cooper, Richard, « Rabelais "architriclin dudict Pantagruel" », *Rabelais-Dionysos*, Jeanne Laffitte, 1997, p. 63-80.

Defaux, Gérard, « À propos de paroles gelées et dégelées (*Quart livre* 55-56) : "plus hault sens" ou "lectures plurielles" », *Rabelais's Incomparable Book*, French Forum, 1986, p. 155-177.

Delaunay, Paul, « Les Animaux venimeux dans l'œuvre de Rabelais », *Mélanges Lefranc*, 1936, p. 197-218.

Denoix, Lucien, « Les connaissances nautiques de Rabelais », *François Rabelais*, Genève, Droz, 1953, p. 171-180.

Desrosiers-Bonin, Diane, « Macrobe et les âmes héroïques », *Renaissance et Réforme*, XI, 1987, p. 211-221.

Downes, Michael, « Arbre = mât », *ER*, XI, 1974, p. 73-80.

Duval, Edwin M., « La messe, la cène et le voyage sans fin du *Quart livre* », *ER*, XXI, 1988, p. 131-141.

Fontaine, Marie-Madeleine, « Quaresmeprenant : l'image littéraire et la contestation de l'analogie médicale », *Rabelais in Glasgow*, Glasgow, Glasgow University, 1984, p. 87-112.

—, « Une narration biscornue : le tarande du *Quart livre* », *Mélanges Demerson*, Slatkine, 1993, p. 407-427.

Guiton, Jean, « Le mythe des paroles gelées », *Romanic Review*, XXXI, 1940, p. 1-15.

Hausmann, Frank-Rutger, « Comment doit-on lire l'épisode de "l'Isle des Papefigues" (*Quart Livre*, 45-47) ? », *ER*, XXI, 1988, p. 121-129.

Huon, Antoinette, « Le Roy Sainct Panigon dans l'imagerie populaire du XVIe siècle », *François Rabelais*, Genève, Droz, 1953, p. 210-225.

—, « Alexandrie et l'Alexandrinisme dans le *Quart Livre* : l'escale à Medamothi », *ER*, I, 1956, p. 98-111.

Jeanneret, Michel, « Les paroles dégelées (Rabelais, *Quart livre*, 48-65) », *Littérature*, n° 17, 1975, p. 14-30.

—, « Quand la fable se met à table ; nourriture et structure narrative dans le *Quart livre* », *Poétique*, n° 54, 1983, p. 163-180.

—, « "Ma patrie est une citrouille". Thèmes alimentaires chez Rabelais et Folengo », *Études de lettres*, 2, 1984, p. 25-44.

—, « Rabelais, les monstres et l'interprétation des signes (*Quart livre*, 18-42) », *Writing the Renaissance*, p. 65-76.
(Études regroupées dans : *Le Défi des signes. Rabelais et la crise de l'interprétation à la Renaissance*, Orléans, Paradigme, 1994.)

Joukovsky, Françoise, « Les narrés du *Tiers* et du *Quart Livre* », *La Nouvelle française à la Renaissance*, Genève, 1981, p. 209-221.

Krailsheimer, Alban, « The Andouilles of the *Quart Livre* », *François Rabelais*, Genève, Droz, 1953, p. 226-232.

Kritzman, Lawrence, « La quête de la parole dans le *Quart Livre* », *French Forum*, 1977, p. 195-204.

—, « Rabelais's Splintered Voyage », *Fragments : Incompletion and Discontinuity, New York Literary Forum*, 8-9, 1981, p. 53-70.

La Charité, Raymond, « Narrative strategy in Rabelais's *Quart Livre* », *Lapidary Inscriptions, French Forum*, 1991, p. 195-205.

Larmat, Jean, « Du *Quart livre de Pantagruel* de 1548 au *Quart livre* de 1552 », *Mélanges Saulnier*, Genève, Droz, 1984, p. 537-546.

Lestringant, Frank, « Fortunes de la singularité à la Renaissance : le genre de l'"Isolario" », *Studi francesi*, n° 84, 1984, p. 415-436.

—, « La famille des "tempêtes en mer" : essai de généalogie (Rabelais, Thevet et quelques autres) », *Études de lettres*, 2, 1984, p. 45-62.

—, « L'insulaire de Rabelais ou la fiction en archipel (pour une lecture topographique du *Quart Livre*) », *ER*, XXI, 1988, p. 249-274.

—, « Fictions cosmographiques à la Renaissance », *Philosophical Fic-*

tions and the French Renaissance, Londres, Warburg Institute, XIX, 1991, p. 101-125.
(Études regroupées dans *Écrire le monde à la Renaissance*, Caen, 1993.)

Lewis, John, « Rabelais and the *Disciple de Pantagruel* », *ER*, XXII, 1988, p. 101-122.

Marichal, Robert, « René Dupuy et les Chicanous », *BHR*, XI, 1949, p. 129-166.

—, « Rabelais et la réforme de la justice », *BHR*, XIV, 1952, p. 176-192.

—, « Le dernier séjour de Rabelais à Rome », *Bulletin de l'Association Guillaume Budé*, 1954, p. 104-132.

—, « L'attitude de Rabelais devant le néoplatonisme et l'italianisme », *François Rabelais*, Genève, Droz, 1953, p. 181-209.

—, « Le nom des vents chez Rabelais », *ER*, I, 1956, p. 1-28.

—, « Postel, Cartier, Rabelais et les "Paroles gelées" », *ER*, I, 1956, p. 181-182.

—, « *Quart Livre*. Commentaires », *ER*, I, 1956, p. 151-202.

—, « *Quart Livre*. Commentaires », *ER*, V, 1964, p. 65-162.

Nilles, C., « Twice-Told Tales in the prologue of the "*Quart livre*" », *Rabelais in context*, Birmingham, Alabama, 1993, p. 113-129.

—, « Reading the Ancien Prologue », *ER*, XXIX, 1993, p. 127-137.

Pot, Olivier, « Ronsard et Panurge à Ganabin », *ER*, XXII, 1988, p. 7-26.

Pouilloux, Jean-Yves, « Notes sur deux chapitres du *Quart Livre* (LV-LVI) », *Littérature*, nº 5, 1972, p. 88-94.

Rocher, G. de, « The Fusion of Priapus and the Muses : Rabelaisian Metaphors in the Prologue to the *Quart Livre* », *Kentucky Romance Quarterly*, XXVII, 1980, p. 413-420.

Schwartz, Jerome, « Rhetorical Tensions in the Liminary Texts of Rabelais's *Quart Livre* », *ER*, XVII, 1983, p. 21-36.

—, « Exemplarity in Rabelais », *Rabelais in context*, Birmingham, Alabama, 1993, p. 79-90.

Screech, Michael A., « The Death of Pan and the Death of Heroes in the Fourth Book of Rabelais », *BHR*, XVII, 1955, p. 36-55.

—, « The Winged Bacchus (Pausanias, Rabelais and later Emblematists) », *Journal of the Warburg and Courtauld Institutes*, XLIII, 1980, p. 259-262.

—, « Celio Calcagnini and Rabelaisian Sympathy », *Neo-Latin and the Vernacular in Renaissance France*, Oxford, Clarendon Press, 1984, p. 26-48.

—, « Sagesse de Rabelais. Rabelais et les “bons christians” », *ER*, XXII, 1988, p. 9-15.
(Études regroupées dans *Some Renaissance Studies*, Droz, 1992.)
Skarup, Povl, « Le Physétère et l'île Farouche de Rabelais », *ER*, VI, 1965, p. 57-59.
Smith, Paul, « Croquer pie », *Rabelais-Dionysos*, Jeanne Laffitte, 1997, p. 97-108.
Sozzi, Lionello, « Physis et Antiphysie, ou de l'arbre inversé », *Études de lettres*, 2, 1984, p. 123-133.
—, « Quelques aspects de la notion de “dignitas hominis” dans l'œuvre de Rabelais », *ER*, XXI, 1988, p. 167-174.
Stabler, A.P., « Rabelais, Thevet, l'île des Démons et les paroles gelées », *ER*, XI, 1974, p. 57-62.
Telle, Émile V., « L'Île des Alliances ou l'Anti Thélème », *BHR*, XIV, 1952, p. 159-175.
Tetel, Marcel, « La fin du *Quart livre* », *Romanische Forschungen*, LXXXIII, 1971, p. 517-527.
—, « Carnival and Beyond », *L'Esprit créateur*, XXI, 1981, p. 88-104.
—, « Le Physetère bicéphale », *Writing the Renaissance*, French Forum, 1992, p. 57-64.
Tornitore, Tonino, « Interpretazioni novecentesche dell'episodo delle “Parolles gelées” », *ER*, XVIII, 1985, p. 179-204.
—, « Parole gelate prima e dopo Rabelais. Fortuna di un topos », *ER*, XXII, 1988, p. 43-55.
Tournon, André, « La *Briefve declaration* n'est pas de Rabelais », *ER*, XIII, 1976, p. 133-138.
—, « De l'interprétation des “Mots de gueule”. Notes sur les chapitres LV-LVI du *Quart Livre* de Pantagruel », *Hommage à François Mayer*, Publications de l'Université de Provence, 1983, p. 145-153.
—, « Le paradoxe ménippéen dans l'œuvre de Rabelais », *ER*, XXII, 1988, p. 309-317.
Weinberg, Florence, « Comic and Religious Elements in Rabelais's “Tempête en mer” », *ER*, XV, 1980, p. 129-140.

LE QUART LIVRE DES FAICTS
ET DICTS HEROIQUES DU BON PANTAGRUEL

Appendice

DOSSIER

DU MÊME AUTEUR

Dans la même collection

GARGANTUA. *Préface de Michel Butor. Édition établie par Pierre Michel.*

PANTAGRUEL. *Préface de Michelet. Édition établie par Pierre Michel.*

LE TIERS LIVRE. *Préface de Lucien Febvre. Édition établie par Pierre Michel.*

Composition Interligne
Impression Grafica Veneta
à Trebaseleghe, le 21 septembre 2012
Dépôt légal : septembre 2012
1er dépôt légal dans la collection: janvier 1998

ISBN : 978-2-07-038959-9./Imprimé en Italie

247782